Noël irlandais

CAMPAGNE IRLANDAISE

Noël irlandais

PATRICK TAYLOR

Traduit de l'anglais par
Lynda Leith

ADA
éditions

Copyright © 2007 Patrick Taylor
Titre original anglais : An Irish Country Christmas
Copyright © 2016 Éditions AdA Inc. pour la traduction française
Cette publication est publiée en accord avec Tom Doherty Associates, LLC., New York, NY

Éditeur : François Doucet
Traduction : Lynda Leith
Révision linguistique : Nicolas Whiting
Correction d'épreuves : Nancy Coulombe, Féminin pluriel, Émilie Leroux
Conception de la couverture : Matthieu Fortin
Photo de la couverture : © Thinkstock
Cartes : Elizabeth Danforth
Mise en pages : Sébastien Michaud
ISBN papier 978-2-89767-536-3
ISBN PDF numérique 978-2-89767-537-0
ISBN ePub 978-2-89767-538-7
Première impression : 2016
Dépôt légal : 2016
Bibliothèque et Archives nationales du Québec
Bibliothèque et Archives Canada

Éditions AdA Inc.
1385, boul. Lionel-Boulet
Varennes (Québec) J3X 1P7, Canada
Téléphone : 450 929-0296
Télécopieur : 450 929-0220
www.ada-inc.com
info@ada-inc.com

Diffusion
Canada :   Éditions AdA Inc.
France :   D.G. Diffusion
           Z.I. des Bogues
           31750 Escalquens — France
           Téléphone : 05.61.00.09.99
Suisse :   Transat — 23.42.77.40
Belgique : D.G. Diffusion — 05.61.00.09.99

Imprimé au Canada

Crédit d'impôt livres   Gestion SODEC

Financé par le gouvernement du Canada | Canadä

Participation de la SODEC.
Nous reconnaissons l'aide financière du gouvernement du Canada par l'entremise du Fonds du livre du Canada (FLC) pour nos activités d'édition.
Gouvernement du Québec — Programme de crédit d'impôt pour l'édition de livres — Gestion SODEC.

Catalogage avant publication de Bibliothèque et Archives nationales du Québec et Bibliothèque et Archives Canada

Taylor, Patrick, 1941-

   [Irish country Christmas. Français]
   Noël irlandais
   (Campagne irlandaise ; 3)
   Traduction de : An Irish country Christmas.
   ISBN 978-2-89767-536-3
   I. Leith, Lynda. II. Titre. III. Titre : Irish country Christmas. Français. IV. Collection : Taylor, Patrick, 1941-   . Campagne irlandaise ; 3.

PS8589.A933I75914 2016   C813'.54   C2016-941714-X
PS9589.A933I75914 2016

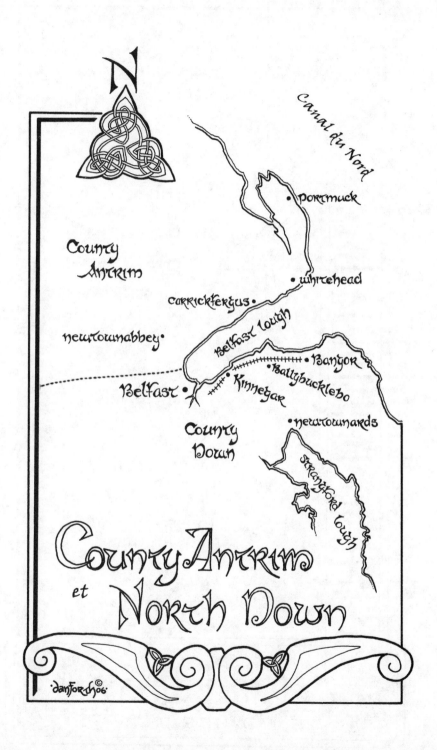

N

Canal du Nord

• portmuck

County
Antrim

• whitehead

carrickfergus •

newtownabbey •

Belfast lough

• Bangor

Belfast •

Kinnegar

Ballybucklebo

County
Down

• newtownards

Strangford lough

County Antrim
et
North Down

danforth©

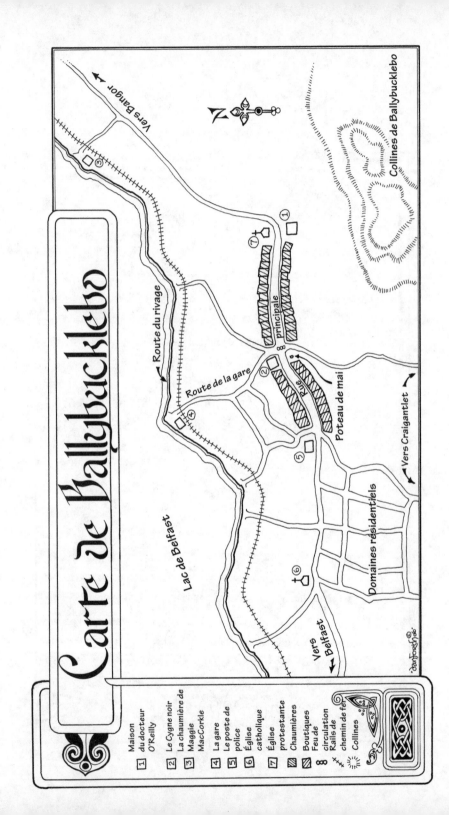

Notes de l'auteur

Les docteurs Taylor, Laverty et O'Reilly, de même que madame «Kinky» Kincaid et leurs amis et patients sont très heureux d'accueillir à nouveau les lecteurs qui connaissent déjà Ballybucklebo. Ils espèrent que vous aurez du plaisir à rencontrer les vieux amis et vous en faire de nouveaux, à visiter des endroits familiers et à en explorer de nouveaux. Vous avez vu la région en été et à l'automne. Cette fois, c'est l'hiver, Noël approche, et les oies engraissent.

Pour les lecteurs qui ne connaissent pas l'Irlande rurale de 1964, des explications de l'auteur pourraient être utiles. Voici donc quelques mots pour vous :

Je venais de terminer un roman, *Pray for Us Sinners*, la suite de *Only Wounded*, une série de nouvelles, tous les deux concernant les troubles dans l'Ulster entre 1969 et 1994. Simultanément, j'écrivais une rubrique humoristique dans *Stiches : the Journal of Medical Humour*, où le docteur Fingal Flahertie O'Reilly et les résidents de Ballybucklebo sont apparus pour la première fois en 1995. Mon éditeur chez Insomniac Press les a lues, et il a suggéré que les personnages pouvaient former les bases d'un roman. L'idée d'écrire quelque chose de plus léger que la lutte intestine était attrayante; *Le médecin irlandais* a donc pris forme.

Une fois qu'il a été terminé, j'ai terminé *Now and in the Hour of Our Death*, la suite de *Pray for Us Sinners*, mais quand cela a été fait, j'ai découvert que j'aimais bien mieux la période avant les troubles de Ballybucklebo que la division causée par la lutte sectaire entre Belfast et County Tyrone. J'ai décidé de continuer à développer les activités du groupe de médecins avec *Le village irlandais*, et le présent tome est le troisième de la série.

En écrivant ces livres, j'ai utilisé quelques expressions de la langue irlandaise. C'est un langage riche et coloré, mais souvent incompréhensible pour quiconque vient d'ailleurs. J'ai utilisé avec parcimonie ce langage, qui n'est pas beaucoup employé par la majorité des citoyens de l'Irlande du Nord.

Le cadre est un village fictif dont le nom me vient d'un professeur de français du lycée. Enragé par mon incapacité à conjuguer des verbes irréguliers, il m'a crié : « Taylor, tu es assez stupide pour venir de Ballybucklebo. » Les personnes ayant un penchant pour l'étymologie pourraient désirer connaître la signification de ce mot. « Bally » (de l'irlandais « *baile* ») est une commune — un terme géographique médiéval englobant un petit village et les fermes environnantes. « *Buachaill* » signifie « garçon », et « *bó* » est une vache. *Bailebuchaillbó* ou Ballybucklebo ? La commune de la vache du garçon.

Depuis la publication des deux premiers romans, j'ai été stupéfait par le nombre de mes amis de l'Ulster qui insistent pour essayer de localiser Ballybucklebo comme un véritable village de North Down. Il est évident que le vieux passe-temps irlandais de chasser les rêves n'est pas encore mort.

Dans mes ouvrages plus sombres, je me suis efforcé de rendre le décor et les événements historiquement exacts. Les histoires de la série sur la campagne irlandaise prennent des libertés, et le temps et les lieux sont aussi faussés qu'ils le sont à Brigadoon. Malheureusement, l'Ulster rural que j'ai dépeint a disparu. Les fermes et les villages ont toujours à peu près la même apparence, mais la simplicité de la vie rurale a été bannie par les Troubles et l'influence généralisée de la télévision, qui n'avait pas été vue en couleur dans l'Ulster avant 1967.

Le respect automatique témoigné aux personnes au sommet de la hiérarchie du village — le médecin, le professeur, le pasteur et le prêtre — est une chose du passé, mais les hommes comme O'Reilly étaient communs quand j'étais un très jeune médecin. Sur ce sujet, puis-je mettre fin une fois pour toutes à une question que mes lecteurs me posent fréquemment dans la chronique du *Stitches*? Barry Laverty et Patrick Taylor ne sont *pas* une seule et même personne. Le docteur F. F. O'Reilly est le fruit de mon esprit inquiet, malgré les efforts de certains de mes amis d'Ulster expatriés de le voir comme un praticien respecté — quoique peu orthodoxe — de la médecine de cette époque.

Lady Macbeth doit réellement son existence à notre chat possédé par le démon, Minnie. Quant à Arthur Guinness, il doit la sienne à un labrador noir, aujourd'hui disparu depuis longtemps, mais qui avait une soif insatiable pour la bière blonde Foster's. Tous les autres personnages sont de composition, tirés de mon imagination et de mes expériences de médecin de campagne.

Les jeunes médecins d'aujourd'hui ne reconnaîtraient pas les conditions dans lesquelles la médecine était pratiquée dans les années 1960, quand j'étais un médecin avec très peu d'expérience. Cinq ans plus tôt, le lien entre le Thalidomide et les malformations congénitales a été établi. En 1963, la première transplantation d'un rein provenant d'un cadavre a été réalisée à Leeds, et en 1965, la publicité sur les cigarettes a été bannie de la télévision britannique.

Ce n'est qu'en 1967 que le docteur Christiaan Barnard a fait une transplantation cardiaque à Louis Washkansky. Nous avons dû attendre jusqu'en 1978 pour le premier bébé conçu grâce à la fertilisation in vitro. Les tests de diagnostic étaient rudimentaires, autant en laboratoire que dans les services d'imagerie. Ce n'est qu'en 1979 que Godfrey Hounsfield a reçu le prix Nobel pour l'invention de la tomographie axiale informatisée, le tomodensitogramme. Dans les années 1980, la décennie qui a vu arriver l'identification du virus du SIDA, les lasers ont commencé à apparaître dans les salles d'opération. Selon les normes courantes, la pratique de la médecine moderne dans les années 1960 en était à ses balbutiements, et bien des choses dépendaient des compétences cliniques des docteurs O'Reilly de ce monde. Ils pratiquaient une médecine très différente sur des personnes réelles dont la vie et les sentiments étaient aussi importants que les maladies qui les affligeaient.

Le docteur O'Reilly m'a demandé de vous dire qu'il espère que vous aurez autant de plaisir à Ballybucklebo qu'il en a eu.

Patrick Taylor est actuellement en transition entre le Canada et l'Irlande.

2007

Remerciements

Le docteur Fingal Flahertie O'Reilly a fait sa première apparition en 1995. Son développement graduel a été gentiment supervisé par mon ami Simon Hally, éditeur de *Stitches*.

La croissance d'O'Reilly jusqu'à sa maturité a été soutenue par des personnes remarquables. D'abord, j'offre mes remerciements à Carolyn Bateman, qui me conseille pour tous mes manuscrits avant qu'ils soient soumis, les révise et les peaufine. Ensuite, je dis merci à Adrienne Weiss, qui était mon éditrice à Insomniac Press de Toronto et qui a publié cet ouvrage en premier en 2004 sous le titre *The Apprenticeship of Doctor Laverty*.

Je veux également remercier mes agentes, Susan Crawford (qui a représenté les deux premiers tomes de la série), de même que Rosie et Jessica Buckman d'Angleterre (qui s'occupent des droits à l'étranger).

Enfin, je remercie Natalia Aponte, alors rédactrice chez Tor/Forge Books, qui a accordé de la valeur à mes efforts et persuadé Tom Doherty, éditeur chez Forge Books, de partager sa confiance. Elle a toujours eu une foi indéfectible dans les habitants de Ballybucklebo. Aujourd'hui, à titre d'agente et de confidente, elle m'encourage continuellement quand ma foi faiblit.

Pendant l'écriture de *Noël irlandais*, j'ai été frappé d'anémie. Mon hématologiste et amie, la docteure

Linda Vickars de Vancouver, ne s'est pas seulement occupée de ma santé ; elle a clairement expliqué les mystères des troubles sanguins à un vieux gynécologiste, et je l'en remercie.

À vous tous, O'Reilly, Laverty et moi vous offrons nos remerciements inconditionnels.

1

Recommandez
la vieille auberge à tous vos amis

Barry Laverty — le docteur Barry Laverty — fit claquer la portière de Brunhilde, sa vieille Volkswagen Coccinelle. Il rentra les épaules pour se défendre contre le grésil et se hâta de traverser le stationnement de The Old Inn à Crawfordsburn dans le County Down. La nuit tombe rapidement au début décembre en Irlande du Nord, et à 16 h 30, la clarté lui permettait à peine de distinguer les branches dépouillées qui ballottaient et se balançaient sous le grand vent, mais il pouvait entendre celui-ci forcer son passage violemment dans la vallée derrière l'hôtel.

Il poussa la porte d'entrée à double battant de l'auberge, et il descendit les trois marches menant au hall bien éclairé, puis il cligna des paupières devant la lumière vive et releva les épaules de haut en bas de son cou quand un filet d'eau se fraya un chemin sous son col.

— Allô, John, dit-il au gérant qui se tenait derrière le bureau de la réception à l'extrémité du hall.

L'homme d'âge moyen leva les yeux et sourit.

— Bonjour, docteur.

Un peu plus d'un an auparavant, il aurait dit : « Comment vas-tu, Barry ? » L'auberge The Old Inn était située à quelques kilomètres seulement de la maison de ses parents à Bangor. Pendant ses études en médecine, il était souvent venu ici pour boire une pinte en vitesse, et John avait été à la réception depuis aussi loin que remontaient les souvenirs de Barry.

— Fichue journée, dehors, remarqua John.

— J'ai failli être enseveli.

Barry se frotta les mains ensemble.

— Il y a un chaleureux petit feu allumé dans le bar du petit salon, monsieur.

— Je me rends à la réception.

— La fête du groupe Donnelly-MacAteer se déroule dans le salon des invités, mais le docteur O'Reilly vient tout juste d'entrer dans le bar du petit salon. Il a dit de vous en informer si vous arriviez.

Barry se dit que c'était typique de Fingal Flahertie O'Reilly — le chef du cabinet où travaillait Barry — de se glisser en douce dans le bar pour boire un petit verre en vitesse. Il savait que les parents de Julie MacAteer étaient des Pionneers, des abstinents, de sorte que ce serait une de ces «fêtes au jus d'orange», comme on les qualifiait dans l'Ulster.

— Merci, dit Barry en retirant son imperméable d'un coup d'épaule. Je vais seulement laisser cela ici avant d'aller y faire un petit tour pour me réchauffer.

Il aperçut son reflet dans la glace montée à l'arrière du portemanteau. Des yeux bleus avec des cernes noirs dans un visage ovale le regardaient. À 24 ans, il était trop jeune pour que les demi-cercles sombres soient un trait permanent, mais il avait assisté à un accouchement pendant presque toute la nuit. Même s'il était fatigué, il se dit que la femme qu'il avait aidée à accoucher avait eu un petit garçon en santé de 3,4 kg et devait être beaucoup plus épuisée que lui. Il bâilla. Sa chevelure pâle était assombrie, trempée et collée sur son crâne. Au moins, la mèche de cheveux rebelle ne pointait pas comme la crête d'un morillon.

Il suspendit son manteau, se passa les mains dans les cheveux et avança dans un petit corridor recouvert de tapis jusqu'au bar. Il se demanda si Colette, la serveuse, une grosse femme maternelle, était en service ce soir-là.

Cette partie du bâtiment, il le savait, avait été une auberge de relais construite en 1614, et des générations de propriétaires, très raisonnablement, avaient préservé les murs de torchis sur rayonnage blanchis à la chaux et les lourdes poutres noires grossièrement taillées du plafond. C. S. Lewis avait résidé ici en 1958 avec sa femme, Joy, et il avait dit que cela avait été une « quinzaine parfaite ».

Barry passa une porte à sa gauche et entra dans une pièce à plafond bas où un feu de tourbe brûlait vivement dans un large foyer. Après le froid mordant du jour dehors, la chaleur était étouffante, mais l'odeur de la tourbe qui brûlait était familière et le réconfortait. Il y avait plusieurs hommes dans la pièce, la plupart debout au bar, quelques-uns dans les box à côté du mur. Il y avait le murmure des conversations. Les odeurs de tweed humide et de fumée de cigarette se mêlaient au parfum de la tourbe. Il pouvait entendre le grésil dehors cogner sur les fenêtres ornées de rideaux.

— Vous avez l'air d'un rat noyé, rugit le docteur Fingal Flahertie O'Reilly, appuyé sur le bar. Entrez et buvez un verre.

— Merci, Fingal.

— Que prendrez-vous ?

Barry se frotta rapidement les mains ensemble, sentant le picotement tandis que la circulation reprenait.

— Un whiskey chaud, s'il vous plaît.

O'Reilly se tourna vers la serveuse debout derrière le bar à surface de marbre, qui polissait un verre droit d'une pinte avec un torchon.

— Entendez-vous cela, Colette ?

— Un demi chaud, docteur, qu'il a dit.

— Au diable le demi. Donnez-lui un double.

— Comment allez-vous, Colette ? demanda Barry, tournant le dos à O'Reilly, secouant la tête vers la dame et articulant « Un demi-chaud seulement » en silence.

Un double whiskey, en plus de sa fatigue, le mettrait K.-O.

Son sourire était large et accueillant alors qu'elle acquiesçait de la tête pour indiquer qu'elle comprenait sa commande, et elle dit :

— Super, pour ça oui. Cela faisait un moment que je ne vous avais pas vu.

— J'ai été occupé…

— Seigneur, ma fille, pourriez-vous donner son verre à ce jeune ?

— Cela s'en vient.

Elle s'éloigna et alluma une bouilloire électrique.

— Bon, grogna O'Reilly. Où diable étiez-vous ?

Barry regarda le visage rougeaud et buriné du gros homme, ses sourcils broussailleux et son nez crochu qui penchait nettement à bâbord. O'Reilly était en manches de chemise, ses bretelles rouges retenant son pantalon en tweed. Un verre — un grand verre qui, Barry le savait, contenait du whiskey — était serré dans une main.

— Je travaillais.

— Quand j'ai quitté la maison pour l'église et le mariage, la porte du cabinet était encore fermée, mais il n'y avait que deux clients dans la salle d'attente. Nuala Harkness ne demande jamais beaucoup de temps.

— Peut-être pas avec vous, Fingal. Vous connaissez la femme depuis presque 20 ans.

O'Reilly grogna.

— Et Harry «les bottes»...

— Qui?

— Harry «les bottes» Hawthorne. On l'appelle ainsi parce que lorsqu'il était jeune marié, sa femme a dit à sa meilleure amie qu'il était tellement viril que quand il revenait des champs et qu'il la voulait, il ne prenait même pas le temps de retirer ses bottes.

Barry rit.

— J'ai lu que Napoléon était comme cela avec Joséphine.

— Peut-être Harry l'avait-il lu aussi. En tout cas, l'amie de sa femme l'a dit à son mari, qui l'a dit...

Barry opina de la tête. Il avait déjà expérimenté personnellement la vitesse à laquelle les nouvelles voyageaient dans le village de Ballybucklebo.

— Donc, aujourd'hui, les gars ne lui permettent pas de l'oublier, et ils l'appellent Harry «les bottes». Il vient habituellement au cabinet pour un tonique, et on en a fini avec lui en cinq minutes.

Barry secoua la tête.

— *Vous* pouvez le faire, Fingal, mais je ne suis ici que depuis quelques mois, et si je veux connaître les patients aussi bien que vous, je dois passer un peu de temps à les connaître.

— J'imagine, dit O'Reilly en fronçant les sourcils. Mais voir deux patients de plus n'aurait pas dû vous prendre jusqu'à maintenant. Nous nous attendions à vous voir à la cérémonie.

— Harry a exigé plus de temps que je l'avais prévu, puis Jeannie Jingles a téléphoné. Elle pensait que son petit Eddie avait le croup, et…

— Et vous êtes allé voir le garçon ?

Il y avait une touche de pâleur sur le bout du nez d'O'Reilly, une indication claire du fait que sa colère n'était pas tout à fait maîtrisée.

— Je sais que c'est vous qui deviez être de garde pour les urgences aujourd'hui, Fingal, mais…

— Vous avez pensé me faire une faveur ?

La pâleur s'étendit.

— Pas une faveur. Vous étiez déjà à l'église. Il était logique que j'aille moi-même voir l'enfant. J'ai pensé que cela ne prendrait que quelques minutes.

— Hum. Quelques minutes, oui ! La messe était terminée à 14 h 30. Vous auriez dû y être.

— Je suis désolé.

Barry leva une main à la hauteur des épaules, la paume vers le ciel.

— Si j'avais su que je vous privais de purs délices, de l'occasion médicale immensément satisfaisante de voir un autre cas de croup ordinaire, j'aurais dépêché une escorte policière pour vous traîner hors du banc de l'église.

O'Reilly réussit à en rire.

— D'accord. Comme vous voulez. Travaillez au point de vous faire mourir trop jeune si c'est ce que vous voulez. Je m'en contrefous.

Les rides d'humour aux coins de ses yeux se creusèrent.

— Seigneur, Fingal ; j'ai seulement pensé que c'était logique.

O'Reilly donna une claque sur l'épaule de Barry.

— Vous avez raison cette fois, Barry, mais… un accord est un accord, dit O'Reilly avant d'avaler une gorgée de whiskey. Nous avons décidé en août, quand vous avez été prêt à travailler seul, que nous allions nous séparer le travail.

— Et ne l'avons-nous pas fait ? L'un de nous reste au cabinet pour les cas mineurs, et l'autre va faire les visites à domicile et s'occupe des appels le soir. Je pensais que cela fonctionnait très bien.

O'Reilly grogna.

— Vous avez été réveillé la moitié de la foutue nuit. Je suis de garde, aujourd'hui.

Barry baissa brièvement les yeux et se demanda pourquoi O'Reilly s'énervait ainsi. « Est-ce de l'inquiétude pour moi, ou regrette-t-il d'avoir abandonné un peu de son contrôle sur sa pratique ? » songea-t-il. Cela lui semblait être une mince affaire pour toutes ces histoires.

— Barry, j'aurais dû faire la visite.

Barry avait appris une chose : il ne devait jamais céder devant O'Reilly. Il regarda l'homme plus âgé droit dans les yeux.

— C'était une foutue bonne chose que j'y sois allé. Le petit garçon avait une violente pneumonie. J'ai dû l'amener immédiatement à l'hôpital Royal Victoria.

— Il avait cela, pardieu ?

Les sourcils d'O'Reilly se rencontrèrent au-dessus de son nez et il plissa le front.

— Une pneumonie lobaire, c'est cela ?

— Oui, d'après ce que je pouvais en juger sans une radiographie.

O'Reilly but une grosse gorgée de son whiskey, donna une claque sur l'épaule de Barry et dit :

— Vous avez peut-être fait la bonne chose.

— Je le pense.

— Moi aussi, dit O'Reilly en acquiesçant de la tête. Mais à compter de cette minute, docteur Barry Laverty, je suis de garde.

Au moins, le bout de son nez avait son habituelle couleur prune.

— Bien, Fingal.

— Et Kinky sait où me trouver si quelque chose survient.

— Elle n'est pas à la réception ?

Barry était étonné. Madame « Kinky » Kincaid, la femme de Cork qui servait de gouvernante à O'Reilly, était habituellement très présente dans la vie sociale de Ballybucklebo.

— Elle était invitée. Elle est venue avec moi à la cérémonie, mais elle a dit qu'elle se sentait un peu enrhumée et qu'elle ne voulait pas sortir avec ce foutu vent de tempête dehors. Elle est rentrée à la maison. Elle m'a demandé de présenter ses excuses à Julie.

— Kinky va-t-elle bien ?

— Kinky ? Elle se porte comme un charme. Elle est forte comme un bœuf, cette femme. Je pense qu'il y avait une émission à la télévision qu'elle voulait réellement regarder.

Barry sourit en voyant mentalement Kinky, qui était « très grande en circonférence », comme elle s'était elle-même décrite une fois, lovée devant son téléviseur, une tasse de thé à la main. Il se demanda si lady Macbeth, la chatte blanche d'O'Reilly, tiendrait compagnie à Kinky. Ses pensées furent alors interrompues.

— Voilà, monsieur, dit Colette en remettant une tasse fumante à Barry. Deux livres six, je vous prie.

— Tenez, dit O'Reilly en lançant trois pièces sur le comptoir. Mais je pensais avoir commandé un double.

— Un petit demi est parfait, Fingal.

Barry sirota le liquide, savourant les saveurs du mélange de whiskey irlandais, de sucre et de jus de citron couronné par de l'eau bouillante. Il remarqua quelques clous de girofle flottant en surface.

— *Sláinte.*

— *Sláinte mHath.*

O'Reilly termina son whiskey et reposa le verre sur le comptoir avant d'ajouter :

— Comme c'est moi qui suis de garde, je ferais mieux de ralentir sur le grog.

Il donna une tape sur l'épaule de Barry.

— Mais vous ne l'êtes pas, continua-t-il en s'éloignant du bar. Alors, vous pouvez profiter de la réception — là où nous devrions être tous les deux en ce moment. Venez.

— Allez-y, Fingal. Je vous y rejoindrai.

O'Reilly fronça les sourcils.

— Où allez-vous ?

— Seigneur, Fingal. Un policier ne poserait pas cette question.

O'Reilly rit.

— Vous devez verser une larme sur le vieux pays ?

Barry acquiesça de la tête et termina son verre. Il n'aurait pas été poli d'apporter un whiskey dans une réception donnée par des abstinents. Il quitta le bar, il traversa le corridor principal et se glissa dans une petite salle de bain. Il baissa sa fermeture éclair.

Il se dit alors que ce serait le deuxième mariage auquel il aurait assisté depuis qu'il avait commencé à travailler à Ballybucklebo, village situé à 11 kilomètres à l'ouest de Crawfordsburn. Il se souvenait — il s'en souviendrait toujours — de son premier trajet et de sa présentation à O'Reilly. La date de cette rencontre, le 1er juillet 1964, était, comme il l'avait entendu dire par l'homme plus âgé quand il mentionnait un autre de ces moments que l'on n'oubliait jamais, « tatoué à l'intérieur de son front ».

Barry était debout devant la porte d'entrée de la maison d'O'Reilly quand O'Reilly en personne était apparu et avait lancé à bras-le-corps dans un rosier un patient qui avait le pied sale en rugissant cette réprimande : « La prochaine fois que tu veux que j'examine ta cheville endolorie, lave tes foutus pieds. » Barry avait failli tourner les talons.

Aujourd'hui, il était content de ne pas l'avoir fait. Au cours des cinq mois qui s'étaient écoulés et où il était passé d'assistant en stage d'essai à assistant avec la possibilité d'avoir un partenariat complet dans un an, il avait beaucoup appris sur la pratique de la médecine dans un environnement campagnard. Il en était aussi venu à connaître et aimer plusieurs des patients d'O'Reilly.

Il referma sa fermeture éclair. Le précédent mariage auquel il avait assisté, en août, était celui de Sonny Houston avec Maggie MacCorkle, les deux ayant plus de 60 ans et étant aussi étranges que le fait d'avoir deux pieds gauches. Sonny avait un doctorat, mais il préférait vivre dans une vieille voiture. Maggie s'était un jour plainte de maux de tête situés à cinq centimètres au-dessus de sa tête. Barry avait initialement cru qu'elle était folle à lier, mais O'Reilly avait été plus avisé. C'était habituellement le cas.

Barry rigola et prit la direction du salon des invités. L'heureux couple du jour avait originalement prévu un mariage double avec Sonny et Maggie, mais Julie, déjà enceinte à l'époque, avait fait une fausse couche avant le grand jour, et l'événement avait été reporté jusqu'à aujourd'hui.

Barry se dit que Donal Donnelly avait finalement fait une honnête femme de Julie MacAteer. Cela devait être exprimé ainsi, parce que les chances qu'avait Julie de faire un honnête homme de Donal étaient très minces.

À la connaissance de Barry, Donal payait pour la réception avec l'argent qu'il avait accumulé en juillet grâce à un pari truqué de manière suspecte avec son lévrier de course femelle, Bluebird, et à une combine plus récente impliquant la vente de pièces de monnaie irlandaise qui portaient l'image d'un cheval de course à huit fois leur valeur nominale. Donal avait réussi à persuader un Anglais sans méfiance que les pièces étaient des médailles spéciales et précieuses frappées en l'honneur du grand cheval de steeple-chase irlandais, Arkle. Barry n'aurait pas été étonné si Donal Donnelly avait tenté de vendre le poteau de mai de Ballybucklebo à un touriste américain. Cela ne serait étonnant que si la tentative échouait.

La porte se referma doucement derrière lui, et il se rapprocha de l'endroit où O'Reilly se tenait au fond d'un petit groupe de gens en tenues de soirée. Donal Donnelly était au fond de la pièce. Il avait troqué sa jaquette pour un complet en sergé peigné bleu foncé. Sa chevelure poil de carotte était lissée avec du Brylcreem. Il souriait d'une oreille à l'autre, ses dents de lapin brillant sous la lumière provenant d'un lustre en verre taillé. Un grand verre de jus d'orange dans une main, il faisait de grands gestes avec l'autre, oscillant de manière très marquée, comme si le vent de dehors l'affectait dans cette pièce chaude et sans courants d'air.

Barry rit et murmura à O'Reilly :

— Le marié a l'air bien.

— Hm. Il le devrait. Il était à moitié ivre devant l'autel, et il couronne son jus d'orange de gin.

— Donal ? Je sais qu'il aime son petit verre, mais…

— Bien sûr ; ne pouvons-nous pas lui pardonner pour cause de folie aujourd'hui ? Ce n'est pas tous les jours qu'il se marie.

— Cela ne va pas m'empêcher de dormir.

Barry balaya du regard les invités qui se trouvaient dans la pièce. Tous avaient des verres de boissons pétillantes à la main. Chacun tournait le dos à Barry. L'atmosphère embaumait le tabac de pipe. Le mariage avait été intime, et seuls l'heureux couple et leurs invités étaient ici à la réception.

Il vit Julie, la mariée, dans son habit de voyage, un tailleur crème bien coupé porté avec une blouse en soie marron. Elle semblait s'être bien remise de sa fausse couche survenue trois mois plus tôt. Sa chevelure de blé était brillante et luisait d'une façon assortie à ses yeux verts. Elle était belle, comme on croyait qu'il était du devoir de toutes les mariées de l'être. Elle ne prêtait aucune attention à Donal, et elle était plongée dans une conversation avec sa demoiselle d'honneur, Helen Hewitt, dont la chevelure rousse était attachée dans son dos avec un ruban vert. Elle portait un veston vert et une jupe courte assortie au-dessus d'une paire de talons aiguilles vachement hauts qui accentuaient les courbes de ses jambes bien faites. Il fut content de voir qu'il n'y avait aucune récurrence de l'eczéma derrière ses genoux, et il se demanda un instant si elle voyait encore son meilleur ami, Jack Mills.

O'Reilly se pencha plus près et marmonna à Barry :

— «Deux filles en kimonos de soie...»

— «Belles toutes les deux. L'une, une gazelle.» William Butler Yates, *In memory of Eva Gore-Booth and Con Markiewicz*[1].

Il semblait jouer à ce duel de citations avec O'Reilly depuis le premier jour où il était arrivé en juillet.

— «L'une, une gazelle», répéta-t-il.

Et ses pensées s'égarèrent vers une autre belle jeune femme. Mais Patricia Spence était à Cambridge ; elle l'était depuis septembre pour étudier l'ingénierie civile. Il aurait aimé qu'elle n'y aille pas, mais elle rentrerait bientôt à la maison pour Noël. Il comptait les jours.

Son rêve éveillé fut interrompu par le son de la voix de Donal au-dessus des conversations autrement voilées.

— En tout cas, Willy, voilà notre homme expliquant à madame Murphy que son mari s'est noyé dans une cuve de Guinness...

Donal se tenait avec un bras passé autour des épaules de son témoin, Willy Dunleavy, propriétaire du Cygne noir, le pub de Ballybucklebo. Il était difficile de dire si Willy, qui se déplaçait d'un pied sur l'autre, était mal à l'aise dans sa jaquette ou à cause de l'état nettement trop heureux de Donal. Donal avait originalement souhaité que Seamus Galvin, l'homme qu'O'Reilly avait lancé dans les rosiers, se

---

1. N.d.T. *En souvenir d'Eva Gore-Booth et Con Markiewicz.* Traduction libre.

tienne à ses côtés, mais Seamus, sa femme Maureen et leur premier-né, le bébé du premier accouchement de Barry à Ballybucklebo, se trouvaient à présent en Californie.

Barry vit Willy jeter un coup d'œil au couple plus âgé assis sur des chaises à l'entrée de la pièce. Il devina qu'il s'agissait des parents de Julie venus de Rasharkin, de County Antrim. À voir l'air de sa mère, qui avait maintenant du gris dans sa chevelure blonde, Barry voyait bien d'où Julie tirait sa magnifique chevelure. Le père de Julie était recroquevillé, prenait de courtes inspirations et jetait un regard noir à son nouveau gendre. Les Pionneers prenaient leur abstinence très au sérieux. Willy devait l'avoir remarqué.

— Tais-toi maintenant, Donal, dit Willy, souriant nerveusement aux plus vieux MacAteer.

Inconscient des efforts de son ami pour agir avec tact, Donal poursuivit avec un accent dublinois forcé digne d'un théâtre.

— «Seigneur», a dit madame Murphy. «Noyé, dites-vous? Dans de la Guinness? A-t-il souffert?»

— Tais-toi maintenant, Donal.

Imperturbable, Donal termina avec sa chute.

— «Pas du tout, ma chère», lui a dit notre homme.

Donal se retint un peu avant de déclarer :

— «Il est sorti trois fois pour aller pisser.»

Il s'esclaffa bruyamment.

Barry eut de la difficulté à maîtriser son propre rire. Il remarqua un deuxième couple de gens âgés assis à côté du premier. L'homme avait des dents de lapin exactement comme celles de Donal. Barry supposa qu'il s'agissait du papa de Donal, et à en juger par la façon dont il s'esclaffait, il avait peut-être bien lui aussi fortifié son jus d'orange. À côté de lui, le vieux MacAteer était assis avec plus de raideur que jamais, et d'après Barry, il n'était — comme on le disait de la reine Victoria — nettement pas amusé.

Donal, ignorant son nouveau beau-père, salua son public en savourant manifestement le fait d'être au centre de l'attention, puis il se redressa et remarqua Barry. Il le rejoignit à grandes enjambées, hoqueta et lui dit :

— Comment allez-vous, doc ?

— Désolée d'avoir raté la cérémonie, Donal.

Barry serra la main tendue.

— Pas de souci. Mieux vaut tard que jamais. Je suis certain que vous deviez vous occuper de quelqu'un, dit-il en reculant d'un pas. Venez maintenant avec moi, hoqueta-t-il, pour dire bonjour à Julie.

— J'aimerais bien, Donal.

Donal gloussa.

— C'est «madame Donnelly» pour vous, à présent, doc, pour ça oui.

Barry suivit un Donal qui zigzaguait en passant devant les autres, acceptant leurs salutations en chemin jusqu'à ce qu'il rejoigne Julie.

— Julie, dit-il. Vous êtes charmante. Je suis désolé d'avoir raté...

— Merci, docteur Laverty. Inutile de vous excuser.

Elle lui sourit.

— N'allez-vous pas... hic... n'allez-vous pas... hic... embrasser la mariée ?

Donal donna une poussée à Barry, et il se retrouva un peu trop près de Julie. Il rit et recula d'un pas.

— Doucement, Donal.

— Eh bien, si vous n'allez pas le faire, moi, je vais foutrement l'embrasser.

O'Reilly se tenait à la hauteur de l'épaule de Barry.

— Viens ici, ma chère fille.

O'Reilly tendit une grosse main, prit celle de Julie et l'attira à lui. Même en portant ses talons hauts, le dessus de la tête de la jeune femme atteignait tout juste l'épaule du gros homme. Il l'enveloppa dans une étreinte chaleureuse et embrassa gracieusement le dessus de sa tête.

— Je vous souhaite à tous les deux, dit-il solennellement, une longue vie, la santé, la prospérité, un garde-manger toujours bien rempli et un berceau occupé. Et que vos récoltes de pommes de terre ne connaissent jamais le fléau !

— Merci, docteur O'Reilly, dit Julie en rougissant.

Elle se leva sur le bout de ses orteils et elle lui murmura quelque chose à l'oreille.

— Eh bien, cela parle au diable, dit O'Reilly en jetant un regard en biais à Donal. Bien, madame Donnelly ; passez faire un tour pour me voir ou voir le docteur Laverty lorsque vous reviendrez de votre lune de miel.

— Je n'y manquerai pas.

— Maintenant, dit O'Reilly en inclinant la tête vers la porte, le docteur Laverty et moi devons nous occuper d'une affaire.

Il partit à grands pas avec Barry sur ses talons. Dès qu'ils furent dans le hall, il dit :

— Julie a encore un polichinelle dans le tiroir. Je dois accorder cela à Donal : il ne laisse pas l'herbe lui pousser sous les pieds.

Barry fronça les sourcils.

— Fingal, n'est-ce pas un peu tôt après sa fausse couche pour retomber enceinte ?

O'Reilly haussa les épaules.

— C'est difficile à dire ; mais je pense que c'est une excellente nouvelle — si bonne, en fait, que si vous voulez vous joindre à moi au bar, nous pourrions boire à cela.

— Je pensais, Fingal, que vous aviez dit qu'étant donné que vous étiez de garde...

Barry hésita, mais ne put résister à l'envie de piquer son collègue plus âgé et lança :

— Vous avez dit que vous ne boiriez plus.

— Ai-je dit cela ? demanda O'Reilly d'un ton interrogateur. Mon doux, à quoi pensai-je ?

Il se dirigea vers le bar et était sur le point d'ouvrir la porte quand John, le gérant, se précipita dans le hall.

— Docteur O'Reilly, il y a une madame Kincaid au téléphone. Elle aimerait vous parler.

— Merde, dit O'Reilly.

— Par ici, monsieur, je vous prie.

O'Reilly suivit l'homme à la réception. Barry pouvait le voir, téléphone à l'oreille. Il raccrocha et revint rapidement vers Barry.

— Pas de repos pour les méchants, dit-il. Je vais juste repasser à la fête, prendre mon manteau et partir.

— Qu'y a-t-il ?

— Je vous le dirai à mon retour.

Il disparut dans le salon en laissant Barry seul. « Eh bien, Fingal a raison à propos d'une chose : la nouvelle de Julie demande bien un autre verre », se dit-il. Il allait faire un saut dans le bar du petit salon, se commander un petit whiskey, le boire et retourner à la fête pendant une demi-heure environ, pour être poli. Puis il reprendrait le chemin de Ballybucklebo.

Il ouvrit la porte du bar. Il passerait encore une demi-heure ici à l'auberge The Old Inn, puis il rentrerait à la maison, au numéro 1 de la rue principale avec ses grandes fenêtres en saillie et ses murs recouverts d'agrégat gris. À la maison avec Kinky et sa merveilleuse nourriture. À la maison avec lady Macbeth, et même à la maison avec Arthur Guinness, le chien idiot d'O'Reilly.

Il laissa la porte se refermer derrière lui, et il bâilla. La nuit précédente avait été longue. Il attendait impatiemment une autre chose à la maison : son lit dans la chambre à coucher du grenier, douillette sous la corniche, chaude et protégée du vent de tempête qui faisait rage dehors.

— Un autre, Barry ? demanda Colette.

— Juste un petit John Jameson, s'il vous plaît.

— D'accord.

Tandis qu'il attendait son alcool, Barry se demanda quel type de cas avait précipité O'Reilly dans la nuit. Cela ne le regardait pas ; il n'était pas de garde. Et comme O'Reilly aimait le dire à propos des autres, le docteur Fingal Flahertie O'Reilly, M. D., C.M. et D.E.S., médecin et chirurgien, était assez grand et assez laid pour s'occuper de lui-même.

2

Comme une petite boule de neige qui, en roulant…

La Rover trembla tandis qu'elle était heurtée de côté par un vent violent qui venait de s'infiltrer à travers une ouverture entre les maisons. O'Reilly agrippa le volant plus fortement et jura contre la tempête.

— Foutu temps.

Avec la tombée de la nuit, le grésil s'était transformé en neige.

Il se demanda quels ennuis il pouvait y avoir à la ferme Gillespie. Tout ce que Kinky avait été en mesure de lui dire était que l'appel était venu de madame Gillespie, qu'elle était hystérique et voulait que le docteur vienne immédiatement. Il y avait quelque chose qui n'allait pas avec son mari.

Il dut ralentir parce que les essuie-glaces de son vieux véhicule arrivaient tout juste à balayer l'accumulation sur le verre, et il avait de la difficulté à voir. O'Reilly sentit l'arrière de la voiture glisser d'un côté alors qu'il l'amenait doucement à ne pas virer. Il dut tourner le volant pendant qu'elle dérapait et faillit aboutir dans le fossé. Il mania violemment le volant pour la ramener dans le droit chemin.

— Foutu temps.

Cependant, il faudrait plus qu'un peu de neige pour l'empêcher de se rendre à la maison des Gillespie. Molly

Gillespie était habituellement une femme imperturbable. Il était peu probable qu'elle l'ait appelé pour quelque chose de banal lors d'une affreuse soirée comme celle-ci. Il allait le découvrir quand il serait sur place, mais merde : y arriver allait exiger plus de temps que ce qu'il avait prévu.

Au moins, il n'y avait pas de cyclistes pour se mettre en travers de son chemin par une terrible soirée comme celle-ci, et il avait certainement vu un temps pire en mer sur le vieux *Warspite* pendant la guerre, presque 20 ans plus tôt. La camaraderie du carré des officiers lui manquait, ainsi que son ami Tom Laverty, l'officier de navigation.

C'était une drôle de coïncidence que le jeune Barry soit le fils de Tom. Évidemment, pendant la guerre, Barry portait des couches, et Tom, bien qu'étant un compagnon convivial et un foutu bon navigateur, comme de nombreux hommes de sa génération, était réticent à parler quand il s'agissait de sa vie de famille. Il n'avait jamais mentionné qu'il avait un fils, et depuis la guerre, Fingal et lui avaient pris des chemins différents, exactement comme la foutue Rover essayait de le faire en glissant encore une fois vers le fossé. O'Reilly la tira à nouveau sur sa route par la force du volant. Tom Laverty était aujourd'hui en Australie pour une année sabbatique. Il gardait probablement le contact avec Barry par le biais de lettres. O'Reilly se dit alors qu'il demanderait peut-être à Barry l'adresse de Tom et lui écrirait quelques lignes pour lui faire savoir que le jeune Barry s'en sortait bien comme médecin généraliste.

Il espérait que Barry s'en sortirait bien ce soir en revenant à Ballybucklebo dans sa drôle de petite voiture allemande. «Il ne faut pas chercher à comprendre. Il y a 20 ans, les Allemands et nous, nous essayions de nous écraser mutuellement. Aujourd'hui, les mêmes Allemands nous disent joyeusement que nous pouvons toujours courir si nous pensons pouvoir faire partie de la Communauté économique européenne récemment créée. Leur antipathie sur le front commercial ne les a pas empêchés de nous vendre un modèle de voiture originalement exigé comme "la voiture du peuple" par Adolf Hitler», pensa O'Reilly.

Leur petite voiture pouvait bien être construite pour le peuple. Elle n'avait pas été conçue pour bien performer sur les petites routes étroites et sinueuses de l'Ulster au milieu de l'hiver. C'était à cela que servaient les voitures comme la vieille Rover.

Il tourna à gauche en quittant la route principale entre Bangor et Belfast, rétrograda en troisième vitesse et commença à grimper dans les collines de Ballybucklebo. La neige ne tombait plus, mais tout ce qu'il pouvait voir devant était une couverture d'un blanc pur, vierge et intacte, recouvrant la route. Personne d'autre n'était venu ici pour laisser des traces. De chaque côté de la route, les haies couronnées de blanc, avec leurs branches noires, s'élevaient, désolées et glacées. C'était une bonne chose que la neige ne soit tombée que pendant une demi-heure. En cet instant, elle ne pouvait pas monter à plus de trois centimètres.

Il dépassa un carrefour. L'allée menant à la maison de ferme des Gillespie était à un peu plus de deux kilomètres. La route allait glisser doucement dans un creux puis remonter jusqu'au sommet d'une colline sur laquelle il y avait un bosquet de sycomores. Le portail de l'allée se trouvait juste après les arbres et à gauche. La dernière fois qu'il était venu ici — il dut fouiller dans ses souvenirs — remontait à trois, non, à quatre ans.

Les sycomores qui apparaissaient maintenant à sa gauche étaient alors complètement feuillus quand Molly avait donné naissance à des jumeaux. Ce soir, ces arbres s'élevaient, mornes sur un fond de nuages éclairés par la lune argentée.

Il arrêta la voiture dans l'allée, et il sortit pour ouvrir le portail à cinq planches. La neige fraîche crissait sous ses bottes, et le vent soupirait dans les arbres. Il sentit sa froideur sur ses joues. Il leva les yeux vers une percée dans les nuages et vit le noir du ciel et trois étoiles brillantes. Il ne les aurait pas vues s'il avait encore neigé, et pour cela, il fut reconnaissant. Il n'aurait pas aimé être coincé pour la nuit chez les Gillespie. Les congères profondes étaient rares dans l'Ulster, mais cela pouvait se produire.

Le portail était difficile à pousser contre la neige, mais il fut capable de l'enfoncer assez pour qu'il s'ouvre. Tandis qu'il guidait la Rover devant le portail, il fut tenté de le laisser ouvert et de s'éviter le trouble de le refermer maintenant, puis de le rouvrir en rentrant chez lui. Il arrêta la voiture et revint sur ses pas. Ni Molly Gillespie ni son mari, Liam, n'auraient été impressionnés si leur bétail s'était aventuré à travers le portail ouvert. Et en y pensant bien, O'Reilly ne l'aurait pas été non plus.

La Rover se ballotta sur la route remplie d'ornières créées par les pneus du tracteur. Les bonds délogèrent un peu de la neige sur les côtés du pare-brise, que les essuie-glaces n'atteignaient pas. O'Reilly attrapa une peau de chamois sur le tableau de bord et s'en servit pour essuyer la condensation à l'intérieur du verre.

Il pouvait distinguer les lumières de la maison de ferme devant. L'une brillait à travers les fenêtres à l'étage aux volets ouverts. Une unique ampoule entourée de verre brûlait au-dessus de la porte d'entrée. Les volets étaient fermés sur les fenêtres du rez-de-chaussée, et seuls quelques rayons baladeurs filtraient à travers les fentes où les panneaux n'étaient pas tout à fait collés.

Il gara la voiture devant la porte d'entrée. Il ne serait pas mécontent d'être à l'intérieur, et plus vite il sortirait de la voiture, plus vite il y serait. Il attrapa sa trousse noire et sortit.

— Va au diable, dit-il sèchement au border collie qui surgit de l'obscurité et s'accroupit, le ventre bas sur le sol, la lèvre retroussée, la gorge tremblante alors qu'il grondait. Va-t'en. Va chez le diable.

O'Reilly passa à grandes enjambées devant le chien, et il était sur le point de frapper à la porte quand elle fut violemment ouverte par une grosse femme dans la trentaine qui portait un tablier en calicot et des pantoufles. Il pouvait voir une petite fille, le pouce dans la bouche, qui le regardait en passant la tête sur le côté du bord de la robe de sa mère.

— Entrez, docteur O'Reilly.

Elle recula d'un pas et repoussa la petite fille avant de lui dire :

— Cours jouer avec ton frère.

La petite fille, qui avait toujours le pouce dans la bouche, courut sur le plancher. O'Reilly remarqua sa façon de tourner ses orteils gauches vers l'intérieur. Elle s'arrêta de temps à autre pour le dévisager avec les plus grands yeux bleus qu'il ait jamais vus. Il lui décocha un clin d'œil, passa le seuil d'une vaste cuisine avec un plancher de carreaux et dit :

— Et qu'est-ce qui ne va pas avec Liam, Molly ?

Il s'apprêta à retirer son manteau d'un coup d'épaule. La pièce était étouffante à cause de la chaleur émanant d'un poêle en fonte dans le coin de la cuisine.

— Kinky a dit que vous sembliez bouleversée, ajouta-t-il.

— Je vais mieux, à présent, dit-elle. J'ai perdu la tête quand j'ai vu Liam allongé dans la grange. J'ai essayé de le soulever, mais c'est un homme costaud, et je n'ai pas réussi à le faire bouger, alors j'ai couru ici, et j'ai téléphoné.

Elle tenait un poing dans son autre main ; elle posa son menton dessus, arrondit les lèvres et fixa le sol. Puis elle regarda O'Reilly droit dans les yeux.

— J'ai cru qu'il était mort, pour ça oui.

O'Reilly s'interrompit, avec les manches de son manteau à mi-chemin sur ses bras.

— Est-il encore dans la grange ?

— Non, dit-elle en levant les yeux vers le plafond. Il est au lit en haut. Une fois que j'ai téléphoné et que je me suis mise en chemin pour retourner dans la grange, Liam revenait ici.

O'Reilly finit d'enlever son manteau.

— Peux-tu me dire exactement ce qui s'est passé ?

— Je n'arrive vraiment pas à comprendre, docteur ; je ne le sais pas. Nous avions ramené le bétail pour le protéger de la neige. Liam sortait une balle du grenier à foin. Je lui tournais le dos. J'ai entendu un « toc », je me suis retournée, et il était là… évanoui. Je n'ai pas réussi à le réveiller, comme je l'ai dit, alors je vous ai appelé.

— Mamannnnn…

La petite de quatre ans passa la porte de la cuisine et ajouta :

— Maman, Johnny vient juste de faire caca dans son pantalon.

— Attends une petite minute, Jenny. Maman est occupée.

— Liam est revenu ici par ses propres moyens ?

— Oui. Il voulait que je vous rappelle pour vous dire de ne pas vous donner la peine de venir.

« C'est typique des gens de la campagne, ne pas vouloir déranger les autres », pensa O'Reilly.

— Ça va, Molly. Liam est dans sa chambre, c'est cela ?

— Oui.

— Maman... il s'est fait caca dessus.

— Sainte mère de Dieu, va chercher ton frère, et amène-le dans la salle de bain. Je viens dans une petite minute, pour ça oui.

— Je vais trouver mon chemin. Va voir les enfants.

— Merci, docteur.

Elle rejoignit sa petite de quatre ans, l'attrapa par la main, fronça les sourcils et dit :

— Je t'ai déjà dit de ne pas dire le mot « caca ».

— C'est ce que dit papa, pour ça oui...

Le débat se poursuivait quand O'Reilly quitta la cuisine, traversa un vaste vestibule, grimpa une volée de marches, marcha sur le palier et entra dans une chambre à coucher, où Liam Gillespie était allongé d'un côté d'un lit à deux places, appuyé sur deux oreillers par-dessus un édredon.

— Entrez, doc. Je suis désolé que nous ayons dû vous déranger par une nuit pareille.

En effet, Liam était, comme l'avait dit Molly, un homme costaud. O'Reilly estima qu'il mesurait environ 2 mètres et pesait au moins 90 kg. Il paraissait pâle, et il transpirait.

— Aucun problème, Liam, dit O'Reilly en s'assoyant sur le bord du lit. Que s'est-il passé ?

— J'ai été stupide. Je descendais une balle de foin du grenier, j'ai glissé et je suis tombé, pour ça oui.

— Tu t'es frappé la tête, n'est-ce pas ?

O'Reilly scruta les yeux de l'homme, remarquant que les deux pupilles avaient la même taille.

— Pas du tout. Non. Je me suis frappé les côtes, ici, à gauche…

Il pointa juste au-dessus de l'endroit où sa chemise disparaissait sous une épaisse ceinture en cuir qui retenait son pantalon de velours de coton.

— J'ai dû me cogner violemment, continua-t-il, parce que je me suis évanoui. Je ne sais pas combien de temps je suis resté dans les vapes.

— Cela ne peut pas avoir duré bien longtemps. Tu revenais ici quand Molly a eu fini d'appeler.

— C'est vrai. Donc, je me suis seulement évanoui un petit moment ?

— As-tu perdu connaissance avant ou après être tombé ?

O'Reilly tendit la main vers le poignet de Liam et prit son pouls. La peau était moite.

— Après. Je me souviens avoir frappé le coin d'un établi. La douleur a été violente dans mes côtes pendant une petite seconde, et ensuite, je me suis réveillé, allongé sur le sol.

Le pouls de l'homme était rapide et faible.

— As-tu encore mal au côté ?

— Oui. Mais, je peux le supporter.

— Regardons cela.

O'Reilly avait depuis longtemps découvert le stoïcisme des gens de la campagne. Si l'un des symptômes importants du diagnostic de n'importe quel état était la douleur, si un homme comme Liam Gillespie disait qu'il pouvait la supporter, cela ne voulait pas nécessairement dire que la douleur n'était pas sévère. Quatre-vingt-dix kg tombant sur le coin d'un établi auraient certainement pour effet de casser une ou deux côtes, et ce serait encore plus grave pour la rate qui se trouvait sous les côtes gauches inférieures.

Liam commença à relever sa chemise hors de la taille de son pantalon, mais il tressaillit, inspira l'air entre ses dents et dit en haletant :

— Ah, Seigneur.

— C'est douloureux ?

— Foutrement, oui.

— Tiens, laisse-moi faire.

O'Reilly détacha la ceinture de l'homme et déboutonna sa chemise, puis il tira sur la chemise bleu fané.

— Cela fera peut-être un peu mal, Liam.

Il posa le plat d'une main sur le haut de l'ecchymose et glissa l'autre main sous le torse de l'homme. Liam geignit quand O'Reilly pressa, et le docteur sentit une sorte de grincement.

— Désolé pour cela. Tu as une ou deux côtes de brisées, là.

Liam opina de la tête, mais il ne parla pas. Son front luisait sous la lumière venant de l'ampoule au-dessus de sa tête.

La douleur pouvait certainement faire transpirer l'homme, et O'Reilly n'avait aucune difficulté à éprouver de l'empathie pour une personne avec des côtes brisées. Une foutue grosse botte d'un joueur avant adversaire lui avait enfoncé trois de ses propres côtes au cours d'une partie de rugby, quelques années plus tôt. Il se rappelait encore la douleur grinçante chaque fois qu'il prenait une profonde inspiration.

Il se souvenait aussi nettement d'une autre partie où un joueur avait été piétiné, et s'était rendu sur la ligne de touche pour se reposer quelques minutes avant de revenir jouer le reste de la partie. Il s'était effondré dans le vestiaire. Il avait une rupture de la rate.

Les côtes brisées de Liam suffisaient-elles à expliquer le pouls très rapide et faible? O'Reilly secoua la tête. Il déplaça une main sous la cage thoracique de Liam sur le côté gauche et essaya d'appuyer sur les muscles de la paroi abdominale. Ils étaient raides comme une planche et ne cédaient pas.

— Est-ce que je te fais mal, Liam?

— Seigneur, oui, doc.

Les mots de Liam avaient de la difficulté à passer ses dents serrées.

O'Reilly souleva délicatement sa main.

— Peux-tu te lever?

— Je peux essayer, répondit-il en s'apprêtant à balancer ses jambes sur le côté du lit.

O'Reilly attendit, espérant que l'homme allait réussir. Il n'était pas certain d'être assez fort pour transporter un Liam pesant 90 kg jusqu'au rez-de-chaussée si Liam ne pouvait pas y parvenir par ses propres moyens. O'Reilly était convaincu que l'homme avait bien une rupture de la rate. Les faits révélateurs étaient la pâleur et le pouls rapide, combinés à la rigidité des muscles abdominaux, entraînée fort probablement par la présence de sang dans la cavité péritonéale. Et il n'y avait pas d'assurance que le saignement provenant de l'organe endommagé s'arrêterait. La mort causée par un choc hémorragique était un risque très réel.

— Seigneur, doc, dit Liam. Je suis faible comme un bébé.

Il respirait par courts halètements.

— Nous devons t'amener en bas.

O'Reilly souleva le bras droit de Liam, et il le drapa par-dessus sa propre épaule gauche avant de lancer :

— Viens. Je vais te soutenir sous les bras.

Une rupture de la rate devait être traitée immédiatement par une chirurgie pour retirer l'organe endommagé. Cela signifiait que Liam devait être amené à l'hôpital le plus proche, et il était peu probable qu'une ambulance avec les préposés nécessaires pour transporter Liam en le soulevant pour le conduire jusqu'au véhicule puisse venir ici en moins de quatre heures — si elle pouvait même venir avec cette neige sur les routes. Si O'Reilly avait raison, Liam pouvait saigner à mort en moins de temps.

L'homme pesait une tonne, mais il allait faire de son mieux pour l'aider. Ensemble, ils atteignirent le haut des marches quand Liam haleta :

— Pouvons-nous… nous reposer… une petite… minute ?

O'Reilly lui-même haletait, et chaque inspiration lui brûlait les poumons. Il toussa. Il y avait peut-être un peu de vérité dans ce que Barry et les jeunes médecins comme lui disaient sur le fait que fumer du tabac était mauvais pour la santé.

— Peux-tu… peux-tu avancer encore un peu, Liam ?

À l'évidence trop faible pour parler, Liam acquiesça de la tête.

O'Reilly les stabilisa tous les deux en mettant une main sur la rampe et en descendant lentement, une marche à la fois. Un banc ornemental en bois se trouvait dans le vestibule en bas. O'Reilly songea à asseoir Liam dessus afin qu'ils puissent se reposer tous les deux, mais il décida que ce n'était peut-être pas indiqué. Il était possible qu'il ne soit alors plus en mesure de remettre l'homme debout.

— Viens, Liam... nous y sommes presque, dit-il alors qu'ils atteignaient le vestibule.

Il faisait plus que soutenir l'homme, à présent. Les jambes de Liam étaient molles, et ses pieds traînaient.

Dans la cuisine, Molly leva les yeux de l'évier où elle rinçait un pantalon court de garçon et son sous-vêtement.

— Seigneur, Marie, Joseph.

— Ça va, Molly. Si tu pouvais juste... ouvrir la porte arrière, la portière arrière de la voiture et ensuite aller chercher... quelques couvertures.

Il entendit siffler son torse.

Elle se hâta vers la porte, l'ouvrit violemment et courut dehors.

O'Reilly sentit le froid et vit les flocons de neige soufflés à l'intérieur.

— Je vais chercher les couvertures.

Elle courut devant lui, laissant derrière elle une suite d'empreintes mouillées sur les carreaux.

O'Reilly prit une dernière profonde inspiration, puis il arrondit les lèvres et s'obligea à marcher, traverser la cuisine et sortir par la porte, marchant dans la neige au sol et les flocons volants qui reflétaient les rayons de lumière venant de l'ampoule au-dessus de la porte arrière. La tête de Liam tomba sur l'épaule d'O'Reilly. Il ne faisait presque pas d'efforts pour aider le docteur.

Dieu merci, Molly avait ouvert la portière arrière de la Rover. Il lui fallut faire appel à ses dernières ressources, mais

O'Reilly réussit à fourrer Liam à bras-le-corps à l'arrière de la voiture. Il resta immobile, les mains sur le toit, ignorant la froideur en elles, la tête penchée et la bouche ouverte tandis qu'il aspirait une pleine bouffée d'air dans ses poumons, puis une autre et une autre. Il réussit seulement à opiner de la tête quand Molly apparut avec des couvertures, mais quand elle eut fini de les serrer autour de Liam, O'Reilly était capable de parler.

— Reste avec Liam une minute. Je dois faire un appel.

— Le téléphone est dans la cuisine.

Il ne répondit pas, mais il alla droit vers la maison, souleva le téléphone et composa le numéro du service des urgences de l'hôpital Royal Victoria.

— Allô? Qui est à l'appareil? Le chef de service de garde? Super. Écoutez, j'ai besoin qu'on envoie une ambulance à Holywood Arches en périphérie de Belfast. J'aurai besoin de six unités de sang O positif et… je vous demande pardon? Qui pensez-vous que je suis?

Il pouvait sentir le sang se vider du bout de son nez. Il savait qu'il aurait dû se montrer poli, mais Liam Gillespie pouvait mourir s'il n'était pas soigné bientôt.

— Fiston, je ne me prends pas pour quelqu'un. Je sais foutrement bien qui je suis. Je suis médecin; comprenez-vous cela, fiston? Le docteur Fingal Flahertie O'Reilly de Ballybucklebo. Je suis dans une ferme au milieu de nulle part dans les collines de Ballybucklebo, et j'ai un patient avec une rupture de la rate. C'est exact. Non, je ne veux pas d'une ambulance ici. J'ai le patient à l'arrière de ma voiture, et je vais l'amener aux Arches d'ici à ce que l'ambulance arrive là-bas. Vous n'êtes pas certain de pouvoir organiser cela?

Vous êtes trop débutant pour demander une ambulance de votre propre chef ? Seigneur. Qui est votre patron ce soir ? Sir Donald Cromie ?

« Parfois, le miel est meilleur que le vinaigre pour attraper les mouches », se dit O'Reilly. Il baissa sa voix d'officier en mer sur la plage arrière d'un navire en pleine tempête et dit doucement :

— Eh bien, écoutez, fiston ; appelez la vieille tête de nœud — c'est exact, la tête de nœud. Lui et moi avons joué au rugby ensemble il y a des années. Appelez-le immédiatement, dites-lui qui a téléphoné et donnez-lui la raison de l'appel. Et je serais étonné que l'ambulance ne m'attende pas aux Arches. Le ferez-vous ? Bon garçon.

O'Reilly raccrocha et regarda autour de lui à la recherche de son imperméable. Il s'entretiendrait rapidement avec Molly, lui dirait ce qui se passait, et la renverrait à ses enfants, puis il conduirait jusqu'à Holywood Arches et s'assurerait que Liam soit transféré en toute sécurité dans l'ambulance et reçoive une transfusion si nécessaire.

O'Reilly souleva le manteau sur la cheville en bois et marqua une pause quand un soudain coup de vent fit entrer un tourbillon de flocons par la porte ouverte. Il ferait mieux de se dépêcher. S'ils commençaient à s'amonceler sur les routes de campagne, même la Rover pourrait avoir de la difficulté à passer, et il ne savait pas trop combien de temps Liam pourrait vivre s'ils restaient coincés.

Les muscles de la mâchoire d'O'Reilly se contractèrent. Pardieu, Liam Gillespie allait survivre jusqu'à sa mort naturelle si Fingal Flahertie avait son mot à dire dans l'affaire. Il enfila son manteau, gagna la porte à grands pas et il se dirigea vers la Rover.

— Rentre, Molly, et réchauffe-toi.

Il monta, fit démarrer le moteur et attendit tandis qu'elle déposait un petit baiser sur le front de Liam.

— Vas-y, dit O'Reilly. Il va s'en sortir. Je dois partir.

Dès l'instant où elle referma la portière arrière, il passa en première vitesse, et arrondit les épaules quand les pneus tournèrent initialement dans le vide avant de pouvoir s'agripper à la boue glacée dans la cour de la ferme, puis il se détendit quand la grosse voiture bondit vers l'avant.

Alors que la voiture bondissait dans l'allée de la ferme, des flocons occasionnels dansant devant les faisceaux des phares avant, il se réprimanda de prendre les choses de manière si personnelle.

Il avait fait tout son possible pour Liam. Il faisait même davantage en le reconduisant, et si la température conspirait pour contrer ses efforts, lui faisant perdre son patient, ce serait loin d'être sa faute. Tous les médecins auraient foutrement dû savoir cela. O'Reilly s'arrêta au portail et souleva le loquet. Il l'ouvrit en tirant dessus si violemment qu'il plia la planche supérieure. Perdre Liam? À quelques semaines de Noël? Il renifla avec tant de force que sa respiration forma de petits nuages de vapeur comme un écran de fumée.

— Accroche-toi, cria-t-il vers le siège arrière alors qu'il passait le portail et gagnait la route.

Le portail allait devoir rester ouvert, tout simplement. Conduire Liam jusqu'à l'ambulance était foutrement plus important que quelques bêtes égarées — et de toute façon, n'étaient-elles pas dans l'étable?

Circuler était plus facile sur la route. Il allait bien y arriver, alors il pouvait cesser de s'inquiéter et se concentrer sur sa conduite. O'Reilly sourit largement en se disant que si tout se déroulait selon son plan, il serait de retour au numéro 1 de la rue principale dans deux heures. Son estomac gronda. Il espéra que madame Kincaid lui aurait gardé quelque chose de bien à manger. Évidemment qu'elle l'aura fait, à moins que le jeune Laverty, qui devait être à la maison maintenant, ait engouffré le tout.

3

Les enfants du cordonnier sont les plus mal chaussés

Quelqu'un ouvrit la porte d'entrée, et Barry sentit un courant d'air dans la salle à manger. Des bottes marchèrent bruyamment dans le vestibule puis marquèrent une pause. O'Reilly devait accrocher son pardessus. Barry était curieux d'entendre ce qui avait obligé l'homme à sortir dans cette tempête et se demandait ce qui serait considéré comme un intervalle acceptable avant de poser la question. La principale préoccupation d'O'Reilly, tout naturellement, serait son estomac. La porte de la salle à manger s'ouvrit à la volée, et le gros homme entra avec fracas en soufflant sur ses doigts. «O'Reilly, n'entre jamais simplement dans une pièce ; il la prend d'assaut avec l'enthousiasme d'un groupe d'enragés attaquant une brèche dans le mur d'un château», pensa Barry. Il fit claquer la porte derrière lui.

— Bonsoir, Fingal, dit Barry.

Il remarqua les flocons de neige dans la chevelure d'O'Reilly tandis qu'il se demandait quand O'Reilly serait prêt à parler de son patient. Cependant, alors que l'homme plus âgé passait bruyamment devant lui pour laisser tomber sa masse sur sa chaise habituelle, il grommela :

— Il n'y a rien qu'on puisse foutrement y faire. C'est froid comme le sein d'une sorcière dehors, et il neige encore au point d'ensevelir Banagher. J'ai failli foutrement ne pas revenir de Holywood Arches.

Il toussa, pris d'une toux sèche, puis il attira une soupière fumante jusqu'à lui et versa une louche du ragoût et une boulette de suif esseulée dans son assiette.

— C'est gentil de votre part de m'avoir laissé une des boulettes de Kinky, mentionna-t-il, la bouche déjà pleine.

— J'ai pensé que vous en seriez content. Elles étaient vraiment, vraiment bonnes.

C'était enfantin, Barry le savait, mais il se rappelait un soir pas si lointain où il était sorti voir un malade et était revenu affamé, seulement pour découvrir qu'O'Reilly avait terminé tout le canard rôti. Barry avait, après tout, laissé une boulette à l'homme plus âgé.

Il entendit la porte s'ouvrir, et il se tourna à moitié pour voir madame Kincaid. Elle avait une expression de douceur sur le visage, et elle portait un plat.

— J'ai entendu cela, docteur Laverty. Je suis contente que vous les ayez aimées, donc.

Elle s'avança jusqu'à l'extrémité de la table et souleva le couvercle de la soupière.

— Il ne reste qu'un tout petit peu de ragoût, mais il y en a assez pour tremper celles-ci dans la sauce.

Et sur ces mots, elle souleva le plat d'une main costaude et mit d'autres boulettes dans la soupière.

— Vous, Kinky, dit O'Reilly, s'emparant de la soupière et laissant tomber tout son contenu dans son assiette, êtes une faiseuse de miracles.

Il toussa encore.

— Et vous, docteur O'Reilly, monsieur, vous avez besoin d'y aller plus mollo avec les féculents, dit-elle en jetant un coup d'œil à sa taille ample. Mais... oh, c'est une sale soirée dehors, et un corps a bien besoin d'une bonne doublure à l'intérieur.

— En effet, Kinky. En effet.

O'Reilly empala la dernière boulette sur sa fourchette et s'en servit pour essuyer le reste de la sauce.

— Votre ragoût peut donner à un homme la doublure intérieure nécessaire pour vaincre le froid.

Il réprima une autre toux.

Barry vit les yeux de Kinky se plisser tandis qu'elle examinait plus attentivement le visage habituellement rougeaud d'O'Reilly.

— Avez-vous pris froid, docteur, cher ? demanda-t-elle.

— Moi ? Pas du tout... Un morceau de la boulette est passé de travers.

Elle renifla avec suffisamment de force, comme elle l'aurait dit elle-même, pour aspirer un chaton en haut d'une cheminée.

— À mon avis, c'est bien un coup de froid.

Le rire d'O'Reilly se termina par une autre toux sèche, mais il dit :

— Madame Kinky Kincaid, quand j'entrerai dans votre cuisine et vous conseillerai sur la cuisson du jambon, vous pourrez commencer à jouer au médecin avec moi. Est-ce que cela vous convient ?

Elle arrondit les lèvres et secoua la tête dans sa direction, puis elle pivota et s'apprêta à partir en disant :

— J'imagine que vous deux, messieurs, aimeriez un peu de café et une tranche de gâteau aux cerises ?

— Kinky, dit Barry, vous lisez dans les pensées.

— Eh bien, allez à l'étage tous les deux, et je vais vous apporter quelque chose au salon. Il y a un feu, et c'est plus chaleureux.

Elle hésita devant la porte avant d'ajouter :

— Ce sera mieux pour votre poitrine, docteur O'Reilly, donc.

— Ma poitrine va très bien, Kinky.

Barry entendit l'accent de finalité filtrant dans la voix d'O'Reilly, et il fut étonné quand Kinky répondit :

— Ce n'est pas mon rôle de le dire, je le sais, mais j'ai entendu dire que les médecins qui se soignent eux-mêmes ont des *amadáns* comme patients.

Elle partit avant qu'O'Reilly puisse répliquer.

Barry, qui ne connaissait pas le gaélique, demanda :

— Qu'est-ce qu'un «omadawn», Fingal ?

— Un idiot, dit O'Reilly. Si quelqu'un d'autre m'appelait ainsi, je…

Barry frissonna.

— Évidemment, dit O'Reilly en se levant, c'est la seule façon qu'elle a de montrer qu'elle s'inquiète. Et je suis en pleine forme.

Il passa devant Barry et ajouta :

— Venez en haut, et je vais tout vous dire sur ce cas que je viens de quitter.

Kinky avait raison. C'était chaleureux dans le salon à l'étage. Les rideaux étaient tirés sur les fenêtres pour garder la chaleur à l'intérieur et la nuit à l'extérieur. Un rideau claquait chaque fois qu'un coup de vent fort frappait la maison, les vieilles fenêtres à guillotine n'étant pas complètement étanches, mais la chaleur d'un feu de charbon brûlant dans l'âtre éloignait le froid de l'hiver.

Lady Macbeth, la chatte blanche d'O'Reilly, les avait devancés sur les lieux en occupant l'espace sur le tapis directement devant la grille du foyer. Elle était ce qu'O'Reilly appelait « sens dessus dessous ». Son nez rose était collé contre son ventre, sa queue se courbait sur le haut de sa tête, et dans cette posture, elle semblait réussir sans que l'on sache vraiment comment à se positionner de manière à être allongée sur le dos.

Arthur Guinness, le labrador noir d'O'Reilly, était affalé au bord du tapis, sa grosse tête carrée sur ses pattes. Il promenait tristement le regard entre Lady Macbeth et O'Reilly, comme pour dire : « cette chose est à ma place. »

O'Reilly se pencha et gratta la tête du gros chien. La queue d'Arthur se balança mollement d'un côté et de l'autre.

— Je le laisse entrer dans la maison quand le temps est vraiment mauvais, mais il est censé rester dans la cuisine. N'est-ce pas, monsieur ?

— Arf, dit Arthur, et il ne montra pas le moindre signe indiquant qu'il voulait bouger.

O'Reilly s'installa dans l'un des gros fauteuils.

Barry prit l'autre. Il s'appuya sur le dossier et allongea les jambes devant lui. Dieu que c'était confortable. Malgré toute sa curiosité concernant le patient d'O'Reilly, s'il ne se montrait pas prudent, Barry pouvait très facilement s'endormir. Sa tête tomba sur son torse, et ses paupières s'affaissèrent.

Il entendit le grattement d'une allumette et sentit l'odeur âcre du tabac à pipe d'O'Reilly. Son demi-sommeil vola en éclats devant l'accès de toux d'O'Reilly. Barry se redressa d'un coup et dévisagea son collègue plus âgé. O'Reilly se penchait en avant dans son fauteuil, les bras croisés sur son estomac, les yeux fermés avec tant de force que Barry put voir de minuscules filets d'eau sortir des coins.

La quinte effraya Lady Macbeth, et Barry fut distrait par le brouillard blanc qui partit en courant de la pièce et qui faillit bousculer Kinky, qui entrait. Il vit les yeux de Kinky s'arrondir tandis qu'elle poussait brusquement son plateau sur le buffet. Elle pointa O'Reilly et, les yeux fixés sur ceux de Barry, elle donna un coup de tête sec en direction du médecin. Il opina de la tête et se leva avec l'intention de rejoindre son collègue plus expérimenté et de peut-être l'examiner.

O'Reilly se redressa, passa le dos de sa main sur ses yeux, prit une profonde respiration, la relâcha et dit :

— Mon doux, ces professeurs anglais ont peut-être raison. Ce tabac — il fixa sa pipe d'églantier fumant faiblement toujours dans sa main gauche — n'est pas si bon que cela pour nous. Particulièrement quand un gars est sorti par un soir semblable et a transporté un grand homme lourd et s'est lui-même mis de la pression sur ses propres poumons.

Barry se dit que la remarque d'O'Reilly à propos du tabac qui n'était pas « bon pour nous » était un euphémisme tandis qu'il scrutait le visage d'O'Reilly, espérant que le gros homme n'avait pas remarqué le pli d'inquiétude soudainement apparu sur son front. Sept ans plus tôt, le British Medical Research Council s'était fortement prononcé en faveur du rapport de cause à effet entre fumer la cigarette et le cancer des poumons. Il avait pris cet avertissement suffisamment au sérieux pour cesser de fumer un an plus tôt. Les mêmes scientifiques ne semblaient pas excessivement inquiets à propos du tabac à pipe, de sorte qu'il n'y avait probablement rien de grave arrivant à O'Reilly. Le pli sur le front de Barry disparu. Ses suppositions furent interrompues quand O'Reilly toussa bruyamment encore une fois. Il prit une autre profonde inspiration et leva les yeux sur Barry, puis sur madame Kincaid, de l'autre côté de la pièce.

— Seigneur, dit-il. À vous voir la tête tous les deux, on penserait que vous avez vu Lazare ressusciter parmi les morts. Voulez-vous bien vous asseoir, Barry?

Barry dit posément :

— Fingal, vous avez eu quelque chose s'approchant d'une foutue crise d'asthme à l'instant. Nous étions inquiets pour vous.

O'Reilly s'éclaircit la gorge.

— Il n'y a rien qui ne va pas. Assoyez-vous.

— Nous étions inquiets...

— Eh bien, vous pouvez cesser de vous inquiéter. Immédiatement. Je vous l'ai dit, j'ai dû entraîner de l'inflammation dans les tubes un peu en aspirant de grosses goulées d'air froid quand je portais presque à moi seul Liam Gillespie jusqu'à ma voiture. Je suis en pleine forme. Je serai remis en un rien de temps.

Les joues d'O'Reilly étaient plus rouges qu'à leur habitude, mais le bout de son nez était d'albâtre.

Barry comprit qu'il était inutile de discuter. Il s'assit.

— Maintenant, dit O'Reilly, laissant tomber sa pipe dans le cendrier et se frottant les mains ensemble, est-ce là le café et votre gâteau aux cerises, Kinky?

— Oui, donc.

— Alors, plongeons. Voulez-vous verser le café, Kinky?

Barry entendit madame Kincaid renifler pour la deuxième fois ce soir-là, et à son étonnement, il entendit O'Reilly ajouter un «S'il vous plaît?» inhabituel.

— D'accord, dit-elle, commençant à verser. Et peut-être que je pourrais réchauffer la bouilloire pour que vous puissiez vous organiser pour respirer un peu de ce baume Friar?

O'Reilly sembla réfléchir à l'offre, puis il dit :

— D'accord ; mais contentez-vous de monter l'eau bouillante et la bouteille brune.

Barry fut étonné de voir le gros homme céder aussi facilement devant la réprimande de Kinky. Ce serait tout un spectacle de voir O'Reilly assis à table avec une cruche d'eau bouillante et des herbes aromatiques, de même qu'une serviette sur la tête comme une tente à oxygène primitive, inspirant les vapeurs que l'on disait bénéfiques.

— Bien, dit madame Kincaid en apportant son plateau avec deux tasses de café et une assiette sur laquelle étaient posées des tranches de son gâteau aux cerises jusqu'à la table basse. Je vais aller m'en occuper.

Elle partit.

Barry souleva sa tasse de café.

O'Reilly s'empara d'une tranche de gâteau aux cerises, prit une grosse bouchée et toussa.

— Mon doux, j'ai un puissant chatouillement, pour ça oui, dit-il en faisant un clin d'œil. Mais ce n'est pas le baume de Kinky qui va le guérir.

Il observa la carafe sur le buffet, et Barry songea au whiskey chaud qu'il avait lui-même bu pas très longtemps auparavant. On ne pouvait pas préparer de whiskey chaud sans eau bouillante.

Arthur s'était remué, et il était maintenant assis directement devant O'Reilly, la tête inclinée, les yeux noirs fixés sur chacun des gestes de la main qui tenait le gâteau aux cerises, des filets jumeaux de bave pendant aux commissures de sa gueule.

— On ne devrait jamais donner de la nourriture humaine à un chien de chasse, dit O'Reilly très sérieusement tandis qu'il poussait le dernier morceau de son gâteau dans la bouche d'Arthur. Maintenant, dit-il, si ma petite quinte n'est plus d'intérêt, je suppose que vous aimeriez savoir qui je suis allé voir.

— Oui, j'aimerais cela. J'ignorais que nous avions des patients se trouvant aussi loin qu'aux Holywood Arches.

— Nous n'en avons pas. Je suis allé voir les Gillespie. Leur ferme est dans les collines. Quand j'ai vu Liam, j'étais assez convaincu qu'il avait une rupture de la rate, alors j'ai fait en sorte qu'une ambulance...

— ... vous rejoigne aux Holywood Arches, compléta Barry. Et vous l'avez amené là-bas dans votre voiture.

L'habitude d'O'Reilly de transporter ses patients ne causait plus de grande surprise à Barry ; en effet, lui-même conduisait occasionnellement une personne à l'hôpital si l'urgence était suffisamment grande. En août, il avait conduit la mariée du jour, Julie, au Royal quand elle faisait une fausse couche.

— Et c'est une foutue bonne chose que je l'aie fait. Il était complètement à plat quand j'y suis arrivé, mais l'ambulance attendait, et nous avons pu le monter à bord et commencer une transfusion de sang. Sa tension artérielle a grimpé après que nous lui avons donné deux unités.

— Et sa rate sera-t-elle retirée ce soir ?

— J'imagine...

Peu importe ce qu'il était sur le point d'imaginer, cela fut interrompu par le bruit d'un accident.

Barry sursauta en entendant ce bruit soudain, et il tenta de comprendre ce qui venait de se passer. Lady Macbeth avait dû revenir dans la pièce en douce, sauter sur le plateau et essayer d'attraper le pot à lait avant de renverser le tout sur le sol. Le plateau était tombé de la table basse, et le pot de lait était retourné sur le tapis. Lady Macbeth, hurlant comme une diablesse, la queue hérissée comme une brosse à récurer les toilettes électrocutée, était au milieu d'un rideau et se dirigeait au nord vers la cantonnière. Arthur Guinness, sans même avoir demandé la permission, terminait la dernière tranche de gâteau aux cerises.

— Seigneur, dit O'Reilly en chassant Arthur. C'est comme l'heure de nourrir les animaux au foutu zoo Whipsnade.

Il pivota et fixa Lady Macbeth du regard, là où elle était à présent assise sur la cantonnière au-dessus des rideaux, se lavant les pattes.

— Et toi… madame, tu peux rester là. Tu m'as griffé la dernière fois que j'ai tenté de te faire descendre.

Barry, se penchant pour récupérer le plateau et son contenu et déposer encore une fois le tout sur la table, se souvint de cet incident. Il se disait mentalement que lui non plus n'allait pas se porter volontaire pour sauver la chatte d'O'Reilly quand ce dernier toussa bruyamment et dit, comme si le carnage de la minute précédente n'avait pas eu lieu :

— Oui. Liam se fera retirer la rate ce soir, j'en suis sûr. Et avec un peu de chance, il sera de retour chez lui et actif à temps pour Noël.

Il toussa et crachota encore, puis il sortit un mouchoir de la poche de son pantalon et se tapota les yeux.

— Et, dit Barry aussi gentiment qu'il le pouvait, toutes ces balades dans la tempête au volant de cette vieille Rover vous ont donné, je le pense en vous entendant, une petite trachéite. Pensez-vous que nous vous verrons en pleine forme et actif à Noël?

— Évidemment que oui, dit O'Reilly. Il le faut bien. Noël est dans trois semaines seulement. Nous pourrions être occupés au cabinet au cours des deux premières semaines; les clients voudront régler leurs petits bobos avant la semaine de Noël. C'est la saison des rhumes, des reniflements, des toux et des grippes. Nous pourrions devoir être deux pour gérer la pratique.

Il toussa et fronça les sourcils.

— Je pourrais m'en sortir seul pendant quelques jours, vous savez.

Barry savourait l'idée d'avoir plus d'indépendance encore.

— Je n'en doute pas une minute, fiston, mais ce n'est pas seulement la pratique. Tout le village devient fou.

— Ah?

— Avec les fêtes du Rugby Club, les spectacles d'enfants pour Noël, la journée à portes ouvertes de Sa Seigneurie... Doux Jésus, même les Bishop font quelque chose le lendemain de Noël...

— Le conseiller Bertie Bishop organise une fête?

Les sourcils de Barry et le ton de sa voix s'élevèrent. Bertie Bishop était l'homme le plus méchant des Six Counties.

— Je pense, dit O'Reilly, qu'il doit regarder *Un conte de Noël* avec Alastair Sim à la télévision chaque année. Ce qui arrive à Scrooge le dérange probablement pendant un ou deux jours, alors il essaie d'agir comme un chrétien. Il est comme la plupart des gens. Son esprit de Noël disparaît vite. Il dure habituellement jusqu'au douzième jour, puis Bertie redevient le petit merdeux qu'il est toujours.

— Cela parle au diable.

— Je ne veux pas rater les plaisirs, et je ne veux pas que vous en soyez privé non plus, mais je ne vais foutrement servir à rien jusqu'à ce que cela passe, dit O'Reilly en étouffant une petite toux. Mais ce ne sera pas long.

— Fingal, je vous l'ai dit. Je peux m'en sortir.

— Eh bien, c'est un soulagement que l'un de vous deux, messieurs, le puisse.

Barry se tourna pour voir Kinky entrer dans la pièce. Elle portait une serviette pliée sur son avant-bras, comme un serveur dans un restaurant chic. Elle déposa un grand plateau sur le buffet. Il pouvait voir la bouilloire fumante, un assortiment de bols et une bouteille de liquide brun.

— Je suppose que vous pensez que le lait renversé se nettoie tout seul ?

Elle jeta un regard noir sur la tache humide sur le tapis.

— Désolé, Kinky, dit Barry.

— Ah, les hommes, dit-elle.

Mais elle avait un grand sourire sur le visage et ajouta :

— D'accord. Nous allons d'abord nous occuper de vous.

Elle souleva le petit bol sur le plateau, le déposa sur le buffet et emporta le reste jusqu'à une table plus grande dans la saillie formée par l'une des fenêtres.

— Voulez-vous venir ici, docteur O'Reilly ?

Elle s'activa elle-même à verser le liquide brun gluant dans le bol, puis à verser de l'eau bouillante par-dessus. La pièce se remplit de vapeurs sombres et âcres qui firent monter les larmes aux yeux de Barry.

— À présent, docteur O'Reilly, cher, assoyez-vous ici...

Elle désigna une chaise à côté de la table.

O'Reilly se leva, s'aventura jusque-là et s'assit.

— Mettez votre tête au-dessus du bol...

Barry pouvait voir la vapeur montante envelopper la tête penchée d'O'Reilly.

— Et placez-vous sous ceci.

Elle prit la serviette sur son bras et drapa le tissu sur sa tête. Des volutes de vapeur s'échappaient autour des bords de la serviette.

Il avait l'air d'un cheik arable dans le brouillard londonien.

— Bon, dit-elle, cela va dégager votre poitrine, donc. Ceci dit, ma grand-maman vous aurait donné une infusion de carraghéen et de graines de capucine à boire avec cela.

O'Reilly marmonna quelque chose que Barry n'entendit pas, mais Kinky sembla l'avoir entendu.

— D'accord, d'accord, dit-elle. Ne sais-je pas ce que vous voulez ? Et n'ai-je pas apporté ce qu'il faut pour le préparer ? Vous aurez votre whiskey chaud. Ce sera parfait pour vous d'en boire un après que vous serez resté là-dessous pendant 15 minutes.

Elle agita un doigt vers O'Reilly, qui était penché.

— Et pas une minute de moins ! Vous m'entendez, docteur, cher ?

Barry entendit un « Oui, Kinky » étouffé sortant de sous la serviette.

— À présent, docteur Laverty, dit-elle en rapportant son plateau jusqu'au buffet, êtes-vous capable de lui préparer un petit demi-chaud ?

— Oui.

— Je vous serais reconnaissante de le faire pendant que je cours en bas chercher ce qu'il faut pour nettoyer la tache sur le tapis, dit-elle avant d'émettre un petit bruit de bouche désapprobateur. Qu'est-ce que vous avez bien pu faire pour renverser… ?

— Kinky, voudriez-vous regarder en haut ? dit Barry en pointant la cantonnière où Lady Macbeth se lavait un peu plus tôt.

Mais à présent, la chatte reniflait l'air, son nez rose aspirant les vapeurs du baume flottant dans sa direction.

— Voilà la coupable, dit Barry.

Le visage rond de Kinky se fendit d'un immense sourire.

— Oh, eh bien, elle est pardonnée.

Elle s'adressa alors directement à Lady Macbeth.

— Car tu n'es rien d'autre qu'un petit chou adorable, donc. Tu l'es, tu l'es.

Et sur ces mots, elle s'en alla.

Barry se leva et s'activa à préparer le whiskey chaud pour Fingal. Il décida de ne pas boire un autre verre. Il commençait vraiment à s'endormir. Il versa du sucre dans une tasse.

— Barry ?

La voix d'O'Reilly était étouffée par la serviette.

— Oui, Fingal ?

— À propos du fait de vous occuper seul de la boutique…

— Oui ?

Barry ajouta une mesure de John Jameson de la carafe sur le buffet.

— Voyez si vous pensez que nous sommes juste un peu moins occupés que nous l'étions avant.

Barry hésita alors qu'il était sur le point de presser un peu de jus de citron dans la tasse.

— Pensez-vous que nous le sommes? Je n'y avais pas vraiment pensé.

— Je me le demandais, c'est tout, dit O'Reilly. J'ai entendu dire que nous avons un peu de concurrence.

— Oh?

— Oui. Un nouveau médecin s'est installé à Kinnegar depuis que le docteur Bowman a pris sa retraite en septembre.

— Et pensez-vous qu'il pourrait nous chiper certains de nos patients?

— Pas tant que je vivrai, non.

Barry se raidit.

— Ne pensez-vous pas que les patients resteront pour moi aussi?

Le jus de citron coula goutte à goutte dans le whiskey. «Seigneur, ma voix est aussi amère que ce foutu jus», pensa Barry.

— Oubliez que j'ai dit cela, Fingal. Je comprends votre propos. Évidemment que les clients sont plus habitués à vous. Ils le devraient foutrement, après plus de 20 ans.

Il lança deux clous de girofle dans la tasse.

— En tout cas, continua-t-il en versant l'eau presque bouillante provenant de la bouilloire, nous allons vous remettre sur pied en un rien de temps. Je serai en mesure de gérer seul pendant quelques jours. Et Fingal? Je suis de garde, ce soir, dit Barry alors qu'un coup de vent s'abattait

contre les fenêtres. Vous ne ressortez pas par un temps
pareil.

— Merci, Barry.

— Je suis content que vous soyez d'accord.

Barry était sur le point d'apporter le whiskey à O'Reilly
quand Kinky réapparut.

— Je croyais, dit-elle, qu'il devait s'écouler 15 minutes au
total avant que nous lui donnions cela...

Barry replaça la tasse sur le plateau et jeta un regard à sa
montre.

— Désolé, Kinky.

Elle rejoignit d'un pas décidé l'endroit où le lait avait
taché le tapis quand Barry entendit un miaulement plaintif
flotter vers le sol. Kinky et lui levèrent les yeux pour voir
Lady Macbeth recroquevillée à l'extrémité la plus éloignée
de la cantonnière, essayant visiblement d'échapper aux
miasmes toujours en croissance des vapeurs du baume.

— La pauvre petite créature.

Madame Kincaid se déplaça sous la cantonnière et se
tint près d'O'Reilly.

— Allez, maintenant, saute en bas, et Kinky va t'attraper. Elle le fera, donc.

Lady Macbeth s'accroupit, se voûta, bondit... et rata complètement Kinky, frappant le tissu et disparaissant dans ses
plis. La serviette tirée en bas de la tête d'O'Reilly permit à
Barry de regarder pendant que son partenaire plus âgé était
poussé en avant par la combinaison du poids de la chatte et
de la serviette jusqu'à ce que son nez soit enfoncé contre sa
volonté dans le bol de baume. La scène digne d'un film qui
se déroulait sous ses yeux avait une bande sonore : le cri perçant et fantomatique d'une chatte, de même que le

rugissement grave d'un médecin. O'Reilly se leva, la main serrant son nez. Vraisemblablement pour ne pas manquer ce qu'il y avait de drôle, Arthur trotta jusqu'à eux avec la tête rejetée en arrière, yodlant, la queue battant à 100 milles à l'heure. Madame Kincaid plaqua une main sur sa bouche ouverte, et Barry Laverty, qui était plié en deux tant il riait, dut tourner le dos à toute l'assemblée.

«Oh, mon doux, oh, mon doux», pensa-t-il. Il tenta de reprendre son sang-froid. Dans une maisonnée comme celle-ci, où l'inattendu était la norme, comment pouvait-il vraiment s'inquiéter pour la toux d'O'Reilly, de la concurrence d'un nouveau médecin ou du fait qu'il était à présent seul pour diriger la pratique? Et même s'il n'était pas appelé à sortir ce soir-là, il serait seul dans le cabinet le lendemain. Il continuerait à être seul jusqu'à ce qu'O'Reilly, qu'il pouvait voir debout, se servant de la serviette pour s'essuyer le nez, soit à nouveau sur ses pieds au sens propre comme au figuré.

4

❧

La tournée quotidienne et la tâche ordinaire…

O'Reilly n'était assurément pas encore sur pied. 40 minutes plus tôt, quand Barry avait marché doucement devant la porte de la chambre à coucher du gros homme, il avait distinctement entendu des ronflements, des bruits semblables au ronronnement de fierté des lions qu'il avait vus dans un documentaire télévisuel réalisé par Armand et Michaela Dennis. À présent, il terminait son petit déjeuner seul.

— Vous avez le temps pour une autre tasse de thé. C'est du Twinings, donc.

Madame Kincaid faisait des histoires autour de la théière, versant le thé à travers une passoire en argent dans la tasse de Barry.

— Voici le lait.

Barry savait bien qu'il valait mieux ne pas refuser.

— Merci, Kinky.

— Maintenant, buvez cela comme un bon garçon, et je vais courir en haut une minute pour voir comment il va.

Barry vit l'étincelle dans ses yeux d'agate alors que ses rides d'humour s'approfondissaient aux coins de ses yeux. Barry se dit alors que quelqu'un dans la famille de Kinky devait être un parent proche de Florence Nightingale. Rien ne semblait la rendre plus heureuse que d'avoir à soigner ses protégés.

Il ajouta du lait à son thé pendant qu'elle desservait les plats de son petit déjeuner et s'en allait. Barry bâilla et but. Dieu merci, il n'y avait eu aucune urgence avant qu'ils se mettent au lit la veille. Cela ne dérangeait pas Barry de prendre le tour de garde d'O'Reilly, mais il avait besoin de son sommeil la nuit. Le temps expliquait probablement pourquoi personne ne l'avait appelé la veille au soir. Si les gens pensaient que les routes étaient bloquées, ils ne voudraient pas le traîner dehors à moins d'une situation grave. Et peut-être que si des patients vivaient plus près de Kinnegar — cette pensée le tarauda —, ils tenteraient leur chance auprès du nouveau médecin.

Même si entre les rires provoqués par la pagaille causée par Lady Macbeth hier soir et le fait de s'être endormi d'un sommeil de plomb et sans rêves, il n'y avait pas eu grand temps pour s'inquiéter, l'apparition de la concurrence mentionnée par O'Reilly devait être prise au sérieux. Barry n'était pas un économiste spécialiste de la santé, mais la question demeurait. Y avait-il suffisamment de patients sur le territoire de Ballybucklebo et Kinnegar pour alimenter trois médecins occupés ? Le vieux docteur Bowman n'était pas une menace. Il était en semi-retraite. Mais un nouvel homme ? « Oh, en bien, "à chaque jour suffit sa peine", et Saint Luc devait le savoir. Il était médecin », pensa-t-il alors.

Barry avala encore du thé. Il regarda par la fenêtre les congères de sept centimètres sur le mur du cimetière en face. Dans l'Ulster, la neige était rare, et une chute comme celle de la veille, qui aurait été écartée comme un événement sans importance par un résident de l'une des prairies en Amérique du Nord, pouvait paralyser la campagne irlandaise.

Elle devait avoir cessé de tomber à un moment pendant la nuit — Barry ignorait quand —, mais ce matin-là, le ciel était dégagé, d'un bleu coquille d'œuf, et le soleil faisait déjà dégoutter l'eau des glaçons qui pendaient des corniches du toit de l'église presbytérienne en face de la maison d'O'Reilly. Une des stalactites glacées attrapa les rayons du soleil, puis les réfracta, et Barry sourit en voyant l'eau gelée briller d'un côté et libérer un minuscule arc-en-ciel parfait de l'autre.

Des ardoises noires luisantes pointaient, mouillées, à travers la neige qui s'accrochait au toit. Pendant qu'il regardait, une plaque de neige glissa du côté nord du clocher incliné.

Les branches vert foncé et blanches des vieux ifs dans le cimetière étaient courbées, et des gouttes en tombaient avec un petit bruit au sol et creusaient de petits trous dans un tapis autrement égal. Comme dans une scène de carte de Noël, un unique rouge-gorge à la poitrine rouge se percha sur une branche basse, ses plumes écarlates formant un joyeux contraste avec son environnement hivernal.

Il se demanda pourquoi tant d'éditeurs de cartes de Noël favorisaient des scènes à la façon Dickens. Probablement parce que lorsque Dickens écrivait *Un conte de Noël* et que Currier and Ives produisait ses fameuses impressions, toute l'Europe était aux prises avec ce que les météorologues appelaient «la petite ère de glace». Dieu seul savait quand la Tamise avait gelé pour la dernière fois à notre époque, mais elle l'avait certainement fait à ce moment-là.

Barry consulta sa montre. Il serait en avance de cinq minutes, mais aujourd'hui, avec O'Reilly hors de combat, cela allait être la toute première fois qu'il serait complètement seul pour diriger le cabinet. Et il voulait commencer. Barry se leva, s'essuya les lèvres avec la serviette, écrasa le carré de lin de Belfast et le laissa sur la table avant de passer dans le vestibule.

La porte en face était ouverte sur ce qui avait autrefois été le salon du rez-de-chaussée, quand le numéro 1 de la rue principale était une maison privée. Il savait que si O'Reilly avait été un spécialiste, on aurait désigné cela comme sa «salle de consultation» et que s'il avait été Américain, on l'aurait appelé son «bureau». Dans la pratique médicale générale irlandaise, le terme consacré pour cet endroit était «cabinet», et c'est là-dedans qu'il allait passer le matin à s'occuper de tous les types de patients qu'O'Reilly appelait souvent «les inquiets en santé». Il n'y aurait que peu de gens gravement malades — peut-être même aucun —, mais tous se faisaient assez de soucis à propos de ce qui les faisait souffrir pour prendre la peine de venir au cabinet.

Il gagna la salle d'attente et entrouvrit très légèrement la porte. Même après cinq mois ici, les affreuses roses du papier peint avaient encore le pouvoir de le faire tressaillir. Il pouvait imaginer Oscar Wilde, en l'honneur de qui son partenaire plus âgé avait été nommé «Fingal Flahertie», marmonnant ses célèbres dernières paroles : «Soit le papier peint disparaît, soit c'est moi.»

Il avait déjà entendu parler d'un consultant expérimenté imprudent à l'hôpital Royal Victoria, à Belfast, qui avait paraphrasé ces mots pendant une dispute avec la première infirmière-chef de l'hôpital : «Soit la femme disparaît, soit c'est moi.» La première infirmière-chef était encore là.

Barry ouvrit pleinement la porte.

— Bonjour, docteur Laverty, dirent plusieurs voix.

C'était une salutation voilée. Il n'y avait qu'une douzaine de chaises en bois qui étaient occupées. Était-ce simplement parce que les routes étaient mauvaises et que les gens avaient des problèmes assez banals pour qu'ils décident d'attendre que le temps s'améliore avant de venir, ou était-ce parce que…?

«Merde, arrête de t'inquiéter à propos du nouveau médecin, et fais ton boulot», se dit-il.

— Bon, demanda-t-il, qui est le premier?

Il se demanda si quelqu'un songerait un jour à implanter un système de rendez-vous.

Une femme angulaire d'âge moyen se leva. Elle portait un imperméable bleu marine d'une coupe distinguée dont les lignes n'étaient pas exactement bien complétées par ses imposants caoutchoucs. Sa chevelure poivre et sel était tirée en arrière en un chignon sévère. Son visage taillé à la serpe arborait un air renfrogné qui, de l'avis de Barry, avait pu être cousu sur elle par un chirurgien plastique qui lui en voulait. Elle ne dit pas l'habituel «Moi, docteur», mais elle se contenta de jeter un regard noir aux autres gens présents, comme si elle les défiait de remettre sa priorité en question.

— Mademoiselle Moloney, dit-il. C'est agréable de vous voir.

«Laverty, espèce d'hypocrite», pensa-t-il.

— Par ici, je vous prie.

Elle était la propriétaire de la Boutique Ballybucklebo, la boutique locale de vêtements pour dames. Personne ne l'avait vue au village depuis qu'elle avait eu une malheureuse prise de bec avec Helen Hewitt, la rouquine qui était la demoiselle d'honneur de Julie MacAteer la veille. En août, mademoiselle Moloney avait acquis un stock de chapeaux devant être vendus aux dames du village pour un mariage, celui de Sonny et Magie. Elle n'avait pas pris en compte son assistante en boutique, Helen, qu'elle persécutait sans pitié. Le jour avant la grande vente, Helen avait retiré chacun des chapeaux de sa boîte jusqu'au dernier, puis elle les avait alignés sur le sol... avant de tous les piétiner.

Helen avait démissionné, et l'eczéma qui la tourmentait depuis des mois avait disparu. Mademoiselle Moloney, plutôt qu'affronter la dérision des villageois, avait rendu une visite diplomatique et prolongée à sa sœur qui vivait dans le village de Millisle dans la péninsule d'Ards du côté du Belfast Lough. «Aujourd'hui, elle est de retour», pensa-t-il.

Il la suivit dans la pièce familière au tapis usé avec son divan d'examen, ses paravents rétractables et son armoire d'instruments le long d'un mur peint en vert. Au moins, le tableau optométrique au-dessus d'un tensiomètre fixé au mur ne pendait plus de travers. Il l'avait redressé deux mois plus tôt. Si O'Reilly l'avait même remarqué, il n'en avait pas parlé.

Au-dessus du vieux secrétaire à cylindre, le diplôme vieux d'un an de Barry, qui datait de 1963, avait été décerné par la Queen's University à Belfast et avait été signé par sir Tyrone Guthrie avec son écriture cursive propre et nette, tenait compagnie à celui d'O'Reilly, qui datait de 1936 et avait été décerné par le Trinity College à Dublin.

— Je vous en prie, prenez place.

Il désigna l'une des deux chaises en bois.

Mademoiselle Moloney s'assit juste au bord de la chaise, le dos droit, les mains bien sagement serrées sur ses cuisses.

Barry passa devant elle pour s'asseoir sur le fauteuil pivotant à roulettes.

— Bon retour, dit-il. Comment était Millisle?

Elle renifla.

— Froid, humide, venteux et désolé.

— Eh bien, c'est l'hiver, vous savez.

— Comme c'est malin de votre part de le remarquer, docteur.

Il s'éclaircit la gorge. Il semblait que le lait de la gentillesse humaine soit encore suri dans les veines de mademoiselle Moloney.

— Alors, quel semble être le problème?

— Je suis très fatiguée.

— Je vois. Y a-t-il autre chose?

Elle secoua la tête.

C'était une bien mince piste. La fatigue pouvait simplement être le reflet d'un manque de sommeil ou de surmenage au travail — ce qui était peu probable dans son cas. Il pouvait également s'agir d'un signe indiquant presque n'importe quelle maladie se trouvant dans le manuel médical. Barry se cala dans sa chaise. Il mit les doigts en flèche, exactement comme il avait vu O'Reilly le faire un millier de fois, et il regarda son visage.

Il était extrêmement pâle.

— Hum, dit-il en se parlant à lui-même tandis qu'il se penchait en avant et prenait sa main dans la sienne.

Elle avait la main froide et moite. Il la tint la paume vers le sol et regarda ses ongles soigneusement coupés. Ils avaient une forme des plus étranges. Chacun était concave, comme le creux d'une cuillère à thé peu profonde — le terme technique pour cela était la koïlonychie, et elle était généralement associée à l'anémie causée par une carence en fer. Intéressant.

— Veuillez regarder au loin, je vous prie.

Il se servit d'un pouce sous chaque œil pour tirer les paupières inférieures vers le bas. La membrane qui les bordait, la conjonctive, était transparente et permettait d'examiner les fins vaisseaux sanguins en dessous. Il aurait dû y avoir une belle couleur rouge, mais dans le cas de mademoiselle Moloney, Barry vit une région très blafarde. Il était à présent convaincu qu'elle était anémique. De simples tests de laboratoires allaient le confirmer.

Il s'adossa dans sa chaise.

— Je suis assez certain, mademoiselle Moloney, que vous souffrez d'une baisse de plaquettes sanguines.

— Oh, mon doux. Est-ce grave ?

Ses sourcils étroits s'arquèrent, et sa lèvre inférieure trembla.

En vérité, ce pouvait l'être si, par exemple, l'anémie était le reflet d'une perte de sang. Certaines de ses causes pouvaient être très graves, même si chez les femmes, la cause la plus commune était la présence de menstruations abondantes.

— Quel âge avez-vous, mademoiselle Moloney ?

Elle se hérissa. Il savait que dans certains milieux, il était considéré comme impoli qu'un homme demande son âge à une dame, mais il était son médecin, bon sang.

— Mademoiselle Moloney ?

— 51 ans.

Il arrondit les lèvres. Il serait bien assez temps à la prochaine visite de lui demander si elle avait eu son « retour d'âge », la ménopause.

— Je vois. Merci.

Il pivota vers le secrétaire, écrivit une note dans son dossier, remplit le formulaire de demande de service du laboratoire approprié, puis pivota de nouveau vers elle.

— Bon, mademoiselle Moloney. Je ne pense pas que vous deviez vous inquiéter à ce sujet...

Parce que lui, son médecin, était tout à fait capable de s'en inquiéter pour elle.

— La première chose que nous devons faire, continua-t-il, est de nous assurer que vous êtes bien anémique.

— Mais vous avez dit que vous en étiez certain.

Elle fronça les sourcils et serra ses lèvres minces.

— *Assez* certain ; mais j'ai besoin d'en être absolument sûr, donc j'aimerais que vous alliez au laboratoire de l'hôpital de Bangor et fassiez faire des tests sanguins.

Il lui tendit le formulaire rose.

— D'accord.

— Et je vais vous revoir la semaine prochaine pour vous donner les résultats.

« Et si vous êtes anémique, je vais décider comment vous sonder pour trouver toute cause sous-jacente possible », pensa-t-il, mais il conserva un gentil sourire sur son visage. Il se leva pour indiquer que la consultation était terminée.

Elle se leva et le suivit jusqu'à la porte.

— Je vous revois la semaine prochaine, dit-il alors qu'elle passait la porte d'entrée.

« Avec de la chance, ce sera un simple cas d'anémie causée par une carence en fer due à un apport faible dans l'alimentation », pensa-t-il tandis qu'il retournait vers la salle d'attente. Il ne voulait vraiment pas avoir de patients très gravement malades. Il n'avait jamais voulu avoir de patients réellement très malades, mais particulièrement pas pendant cette saison-ci.

Barry ouvrit la porte de la salle d'attente.

— Suivant, s'il vous plaît.

— C'est moi, monsieur.

Il connaissait Cissie Sloan, la très grosse femme qui parla et se leva. Elle portait un fichu sur des bigoudis en plastique rose et un imperméable en gabardine. Barry se dit qu'il avait probablement été cousu par Omar, le fabricant de tentes.

— Bonjour, Cissie.

Barry s'écarta pour lui permettre de le précéder dans le couloir menant au cabinet.

— Entrez, dit-il. Installez-vous.

Cissie Sloan s'assit lourdement sur l'une des deux chaises en bois ordinaire en face du secrétaire. Barry s'appropria le fauteuil pivotant à roulettes devant le secrétaire.

— Comment allez-vous, Cissie?

Il posa la question, sachant que c'était une invitation au déversement de son flot de paroles. Eh bien, la salle d'attente était à moitié vide; il avait le temps.

— Vous rappelez-vous, dit-elle de sa voix rauque, quand je suis venue vous voir la première fois et que vous avez découvert qu'il me manquait cette petite chose, la thyroxine, dans mon sang, pour sûr?

Barry acquiesça de la tête. En effet, il s'en souvenait. O'Reilly avait raté le diagnostic d'hypothyroïdie, et il lui avait donné de la vitamine B12 comme tonique. L'enrouement de sa voix était une conséquence de son hypothyroïdie.

— Et le docteur O'Reilly m'a prescrit de l'extrait de thyroïde, dit-elle en regardant autour d'elle. Où est le gros homme, aujourd'hui?

— Il a un peu de toux.

— Vraiment, pardieu ? Que prend-il pour la soigner ?

— Bon, Cissie, dit gentiment Barry, je ne peux pas discuter du docteur O'Reilly avec vous. Vous le savez.

— Oui, c'est vrai, mais…

— Bon, que puis-je faire pour vous aujourd'hui, Cissie ?

Il n'avait aucune intention de discuter de Fingal avec Cissie.

— C'est ma gorge, pour ça oui, dit-elle en se penchant en avant vers lui. Bon, je sais que ma voix est un peu rocailleuse depuis que j'ai ce truc de la thyroïde, mais depuis deux… non, c'est faux… trois jours… ou c'est peut-être quatre… non, non, trois… Je m'en souviens, maintenant. C'était le jour où le laitier, Archie Auchinleck, celui dont le fils est soldat à Chypre… Archie a laissé le lait sur mon seuil, et la bouteille s'est brisée. Le lait a gelé, et ma cousine Aggie a glissé dessus, et elle est tombée sur les fesses, et…

Barry espéra qu'elle n'avait pas remarqué qu'il avait levé les yeux au ciel, mais quelque chose la ramena sur son sujet.

— En tout cas, elle brûle, et elle fait mal de chien.

Elle se pencha en avant et murmura :

— Cela fait mal quand je parle.

Barry dut réprimer un sourire. Il ne pouvait pas y avoir de plus gros fardeau dans la vie de Cissie.

— Toussez-vous ? demanda-t-il.

— Un peu seulement.

— Avez-vous pris quelque chose pour cela ?

Les gens de la campagne, il le savait, utilisaient souvent du miel pour soigner une gorge irritée, et il avait souvent vu un enfant dont la mère avait l'habitude d'appliquer une pomme de terre chaude insérée dans un bas sur le devant du cou.

— J'ai bien essayé un peu de coton de sainte Brigitte autour de mon cou. Elle ouvrit le col de son manteau, et Barry vit un morceau de coton grossier noué autour de sa gorge.

— Je suis désolé, Cissie, mais je ne connais pas ce traitement.

Elle émit quelques petits bruits de bouche désapprobateurs.

— On laisse le tissu dehors devant la porte de la maison la nuit avant le 1er février, le jour de la Sainte Brigitte, dit-elle en se signant. La sainte en personne passe pendant la nuit et bénit le tissu.

Elle frotta son écharpe de fortune et ajouta :

— J'ai celui-ci depuis l'an dernier, pour ça oui, mais il ne me fait pas de bien, pour ça non.

Barry se leva et sortit une petite lampe-crayon de la poche intérieure de son veston.

— Je ferais mieux de regarder.

Il gagna le chariot d'instruments et revint avec un abaisse-langue en bois.

— Ouvrez grand la bouche et sortez la langue.

Elle obéit.

Il se servit de la spatule en bois pour pousser sa langue vers le plancher buccal, et il fit briller le faisceau de la petite lampe à l'intérieur de sa bouche.

— Dites « Aaaaah ».

— Aaaaah.

Il pouvait voir l'arrière de son pharynx, et il remarqua en passant qu'elle n'avait pas d'amygdales ni d'adénoïdes. Le faisceau éclaira la membrane normalement rose de sa gorge. Elle était rouge vif, parsemée de petits points jaunes. Le tout ressemblait à s'y méprendre à une fraise mûre avec des graines jaunes au lieu de graines blanches. Une pharyngite d'origine bactérienne, probablement streptococcique. Il retira l'abaisse-langue et palpa les côtés de son cou. Bien. Les glandes lymphatiques n'étaient pas enflées.

— Votre œsophage est légèrement inflammé, Cissie.

— C'est mauvais, c'est cela ?

Il secoua la tête.

— En prenant un peu de pénicilline en plus de vous gargariser, vous serez remise en un rien de temps.

— Vais-je avoir besoin d'une injection ?

Elle regarda le chariot d'instruments et ajouta :

— J'ai mon corset.

Barry pouvait visualiser ce premier jour où il l'avait rencontrée. Quand O'Reilly lui avait fait une piqûre à travers sa robe, il avait frappé le fanon de son corset, et la seringue avait ricoché à travers la pièce comme un dard bien lancé.

— Pas aujourd'hui.

Il secoua la tête, revint à son fauteuil, pivota vers le secrétaire et rédigea une prescription pour de la pénicilline V à prendre par voie orale quatre fois par jour pendant cinq jours.

— Tenez, dit-il en la lui tendant. Êtes-vous capable de préparer une solution de sel de table et d'eau chaude pour vous gargariser ?

— Oh, oui.

— Bien. Faites-le trois fois par jour, et ne parlez pas trop. Vous ne devez pas forcer votre voix.

— Je le ferai, monsieur. Et dois-je garder le coton de sainte Brigitte?

Il y a cinq mois, Barry lui aurait dit que c'était une perte de temps pour une superstition.

— Absolument, dit-il solennellement, et pendant deux jours une fois que vous vous sentirez mieux.

Il sut en voyant le grand sourire plisser son visage qu'il avait dit exactement ce qu'il fallait.

Il se leva et lui prit doucement le bras pour l'aider à se mettre debout. Il y avait d'autres patients en attente. Barry savait qu'une fois que Cissie Sloan s'installait confortablement dans une chaise, elle pouvait être une femme difficile à faire bouger, même si le siège était une des chaises particulières du docteur O'Reilly avec cinq centimètres sciés sur les deux pattes avant afin que les patients glissent sans cesse vers l'avant. Il l'entraîna vers la porte dans le vestibule.

— Si tout ne va pas mieux dans six jours, lundi prochain, revenez me voir.

— Il faut que ce soit mieux. Si vous pouviez voir la quantité de travail que nous devons faire pour que la salle de la chapelle soit prête à recevoir les petits pour le spectacle sur la Nativité...

— Je suis sûr que vous irez mieux, Cissie.

Barry augmenta la pression sur son bras et ajouta :

— Il faudra plus qu'un petit germe pour mettre K.-O. une puissante femme comme vous.

Elle rougit à cause de ce que Barry supposa être un compliment pour elle, et elle lui donna un coup de poing taquin sur l'épaule. Il savait qu'il devait prendre cela comme une preuve d'acceptation totale de la part de Cissie Sloan, si elle se permettait une telle familiarité. Mais il se frotta l'épaule et se demanda comment le nouveau champion du monde de boxe de catégorie poids lourds, Cassius Clay, s'en serait sorti après trois rondes avec cette femme. Cissie l'aurait probablement détruit en un instant.

— Je vous crois, et merci beaucoup, docteur Laverty, dit-elle. Il est tôt, je sais, mais si je ne vous vois pas d'ici là, je vous souhaite un très joyeux Noël.

— Merci, Cissie ; et la même chose pour vous.

Il était sur le point de la laisser partir seule par la porte d'entrée quand elle lui demanda :

— Et viendrez-vous voir la pièce sur la Nativité ? C'est pendant la semaine de Noël. Le lundi.

— Oui, dit-il en ouvrant la porte du cabinet.

Cissie baissa la voix.

— Et amènerez-vous cette jolie petite femme qui fait des études en Angleterre ?

Barry rit. Il n'y avait pas de secrets à Ballybucklebo.

— Je le ferai, Cissie. Elle rentre à la maison.

Et cela ne pouvait pas se produire assez vite pour lui. Il espérait seulement qu'O'Reilly serait remis afin que lui, Barry, puisse avoir tout le temps possible à passer avec Patricia Spence, la « jolie petite femme » qui étudiait à Cambridge.

Quand Cissie fut partie et qu'il retourna vers la salle d'attente, il se dit qu'au moins, le temps passait certainement plus vite quand il était occupé et que tenter de résoudre les problèmes des patients lui laissait peu de temps pour s'inquiéter au sujet de Patricia. Elle lui avait dit qu'elle l'aimait, et cela aurait dû suffire, non ?

Il ouvrit la porte de la salle d'attente.

— Qui est le suivant ?

Il ne s'était pas préparé à voir le père Noël, resplendissant dans son costume rouge bordé de fourrure avec ses bottes noires et sa grande barbe blanche, se lever péniblement et déclarer :

— Moi, docteur, monsieur.

Barry rigola, jeta un coup d'œil autour de lui pour s'assurer que les prochains patients ne seraient pas une bande de lutins et escorta saint Nicolas jusqu'au cabinet. Il se demanda comment O'Reilly aurait réagi à cela, et en refermant la porte derrière lui, il se demanda aussi comment O'Reilly allait ce matin-là.

5

Le souvenir des plaisirs d'antan

O'Reilly pensa qu'il aurait pu aller beaucoup mieux. Il gigota dans son fauteuil du salon à l'étage, et il fixa sa pipe éteinte là où elle était posée dans le cendrier. Seigneur, il voulait fumer, mais la toux brûlante refusait de disparaître, et elle l'avait gardé éveillé pendant la moitié de la foutue nuit.

Il referma son peignoir en tissu écossais d'une chiquenaude, serra la ceinture à la taille et jeta un regard mauvais à ses jambes en pyjama et à ses pieds chaussés de pantoufles pointant sous une couverture sur le tabouret où ils étaient relevés. Il s'éclaircit la gorge, cracha dans un grand mouchoir en lin et examina le résultat.

Le crachat était transparent et gluant. Il n'y en avait pas beaucoup. Classiquement, on s'attendait à ce qu'il soit comme cela au début de la bronchite, ce qui était fort probablement ce dont il souffrait à présent. Le soir précédent, il avait la gorge douloureuse, et elle picotait ; Barry avait eu raison à propos de la trachéite, mais au cours des premières heures de la matinée, tout le torse d'O'Reilly était devenu contracté et sifflant.

Une bronchite aiguë, même si elle n'était pas mortelle, était un peu plus grave qu'une trachéite, et il pourrait mettre un peu plus de temps à guérir. Il fronça les sourcils devant l'amas de crachat transparent. S'il y avait eu beaucoup de cellules de pus, toujours présentes quand il y avait de l'infection, le truc aurait été d'une teinte jaune verdâtre. Ce n'était pas le cas, donc il ne devait pas s'inquiéter d'une bronchite aiguë d'origine bactérienne ni d'une pneumonie. Dans ce dernier cas, il y aurait une teinte rouille également. Il l'examina plus soigneusement. Pas de sang. Excellent.

Du sang dans le crachat signifiait une chose et une chose seulement, à moins qu'on prouve le contraire. La veille au soir, l'expression sur le visage du jeune Laverty avait révélé à O'Reilly à quoi songeait Barry aussi nettement que s'il n'avait pas lu sur le lien entre le fait de fumer et le cancer du poumon. Mais il l'avait fait, pardieu, et au point où en étaient les choses dans la communauté de la recherche, les cigarettes étaient assurément impliquées. Fumer la pipe ne semblait pas si pire. Il regarda encore une fois le tas. Assurément pas de sang. C'était un soulagement. Même les médecins n'étaient pas imperméables aux inquiétudes à propos de leur propre santé.

Il entendit la porte d'entrée claquer au rez-de-chaussée. Le jeune Barry était au travail, raccompagnant un patient et faisant entrer le suivant. C'était tant mieux pour Barry. O'Reilly ne se sentait certainement pas d'attaque pour affronter les multitudes ce matin. Il entendit le téléphone sonner dans le vestibule. Pas de doute, quelqu'un désirait une visite à domicile aujourd'hui, et cela allait occuper Barry pendant une bonne partie de l'après-midi. O'Reilly écouta à moitié la voix de Kinky montant d'en bas alors qu'elle répondait au téléphone. Il semblait étrange qu'après toutes ces années où il n'avait eu personne avec qui partager le travail, il pouvait aujourd'hui en déléguer avec bonheur à son nouvel assistant.

Il bâilla, toussa encore et fourra son mouchoir dans la poche de son peignoir. Les yeux à moitié fermés, il s'appuya sur le coussin du dos du fauteuil. Il s'endormait et se rendit compte qu'il s'ennuyait.

Il entendit un «Hum» murmuré, puis il ouvrit les yeux et tourna la tête. Kinky entra par la porte et pencha la tête d'un côté; elle tenait une tasse dans une main.

— Oui, Kinky?

— Vous sentez-vous un peu mieux, monsieur?

— Un peu, merci.

— Hum.

Madame Kincaid haussa les épaules. O'Reilly se dit qu'elle semblait le croire autant qu'une mère qui, ayant surpris un enfant en train de faire une peccadille quelconque, lui demandait ce qu'il faisait et recevait un «Rien» penaud comme réponse.

— Eh bien, ma grand-mère avait l'habitude de dire : «Nourris un rhume et affame une fièvre», alors je vous ai préparé un bouillon de bœuf.

Elle déposa la tasse sur la table basse, recula avec les bras croisés et jeta un regard mauvais à O'Reilly.

— Tenez.

Il savait qu'il n'avait d'autre choix que de boire le contenu de la tasse. Il la souleva, et l'odeur acidulée et viandeuse du bouillon lui emplit les narines. Il le sirota.

— Pardieu, c'est un truc puissant, Kinky.

Il fut soulagé de voir son expression s'adoucir et demanda :

— Vous l'avez fait avec de l'Oxo, n'est-ce pas ? Du Bovril, peut-être ?

Il sut tout de suite que cela avait été une chose stupide à dire. Kinky n'utilisait jamais une marque du commerce si elle pouvait préparer sa propre recette.

— Pas du tout, dit-elle en fronçant les sourcils. Non, monsieur. C'est fait avec du bœuf de catégorie A et...

— Désolé, Kinky. J'aurais dû le savoir, mais je ne suis pas tout à fait moi-même aujourd'hui.

Il but une autre grosse gorgée.

— Je vais vous pardonner, dit-elle. J'en doute, mais buvez cela — elle regarda la tasse — et avalez tout ce bon bouillon pour vous.

Il avait cru qu'elle ajouterait « comme un bon petit garçon » à la fin de sa phrase.

— Et j'ai un gros bol de bouillon de poulet pour votre déjeuner, donc.

O'Reilly sourit faiblement.

— Je pensais que c'étaient les Juifs qui croyaient à la soupe au poulet...

— Eh bien, peut-être qu'ils y croient, ou peut-être qu'ils n'y croient pas. Mais les gens de Cork, oui, donc, dit-elle en s'approchant. Avancez-vous dans votre fauteuil.

Il fit ce qu'elle lui demandait, et elle attrapa le coussin, le souleva, le fit gonfler, le replaça dans son dos et dit :

— À présent, appuyez-vous dessus.

O'Reilly se cala dessus et lui remit la tasse à présent vide.

— Merci, Kinky.

Il toussa, secoua la tête comme un étalon agacé essayant de chasser une mouche à chevreuil et dit :

— Qui était-ce au téléphone ?

— Le nouveau docteur de Kinnegar ; il dit qu'il s'appelle Fitzpatrick. Il veut venir vous rendre visite. Il dit que c'est une visite de «courtoisie».

— J'espère que vous lui avez dit de ne pas venir aujourd'hui. Je n'ai pas très envie de recevoir des visiteurs.

— Évidemment que je lui ai dit non, dit Kinky en se penchant et en arrangeant la couverture d'O'Reilly plus soigneusement. Nous devons vous remettre sur pied, donc.

Elle fronça les sourcils avant d'ajouter :

— J'espère que je l'ai convaincu, car il semblait décidé et déterminé à venir aujourd'hui. S'il vient, je vais m'occuper de lui.

O'Reilly sourit. Ce nouveau docteur Fitzpatrick pouvait sembler décidé et déterminé. Mais si quelqu'un publiait un jour un dictionnaire illustré, une photo de Kinky, les bras croisés sur la poitrine avec ses multiples mentons poussés en avant, accompagnerait le mot «déterminé». Le docteur Fitzpatrick aurait du pain sur la planche s'il imaginait pouvoir contourner Kinky.

Elle renifla, mais elle lui sourit en retour.

— Maintenant, avez-vous besoin d'autre chose ?

— Une petite faveur seulement.

— Quoi ?

Il pointa la grande bibliothèque fixée au mur.

— Quatrième tablette en montant, au centre. Le livre avec la couverture orange.

Elle gagna la bibliothèque.

— Celui-ci ? *The Happy Return* par C. S. Forester ?

— C'est cela.

Elle lui apporta le livre et le lui tendit.

— À propos des anniversaires de naissance, non ? Un peu comme *Many Happy Returns* ?

Il prit le mince volume et réussit à émettre un petit rire.

— Non. C'est une histoire à propos d'un capitaine dans la marine de lord Nelson.

— Nelson ? Lui, le type avec un œil et un bras au sommet de la colonne dans la ville de Dublin ?

— Exact. Ils ont une statue comme celle-là à Londres aussi. Dans Trafalgar Square.

Elle haussa les épaules et dit avec une touche de désapprobation :

— Hum. Il assure sans aucun doute le bonheur des pigeons à Londres autant qu'à Dublin.

O'Reilly savait que madame Kincaid ne respectait pas les héros anglais. Il pointa le livre.

— Ce livre est une lecture formidable.

— Eh bien, j'en suis sûre, dit-elle. Si c'est une histoire à propos de la marine, ce sera super pour vous occuper l'esprit, vous qui êtes un ancien marin.

O'Reilly toussa.

— Bien, c'était il y a plus de 20 ans, Kinky.

— Et ne le sais-je pas très bien ? Et n'ai-je pas été la gouvernante de votre maison depuis ce moment où vous êtes descendu de ce gros navire de guerre, quand la guerre s'est terminée, et que vous êtes venu ici ?

— Vous avez raison.

— Ni vous ni moi ne rajeunissons, et...

Elle se dirigea vers la porte et ajouta :

— Ma soupe de poulet ne rajeunit pas non plus. Je dois aller m'en occuper immédiatement.

— Kinky ? dit O'Reilly en s'installant confortablement contre le coussin. Merci pour le bouillon de bœuf.

— Ce n'est rien, dit-elle en hésitant dans le cadre de porte. Je vais vous monter votre soupe sur un plateau. Aimeriez-vous que je demande au jeune docteur Laverty de se joindre à vous pour le déjeuner ?

— J'aimerais bien cela.

— Je vais y voir, donc, répondit-elle avant de partir.

Fingal O'Reilly sourit. Il se demanda pour une énième fois combien de temps exactement un vieux célibataire comme lui s'en serait tiré sans elle. Elle pouvait être aussi maniaque qu'une poule avec ses poussins, aussi autoritaire qu'un sergent-major et aussi diplomate qu'un ambassadeur. Et même s'il dirigeait la pratique, il ne doutait pas de l'identité de la personne qui dirigeait le numéro 1 de la rue principale à Ballybucklebo.

Il s'éclaircit la gorge, tendit la main vers la table basse, prit ses lunettes à monture en demi-lunes là où il les avait laissées, les posa sur son nez et ouvrit le livre. Il n'avait pas lu les histoires d'Hornblower depuis des années, et…

Il haleta quand il vit l'écriture à l'intérieur de la page couverture : « À Fingal, pour nos fiançailles. Avec tout mon amour. Deidre. »

Il laissa le livre tomber sur ses genoux.

Il avala péniblement. Il ferma les yeux et sentit un picotement derrière ses paupières. « Seigneur Tout-Puissant, espèce d'idiot. Comment as-tu pu oublier qu'elle t'avait offert ce livre ? Comment as-tu pu oublier quand elle t'a donné ce livre ? De tous les livres sur les tablettes, pourquoi diable as-tu demandé à Kinky de te donner celui-ci quand tu n'es pas au meilleur de ta forme et que la dernière chose dont tu as besoin de te souvenir, c'est la raison pour laquelle tu es célibataire ? Comme si tu ne te souvenais pas depuis chaque foutu jour de la fille en or, de ta jeune épouse depuis six mois, tuée par une bombe allemande en 1941 — il y a 23 ans.

De quoi Kinky t'a-t-elle traité hier soir ? D'*amadán*. Elle avait raison », se morigéna-t-il. Il ouvrit les yeux, souleva le livre, relut l'inscription et ferma la couverture avec détermination. Il savait que les amputés, des années après avoir perdu un membre, pouvaient pendant un bref instant avoir une impression nette de sa présence. Mais ils devaient accepter qu'il n'était plus, et lui aussi.

Et pourtant... Et pourtant, il pensait encore à elle. Deidre, baptisée en l'honneur de la princesse celtique, Deidre des Chagrins. Le soir de leur lune de miel, elle avait cité une phrase de la *Táin Bó Cualgne* — *La Rafle des vaches de Cooley* —, la première épopée de l'histoire européenne. Il se rappelait chacun de ses mots : « Et Deidre a vu un corbeau s'abreuvant de sang sur la neige, et elle a dit : "Je pourrais aimer un homme portant ses trois couleurs : la chevelure d'un corbeau, les joues de sang et le corps comme la neige." Et je t'aime, Fingal. » Par le diable. Ce devait être cette foutue bronchite qui l'avait assommé ainsi, laissant entrer ces pensées mélancoliques. Il irait mieux une fois que ce foutu torse se dégagerait et qu'il serait de retour en selle. Si la pratique médicale n'était pas un substitut pour une épouse, c'était certainement une maîtresse exigeante, et elle avait rempli les espaces vides pour lui, de concert avec son intérêt de toujours pour le rugby et son plaisir de passer une journée à chasser le gibier à plumes avec Arthur Guinness, son labrador, pour compagnon.

Il gigota pour trouver une position plus confortable. Dès que son torse irait mieux, il verrait si Barry pouvait s'occuper de la boutique pour un ou deux jours, et lui, O'Reilly, descendrait au Strangford Lough pour une journée de chasse aux canards. Quand Barry avait été bouleversé par sa vie amoureuse et sa vie professionnelle durant son premier mois à Ballybucklebo, O'Reilly n'avait-il pas suggéré une journée de pêche à la truite au garçon comme un bon moyen pour s'éclaircir les idées?

Et peut-être qu'il était temps d'aller voir Kitty O'Hallorhan une autre fois. Depuis qu'il l'avait amenée au mariage de Sonny et Maggie, ils s'étaient rencontrés environ une fois par semaine pour reparler du bon vieux temps, lorsqu'il était étudiant et qu'elle-même étudiait les sciences infirmières à Dublin, et il s'avouait à lui-même qu'il n'avait pas alors été seulement un peu amoureux d'elle. Il aurait pu l'épouser si Deidre n'était pas apparue. Mais il se dit alors que si Deidre n'avait pas croisé son chemin, il n'aurait jamais vécu ces quelques mois.

Il sentit le sommeil le gagner, mais avant de se laisser aller à faire la sieste, il résolut de se remettre aussi vite qu'il le pouvait. La Patricia de Barry allait rentrer à la maison, et ce dernier voudrait du temps pour la voir. Il ne pourrait l'avoir que si O'Reilly pouvait se charger de son travail, comme le faisait Barry ce matin-là au rez-de-chaussée.

6

Le monde entier est un théâtre,
et les hommes et les femmes ne sont que des acteurs

Après avoir passé six mois à Ballybucklebo, Barry avait appris à dissimuler son amusement et conserver un sens du décorum. Il résista à la tentation de demander si Tonnerre, Éclair, Danseur et les autres rennes étaient garés dehors. Au lieu de cela, il raccompagna le père Noël jusqu'à la porte d'entrée. Il était mieux connu sous le nom de Billy Brennan, un ouvrier habituellement au chômage qui gagnait quelques livres supplémentaires pour Noël en personnifiant Saint Nicolas pour le grand magasin Robinson and Cleaver à Belfast. Son hématome périorbitaire, le classique œil poché, était la conséquence directe d'avoir un enfant de six ans turbulent assis sur ses cuisses de père Noël et qui pensait qu'il ne pourrait ne pas lui apporter une véritable voiture.

— Seigneur, doc, avait-il dit. Je n'aurais jamais pensé qu'un petit garçon comme lui avait tant de force dans son poing.

Barry avait examiné l'œil et vérifié qu'il n'y avait pas de dommage au globe oculaire lui-même ni aux os de l'orbite, et il avait rassuré l'homme. Cela avait été facile. La partie délicate, pour laquelle Barry ne possédait pas de réponse, avait été d'essayer de décider si la blessure pouvait être admissible ou non comme un «accident de travail», et donc donner droit aux prestations d'assurance-emploi. Barry avait donné à un Billy manifestement reconnaissant le certificat nécessaire. Il laisserait les bureaucrates du ministère prendre la décision définitive, mais en ce qui concernait Barry, Billy aurait été loin de faire un père Noël acceptable avec un coquard semblable.

Barry se permit tout de même un petit rire tandis qu'il retournait vers la salle d'attente. La plupart des inquiets en santé avaient été vus et traités, et il se tirait du travail à sa satisfaction. Il ouvrit la porte. Il restait deux derniers patients à voir. Il fit son calcul mental. Ces patients, additionnés aux autres qu'il avait déjà vus, l'amenaient à un total de 14, et non de 16. Il était plutôt sûr que c'était un peu moins de patients qu'à l'habitude pour un lundi matin. Dans un certain sens, c'était tout aussi bien, car il savait qu'il s'occupait plus lentement du nombre de cas qu'O'Reilly l'aurait fait. Il était presque l'heure du déjeuner, et il devait encore voir madame Brown et son fils de six ans, Colin.

Colin portait un short, son blazer d'école et une casquette d'école — un couvre-chef pointu fait de cercles de tissu de couleurs contrastantes, rouges et bleues. Barry lui-même en avait porté un semblable lorsqu'il était écolier, et d'après ce qu'il en savait, cette mode étrange avait été lancée à l'époque victorienne. À sa propre façon, c'était un autre symbole de la nature immuable de l'Ulster rural.

— Bonjour, dit Barry. Tu connais le chemin, Colin. Amène ta maman dans le cabinet.

Le garçon était déjà venu pour se faire coudre la main en août. Barry se demanda ce qui n'allait pas cette fois pour le petit garçon. Il suivit le duo dans le corridor. Il espéra que le problème de Colin ne serait pas, comme celui de ses patients précédents, une autre infection des voies respiratoires supérieures.

Barry avait appuyé son stéthoscope sur plusieurs torses sifflants, et il avait remis tant de prescriptions pour la « bouteille noire », un mélange de morphine et d'ipécacuanha — *mist. morph. et ipecac.* en latin —, qu'il aurait pu retapisser les murs de la salle d'attente et recouvrir ces affreuses roses. Les résidents avaient une grande confiance en ce mélange. La morphine était assurément un antitussif, mais l'ipécacuanha n'avait qu'un but. Elle avait un goût effroyablement amer, et parmi les gens de la campagne, cela allait de soi : plus le goût était mauvais, plus la panacée était puissante.

O'Reilly avait eu raison quand il avait dit que c'était la saison des reniflements et de la toux. Il ne s'agissait pas là des états qu'il avait vus à l'hôpital universitaire, mais pour les victimes, c'était tout aussi agaçant que les problèmes exotiques auxquels Barry avait été exposé pendant sa formation.

Une fois dans le cabinet, Barry s'assit dans le fauteuil pivotant et attendit que la mère et l'enfant soient installés. Il n'y avait pas de signe évident de ce dont pouvait souffrir le garçon, à supposer qu'il était le patient aujourd'hui. Pas de toux, pas de nez qui coule, pas de sueur.

— Comment va la patte, Colin ? demanda Barry.

Le garçon retira vivement sa casquette, la tint d'une main et offrit l'autre à l'inspection en silence. Barry pouvait voir la cicatrice en travers de la main. Cela avait été une méchante coupure, infligée par un ciseau à bois, et elle avait nécessité plusieurs points de suture. Elle avait bien guéri.

— Cela me parait bien.

Puis il se tourna vers la mère, lui sourit et lui demanda :

— Et que puis-je donc faire pour vous aujourd'hui ?

— C'est Colin, pour ça oui.

— Je vois. Et quel semble être le problème ?

L'enfant paraissait parfaitement en santé.

— Il ne veut pas aller à l'école, pour ça non.

— Vraiment ?

La pensée immédiate de Barry fut que lui non plus ne le voulait pas au même âge, et pour la deuxième fois ce matin-là, il dut faire appel à sa capacité à conserver un visage neutre. Pendant toutes ses années de formation médicale, ses professeurs n'avaient jamais porté attention aux émotions de l'enfance.

— Hum… dit Barry, se penchant en avant, plaçant un coude sur son genou et posant son menton dans sa main.

Il plissa les yeux en regardant Colin, et en espérant que tout se passe au mieux, il demanda :

— Et pourquoi cela, Colin ?

— J'sais pas.

Voilà qui était bien utile. « Réfléchis. Pourquoi ne voulais-tu pas aller à l'école à son âge ? » se dit Barry.

— Est-ce à cause d'un des professeurs ?

Colin laissa pendre sa tête et la secoua.

— Le travail est peut-être trop difficile ? Je n'étais pas très bon en calcul.

Un autre signe négatif de la tête.

— Un des grands te fait-il des misères ?

— Non.

Barry, qui ne savait plus s'il avançait ou reculait, pour parler comme les gens des environs, se cala dans son fauteuil et demanda à la mère :

— Pouvez-vous penser à une explication, madame Brown ?

Elle se pencha en avant et secoua Colin par l'épaule.

— Parle au gentil docteur de la pièce sur la Nativité

— J'veux pas.

— Peut-être que tu préférerais une bonne claque derrière la tête ? s'enquit madame Brown, la sollicitude de son ton démentant ses mots.

— Non.

Colin pressa les lèvres, fronça les sourcils et plissa les yeux en regardant sa mère. « Il faut dire une chose à propos des émotions des enfants : ils ne les dissimulent pas derrière des visages neutres », pensa Barry.

— Je te préviens, pour ça oui.

Barry dut intervenir.

— Y a-t-il quelque chose qui cloche avec la pièce ? demanda-t-il en regardant Colin droit dans les yeux et en tournant le dos à la mère.

Étrangement, c'était la deuxième fois que cet événement était mentionné ce matin-là, et O'Reilly avait dit quelque chose la veille au sujet d'un spectacle de Noël.

Colin acquiesça de la tête.

Barry attendit. Silence.

— Aimerais-tu m'en parler ?

Puis Barry pencha la tête d'un côté et demanda :

— Le voudrais-tu ?

— C'est ce p'tit voyou de Micky Corry, renifla Colin. Il va être Joseph. Ce n'est pas juste, pour ça non, ajouta-t-il alors qu'une larme coulait sur une de ses joues. L'enseignante avait dit que je pourrais être Joseph encore une fois.

Il se donna de petits coups de doigt sur le torse.

— J'ai les robes, la coiffe arabe et tous les trucs de l'an passé.

— Voyez-vous, docteur Laverty, Colin était Joseph l'an dernier. Tout le monde a dit qu'il avait très bien joué le rôle, ajouta madame Brown.

— C'est vrai. Mais aujourd'hui, mademoiselle Nolan a changé d'avis, et elle dit que c'est le tour d'un autre. Ce n'est pas juste.

Colin tapa du pied, et son bas lui arrivant au genou glissa jusqu'à son mollet comme la peau tombante d'un serpent en mue.

— Je ne veux pas être l'aubergiste. Il n'a que trois répliques : « Qui est là ? », « Mary et Joseph ? » et « Eh bien, vous pouvez aller dans l'écurie. »

Des nations, Barry le savait, étaient entrées en guerre pour moins que cela, et il n'entrevoyait aucune solution acceptable. Devait-il offrir d'aller voir mademoiselle Nolan et d'essayer d'intercéder ? Non, parce que si elle changeait à nouveau d'avis, il aurait probablement Micky Corry et sa mère au cabinet le lendemain.

— Hum, dit-il, plissant le front et regrettant de ne pas avoir une paire de lunettes à monture en demi-lunes à percher sur son nez comme O'Reilly le faisait lorsqu'il était confronté à un problème difficile. Il regretta aussi de ne pas posséder le genre de sagesse que sa réputation accordait au roi Salomon, au contraire d'O'Reilly. L'homme plus âgé aurait trouvé une façon de remonter le moral du petit gars.

— As-tu un peu l'idée de devenir un jour un acteur, lorsque tu seras plus vieux ? demanda-t-il.

— P't-être, dit le garçon en s'égayant un peu. Je ne détesterais pas ressembler à c't'homme, Joseph Tomelty.

Barry connaissait l'acteur de Belfast, avec son impressionnante tignasse de cheveux gris, qui était passé des théâtres régionaux et de la personnification de Bobby Greer dans la télésérie *The McCooeys* à la BBC à des rôles plus importants au cinéma britannique.

— Tu le seras peut-être un jour.

— J'en ai rien à faire d'«un jour». Je veux être Joseph cette année, pour ça oui.

Barry se tourna vers la mère, puis il haussa les épaules et secoua la tête.

— Oui, dit-elle. Moi aussi.

Et il savait qu'elle voulait dire qu'elle était tout aussi à court de réponses que lui.

Il s'éclaircit la gorge, regarda gravement Colin... et eut une idée de génie.

— Dis-moi, Colin, la pièce n'est-elle pas entièrement construite autour de la naissance du bébé Jésus?

— Oui.

— Et quand il a grandi, Jésus ne nous a-t-il pas enseigné à pardonner à nos ennemis?

Il bénit mentalement les ennuyeux dimanche après-midi où, comme chaque enfant de sa génération, il avait fréquenté l'école du dimanche.

— Donc, d'après toi, qu'aurait fait Jésus à propos de... comment s'appelle-t-il?

— Micky Corry.

— Exact. Micky.

— Je pense que Jésus aurait réalisé un miracle... et transformé le petit merdeux en un tas de crottin de cheval, pour ça oui.

— Colin!

Madame Brown assena la claque promise. Colin hurla.

Cette fois, Barry dut faire de grands efforts pour réprimer un grand sourire, puis il tendit un doigt réprobateur vers madame Brown. Il avait espéré que le respect des gens de la campagne pour leurs médecins aurait été inculqué au petit Colin Brown, donnant ainsi à ses paroles de sagesse le poids qu'il cherchait. À l'évidence, par contre, Colin n'était pas le genre de gars qui présentait l'autre joue.

— Eh bien, Colin, tu pourrais avoir raison, mais si tu veux mon avis, j'essaierais d'oublier cela. Je retournerais à l'école, et je continuerais le spectacle.

— Merci, docteur.

Madame Brown se leva et fit une petite révérence à Barry.

— Tu vois, Colin? N'est-ce pas ce que je t'ai dit qu'il te dirait?

— Oui.

Colin jeta un regard mauvais à Barry et lança :

— Vous autres, les adultes, vous vous tenez les coudes, pour ça oui.

Madame Brown leva la main encore une fois et Colin dit rapidement :

— D'accord. Je vais retourner à l'école.

— Excellent, dit Barry en se levant. Ce sera tout?

Il avança vers la porte. Tandis qu'il les raccompagnait tous les deux à la porte d'entrée, il dit à Colin :

— Et je suis sûr que tu feras un excellent aubergiste.

Barry surprit une lueur dans les yeux du petit garçon. «Mon Dieu», se dit-il. Il avait vu des lueurs semblables dans les yeux des démons dans des illustrations médiévales, et il se demanda un instant ce qu'elle pouvait présager.

Ses pensées furent interrompues par la vue d'un homme lugubre d'âge moyen debout sur le seuil. Il semblait mesurer environ deux mètres, et il portait un chapeau melon noir et des gants gris en peau de daim. Une paire de chaussures étroites boueuses en cuir verni s'échappait des jambes d'un pantalon à fines rayures qui émergeait d'un imperméable arrivant à mi-mollet. Au-dessus du col à pointes, Barry pouvait voir un nœud papillon à pois niché entre les triangles blancs amidonnés d'un col aux ailes larges. Et au-dessus de cela, il y avait la plus grosse et la plus angulaire des pommes d'Adam qu'ait jamais vue Barry. Il la regarda monter et descendre tandis que l'homme avalait.

— Je suis désolé, commença Barry, mais les patients doivent utiliser la porte de la salle d'attente...

L'étranger l'interrompit d'une voix sévère et haut perchée.

— Je ne suis pas un patient, fiston. Je suis le docteur Fitzpatrick, et je suis ici pour voir le docteur Fingal Flahertie O'Reilly.

— Oh. Dans ce cas...

Barry ne put aller plus loin. Le docteur Fitzpatrick força son entrée dans le vestibule. Barry ferma la porte, tourna et contempla le nouvel arrivant qui était en train de retirer son chapeau et ses gants. Il s'était tourné face à Barry, qui vit une bouche aux lèvres minces tournée vers le sol à 20 h 20 et enchâssée entre un menton fuyant et un nez romain étroit au pont haut. Un pince-nez cerclé d'or avec des verres épais y était accroché et déformait la vue qu'avait Barry de ce qui semblait être pour lui des yeux gris et ternes. «Si je devais deviner la profession de cet homme en lisant sur son visage, je jurerais qu'il est l'assistant de l'entrepreneur en pompes funèbres», pensa-t-il.

— Prenez cela.

Le docteur Fitzpatrick lança ses gants dans son chapeau, et il les tendit à Barry avec la condescendance d'un maître envers son valet. Barry les déposa sur la table du support à vêtements du vestibule. L'étranger déboutonna son imperméable, et il en faisait glisser les manches sur ses bras quand Barry repéra madame Kincaid descendant dans le corridor depuis sa cuisine. Elle assimila la scène devant elle et s'arrêta au pied de l'escalier, les bras croisés sur la poitrine, les mentons poussés en avant, ses yeux d'agate lançant des éclairs.

— Mon manteau.

Le docteur Fitzpatrick tendit son imperméable à Barry.

Barry suspendit le vêtement sur un des crochets du support au-dessus du chapeau et des gants de l'homme.

— Vous devez être Laverty, mentionna le docteur Fitzpatrick. Hum.

— Oui, dit calmement Barry, je suis le docteur Laverty.

Le regard de l'homme balaya Barry des pieds à la tête. Sa lèvre mince se retroussa.

— À mes yeux, vous devriez encore être à l'école, dit-il avant de renifler. Je ne suis pas ici pour perdre mon temps avec des sous-fifres. Je suis venu voir le patron de cette pratique. Où est O'Reilly ?

Les yeux de Barry se plissèrent. Il garda un ton posé tandis qu'il disait :

— Le docteur O'Reilly est un peu souffrant aujourd'hui. Il est à l'étage.

Barry jeta un coup d'œil par-dessus sa tête avant d'ajouter :

— Il ne reçoit pas de visiteurs.

Il entendit un étrange braiment sec, et il se rendit compte que l'homme riait.

— D'après ce que j'entends, je suppose que vous voulez dire qu'il a une gueule de bois.

— Je ne veux pas dire cela.

Les mains de Barry, qui pendaient lâchement sur ses flancs, formèrent des poings. Il hésita avant de poursuivre, mais il décida que si l'homme devant lui était qualifié d'un point de vue médical, ce ne serait pas une violation du secret professionnel.

— Mon supérieur a une trachéo-bronchite.

— Fumeur, en plus ?

— Oui. Le docteur O'Reilly fume la pipe.

— Sale habitude. Une bronchite, dites-vous ? Bien fait pour lui.

— Bon, écoutez…

Mais le docteur Fitzpatrick marchait déjà à grands pas vers le pied de l'escalier, la tête tournée en arrière tandis qu'il lançait par-dessus son épaule :

— Je ne suis pas un visiteur. Je suis un homme de la médecine ayant tous les droits de rendre visite à un collègue malade.

— Vraiment, monsieur ?

Barry entendit le ton dans la voix de Kinky. C'était le même genre de grondement discret que Lady Macbeth émettait… quelques secondes avant de plonger ses crocs dans le morceau de chair tendre le plus proche. Il vit la tête de l'homme se tourner. Il stoppa net et recula de deux pas. Aux yeux de Barry, il sembla que Fitzpatrick, qui avançait comme une barque toutes voiles dehors, était tombé sur le récif qu'était Kinky Kincaid, là où elle se tenait immobile au pied de l'escalier, les bras croisés, les pieds écartés, les jambes arc-boutées pour supporter le choc du coup.

Fitzpatrick frissonna comme l'auraient fait les mâts et les vergues du vaisseau échoué, puis il reprit ses esprits et demanda :

— Et qui êtes-vous donc ?

— Je suis madame Kincaid, gouvernante du docteur Fingal Flahertie O'Reilly, dit Kinky très poliment.

Barry repensa à la manière dont O'Reilly avait décrit Kinky quand il la lui avait présentée la première fois : son Cerbère, le chien à trois têtes qui gardait les portes de l'Enfer. Mais Barry se dit alors que Kinky était une garde si efficace qu'elle méritait probablement une quatrième tête.

Néanmoins, son efficacité sembla passer inaperçue chez le docteur Fitzpatrick. Comme un navire échoué qui pouvait tenter de forcer son passage devant un obstacle et pouvait réussir avec un corail tendre et malléable, il poursuivit :

— Bien. Madame Kincaid, je suis ici pour rendre visite à un collègue. Si vous pouviez avoir l'amabilité de me montrer le chemin…

— Je ne le ferai pas, monsieur.

Barry vit les épaules de Kinky se soulever. Le bon navire Fitzpatrick avait frappé du granite — des rochers escarpés, qui plus est.

— Quand vous avez téléphoné ce matin, je vous ai dit qu'il ne recevait pas de visiteurs.

— Sottises. Je suis un homme de médecine.

— C'est bien possible. Le docteur O'Reilly m'a dit qu'il n'est pas d'attaque pour recevoir des visiteurs aujourd'hui.

Barry entendit une voix rauque crier d'en haut, comme pour souligner les paroles de la gouvernante :

— Que diable se passe-t-il en bas, Kinky ?

Avant qu'elle puisse répondre, Barry vit le docteur Fitzpatrick pencher la tête en arrière et regarder vers le palier. Il avança d'un pas et dit :

— Ma brave dame, écartez-vous.

Il commençait à élever la voix.

Les poings de Barry se desserrèrent. Il esquissa un sourire. Il devait admirer la ténacité du docteur Fitzpatrick, mais l'homme n'avait manifestement pas bien évalué Kinky Kincaid. Cela promettait d'être un cas classique de force irrésistible et d'objet immuable — et Barry savait exactement où mettre son argent. Il vit les yeux de Kinky se plisser et devenir deux minces fentes.

— Votre « brave dame », dites-vous ? Je ne suis pas l'une de vos choses, monsieur. Ma vertu, avec tout le respect que je vous dois, ne vous concerne en rien, monsieur, et je ne m'écarterai pas, donc. Il est malade. Il a besoin de repos. Il ne sera pas dérangé par un énergumène comme vous, monsieur.

— Je ne pense pas que vous sachiez qui je suis.

La pomme d'Adam de l'homme s'agita furieusement. Sa voix était plus forte.

Kinky gloussa, mais elle ne broncha pas d'un poil.

— Je ne le sais pas ? Je ne sais pas qui vous êtes, dites-vous, monsieur ?

— C'est exact, ma brave dame. Je suis le docteur Fitzpatrick — un docteur, vous entendez ? Je n'accepterai pas que l'on me parle comme à un simple serviteur. Laissez-moi passer.

Il criait.

— Oui, donc. Je vous entends très bien.

La voix de Kinky restait calme, mesurée.

— «Simple serviteur», dites-vous? «Ma brave dame», dites-vous? «Un docteur», dites-vous? Et moi qui pensais que vous autres, les docteurs, aviez tous une excellente mémoire.

— De quoi diable parlez-vous? Une excellente mémoire?

— Oui, donc. Pour sûr, je vous ai dit un battement de paupières plus tôt que je ne suis pas votre dame, brave ou autrement. Et je vous ai dit que le docteur O'Reilly ne doit pas être dérangé. Vous avez peut-être oublié cela aussi, alors je ne vais pas m'écarter.

Elle prit une inspiration si profonde que lorsque sa poitrine se gonfla, ses bras croisés se soulevèrent comme un ascenseur remontant des profondeurs d'une mine de charbon.

— Ah, pour sûr, dit-elle, vous avez une très piètre mémoire, donc.

Elle s'avança, elle l'attrapa par le coude et l'entraîna vers le vestibule. Elle s'arrêta devant le support à vêtements, tendit au docteur Fitzpatrick son chapeau et ses gants et l'aida à enfiler son imperméable. Elle regarda Barry et donna un petit coup de tête vers la porte, que Barry ouvrit immédiatement. Un coup de vent froid balaya le vestibule, sa force à peine bloquée par le corps du docteur Fitzpatrick tandis que Kinky le poussait sur le seuil.

— Et c'est sûrement cette même piètre mémoire qui vous a poussé à me demander si je sais qui vous êtes. Pour sûr, seul un type avec un piètre mémoire pourrait oublier qui il est. Je me demande si vous êtes réellement médecin, après tout.

Et sur ce, elle ferma la porte et se tourna vers Barry. Kinky prit une très profonde inspiration, l'expirant dans un très long soupir. Au lieu d'afficher le plaisir de sa victoire, cependant, il sembla à Barry qu'elle se dégonflait. Elle secoua la tête.

— J'espère qu'il ne sera pas fâché contre moi, celui qui se trouve en haut.

— Pourquoi diable le serait-il, Kinky ?

— Je n'ai pas été vraiment polie avec ce gentleman, et il *est* un médecin, donc. S'il s'en va en colère, il pourrait vouloir s'en prendre au docteur O'Reilly.

Barry entendit une véritable inquiétude dans sa voix, et il se hâta de la rassurer.

— Je pense, Kinky, que le docteur O'Reilly, une fois qu'il ira mieux, sera fier de vous. Moi, je le suis certainement.

— Vous le jurez devant Dieu, monsieur ?

Elle réussit à sourire un peu, et Barry acquiesça de la tête.

— Eh bien, dit Kinky, je ne rue habituellement pas dans les brancards, mais ce nouveau docteur voulait monter à l'étage — elle donna un coup de tête vers le haut — et le déranger.

— Et nous ne pouvions pas accepter cela, n'est-ce pas ?

— Non, monsieur.

Elle hésita, puis elle demanda :

— Vous ne pensez pas que le docteur Fitzpatrick pourrait causer du tort à notre pratique, n'est-ce pas ?

Barry entendit le «nous» possessif, et il comprit à quel point Kinky se sentait protectrice. Si un jour cette histoire tournait à la guerre, il ne voulait pas être coincé avec madame Kinky Kincaid sur un flanc et le docteur Fingal Flahertie O'Reilly sur l'autre. Il rit, en partie parce qu'ayant rencontré le lugubre docteur Fitzpatrick, Barry avait bien de la difficulté à croire que l'homme présentait une réelle concurrence, mais surtout, il riait de la manière dont Kinky s'était chargée de l'odieux personnage.

— Je ne m'inquiéterais pas de cela, dit-il, gardant pour lui la petite pensée agaçante que Fitzpatrick était un concurrent. Vous avez très bien fait, Kinky. Je suis sérieux.

— Oh, ce n'était pas grand-chose, donc.

Elle s'essuya les mains sur son tablier et sourit à Barry, mais son sourire s'évanouit instantanément quand une voix rauque de stentor cria depuis l'étage supérieur :

— Que sont tous ces cris en bas, et quand diable vais-je avoir mon déjeuner ?

7

Je suis malade, mais fougueux

Ces voix fortes venues d'en bas avaient réveillé O'Reilly, et il s'obligea à se redresser dans son fauteuil. Pendant qu'il avait fait la sieste, Kinky avait allumé le feu dans le salon, et elle avait déposé une couverture sur lui. Il frotta sa main sous son menton et sur le devant de son cou. Sa gorge ne s'était pas améliorée avec ces cris lancés pour demander ce qui se passait au rez-de-chaussée, mais bon sang, il voulait le savoir. Ce n'était pas qu'on se soit donné la peine de lui répondre. Il imagina que son rugissement avait simplement fait filer en vitesse Kinky dans sa cuisine et sourire Barry en confirmant ses doutes selon lesquels son employeur était un vieux grincheux au mauvais caractère. O'Reilly sentait un brûlement inconfortable avec chaque inspiration, mais à son avis, il n'était pas plus mal en point qu'il ne l'était plus tôt, et peut-être que sa sieste avait apporté une légère amélioration.

Il avait faim, à présent, et il était curieux et irrité — et pas seulement au niveau la gorge. Kinky avait promis de la soupe au poulet pour le déjeuner, et l'heure en était depuis longtemps passée. Vraisemblablement, elle avait été retardée par la personne qui était dans le vestibule et qui lui hurlait

dessus et cela augmenta sa curiosité d'autant plus intensément, de même qu'une grande part de son agacement.

Néanmoins, il fallait un certain talent pour rester irrité
alors qu'une petite chatte blanche ronronnait sur vos cuisses.
Lady Macbeth était roulée en boule sur son ventre, et il pouvait sentir sa chaleur agréable à travers la couverture. Il
baissa un sourire vers elle, la caressa puis leva la tête quand
Barry entra.

— Comment allez-vous, Fingal ? demanda-t-il tandis
qu'il traversait la pièce et se plaçait à côté du fauteuil.

— J'ai connu pire.

O'Reilly sentit le dos de la main fraîche de Barry s'arrêter
sur son front puis tomber pour lui prendre le poignet.

— On ne dirait pas que vous faites de la fièvre, et votre
pouls est normal.

— Donc, les chances sont que je vais survivre et que
vous n'hériterez pas tout de suite de la pratique ?

O'Reilly grogna quand il sentit une autre toux monter
dans sa gorge.

Barry rit, visiblement pas le moins du monde intimidé
par le ton d'O'Reilly ; il s'installa dans le fauteuil en face et
dit :

— Ils vont devoir vous abattre, Fingal ; et même alors,
vous ne vous allongeriez pas.

O'Reilly admit qu'il se montrait injuste en passant sa
mauvaise humeur sur Barry. Il s'adoucit.

— J'ai entendu des chamailleries en bas. De quoi
s'agissait-il ?

— Vous alliez avoir un visiteur. Il a insisté et a essayé de
monter. Il voulait foncer devant Kinky toutes voiles dehors,
mais il s'est échoué sur un récif.

— Un récif ?

— Kinky.

O'Reilly rigola et dit :

— Belle analogie, Barry. Le RMS *Titanic* a tenté avec insistance de se frayer un chemin à travers un iceberg, et lui aussi a connu une triste fin.

— Le 15 avril 1912. Il a été construit ici, à Belfast. L'architecte naval était Andrews, un homme de Comber.

« Le garçon connaît son histoire », pensa O'Reilly tandis qu'il se tortillait pour être plus à l'aise. Il sentit une piqûre dans sa cuisse gauche alors que Lady Macbeth exprimait sa désapprobation. Il lui tapota paresseusement la tête et demanda à Barry :

— Donc, si Kinky était le récif, qui a-t-elle massacré ?

— Un docteur Fitzpatrick.

— Fitzpatrick ?

O'Reilly cessa brusquement de caresser la chatte et demanda :

— Le type qui a pris la place du docteur Bowman à Kinnegar ?

Barry acquiesça de la tête.

— Celui qui a téléphoné ce matin et voulait me voir ? Celui à qui elle a dit « Pas aujourd'hui » ?

— Exactement.

— Mais il est venu quand même.

O'Reilly fronça les sourcils. C'était tout simplement mal élevé, et il désapprouvait les mauvaises manières — du moins chez les autres.

— Il a un front de bœuf, dit O'Reilly.

Il regarda tandis que Barry souriait, probablement à cause de l'expression. Cela faisait référence à une arrogance persistante, et cela semblait approprié à la scène qu'il avait entendu se jouer au rez-de-chaussée.

— Oui, dit Barry. Et il a aussi une pomme d'Adam ressemblant à la pointe d'une lame d'un soc de charrue.

Cela lui paraissait assurément familier. Il avait comme dans l'idée qu'il connaissait l'homme.

— Et portait-il un pince-nez en or et un col à pointes ? Barry opina de la tête.

— Et il avait un nez qui aurait donné l'impression que celui de Jules César était retroussé.

— Pardieu, dit O'Reilly, se souvenant avoir partagé un poste de dissection avec quatre autres étudiants, un cadavre puant le formaldéhyde et Fitzpatrick.

Il y avait plus d'ambiance à tirer du mort.

— C'était un de mes camarades de classe à Trinity.

— Oh ?

— Oui ; Ronald Hercules Fitzpatrick. À quoi diable ses parents pensaient-ils en l'appelant ainsi ? Cela me dépasse.

« En fait, s'il est l'homme dont je me souviens, ils auraient peut-être mieux fait de l'étrangler à la naissance », pensa O'Reilly.

— Hercules ? dit Barry en secouant la tête. Ce nom est loin de lui convenir.

O'Reilly grogna.

— Mais son « Fitz » lui convient bien. Vraiment bien.

Barry fronça les sourcils.

— Je ne suis pas sûr de comprendre.

— Il y a bien longtemps, les Irlandais donnaient à leurs nouveau-nés mâles des prénoms dérivés des premiers noms de parents. À cette époque, si mon grand-père s'était prénommé Reilly, j'aurais certainement été «O'Reilly», petit-fils de Reilly. Mon père s'appelait Connan, que Dieu ait son âme.

Pendant un instant, O'Reilly se souvint affectueusement du gros professeur de Dublin qui enseignait les matières classiques au Trinity College et qui était mort de la leucémie trois semaines après avoir fièrement vu son fils diplômé de la faculté de médecine de sa propre université.

— S'ils avaient décidé de me baptiser en son honneur, j'aurais été «McConnan», le fils de Connan. Mais évidemment, les vieilles traditions ont changé, et les Irlandais ont adopté la manière anglaise où le fils prend simplement le nom de son père. Cela facilitait la tenue des archives. Nous sommes des O'Reilly depuis que l'un de notre groupe a été tué avec Brian Boru à la bataille de Clontarf contre les Danois en 1014.

— Cela explique le «O» et le «Mac». Qu'en est-il du Fitz? demanda Barry.

Avant qu'O'Reilly puisse répondre, Kinky entra et déposa un plateau sur le buffet. Il renifla, et malgré son nez bloqué, il sentit sa bouche commencer à saliver devant le parfum de la soupe au poulet de Kinky.

— C'est de la soupe au poulet et du pain de froment avec du beurre, dit-elle.

«De la bouffe, enfin. Super», se dit-il. Il se redressa dans son fauteuil et délogea Lady Macbeth.

— Fitz, c'est cela? mentionna-t-elle en lui tendant un bol et une cuillère. Cela n'aura pas besoin de sel, dit-elle.

O'Reilly l'ignora et avala une cuillérée. La soupe était chaude, riche et donnait l'impression d'être un baume médicinal dans sa gorge rêche. Il prit une autre cuillérée et opina de la tête vers elle. Elle avait raison. La soupe n'avait pas besoin de sel. Son goût était parfait.

Elle tendit à Barry son bol et sa cuillère.

— Allez-y, Kinky, dit-il. Expliquez-nous Fitz, je vous prie.

— Fitz, dit-elle, est un mot normand. Cela signifie aussi «fils de», mais un fils d'un genre très spécial.

Elle jeta un coup d'œil à O'Reilly et répéta :

— Très spécial.

Il vit l'étincelle dans ses yeux d'agate, et il conserva un visage neutre. Il savait qu'elle entraînait Barry dans la voie qu'elle avait choisie pour livrer sa chute.

— Un fils d'un genre très spécial ?

— Oui, docteur Laverty. Spécial... dans le sens de «bâtard».

— Un bâtard. Vraiment ?

Barry rit et s'étouffa sur sa gorgée de soupe.

— Juré ?

Avant qu'O'Reilly ou Kinky puissent répondre, O'Reilly entendit la sonnette d'entrée.

— Je vais voir de qui il s'agit, dit Kinky, et à moins qu'on saigne à mort, je vais demander que l'on attende que vous ayez terminé, messieurs.

Elle partit.

— Et c'est pourquoi vous avez dit que son nom lui convenait, Fingal ?

— Oui. C'était un petit merdeux de première catégorie à cette époque, et je doute beaucoup qu'il ait changé.

— Donc, cela veut-il dire que vous ne croyez pas qu'il sera une concurrence sérieuse ?

O'Reilly secoua la tête. Barry était tellement facile à lire, si inquiet à propos de son avenir ici. Devait-il le rassurer ou être complètement franc?

— Avez-vous déjà entendu parler d'un type appelé Raspoutine?

— Le moine sibérien?

— Oui. Il prétendait pouvoir utiliser l'hypnose pour guérir le fils du tsar Nicolas de son hémophilie.

— Mais c'est un tas de conneries.

— Je le sais, et vous le savez, mais la tsarine et beaucoup de gens de sa cour le croyaient, car ils voulaient le croire. Il a eu beaucoup de disciples pendant un moment.

— Et vous pensez que Fitzpatrick pourrait faire la même chose ici?

O'Reilly pouvait voir comment Barry plissait le front et avait cessé de manger sa soupe.

— Il le pourrait pendant un temps.

O'Reilly savait que lui-même nourrissait une petite inquiétude, mais en tant que patron, c'était son travail de garder cela pour lui et de remonter le moral à Barry.

— Cependant, le vieux Raspoutine a fini en prison, poignardé et jeté dans la rivière Neva, dit-il.

— Donc, vous dites que nous devrions seulement patienter? dit Barry. Voir ce qui se passera?

— Avez-vous une meilleure idée?

— Pas à moins que vous vouliez que je le poignarde et que je le lance dans la rivière Bucklebo.

Barry souriait.

— Bon garçon.

Il y avait une chose remarquable chez Barry : son sens de l'humour ne le désertait jamais bien longtemps.

— Je pense...

Il découvrit qu'il ne pouvait pas finir sa phrase. Une toux sèche, semblable à une suite d'aboiements, l'envahit.

Kinky entra, suivie du marquis de Ballybucklebo, un grand homme dans la mi-soixantaine avec une chevelure indisciplinée gris fer et une fine moustache taillée à la mode militaire. Il portait un veston Norfolk en tweed sur une chemise à col ouvert où une cravate en soie aux couleurs des Irish Guards remplaçait une cravate bien nouée.

— Bonjour, Fingal. J'espère que je ne vous dérange pas.

Barry mit sa soupe de côté et se leva.

— Je vous en prie, assoyez-vous, docteur Laverty, dit le marquis. Et finissez votre déjeuner, tous les deux.

— Je sais que nous avions décidé de ne pas recevoir de visiteurs, monsieur, dit Kinky, mais après que Son Honneur a accroché son manteau en bas, que nous avons bavardé un peu et que Sa Seigneurie a promis de ne rester qu'un tantinet, une petite minute et de ne pas vous fatiguer, eh bien... j'ai cédé, donc.

Elle fixa le pair du royaume, dont le rang, O'Reilly le savait, se situait entre celui d'un duc et d'un comte, avec un regard momentanément froid, puis elle agita un doigt potelé et dit :

— Rappelez-vous votre promesse.

Puis son visage s'adoucit et elle dit presque pour elle-même :

— J'ai peut-être été un peu dure avec cet autre gentleman.

« Comment ne pourrait-on pas aimer une femme comme Kinky ? » pensa O'Reilly en voyant sa confusion alors qu'elle tentait de décider si elle avait fait la bonne chose ou non. Elle avait un cœur en or.

— Sottises, Kinky, dit-il. Vous avez eu raison dans les deux cas.

Il fut récompensé par son sourire.

— Dans ce cas, je vais y aller, docteur O'Reilly, dit-elle avant de se tourner vers le marquis. Et puis-je vous apporter quelque chose, Votre Honneur ?

— Rien du tout, merci. Je ne vais pas rester longtemps.

O'Reilly savait, d'après l'expression sur son visage, que Kinky remonterait pour faire des allusions peu subtiles si elle pensait qu'il était resté plus longtemps que ce que lui permettait l'accueil qu'on lui avait fait. Elle s'en alla, mais pas avant de lancer :

— Et monsieur, vous serez le dernier que j'admettrai ici aujourd'hui, donc.

Elle ferma la porte derrière elle avec ce qui était un peu plus de force que nécessaire, O'Reilly le savait. *Non passerà.* Kinky avait cloué ses couleurs sur le mât.

Il sourit, secoua la tête et se tourna vers le marquis.

— Cela vous dérangerait-il d'amener cette chaise ici afin que vous puissiez vous asseoir, John ?

O'Reilly désigna une petite chaise dans le coin de la pièce. Même s'il accordait au marquis tous les égards dus à son rang, tout comme Sa Seigneurie s'adresserait à son tour toujours à lui en disant « docteur O'Reilly », les deux vieux amis étaient beaucoup moins protocolaires en privé.

O'Reilly avait découvert grâce à Sonny, la source de tout le savoir sur l'histoire locale, que le présent marquis descendait de l'aristocratie irlandaise originale, et non des envahisseurs qui étaient venus plus tard et avaient usurpé de nombreux titres irlandais.

Pendant que le marquis traversait la pièce et rapportait une petite chaise avec un dossier tressé et des bras sculptés, O'Reilly se souvint de ce que Sonny lui avait dit.

John, le 27e marquis de Ballybucklebo, était le dernier d'une longue lignée de seigneurs irlandais qui descendaient à la fois de Conn « aux cent batailles » et de Niall « aux neuf otages ». Les membres de la famille, comme leurs cousins plus célèbres, les O'Neill, avaient conservé leurs domaines ici dans l'Ulster, tandis que plusieurs des autres seigneurs irlandais avaient perdu les leurs aux mains des Normands, des Plantagenet et des Tudor. Il était le parfait aristocrate, et pourtant, selon les mots du poème préféré d'O'Reilly, il pouvait « rester digne tout en étant populaire », exactement comme il le faisait aujourd'hui.

O'Reilly le regarda déposer sa chaise en la plaçant pour qu'elle soit dos au feu et s'asseoir afin d'être en mesure de voir O'Reilly et Barry à la fois. Il ne semblait pas le moins du monde déconcerté de bavarder pendant que les deux médecins continuaient à manger leur déjeuner.

— Je suis tombé sur Cissie Sloan sur la rue principale, dit-il. Cette femme pourrait parler tant qu'elle convaincrait un âne de se mettre en marche, mais elle m'a dit que vous n'étiez pas tout à fait en forme, Fingal. Je me trouvais à passer. J'ai pensé m'arrêter. Rien de sérieux, j'espère ?

O'Reilly secoua la tête.

— Une petite bronchite. Il y en a beaucoup à ce temps-ci de l'année.

Il toussa.

— Avec une toux comme celle-là, vous ne devriez pas mettre le nez dehors, dit le marquis.

— Je suis d'accord, monsieur, dit Barry.

— Donc, je ne serai pas capable de me rendre à la réunion exécutive du Rugby Club, c'est cela ? dit O'Reilly, qui n'était pas trop déçu, en somme.

Il pouvait trouver les réunions du comité un peu ennuyeuses, même s'il était secrétaire-trésorier.

— Allez-vous vous charger de la question de l'augmentation des frais annuels d'inscription pour l'an prochain ?

— Je ne vois pas...

La porte s'ouvrit à la volée, et O'Reilly se retrouva à dévisager la figure ronde dans l'embrasure de la porte. Sainte mère de Dieu, c'était le grand panjandrum, le Grand maître de l'Ordre d'Orange de Ballybucklebo, le conseiller Bishop en personne. Il portait son pardessus et son chapeau melon, et il semblait plutôt content de lui.

— Comment diable êtes-vous entré ici, Bertie ?

— Je suis entré par la porte arrière, et j'ai amadoué Kinky. J'avais un travail d'évaluation à faire au village, et ce nouveau docteur est entré. Il crachait son venin parce que Kinky l'avait chassé.

Bishop sourit et poursuivit :

— Et nous savons tous comment est Kinky quand elle se met en colère.

O'Reilly entendit Barry émettre un bruit comme s'il s'étouffait et crachotait.

— Vous l'avez amadouée ?

O'Reilly ne savait pas trop si sa trachéite avait également touché son ouïe. Le conseiller Bishop était connu pour son approche d'éléphant dans une boutique de porcelaine, et non pour sa capacité à amadouer les gens — et certainement pas quand Kinky était en mode Cerbère.

— J'ai dit à Kinky que j'avais quelques petites choses pour vous. Elle a dit qu'elle ne pouvait pas laisser sans surveillance quelque chose qu'elle avait au four et que je devais vous les apporter tout de suite, puis déguerpir.

Il tendit deux sacs en papier brun, et il s'apprêta à traverser la pièce.

— Bon après-midi, mon seigneur, docteur Laverty.

O'Reilly entendit les deux hommes lui répondre.

— Ma femme, Flo, est tombée sur Cissie Sloan, dit le conseiller. Alors, Flo a dit : « Bertie, cours au magasin et va acheter quelques raisins et une bouteille de Lucozade, et apporte-les au docteur. » Je l'ai fait, pour ça oui. Tenez.

Il poussa les sacs vers O'Reilly, qui les attrapa. « Ce bon vieux Bertie commence à faire sa démonstration de "paix sur terre et bonne volonté parmi les hommes" un peu tôt cette année », se dit O'Reilly, mais il décida d'avoir de la gratitude pour les petits miracles.

— Merci Bertie, dit-il.

— Bon, je m'en vais, et j'espère que vous irez mieux bientôt, pour ça oui.

Le conseiller gagna la porte.

— Merci, Bertie, dit O'Reilly, et remerciez Flo de ma part.

La porte était fermée. O'Reilly entendit des pas descendre au rez-de-chaussée.

— Seigneur, dit-il, les miracles ne cesseront-ils jamais de se produire ?

Barry et le marquis secouaient tous les deux la tête.

— J'espère, dit le marquis, qu'il sera d'humeur aussi généreuse ce soir, quand viendra le moment de déterminer les cotisations pour l'an prochain.

Il se leva et ajouta :

— Ne vous dérangez pas, les docteurs. Je suis resté assez longtemps. Je ne voudrais pas que madame Kincaid se lance à mes trousses.

O'Reilly se leva, content de découvrir que le geste lui coûtait beaucoup moins d'efforts qu'il l'avait prévu. Il devait être en voie de guérison.

— Merci d'être venu, John.

— Tout le plaisir est pour moi, Fingal.

Le marquis traversa la pièce et ouvrit la porte avant de se tourner et dire :

— Dépêchez-vous quand même d'aller mieux. Le club joue contre Glengormley samedi.

— Je ne voudrais pas rater cela, dit O'Reilly. C'est le plus grand des matchs de la saison.

Il se réinstalla dans le fauteuil, et une fois qu'il fut à son aise, Kinky était réapparue, avait déposé un plateau sur le buffet et s'activait autour de lui, redressait les bords de sa couverture. Quand elle eut terminé, elle se leva et sortit une feuille de papier de la poche de son tablier.

— Tenez, docteur Laverty. Deux visites cet après-midi.

O'Reilly était assez content que Barry puisse s'en sortir tout seul, alors il ne demanda pas qui étaient les patients. Au lieu de cela, il se pelotonna sous la couverture, et en se basant sur le fait que la sieste du matin semblait lui avoir fait beaucoup de bien, il déclara :

— Allez-y, Barry. Je vais faire une sieste.

— Oui, monsieur, en effet, dit madame Kincaid. Mais pas avant que vous ayez respiré une autre dose de baume Friar.

O'Reilly roula les yeux.

— Oh, Seigneur, Kinky.

— Il n'y a pas de «Oh» qui tient. J'ai tout ce qu'il faut sur le plateau.

O'Reilly marmonna tandis que Kinky se tournait vers Barry et lui disait :

— Vous voudrez partir voir vos patients, docteur Laverty, pendant que je m'occupe de lui ici...

Barry acquiesça de la tête et s'apprêta à partir.

— Et en passant, dit-elle, cette gentille jeune mademoiselle Spence a téléphoné de Cambridge, et elle a dit qu'elle serait à sa résidence à 18 h 00. Et elle vous priait de lui téléphoner.

O'Reilly vit le visage de Barry s'illuminer comme aurait brillé un lac sous le soleil sortant de derrière les nuages. Il envia le jeune homme. «Eh bien, merde, s'il doit téléphoner à Patricia, je ferais tout aussi bien d'aller moi-même au bigophone et de bavarder un peu avec Kitty. Je le ferai, dès que Kinky aura fini de m'obliger à respirer ces foutues affreuses vapeurs de baume», se dit-il.

8

Souffle, souffle, vent d'hiver…

— Docteur O'Reilly, monsieur. N'avez-vous pas la moindre cervelle?

Kinky était debout dans le vestibule, les poings sur les hanches, une mèche de cheveux argentés pendant sur son front et dansant sous la violence de ses mots.

— Retournez immédiatement en haut, dans le confortable salon chaud, avant que vous attrapiez la mort debout, ici dans le courant d'air.

O'Reilly soupçonnait que la vue de son employeur, debout dans le vestibule, le combiné du téléphone collé à l'oreille, était un choc pour la pauvre Kinky. Néanmoins, l'idée de parler à Kitty lui avait remonté le moral, et il se sentait extrêmement transformé. Et rien n'allait l'arrêter.

— Attend une minute, dit-il à Kitty, puis il couvrit le téléphone d'une main, et il s'adressa à sa gouvernante, une note légèrement tranchante dans la voix. Je suis au téléphone, madame Kincaid.

— Et si vous attrapez une pneumonie, vous serez bientôt sur une table d'autopsie, donc. N'est-ce pas mon boulot de répondre aux appels des patients?

— Ce l'est, dit O'Reilly, mais ce n'est pas un patient. C'est…

— Je me fous de savoir que c'est l'archange Gabriel en personne. Vous n'avez rien à faire ici en bas...

— Kinky.

Il permit à cette note tranchante et contrôlée d'infiltrer sa voix. Il n'était pas habitué à ce qu'on l'interrompe.

— Je vous serais reconnaissant d'attendre que j'aie terminé, et il ne me faudra qu'une minute. Es-tu encore là, Kitty?

Il l'entendit répondre par l'affirmative, et encore une fois, il lui demanda de patienter.

Madame Kincaid était à présent immobile, les deux mains fermées sur ses cuisses, la tête rentrée entre ses épaules voûtées vers l'avant. Elle pressa les lèvres, fronça les sourcils et renifla par les narines, et O'Reilly s'imagina qu'un petit dragon aurait pu se réchauffer ainsi avant de donner son spectacle de lanceur de flammes.

— Es-tu là, Fingal? entendit-il dans le combiné. J'accapare le téléphone du service. Je devrais raccrocher.

— Je l'ai dit une fois, et je le répète. Les médecins qui se soignent eux-mêmes sont des *amadáns*.

— Kinky, j'ai presque fini.

«Pauvre Kinky; je n'aurais pas dû être sec avec elle. La matinée a été déroutante pour la femme avec sa campagne de protection à mon endroit plus ou moins réussie», se dit O'Reilly.

— Écoutez, Kinky, je bavarde avec mademoiselle O'Hallorhan, et je ne resterai qu'une minute, promis.

Kinky ne semblait pas calmée.

«Elle a gagné la bataille avec Fitzpatrick, elle a capitulé devant le marquis, elle a été déjouée par les manœuvres du conseiller Bishop, et maintenant, j'agis comme un bastion rigide, ou je devrais peut-être dire comme un salaud », pensa O'Reilly. Il adoucit la voix et lui sourit.

— Fingal, je t'avertis, entendit-il dans le combiné. Je raccroche dans une minute.

— Kinky, Kitty est de garde à l'hôpital, et elle ne peut pas parler longtemps.

Il vit la posture de Kinky se ramollir.

— J'aimerais lui demander de venir dîner ici ce soir, après son travail. Pourriez-vous vous en sortir avec une invitée de plus ?

Il inclina la tête d'un air interrogateur dans sa direction. Elle s'éclaircit la gorge et dit :

— Je ne pense pas que vous soyez assez en forme pour recevoir des invités, monsieur.

— Eh bien, moi, je dis que oui. Aimeriez-vous un deuxième avis ? O'Reilly rugit et poussa le combiné vers Kinky, qui dit :

— Avez-vous entendu cela, mademoiselle O'Hallorhan ?

O'Reilly ne pouvait pas entendre ce que Kitty disait, mais il vit le sourire de Kinky s'élargir tandis qu'elle émettait de petits bruits affirmatifs. Puis il fut satisfait de la voir sourire et opiner de la tête.

— Elle dit, docteur O'Reilly, monsieur, qu'elle aurait pu entendre vos rugissements jusqu'à Belfast... sans le téléphone. Mais elle va venir si vous promettez de bien vous comporter. Et si vous ne le faites pas, elle va vous mettre au lit et s'en aller.

— Dites-lui que je suis désolé et que je serai un bon garçon, mais... j'aimerais vraiment la voir.

Kinky transmit le message, puis elle dit :

— Super, donc. Je vais simplement ajouter une autre pomme de terre dans le chaudron.

«Certaines femmes auraient été décontenancées de devoir nourrir une bouche supplémentaire à la dernière minute», pensa O'Reilly. Mais il savait que c'était un plaisir pour Kinky Kincaid de relever le défi.

— Allez, continua-t-elle, je vais vous le repasser.

O'Reilly accepta le combiné.

— Je t'ai entendu rire et glousser, Kitty. Que Dieu vienne en aide à un pauvre homme quand vous décidez toutes les deux de vous allier contre lui! Mais je te pardonne si tu arrives vers 18 h 00.

Il regarda Kinky et haussa une paire de sourcils interrogateurs. Il fut content de la voir sourire et opiner de la tête.

— Merveilleux. Cela signifie que nous allons manger vers 18 h 30.

Il vit Kinky secouer la tête.

— Désolé, Kitty. À 18 h 30 précisément.

Kinky acquiesça vivement de la tête.

— Bien, dit-il. Nous pouvons donc t'attendre à 18 h 00? Magnifique. Ah, le devoir t'appelle. Je comprends tout à fait. Vas-y. Au revoir.

Il reposa le combiné.

Comme c'était amusant! Il avait 56 ans, n'avait jamais aimé qu'une seule femme, et pourtant, il était certain que son pouls battait un peu plus vite qu'il aurait dû le faire à la pensée de voir Kitty O'Hallorhan dans quelques heures seulement.

— Maintenant, Kinky, dit-il en se tournant vers l'escalier, je vais faire comme on me le demande et remonter.

Il hésita avec une main sur le poteau principal et se passa l'autre main sur le menton.

— Mais je vais d'abord aller à la salle de bain. J'aurais bien besoin d'un rasage. Cela ne vous dérangerait pas, n'est-ce pas ?

— Non, dit-elle, mais cela me dérange encore de vous voir debout dans ce vestibule plein de courants d'air. Voudriez-vous, je vous prie, pour l'amour de notre Seigneur, y aller ?

O'Reilly commença à monter. Quand il eut atteint le palier, il avait la respiration un peu sifflante seulement. Son état s'améliorait, c'était certain. Tandis que sa respiration se calmait rapidement, il fut conscient du fait que Kinky restait dans les alentours du vestibule comme une mère cane autour de ses canetons.

— Maintenant, dit-elle, montez à l'étage suivant jusqu'à la salle de bain, et moi, je vais retourner dans ma cuisine pour surveiller mes tartelettes aux fruits secs.

— J'y vais, Kinky. Je m'en sortirai bien tout seul.

— Oui, donc, dit-elle, mais vous n'y arriveriez pas si vous n'aviez pas ce gentil jeune docteur Laverty pour partager le travail.

— Un point pour vous, Kinky, dit-il alors qu'il grimpait la volée de marches suivantes.

Et ce faisant, il se demanda comme le jeune homme s'en tirait avec les visites à domicile.

Barry avait garé Brunhilde au coin des jardins Comber de la cité. Il avait trouvé un espace vide entre d'autres voitures garées, de plus vieux modèles. D'après ses observations, l'un devait avoir 20 ans, et pas un jour de moins.

Il attrapa sa trousse de médecin, sortit, ferma la portière de la voiture et remonta le col de son manteau contre le vent mordant. La bourrasque dans son dos fouetta les pans de son imperméable sur ses jambes, et le tissu était froid contre l'arrière de ses mollets. Il était devant le numéro 19, et avec le système des maisons aux numéros impairs d'un côté de la rue étroite et les numéros pairs de l'autre, il n'y avait que six maisons de ville étroites entre le numéro 19 et le numéro 31, sa prochaine visite.

Il marcha rapidement, mais pas assez. Il fut doublé par des feuilles mortes et des emballages de poissons frits et de frites malmenés sur les pavés mal posés du trottoir. Il faillit trébucher là où une dalle de béton s'était soulevée par-dessus sa voisine comme une espèce de plaque tectonique urbaine. «Typique de la mauvaise qualité du travail du conseiller Bishop, dont les équipes d'ouvriers ont construit la cité», pensa-t-il.

Barry s'arrêta devant le numéro 19, où vivaient Kieran et Ethel O'Hagan, et il souleva le marteau de porte en fer forgé pour le laisser retomber. Un coup sec était tout ce qu'il fallait à Ethel pour répondre. Kieran et Ethel devaient attendre son arrivée, et même si la femme avait plus de 80 ans, elle avait des mouvements rapides et affairés, tout autant que ceux d'une jeune femme.

— Entrez, docteur, mettez-vous à l'abri. Cela vous jetterait à terre, pour ça oui.

— Merci, Ethel.

Barry pénétra dans un vestibule étroit, et tandis que la porte d'entrée se refermait derrière lui, il frissonna. Il ne faisait pas beaucoup plus chaud ici que dans la rue. Cela expliquerait le fait qu'Ethel O'Hagan portait un lourd chandail, un bonnet tricoté et des gants en laine aux extrémités ouvertes. Non seulement les ouvriers de Bishop fabriquaient-ils des trottoirs affreux, mais ils n'avaient pas la moindre idée de la manière d'isoler correctement des murs de briques et ne connaissaient pas les subtilités du vitrage double. Trouver le chauffage central dans une maison construite par Bishop aurait été aussi probable que trouver un orang-outan perché sur le poteau de mai de Ballybucklebo.

— Kieran est dans la cuisine.

Barry suivit Ethel. La dernière fois qu'il était venu dans cette maison, le pauvre vieux Kieran, qui à ce moment-là souffrait d'une hypertrophie bénigne de la prostate, avait expérimenté un épisode de rétention urinaire aiguë. Il avait subi une opération en septembre, et il s'en était complètement remis. Kinky avait dit que la visite d'aujourd'hui avait quelque chose à voir avec un doigt de l'homme, et Ethel ne voulait pas sortir son vieil époux par ce grand vent de tempête.

La cuisine était petite et confortablement chauffée par un feu au gaz fixé au mur qui crépitait, crachotait et jetait une joyeuse chaleur. Kieran était assis sur une chaise en bois à côté d'une table en pin propre. Un plat mijotait dans un chaudron sur la cuisinière. La fenêtre du mur du fond était recouverte de rideaux en chintz.

Ethel desserra l'attache au cou de son bonnet, retira ses gants et remplit une bouilloire sous un unique robinet au-dessus de l'évier en porcelaine.

— Aimeriez-vous avoir une petite tasse de thé en main, docteur?

Barry sourit. La tasse de thé. Elle devait être offerte, mais on n'était pas offusqué si elle était déclinée. Seigneur, s'il avait accepté une tasse dans chaque maison qu'il visitait, ses amygdales auraient flotté autant que l'Arche de Noé.

— Non, merci, Ethel. Mais allez-y.

Il retira son imperméable et le plia sur le dossier d'une chaise avant de demander :

— Alors, Kieran, comment fonctionnent les tuyaux ?

Le visage ridé du vieillard se fendit d'un immense sourire.

— Connaissez-vous la cascade au début de la rivière Bucklebo, monsieur ?

Barry acquiesça de la tête.

— J'ai entendu dire qu'il y avait de grosses truites dans le bassin en dessous, dit-il avec un grand sourire.

Kieran rigola.

— Depuis mon opération, docteur, je fais à ce bassin une concurrence féroce. Je pisse comme un étalon. Je pourrais remplir un lac pour une baleine.

— J'en suis ravi, dit Barry en riant franchement, à présent. Maintenant, quel est le problème aujourd'hui ? Kinky a dit que c'était votre doigt.

— Mon pouce.

Kieran tendit le doigt incriminé.

— Ethel voulait qu'un clou soit fixé pour suspendre quelques décorations de Noël. Voulez-vous bien regarder cela ?

Il poussa son pouce gauche sous le nez de Barry.

Barry pouvait voir une décoloration mauve sur au moins la moitié du lit de l'ongle.

— J'ai frappé directement dessus avec le marteau, pour ça oui.

— Je vois cela.

Barry tint le pouce délicatement et l'examina. Les joints étaient noueux à cause de l'arthrite due à l'âge, mais ils ne semblaient pas déplacés.

— Pouvez-vous le plier, Kieran ?

Il le fit sans grande difficulté.

— Je ne pense pas que des os soient brisés, dit Barry.

— C'est un soulagement, mais… la douleur bat à l'intérieur comme si c'était un tambour Lambeg, pour ça oui.

— C'est le sang sous l'ongle. C'est une énorme ecchymose, Kieran. Je vais le faire sortir pour vous, et vous allez vous sentir beaucoup mieux.

Il se tourna vers Ethel.

— Avez-vous une assiette creuse ?

— Oui.

Elle laissa la bouilloire sur la cuisinière et gagna un placard.

Pendant qu'Ethel allait chercher l'assiette, Barry ouvrit sa trousse et en sortit une bouteille de désinfectant Dettol, quelques tampons de coton, un scalpel emballé déjà stérilisé et un rouleau de Sellotape.

— Puis-je me laver les mains dans l'évier ?

— Oui, certainement, dit Kieran, qui fixait la lame du scalpel, nettement visible à travers l'emballage transparent.

Barry se lava les mains et secoua presque toute l'eau dessus. Il ne se donna pas la peine de les sécher. Il n'avait pas besoin de mains sèches, et pour les sécher, il aurait fallu gaspiller la serviette déjà stérilisée dans son emballage qui se trouvait dans sa trousse.

— Pouvez-vous me donner un petit coup de main, Ethel ?

— Oui, monsieur ; et voici votre belle assiette creuse propre.

Elle s'avança sur le plancher recouvert de linoléum et la lui offrit.

— Déposez-la simplement sur la table à côté de Kieran.

Barry remarqua comment le vernis de l'assiette brillait sous la lueur de l'unique ampoule de 60 watts au plafond. Quand Ethel disait « propre », elle voulait dire soigneusement frotté. Sa demeure pouvait bien être à la limite d'un taudis, mais cela n'empêchait pas Ethel O'Hagan d'être une femme au foyer ordonnée.

— Kieran, tenez votre main au-dessus du bol, et Ethel, dévissez le bouchon de cette bouteille…

Il désigna le Dettol d'un signe de tête et patienta avant d'ajouter :

— Maintenant, versez-en un peu sur le pouce de Kieran.

Elle s'exécuta, et les yeux de Barry picotèrent en raison des fortes vapeurs du désinfectant.

— Bon, Ethel ; une dernière tâche. Pouvez-vous ouvrir le paquet contenant le scalpel ?

Elle parut perplexe.

— Prenez chaque extrémité entre un doigt et le pouce, et tirez.

Elle obéit, et Barry n'eut aucune difficulté à retirer le couteau chirurgical.

— À présent, Kieran, dit-il, je vais couper une petite fenêtre dans l'ongle.

Et avant que Kieran puisse s'y opposer, Barry saisit le pouce entre son propre pouce gauche et son index, et il utilisa la pointe de la lame du scalpel pour couper un petit rectangle dans l'ongle au-dessus de l'ecchymose. En une seconde, le morceau d'ongle à présent libéré fut soulevé et lâché dans l'assiette, et le vieux sang foncé en dessous monta et dégoutta sur le côté du pouce de Kieran.

Kieran siffla, puis il dit :

— Mon doux, mon doux, c'est puissant. Le mal a déjà disparu.

— C'est parce que la pression a été soulagée.

— Exactement comme la valve de sécurité sur un moteur, dit Kieran avec les yeux ronds, et il siffla en inspirant. La science moderne est une... une chose... merveilleuse.

— Tenez votre pouce en place.

Barry l'enveloppa dans un tampon de coton et se servit du Sellotape adhésif pour retenir le bandage en place.

Dans une semaine environ, il sera comme neuf. Mais vous allez probablement perdre l'ongle, et il faudra un certain temps avant qu'un nouveau pousse à sa place.

— Oh! Eh bien, dit Kieran, je vais certainement en demander un neuf au père Noël pour Noël.

Et il rit.

— Je vais laver l'assiette creuse, dit Ethel alors que la bouilloire commençait à siffler sur la cuisinière. Êtes-vous certain de ne pas vouloir une petite tasse, docteur ?

Barry secoua la tête.

— Je vais seulement me laver les mains encore une fois et me remettre en route. J'ai une autre visite à faire.

— Pas de repos pour les méchants, hein, doc ? demanda Kieran.

— Aucun, acquiesça Barry en séchant ses mains sur la serviette qu'Ethel lui offrait, puis il enfila son imperméable d'un coup d'épaule. Ethel, pouvez-vous me l'amener demain, si le temps est plus chaud ? Je vais ainsi pouvoir changer le bandage.

— Oui.

— Bien. À présent, savourez bien votre thé. Inutile de me raccompagner.

Sur ces mots, Barry quitta la confortable cuisine, marcha dans le corridor froid et sortit par la porte d'entrée pour se jeter dans la gueule du vent violent qui devait être né quelque part au nord de Spitzbergen.

Sa prochaine visite se situait à six portes plus loin, et lors d'un jour plus chaud, il aurait accueilli avec plaisir l'occasion de s'étirer les jambes et d'assimiler l'atmosphère du voisinage. Ce jour-là, même s'il se dépêchait, le vent le poussait dans le dos. La rue étroite résonnait habituellement des cris aigus des enfants en plein jeu. Les garçons en pantalons courts se balançaient sur des cordes attachées à un lampadaire ou faisaient rouler lentement et bruyamment de vieux vélos sans pneus sur la route en les guidant avec des morceaux pliés de fil courbé dans la roue, roulant à côté sur des patins à roulettes fixés sur les semelles de leurs bottes. Les filles, quant à elles, sautaient à la corde et chantaient «Une patate, deux patates, trois patates, quatre…» tandis que d'autres jouaient à la marelle et sautaient d'un carré dessiné à la craie à l'autre sur les pavés, ceux-là mêmes qu'il foulait à présent de ses pieds pressés. Mais ce n'était pas le cas ce jour-là. Il faisait beaucoup trop froid.

Il s'arrêta au numéro 31, et frappa, tapant du pied en patientant, ses épaules tournées pour se protéger du vent.

O'Reilly avait fait sa première visite à cet endroit une dizaine de jours plus tôt pour voir le fils de neuf ans de la locataire. Le petit gars était l'un des cas d'infection des voies respiratoires supérieures au village. Barry lui avait rendu visite quatre jours plus tôt pour faire un suivi, et le jeune Sammy lui avait semblé être en bonne voie de guérison. Mais aujourd'hui, Kinky avait dit que la mère pensait qu'il souffrait d'un genre de rechute.

La porte fut enfin ouverte par une femme qui, il le savait, avait 28 ans. Mais les cernes noirs sous ses yeux, l'absence totale de maquillage et sa chevelure brune et terne à peine coiffée faisaient en sorte qu'elle semblait avoir 40 ans. C'était dommage, car Eileen Lindsay était habituellement une jolie jeune femme, et O'Reilly avait dit à Barry qu'elle avait fait preuve de courage quand son mari avait fichu le camp en Angleterre deux ans auparavant.

— Entrez, docteur Laverty.

Sa voix était monotone, et elle réprima un bâillement, repoussant quelques mèches de cheveux avec la même main dont elle s'était servie pour se couvrir la bouche.

Il la suivit dans le corridor, et ses narines furent assaillies par l'odeur du chou bouilli.

— Merci d'être venu, docteur Laverty.

Elle s'écarta pour lui céder le passage dans le vestibule qui était le jumeau de celui qu'il venait de quitter — et tout aussi froid.

— Désolée de vous traîner dehors par un jour comme aujourd'hui, dit-elle en fermant la porte d'entrée. Sammy est en haut. Je n'aime pas ces rougeurs qui sont apparues hier soir.

Barry regarda les cernes sous ses yeux.

— Et vous êtes restée éveillée toute la nuit à le veiller, Eileen?

Elle acquiesça de la tête.

— Pourquoi ne m'avez-vous pas fait venir ?

— Oh, ce n'était qu'une petite éruption. C'était inutile que vous perdiez une nuit de sommeil tous les deux, et vous pouviez avoir quelque chose de plus important à faire, comme un accouchement ou autre chose.

Barry secoua la tête. «Ces gens de la campagne...» se dit-il.

— C'était très délicat de votre part Eileen, mais si quelque chose vous inquiète, vous devriez téléphoner.

— Allons, docteur, je vous ai dit que ce n'était qu'une petite éruption.

C'était le mauvais temps de l'année pour presque toutes les maladies de l'enfance qui étaient habituellement accompagnées d'une éruption, mais avec l'historique de l'infection pulmonaire récente, Barry avait déjà à moitié formulé un diagnostic.

— Allons l'examiner, dit-il. Mais la prochaine fois, téléphonez. S'il vous plaît.

— Je le ferai, dit-elle, et il sut d'après le ton de sa voix qu'elle n'en ferait rien.

Barry la suivit en haut d'une étroite cage d'escalier sans tapis jusqu'à un palier et dans une petite chambre à coucher où il y avait tout juste un passage entre un lit à une place et deux lits superposés.

— La tribu dort habituellement ici, mais je couche Mary et Willy avec moi pendant que Sammy est malade, dit-elle.

Barry savait qu'Eileen avait trois enfants et qu'elle faisait un travail remarquable en élevant sa petite famille avec sa paie de machiniste à l'usine de textile Belfast Linen Mill. C'était un travail physique dur, dans le cadre duquel il fallait courir entre les métiers à tisser bruyants pour remplacer des bobines vides par des bobines pleines. De nombreux ouvriers de l'usine développaient une certaine surdité à cause de l'assaut constant du bruit tonitruant de la machinerie sur leurs oreilles sans protection.

Sammy était allongé dans le lit à une place. C'était un garçon à la chevelure en pagaille, et Barry vit au premier coup d'œil sa façon de poser la tête sur son oreiller et l'aspect terne de ses yeux bleus.

— Comment vas-tu, Sammy?

Sa voix était douce et basse.

— Mes genoux et mes chevilles me font mal, docteur, et j'ai des bosses partout sur moi, comme si j'étais une pomme de terre qui a germé.

— Vraiment?

Cette image fit sourire Barry.

— «Genoux de patate bossue»? Est-ce ainsi que je dois t'appeler? Comme cet autre gars, «maigrichon aux jambes en accordéon et aux pieds en banane»?

Barry promena sa tête d'un côté et de l'autre en chantonnant les paroles d'une chansonnette préférée des enfants lorsqu'ils voulaient taquiner une personne avec de longues jambes maigres.

— Allons, docteur Laverty. Vous dites des bêtises.

Sammy réussit à faire un faible sourire avant d'ajouter :

— Mes jambes ne sont pas si maigres.

— Je te fais marcher, dit Barry en admirant le cran de l'enfant.

Il s'assit au bord du lit et prit le pouls du garçon, remarquant aussi que la peau était fraîche et sèche et que le pouls n'avait rien d'anormal. Il se tourna vers Eileen.

— Comment a été le torse de Sammy, Eileen?

— Super au cours des deux ou trois derniers jours, pour ça oui. J'allais le laisser retourner à l'école, mais...

Il vit son haussement d'épaules et sa façon d'arrondir les lèvres.

Il ne fallait pas être un génie pour savoir à quoi elle pensait. Elle aurait dû rester à la maison pour le soigner. L'effet sur les finances de la famille aurait été remarquable. Lors de sa première visite, O'Reilly lui avait remis un certificat que Barry avait renouvelé, tout comme il le ferait aujourd'hui, mais la paie de misère qu'offrait l'État était bien moindre que le salaire qu'elle recevait habituellement. Barry soupira. C'était frustrant, et peut-être qu'après en avoir terminé avec le côté technique de son intervention médicale, il essaierait de trouver une manière de lui venir un peu en aide. C'était ce qu'O'Reilly aurait fait.

— Écoutons cela un peu. Assieds-toi, Sam, dit-il.

Le garçon s'assit avec un peu d'aide de Barry, qui soutint les épaules de l'enfant. Barry souleva la veste de son pyjama. Il n'y avait pas de trace d'une éruption sur la peau du garçon, ce qui était un autre indice. Le torse bougeait facilement, et la fréquence respiratoire était normale.

— Prend de grandes inspirations.

Barry écouta avec son stéthoscope, passant de la base d'un poumon à l'autre. Il n'y avait aucun bruissement ni crépitement, seulement les sons doux de l'air se déplaçant en entrant et sortant des poumons, ce qui était bien.

— Maintenant, dit Barry, allonge-toi, Sammy, et roule sur le ventre.

Le garçon fit ce qu'on lui demandait. Barry sourit à Eileen et désigna la porte d'un coup de tête. Même les petits garçons pouvaient être gênés.

Ses yeux s'arrondirent, mais elle se retira.

Barry baissa doucement le pantalon de pyjama du garçon, et comme il s'y était attendu, il vit les papules auxquelles référait son manuel scolaire sous le nom « d'éruptions urticariennes » sur les fesses, de même qu'à l'arrière des cuisses et des mollets. Dans un jour ou deux, si son diagnostic était exact, les papules seraient remplacées par des plaques lisses violacées et foncées, la classique « éruption pétéchiale ».

Cela ne l'étonna pas de remarquer que les deux genoux et les deux chevilles étaient légèrement enflés. Et cela, pris en compte avec la nature de l'éruption, déterminait la maladie assez clairement.

Sammy avait un cas raisonnablement commun qui survenait souvent après une infection des voies respiratoires supérieures chez un enfant : le purpura de Schönlein-Henoch. Dans la plupart des cas, il guérissait de lui-même et disparaissait sans traitement, même si plusieurs semaines ou même plusieurs mois devaient passer avant que les signes et les symptômes s'évanouissent totalement. Barry remonta le pantalon de pyjama du garçon.

— Tu peux te retourner, Sammy. À présent, jeune Sam, tu vas devoir rester au lit pendant un moment.

— Pas d'école ?

Barry secoua la tête.

— Pas avant que Noël soit passé.

— Youppi.

Le sourire de Sammy était très large, mais il s'évanouit.

— Est-ce que cela veut dire que je suis quelque chose comme affreusement malade ?

Barry vit l'inquiétude dans les yeux du petit. C'était étrange que pendant sa formation, il ne lui soit jamais venu à l'idée que les enfants puissent s'inquiéter autant que les adultes. Il chercha des mots simples pour expliquer au garçon ce dont il souffrait, et il se rendit compte qu'il aurait bien assez de difficulté à l'expliquer à une adulte.

Le purpura de Schönlein-Henoch était une maladie auto-immune, faisant partie d'un groupe de maladies actuellement mal comprises, comme l'arthrite rhumatoïde, la dermatomyosite et le lupus érythémateux, et où le corps commençait mystérieusement à s'attaquer lui-même. Barry espérait qu'il pourrait s'en sortir avec une phrase rassurante exprimée avec confiance.

— Tu iras bien, dit-il. Joues-tu au soccer ?

— Oui. Je joue. Je suis un ailier droit, pour ça oui.

— Bien, dit Barry. Tu seras dehors à marquer des buts en un rien de temps. Exactement comme Stanley Matthews.

Le joueur du Blackpool United était le plus célèbre joueur de soccer de son époque. Barry n'était pas un grand fervent de sports, mais il comprenait bien le pouvoir des éléments familiers quand quelqu'un avait besoin d'être rassuré. D'une étrange façon, sa capacité à répéter le nom du joueur allait persuader Sammy que Barry était aussi un initié du monde des fervents de soccer et que par conséquent, on pouvait lui faire confiance.

— Youppi, dit Sammy avec un grand sourire. Exactement comme Stan le grand.

— Mais, tu vas devoir faire exactement ce que te demande ta maman pendant un certain temps.

Le visage de l'enfant se décomposa.

Cela allait être ennuyeux pour l'enfant pendant quelques semaines, et cela pouvait rendre les choses difficiles pour la mère. Et Dieu en était témoin, Eileen n'avait pas besoin de plus de misère qu'elle en avait déjà. Il hésita, mais il décida de renforcer son message.

— Et si tu ne le fais pas, il se peut que le père Noël ne passe pas.

— Hum, dit Sammy ; ça ne fera pas la moindre différence cette année de toute façon.

— Oh ?

— Nan. Maman dit que le pauvre vieux père Noël est un peu à court d'oseille cette année, alors mon frère et ma sœur et moi, nous devons y aller mollo avec ce qu'on lui demande.

Barry pouvait comprendre pourquoi le père Noël était un peu fauché, et avec le garçon qui devait rester au lit encore un peu, le budget du père Noël allait être encore coupé à son minimum si Eileen ne pouvait pas retourner au travail. Il avait été fier de sa capacité à établir un diagnostic médical sûr pour la maladie de l'enfant, mais maintenant, il aurait aimé qu'O'Reilly soit ici. Il aurait assurément trouvé une solution pour les problèmes financiers d'Eileen.

Barry se leva.

— Écoute ta maman comme un bon garçon, Sam, et je reviendrai te voir dans un ou deux jours.

Il fut récompensé par un énorme sourire.

— Et ne t'inquiète pas pour le père Noël ; je suis certain qu'il viendra.

— C'est bien trop vrai ; il viendra.

Barry fut frappé par la confiance absolue dans la voix du garçon.

Mary et Willy et moi, nous avons une manière de l'aider.

— Bon point pour vous.

Barry avança vers la porte et ajouta :

— Je te verrai dans un ou deux jours, Sammy.

Tandis que Barry descendait, il entendit le garçon lancer :

— Au revoir, docteur Laverty.

— Ici, docteur.

Il entendit la voix d'Eileen sortant d'une pièce de l'autre côté du corridor. Elle devait l'attendre dans le salon en façade. Il entra dans sa plus belle pièce. Il y avait du tapis. Eileen se tenait debout devant le manteau de la cheminée. Deux fauteuils aux cadres en bambou étaient placés en face du petit âtre. Il remarqua en un seul coup d'œil que le feu de charbon était préparé — mais pas allumé — et qu'un des bas de nylon d'Eileen filait.

Elle avait dû voir où son regard s'était porté. Elle rougit, baissa les yeux et dit :

— Pouvez-vous le croire ? Une paire neuve, tout droit sortie de l'emballage, pour ça oui, et un des chiens de Sonny Houston m'a sauté dessus au village hier. Le pauvre Sonny se sentait affreusement mal. Il était en train d'insister pour m'acheter une autre paire, mais, eh bien...

Barry pouvait voir la fierté et la détermination relever son menton un peu plus haut.

— En tout cas, je suis désolée que le feu ne soit pas allumé, docteur, par un jour froid comme celui-ci...

Barry comprenait pourquoi. Les bas et le charbon coûtaient de l'argent.

— Mais je garde le feu pour la semaine avant Noël, quand les enfants envoient leurs lettres au père Noël.

Barry se souvenait nettement d'avoir, enfant, écrit laborieusement une lettre de ses souhaits au père Noël, lettre qui serait ensuite brûlée dans le feu du salon afin que le papier roussi, avec ses mots encore lisibles, soit soulevé dans le conduit de la cheminée et arrive directement — du moins selon ses parents — dans l'atelier du père Noël au pôle Nord. Ce qui lui rappela qu'il était temps d'écrire un mot à ses parents.

— J'ai entendu dire que saint Nicolas était un peu fauché, cette année, Eileen, dit-il.

— Oh, regardez cela, monsieur.

Elle prit une boîte à thé sur le manteau de la cheminée et la lui tendit. Il remarqua qu'elle était ornée d'une photo du mariage de la princesse Elizabeth avec un prince grec de moindre importance, Phillip, en 1947.

— Ouvrez-la.

Il obéit, et à son étonnement, il découvrit qu'elle était assez pleine de billets de 10 shillings.

— Vous voyez, dit-elle avec une fierté timide en lui tendant la main afin qu'il lui rende la boîte, j'ai économisé 10 shillings aussi souvent que j'ai pu le faire avec mon salaire afin que les enfants ne manquent de rien à Noël. J'ai presque 15 livres là-dedans.

— Bravo à vous, Eileen.

Elle se servit du dos de son poignet pour repousser quelques mèches de cheveux de son front et dit :

— Ce n'est pas beaucoup à diviser entre les trois, mais je pourrai leur acheter quelques petites choses. Simplement pour qu'ils aient quelque chose à déballer à Noël, si on veut.

Barry toussa. Il sentit un serrement dans sa gorge. C'était une leçon d'humilité de voir comment elle se démenait pour sa famille. Doux Jésus ; il lui fallait admirer la femme. Elle économisait un peu pour de petits luxes pour ses enfants — il jeta un autre coup d'œil au bas filé —, mais elle négligeait ses propres besoins.

De son propre chef, sa main s'enfonça dans la poche de son pantalon à la recherche d'un billet d'une livre. Puis, il imagina la scène qui se déroulerait s'il tentait de le lui offrir. Elle se tiendrait raide comme une barre, lui jetterait un regard noir et dirait avec dédain : «Les Lindsay n'acceptent pas la charité.» Merde, tout comme il ne pouvait rien faire contre le ridicule du montant de la prestation de l'État, il était impuissant, mais il pouvait lui expliquer ce qui n'allait pas pour son fils et peut-être lui offrir un peu de réconfort. Il sourit, espérant qu'elle trouverait cela rassurant.

— À propos de Sammy...

— Oui, docteur ?

— Il a une maladie que nous voyons souvent après des toux et des rhumes. Elle a un nom allemand long comme le bras...

— Oh, d'accord ; ne vous donnez pas la peine de me le dire, docteur. Je ne ferais que l'oublier.

— C'est un miracle que je m'en souvienne moi-même parfois, mais oubliez son nom ; Sammy va s'en tirer.

— Dieu merci pour cela, dit-elle. J'en ai assez à faire sans devoir soigner un garçon vraiment malade.

Il y avait une larme au coin d'un de ses yeux.

— C'est un très bon petit, pour ça oui, dit-elle.

— Il sera en pleine forme, dit Barry, et il n'y a habituelle-ment aucun problème persistant une fois que le patient va mieux.

Il ne voyait aucune raison de l'inquiéter en lui disant qu'occasionnellement, un enfant pouvait saigner au niveau des intestins ou développer une insuffisance rénale. De telles complications étaient extrêmement rares.

— Mais, s'il se plaint d'un mal de ventre ou si vous remarquez qu'il y a du sang dans son urine, appelez-moi immédiatement.

— Je le ferai, docteur.

— Et Eileen?

Son regard retint celui de la femme, et il ajouta :

— Je veux dire *immédiatement*.

— Oui, monsieur.

— Et je vais passer le voir dans un ou deux jours.

— Merci, docteur.

Elle replaça la boîte sur le manteau de la cheminée, puis elle tourna le dos, et Barry se rendit compte qu'elle voulait lui demander autre chose. Il pouvait sentir son inquiétude, et il se demanda s'il n'avait pas suffisamment bien expliqué l'état de Sammy. Enfin, elle demanda :

— Combien de temps est-il susceptible de rester au lit?

Elle n'avait pas voulu poser la question. La plupart des mères à Ballybucklebo étaient en mesure de rester à la maison avec leurs enfants. Mais Eileen devait s'inquiéter à mort à propos de la façon dont elle pouvait gagner sa vie et rester à la maison avec un fils malade. Cela pouvait prendre un mois ou plus encore avant que le petit gars soit guéri. Il inspira profondément.

— Cela peut prendre quelques semaines, Eileen.

Barry entendit son inspiration brusque.

— Combien, exactement

— Deux ou trois, peut-être.

Barry savait qu'il se montrait optimiste.

Elle avait dû se rendre compte de ses faux-fuyants.

— Plutôt six ou sept, ajouta-t-il alors.

Il fut incapable de croiser son regard.

— C'est difficile à dire, Eileen, mais cela pourrait prendre un certain temps.

Elle se retourna vers le manteau de la cheminée et souleva la boîte. Ses joues étaient striées de larmes quand elle pivota vers lui, mais elle se tenait le dos droit, et il entendit la fierté dans son ton quand elle dit :

— Si je dois piger dans la boîte des fonds de Noël pour les petits pour joindre les deux bouts, je le ferai.

«Peut-être que… peut-être que…» se dit-il. Le germe d'une idée commença à prendre forme… le genre de chose que pouvait inventer O'Reilly, mais Barry ne voulait pas lui donner de faux espoirs.

— Je sais que cela va être compliqué pour vous d'aller au travail, Eileen.

— Compliqué ?

Sa voix exprimait l'émotion brute.

— Difficile ? Cela va être foutrement impossible, docteur.

— Je comprends vraiment, Eileen.

— Comment le pourriez-vous, vous qui êtes médecin et tout ? Vous ne serez jamais à court de quelques shillings.

Ses yeux lancèrent des éclairs pendant une fraction de seconde, mais ensuite, ses épaules s'affaissèrent, et elle dit :

— Je suis désolé, monsieur. Je n'aurais pas dû perdre mon sang-froid comme cela.

Barry avait envie de la serrer dans ses bras et de lui dire que cela ne le dérangeait pas, qu'il comprenait, mais au lieu de cela, il dit :

— J'ai possiblement une suggestion.

Il vit ses yeux s'arrondir.

— Pour vrai? Pour vrai?

Il y avait de l'espoir dans sa voix.

— Je... je vais passer demain, et je vous tiendrai au courant.

— Vraiment, docteur? Cela serait merveilleux, pour ça oui.

— Bon, Eileen, je ne fais aucune promesse, mais je vais voir ce que je peux faire.

— Les enfants et moi, nous vous en serions très reconnaissants, dit-elle, et je suis désolée d'avoir été cassante avec vous, monsieur.

— Ne vous souciez pas de cela, Eileen. Maintenant, je dois rentrer à la maison, mais je serai de retour demain. Promis.

Il fourragea dans sa trousse et en repêcha un carnet de formulaires du ministère, puis il en remplit un et le tendit à Eileen.

— Cela suffira pour six semaines, si vous en avez besoin.

Elle tressaillit en entendant les mots « six semaines », mais elle prit une profonde inspiration et dit :

— Je vous raccompagne.

Puis elle l'accompagna à la porte.

— Au revoir, docteur Laverty. Et merci.

Il lui souhaita le bonsoir, et il voûta les épaules contre le vent de tempête pour la marche de retour jusqu'à Brunhilde. Il jeta un regard à sa montre. Il était temps de rentrer au numéro 1 de la rue principale et de discuter avec O'Reilly de sa brillante idée pour aider Eileen.

Et même s'il n'était que 16 h 30, il devait téléphoner à Patricia à 18 h 00. Il se mit à trotter et eut la pensée irrationnelle qui afflige souvent les gens attendant que quelque chose d'important se produise que s'ils arrivent plus tôt, le temps passera plus vite, faisant en sorte que ce qu'ils attendent se réalisera aussi plus rapidement.

À défaut d'autre chose, savoir qu'il lui parlerait très bientôt lui donna l'impression que la soirée serait moins glaciale.

9

Un prodigieux labyrinthe,
qui a pourtant sa régularité

Quand Arthur Guinness sortit de sa niche comme un forcené, les yeux fixés sur les jambes du pantalon de Barry, celui-ci fut trop fatigué à cause de sa journée et trop impatient de parler à Patricia pour supporter de telles sottises. Il ne se laissa pas démonter.

— Assis, toi! cria-t-il, et à son étonnement, le gros chien obéit. Rentre chez toi.

Barry attendit jusqu'à ce que le chien soit de retour dans sa niche avant de traverser le jardin arrière, se demandant alors pourquoi Arthur avait bien réagi devant des ordres. Barry gagnait-il un peu en assurance, en autorité? Il l'espérait.

— Bonsoir, Kinky, dit-il en ouvrant la porte de la cuisine.

Elle était debout devant le plan de travail et lui tournait le dos. Elle se retourna et lui tendit un petit saladier en métal.

— Voulez-vous bien regarder cela, monsieur?

Sa voix était étouffée, comme si elle venait d'être témoin d'un miracle. Il regarda le bol et le retourna. Il y avait un trou aux bords irréguliers au fond, d'un diamètre d'environ trois centimètres.

— On dirait qu'il a été frappé par un obus, dit-il. Que s'est-il passé ?

Elle pointa un pudding rond brun foncé parsemé de fruits qui était la demie d'une paire sur une assiette. Sa forme était la réplique exacte du saladier.

— Je pense que quelque chose a mangé le bol.

Les yeux ronds, elle ajouta :

— Sinon, c'étaient les petites personnes.

— Je vous demande pardon, Kinky ? demanda Barry en souriant. Manger le bol ? Les petites personnes ?

— Vous voyez, docteur Laverty, je prépare toujours les puddings de Noël au cours de l'année qui précède la fête ; je les conserve dans des saladiers dans mon garde-manger, et je les sors une fois par mois pour les arroser d'un peu de brandy. Puis, une ou deux semaines avant le grand jour, j'en sors deux de leurs bols, et je les emballe dans du papier sulfurisé afin qu'ils soient prêts à faire bouillir le jour de Noël.

— Je vois.

Comme il ne connaissait rien aux affaires culinaires, il ne voyait pas, mais il pensa qu'il valait mieux jouer son jeu, vu son état de détresse.

— Eh bien… soupira-t-elle. Quand j'ai sorti ces deux-là, le saladier que vous avez dans les mains, monsieur, avait ce trou.

Elle fit un signe pour éloigner le mauvais œil.

— Ma cuisine n'a jamais fait de mal à personne, monsieur. Jamais. Mais quelque chose a dû faire cela. Peut-être les farfadets. Peut-être même le diable en personne.

Il y avait un léger tremblement dans sa voix.

Il serait inutile de lui dire qu'elle se montrait simplement superstitieuse et qu'elle ne devait pas s'inquiéter. Seule une explication rationnelle allait la calmer. Il fronça les sourcils et tenta de se rappeler un peu de la matière de ses classes de chimie organique de sa première année d'études.

Il y avait quelque chose à propos des sucres dans les fruits et de l'alcool.

— Kinky, vous mettez des fruits et du brandy dans vos puddings, exact ?

— Par ma foi, monsieur, oui, je le fais. Des raisins secs de Smyrne, des groseilles, des cerises confites et des écorces mélangées, et ensuite, j'ajoute cette petite goutte de brandy chaque mois.

Des fruits, du brandy ? Des fruits, du brandy ? Du sucre ajouté à de l'alcool ? Puis, il se souvint. La combinaison pouvait produire un acide extrêmement puissant. Assez puissant pour ronger...

Il regarda le bol en métal.

— De quoi ce bol est-il fait, Kinky ?

— D'acier inoxydable, monsieur. Le docteur O'Reilly me l'a donné l'an dernier — il vient de son cabinet — quand le mélange de pudding était préparé, mais qu'un de mes bols ordinaires s'est brisé. Comme celui-ci.

Elle pointa un bol gris en céramique sur le plan de travail.

Barry sourit.

— Je ne pense pas que vous ayez à vous inquiéter des petites personnes ou du diable, Kinky.

— Et pourquoi pas ?

— Je suis plutôt sûr que les fruits et le brandy, une fois combinés, créent un acide qui attaque l'acier inoxydable, mais pas la poterie.

Elle promena son regard d'un bol à l'autre avant de revenir sur le premier.

— En voilà une chose, donc.

Elle ne paraissait pas tout à fait convaincue, mais elle dit :

— J'imagine que je vais devoir accepter votre parole là-dessus, monsieur, puisque vous êtes un homme éduqué et que vous comprenez toute cette science.

— Vous n'êtes pas obligée de me croire sur parole, Kinky : demandez au docteur O'Reilly.

— Oh, non, docteur Laverty. Je vous crois ; n'êtes-vous pas un gentleman et un érudit ?

Barry rit.

— Et la dernière phrase de ce toast, comme vous le savez très bien, Kinky Kincaid, est : « Et pour dire la vérité, monsieur, vous êtes probablement un bon juge du whiskey irlandais. » Ce que je ne suis pas.

Ils rirent tous les deux, mais ensuite, le visage de Kinky se décomposa.

— Mais s'il y a de l'acide, cela pourrait-il rendre malade une personne qui le mangerait ?

Elle regarda tristement ses puddings avant de dire :

— Je détesterais devoir les jeter.

— Vous avez utilisé du jus de citron dans le whiskey chaud du docteur O'Reilly, non ?

— Oui.

— Le jus de citron est rempli d'acide citrique, et il ne fait de mal à personne, n'est-ce pas ?

— Non.

— Donc, je ne m'inquiéterais pas à propos de vos puddings. Ça ira.

— Vous en êtes sûr, monsieur ?

— Affirmatif.

— Tout va bien, alors. Je vais continuer à les emballer, et vous, allez faire vos appels.

— *Mes* appels ? Je pensais que je ne devais en faire qu'un.

— Votre ami le docteur Mills a téléphoné. Il veut que vous essayiez de le joindre.

— Je le ferai. Merci, Kinky.

Barry se dirigea vers le vestibule tout en retirant son imperméable. Il était gelé en entrant, mais rester debout à bavarder avec Kinky dans la cuisine chaude avait eu pour résultat de le réchauffer au point de faire en sorte qu'il se sentait à l'aise.

Il suspendit son imperméable dans le vestibule, souleva le combiné du téléphone, composa le numéro du Royal de mémoire et demanda à l'opératrice de faire appeler Jack Mills.

— Allô. Barry ?

Barry reconnut le fort accent du Cullybackey.

— Comment diable vas-tu ?

— Bien. Toi ?

— Super. Nous avons eu un de vos clients hier soir, et nous lui avons retiré sa rate éclatée. C'est une bonne chose que vous l'ayez envoyé ici aussi rapidement que vous l'avez fait.

— Tu peux remercier O'Reilly pour cela.

Barry entendit un petit rire.

— Nan. Toi, tu le remercieras. Votre patient va bien, mais il a mal à cause de l'incision et de quelques côtes brisées.

— Serez-vous en mesure de le retourner chez lui pour Noël ?

— Je ne vois pas pourquoi ce ne serait pas possible.

— Bien. Je vais en informer sa femme.

— Inutile. Sir Donald lui a téléphoné immédiatement après l'opération. Elle est au courant.

— Merci, Jack.

— Cela fait partie du service. Comment se passent les choses de ton côté de l'univers ?

— Je me tiens occupé. O'Reilly a une bronchite, alors je dirige seul la boutique.

— Et si je te connais bien, Laverty, tu adores cela.

— Eh bien, je…

— C'est aussi bien, car l'amour de ta vie se trouve à des kilomètres de toi.

— Oui, mais je vais lui téléphoner ce soir.

— Idiot. Il y a un million de superbes nanas dans le monde, et la plupart ont envie de se laisser aimer un peu. J'imagine que cela, c'est un peu compliqué au téléphone.

Barry secoua la tête. C'était du Jack Mills typique.

— Vois-tu encore Helen Hewitt ? demanda-t-il.

— La rouquine avec des yeux verts ?

— Oui.

— Oh, oui — quand je ne vois pas ta vieille amie, Mandy, la brunette aux jambes superbes, la préposée.

Barry rit.

— Tu es incorrigible, Mills.

— Je le serais probablement si je pouvais l'épeler. Y a-t-il des chances pour que nous puissions nous voir pour boire une pinte ?

— Pas avant qu'O'Reilly se soit remis sur pied, à moins que tu veuilles venir faire un petit tour ici.

— Il se peut que je sois en mesure de venir cette fin de semaine, mais à ce temps-ci de l'année, il y a tout un tas de fêtes pour Noël. La danse de Noël des infirmières aura lieu à la Maison des infirmières. Pourquoi n'essaies-tu pas de venir ici à Belfast? Cela te ferait le plus grand bien de sortir.

Barry secoua la tête. Cela ne serait pas juste envers Patricia.

— Essaie de venir ici, mon ami. Tu as déjà goûté à la cuisine de Kinky.

— Pour ça oui, pardieu; et elle bat la bouffe d'hôpital à plate couture. Écoute. Je suis en congé samedi. Je vais te passer un coup de fil vendredi soir.

— D'accord.

— Et Barry?

— Quoi?

— Je te le ferai savoir s'il y a du changement pour la splénectomie.

— Merci, Jack.

— Bon, dit son ami, si je tombe sur le matelas, je rebondirai au printemps.

Et sur ces mots, il raccrocha.

Barry rigola, raccrocha à son tour et prit la direction de l'escalier.

— Vous êtes à la maison, dit O'Reilly depuis son fauteuil quand il vit Barry à la porte du salon.

— Rentré des régions sauvages de la cité de Ballybucklebo.

— Bien, dit O'Reilly en désignant le buffet d'un hochement de tête. Cela exige certainement un verre.

— Whiskey?

— En effet, dit O'Reilly. Et purement pour des raisons médicales.

Il toussa et décocha un clin d'œil à Barry.

Barry secoua la tête.

— Vous allez mieux, n'est-ce pas, Fingal? demanda-t-il en versant une petite mesure. N'est-ce pas?

— Seigneur, dit O'Reilly, je suis en voie de guérison. Le torse n'est plus aussi contracté, et je ne tousse plus autant — Barry put voir sa façon de froncer les sourcils en voyant le verre —, mais la dose que vous avez versée là est le genre de chose qu'un homéopathe prescrirait. Ou encore un vétérinaire traitant une puce.

— C'est tout ce que vous aurez.

Barry se versa lui-même une petite mesure, et il apporta son verre à O'Reilly.

— Seigneur, répéta O'Reilly, acceptant le verre et en vidant la moitié en une gorgée, cela suffit tout juste à donner un bain d'yeux à un moucheron.

— Sottises, dit Barry. Nous voulons tous que vous guérissiez.

— N'avez-vous pas entendu dire, dit O'Reilly en vidant le verre et en le tendant à Barry, que l'alcool est un antiseptique? Qu'il tue les bactéries?

Barry pensa qu'O'Reilly avait l'air d'un pénitent implorant.

— Oh, très bien.

Il déposa son verre sur la table basse et remplit celui d'O'Reilly avec une dose plus que généreuse.

— Tenez, dit-il en le lui rendant.

— *Sláinte*, dit O'Reilly.

— *Sláinte mHath.*

Barry sirota son whiskey.

— Alors, dit O'Reilly, comment était votre après-midi?

Barry poussa Lady Macbeth en bas de l'autre fauteuil, et il s'assit.

— Assez léger. Deux patients dans la cité. Kieran O'Hagan avait un hématome sous un ongle. Je l'ai drainé.

Barry fut content de voir O'Reilly opiner de la tête en silence, et il continua :

— Puis il fallait que j'aille voir le petit Sammy Lindsay.

— Le torse est encore en mauvais état?

O'Reilly but lentement son whiskey irlandais.

— Non. Je suis assez convaincu qu'il a un purpura.

— Schönlein-Henoch?

— Oui. Je vais le garder à l'œil.

— Bon garçon. Il pourrait subir des dommages aux reins.

— Seigneur, Fingal ; il pourrait mourir.

O'Reilly plissa le front.

— C'est ce que les manuels scolaires affirment. Je n'ai jamais vu cela se produire, et Dieu sait que j'ai vu suffisamment de ces cas au fil des ans.

— Je sais, mais je vais le surveiller.

— Nous le ferons, fiston. Une fois que je serai en forme. Nous allons le surveiller. Il va être malade pendant un bout de temps.

— Je sais, dit Barry en buvant une généreuse gorgée de son whiskey. C'est ce qui m'inquiète.

— Cela ne devrait pas. Il sera en pleine forme en un rien de temps.

— Pas lui, Fingal. Sa maman. Eileen est le seul soutien de sa famille, et elle va devoir rester à la maison. Les deux autres, Mary et Willy, peuvent aller à l'école, mais Sammy est trop jeune pour rester seul.

O'Reilly frotta sa mâchoire râpeuse.

— Je n'avais pas pensé à cela. Et à Noël, en plus. C'est un mauvais moment pour être un peu à court d'argent.

Barry pensa à la boîte à thé et sa petite liasse de billets de 10 shillings.

O'Reilly plissa le front.

— Avez-vous une idée?

Barry déposa son verre à présent vide sur la table.

— J'ai un début d'idée, mais je veux votre avis.

— Et?

— Vous rappelez-vous du moment où Sonny a dû aller à l'hôpital en août? Et du fait que Maggie s'est occupée de ses chiens?

— Oui.

— Que pensez-vous que dirait Maggie si nous lui demandions d'être un genre de grand-mère honorifique pour la progéniture d'Eileen?

O'Reilly s'esclaffa. Il se pencha vers l'espace entre les deux fauteuils, et il tapota l'épaule de Barry.

— Cela, mon garçon, est une idée de génie. Du foutu génie à l'état pur. Sonny et Maggie sont mariés depuis quatre mois, maintenant, et il ne serait probablement pas fâché d'avoir une raison pour que Maggie ne soit pas dans ses pattes un peu chaque jour. Elle est très bonne avec les galopins. Je me demande parfois si Maggie elle-même n'a jamais grandi. Et Eileen pourrait retourner au travail.

Il termina son verre et dit en concluant :

— Génial.

Barry sourit largement. Il avait pensé que ce n'était pas une si mauvaise idée, mais il ne s'était pas attendu à ce que son patron y souscrive aussi fortement.

— Je vais sortir maintenant et aller voir Maggie.

Barry s'apprêta à se lever.

— Prenez votre mal en patience, comme diraient les gens des environs.

O'Reilly tendit une main modératrice et ajouta :

— Si cela ne vous dérange pas de braver ce milieu d'hiver morne, vous pourriez y aller après le dîner.

— Pourquoi pas tout de suite, pour en finir avec cela ?

— Parce que, dit O'Reilly, je crois me rappeler que Kinky a dit que vous deviez téléphoner à mademoiselle Spence à 18 h 00 et — O'Reilly consulta sa montre — qu'il est actuellement 17 h 50.

O'Reilly feignit une petite toux.

— Et, une fois que vous aurez fait cela et bavardé avec elle, il sera presque l'heure du dîner. Et vous êtes un meilleur homme que moi si vous êtes prêt à être en retard pour un des dîners spéciaux de Kinky.

— Pourquoi ce soir est-il spécial, Fingal ?

— Parce que nous recevons une invitée à dîner. Kitty O'Hallorhan. Elle sera ici à 18 h 00.

Barry contempla O'Reilly. Le gros homme s'efforçait avec beaucoup d'héroïsme de conserver un visage inexpressif, mais les rides aux coins de ses yeux étaient un peu plus profondes, et le pétillement dans les yeux eux-mêmes avait une autre cause que le whiskey irlandais Jameson.

— Vous allez mieux, Fingal. Une invitée pour le dîner, hein ?

Et en lui-même, Barry était ravi, à la fois parce que son collègue plus âgé recouvrait à l'évidence la santé et parce qu'il allait revoir Kitty. Il se demanda si cette relation pouvait évoluer en autre chose que de simples rencontres régulières entre de vieux amis. Il l'espérait.

— D'accord, Fingal, dit Barry. Je vais téléphoner dans quelques minutes, puis je me joindrai à vous et à Kitty pour le dîner, mais je vais sortir immédiatement après et aller m'entretenir avec Maggie.

— Bien, dit O'Reilly tandis que Lady Macbeth sautait sur la couverture qui lui recouvrait les jambes. Voilà un jeune homme avec le sens de l'occasion, pour ne rien dire du tact.

Il caressa la tête de la chatte pendant qu'elle s'installait, ses pattes disparaissant sous sa propre masse féline. Devrions-nous le garder dans le cabinet, chatonne?

Et Lady Macbeth bâilla si grandement et sa langue rose sortit si loin hors de sa bouche que Barry pensa qu'elle s'était disloqué la mâchoire.

10

La Donna è mobile... *La femme est changeante*

— Qui? Patricia Spence? Jamais entendu parler.

La voix de femme inconnue avait un accent snob.

Barry émit un grondement de gorge, puis il dit :

— Est-ce bien le téléphone de la salle commune de Girton College?

— Hum.

Ce son vague, guttural et adoré des classes supérieures anglaises était affirmatif sans être un engagement total.

— Ma petite amie était censée y être pour répondre à un appel d'Irlande.

— Vraiment? Ont-ils le téléphone en Irlande? Mon doux.

— Non, dit Barry, ne serait-ce que pour que la maudite fille continue à parler jusqu'à ce que Patricia, qui avait dû être retardée, arrive. Nous dépêchons habituellement des messages insérés dans des bâtons fendus et transportés par des équipes de coureurs entraînés. C'est pourquoi certains des Anglais nous appellent les coureurs des marécages.

— «Coureurs de marécages»?

Il entendit une inspiration et un gloussement.

— Dites donc. Des bâtons fendus. C'est terriblement bon.

Il y eut encore des ricanements, puis la femme dit :

— Attendez. Votre Patricia serait-elle une fille aux cheveux foncés qui claudique ?

Le cœur de Barry rata un battement.

— Oui.

Des yeux foncés et une chevelure d'ébène, comme les paroles de sa chanson, *My Lagan Love* : « La lueur du crépuscule est dans ses yeux et la nuit est dans ses cheveux. »

— Barry ? Elle paraissait essoufflée, mais il aurait reconnu son contralto de County Down n'importe où.

— Patricia ? Je pensais t'avoir ratée.

— Désolée pour cela, dit-elle. La circulation était vraiment dense.

— La circulation ? À Cambridge ? Je pensais que Cambridge était plutôt rural.

Il l'entendit rire.

— Elle l'est, idiot. Mais, tout le monde ici se déplace en bicyclette, et quand les étudiants sortent de tous les cours en même temps, c'est la pagaille pendant un moment. Trumpington Street ressemble un peu à Shanghai ou à Dublin.

— Oh.

— J'ai dû pédaler comme une folle pour arriver ici. Pendant un instant, Barry eut la vision mentale incongrue de Patricia sous les habits de la méchante sorcière du *Magicien d'Oz* avançant frénétiquement sur une route de terre du Kansas avec le chien de Dorothy, Toto, dans le panier de son vélo.

— Je suis content que tu y sois arrivée, et sa voix s'adoucit. Tu me manques.

Une semaine s'était écoulée depuis la dernière fois qu'il lui avait parlée.

— Et tu me manques, Barry.

Il jeta un regard autour de lui pour s'assurer que personne ne l'écoutait, puis il se morigéna parce que la seule personne qui aurait pu le faire était Kinky, et elle était certainement au courant de ce qu'il s'apprêtait à dire. Néanmoins, sa réserve propre à l'homme de l'Ulster était difficile à surmonter.

— Je t'aime, Patricia, dit-il doucement, espérant qu'elle puisse entendre le désir dans sa voix.

— Moi aussi, dit-elle. Mais c'est très public, ici ; écoute.

Elle avait dû éloigner le combiné de son oreille, et Barry entendit le babillement de voix féminines.

— J'aimerais que ce ne le soit pas, dit-elle, et je pourrais te le dire convenablement.

— Moi aussi, j'aimerais cela.

Mais il savait qu'il devait se contenter de ces miettes pour le moment.

— En tout cas, tu seras capable de me le dire bientôt, n'est-ce pas ?

— Hum.

Mon Dieu, était-elle déjà infectée par les habitudes anglaises ? Que signifiait ce « hum » ?

— N'est-ce pas ?

— Eh bien, je… je…

— Mais tu as promis que tu serais à la maison pour Noël.

Il sentit sa poigne se resserrer sur le plastique.

— Tu le seras, n'est-ce pas ?

— Barry, je t'en prie, essaie de comprendre. Cela coûte beaucoup d'argent de prendre l'avion pour revenir dans l'Ulster à partir d'ici, et mes parents ne roulent pas sur l'or.

Elle ne venait pas ? Elle ne venait pas ? Mais elle lui avait dit, lorsqu'elle avait gagné la bourse et qu'elle partait pour Cambridge, qu'elle reviendrait à la maison pour les Fêtes. Barry prit une profonde inspiration. Il n'allait pas la supplier, mais merde, elle avait promis !

— Je vois. Donc, où passeras-tu Noël ?

Il savait que la chaleur avait disparu de sa voix. Il attendit.

— Dans tes appartements ?

Il fallut un certain temps pour qu'elle dise :

— Je n'en suis pas encore sûre. J'aimerais revenir dans l'Ulster, Barry. Vraiment, j'aimerais cela.

Barry étouffa sa réplique immédiate, qui aurait été un « comme c'est gentil de ta part » sarcastique, et il dit plutôt :

— C'est à toi de voir, mais tu sais à quel point je veux te voir. Je viens de te dire que je t'aime.

— Je sais que tu m'aimes.

Elle baissa la voix, et il dut tendre l'oreille pour entendre ses quelques mots suivants.

— Et je t'aime, Barry. Vraiment, mais cette session a été plus coûteuse que ce que nous avions budgété. La bourse ne couvrait pas tout, et j'ai dû demander de l'argent à mes parents.

— Mais où irais-tu si tu ne revenais pas à la maison ?

— Je me suis fait quelques amis depuis mon arrivée ici en septembre.

Il pria Dieu pour qu'il ne s'agisse pas d'amis masculins. Comme O'Reilly, il s'était lancé dans le travail, et il avait évité la compagnie des femmes depuis qu'elle était partie en octobre pour ce que l'Université de Cambridge appelait le « Michaelmas Term ».

— C'est bien, dit-il.

— Oui, ce l'est. Tu ne t'attendais pas à ce que je reste seule pendant trois mois, n'est-ce pas ?

— Non.

Mais en vérité, la réponse était franchement oui.

— Jenny Compton est une autre étudiante en ingénierie. Elle est ornithologiste amateur comme moi. Ses parents vivent dans le village de Bourn. Ce n'est qu'à 13 kilomètres de Cambridge, et elle m'a invitée à passer les Fêtes là-bas. En fait, je l'accompagne chez elle demain, à présent que la session est terminée. Nous pourrons aller observer les oiseaux à Norfolk Broads.

Il soupira.

— Comme ce jour où je t'ai amenée au Strangford Lough, à Gransha Point ?

Il pouvait la voir alors qu'un orage soudain d'été avait éclaté, se tenant debout, savourant la tempête, la pluie forte collant sa blouse trempée sur ses seins sans soutien-gorge.

— Oui.

Il entendit l'enthousiasme dans sa voix.

— Et j'ai vraiment envie de voir Slimbridge Wildwol Trust sur la rivière Severn, ajouta-t-elle. Ce n'est pas un long trajet, et Jenny a une petite voiture.

— Slimbridge ? N'est-ce pas là l'endroit qu'a ouvert Peter Scott… ?

Il dut réfléchir, mais il avait vu le naturaliste, fils du Scott de l'Antarctique, à la télévision.

En 1946?

— C'est exact. Il en a fait un genre de mecque pour les personnes intéressées par le gibier d'eau, et j'en suis certainement.

· «Tout comme O'Reilly, mais Fingal voudrait les tirer au fusil», pensa Barry. Et comme Barry se convainquait qu'il allait jouer les seconds violons à cause d'eux, il trouvait que c'était bien fait pour eux. Et, Seigneur Jésus, elle venait de dire que la session était terminée. Elle aurait déjà pu être ici, dans l'Ulster, si elle avait tenu sa promesse. Il savait à présent qu'il n'allait pas la convaincre de rentrer à la maison, à moins qu'elle le veuille vraiment. «Mieux vaut sembler accepter la défaite avec grâce», se dit-il.

— J'imagine, dit-il, que si tu dois y aller, tu dois y aller.

— Barry, tu es merveilleux, dit-elle. Je t'aime vraiment…

Il remarqua que cette fois, elle n'avait pas baissé la voix.

— Et je n'ai pas dit que je ne revenais pas à la maison, continua-t-elle. J'ai simplement dit que je n'en étais pas encore certaine.

Barry soupira. Il devrait se contenter d'une demi-promesse.

— Quand le sauras-tu?

— Pas avant une semaine encore. Tout dépend de l'importance du boni de Noël de papa.

— Je sais; mais c'est dans le cas où tu prendrais l'avion.

Il eut soudain l'idée d'une solution alternative.

— Et si tu prenais le transbordeur?

— Le transbordeur?

— Oui, celui qui fait le lien entre Holyhead à Wales et Dun Laoghaire dans la République irlandaise.

Plus il réfléchissait à cette idée, plus il l'aimait.

— Si tu pouvais te rendre à Holyhead et prendre le bateau, je pourrais conduire jusque-là — ce n'est qu'à environ 150 kilomètres de Belfast — et te prendre, et nous pourrions passer la nuit à Dublin avant de reprendre la route vers le nord.

— Eh biiien…

Elle ne semblait pas très enthousiaste.

— Allons, Patricia, tu sais que c'est une option.

— D'accord, Barry, dit-elle. Je vais aller chez Jenny quelques jours, mais je vais examiner cela, promis.

— Super.

En arrière-plan, il entendit une autre voix de femme dire :

— Allez, Patricia ; tu es là-dessus depuis une foutue éternité. C'est mon tour.

Puis il entendit :

— Barry, je suis désolée, je dois y aller. Je t'aime, et je vais te rappeler dès que je me serai renseignée pour le transbordeur. Promis.

Et la ligne fut coupée.

— Merde. Merde.

Il reposa le combiné. Il comptait sur sa venue. Merde, elle lui avait promis de revenir à la maison, sans parler de le rappeler dès qu'elle le pouvait. Il la voulait en entier, et pas seulement à travers un foutu appel téléphonique. Il secoua la tête. « Eh bien, au moins, elle est prête à tenter de trouver une solution. Cela prouve quelque chose non ? Non ? » se dit-il.

Le seul réconfort qu'il pouvait tirer de cela était qu'il ne semblait pas y avoir un autre homme dans le portrait. Un des bons côtés de Patricia, c'était qu'elle ne tergiversait jamais, ne tournait jamais autour du pot. Elle le lui aurait dit franchement. Mais alors qu'il entendait la sonnette d'entrée retentir, il se dit que c'était une petite consolation.

S'il s'était trouvé dans ses souliers, il aurait été en train de s'informer sur le prochain transbordeur. Oubliez le fait d'aller chez une amie comme cette Jenny de Patricia; il se serait dirigé vers la maison aussi vite que possible. Elle n'avait peut-être pas compris ce qu'elle venait de faire à l'homme qu'elle était censée aimer. Elle lui avait dit — mais pas dans ces termes exacts — que pendant quelques jours, il passerait en deuxième place, derrière un tas de satanés canards.

Il traversa le vestibule et ouvrit la porte d'entrée.

— Allô, Barry.

Kitty O'Hallorhan entra dans le vestibule, et il ferma la porte derrière elle.

— C'est mordant, dehors, dit-elle, mais au moins, le vent s'est calmé, et le ciel est à nouveau dégagé. Les étoiles étaient belles, ce soir, durant le trajet depuis Belfast.

Elle retira son imperméable crème d'un coup d'épaule puis se délesta d'une paire de gants en cuir de chevreau et d'un fichu, et elle secoua la tête et se servit d'une main pour réarranger sa coiffure.

Il l'avait trouvée belle quand il l'avait rencontrée à titre d'infirmière-chef, alors qu'elle travaillait au Royal. Et il ne voyait aucune raison de changer d'avis ce soir-là, avec la lumière du vestibule qui se reflétait dans ses yeux ambre mouchetés de gris et qui mettait en relief les mèches argentées dans sa chevelure sombre.

— Montez, Kitty. Fingal vous attend, et le feu est allumé dans le salon.

— Avec plaisir, dit-elle. Comment se porte le vieux vaurien, dites donc ?

Son accent de Dublin était évident à l'oreille de Barry. Elle sourit largement.

— Il doit être irascible comme ce n'est pas permis, je parie. Je ne voudrais pas de lui comme patient.

Barry rigola.

— Venez le constater par vous-même.

Sur ces mots, il s'écarta pour la laisser le précéder à l'étage. Tandis qu'elle montait, il admira les contours arrondis de ses fesses sous sa jupe noire ajustée et se terminant aux genoux, de même que le mouvement des muscles de ses mollets sous le rebord, leur jolie forme accentuée par une paire de chaussures en suède à talons aiguilles.

Elle marqua une pause sur le palier et resta immobile à fixer la photo encadrée d'un navire de guerre.

— C'est le HMS *Warspite*, n'est-ce pas ?

— C'est exact.

Barry était étonné qu'une femme connaisse le nom du vieux vaisseau.

— Fingal et mon père ont servi sur ce navire.

— Je l'ignorais pour votre père, mais Fingal était à bord quand sa femme a été tuée en 1941.

Barry entendit l'émotion dans sa voix. Avait-elle, peut-être, nourri quelque espoir à ce moment-là ?

— La dernière fois que j'ai entendu parler de lui, c'était en 1939, quand il s'est engagé. Il m'a envoyé une photographie prise sur son navire.

Elle pivota et sourit largement à Barry.

— Il était tout à fait le portrait du marin grivois dans son uniforme.

— J'imagine !

Barry ouvrit la porte du salon à l'étage.

— Il est là-dedans. Entrez.

Il la suivit dans la grande pièce confortable, sachant que le froid était mordant et glacial dehors, mais qu'ici, l'éclairage était chaleureusement tamisé et que la chaleur du feu de charbon rendait la pièce accueillante.

— Kitty.

O'Reilly se leva. Barry fut étonné de voir qu'il était fraîchement rasé et habillé d'un tricot, d'une chemise et d'un pantalon de tweed, l'air d'aimer un peu trop la vie en plein air pour les pantoufles à semelles dures en tissu écossais à ses pieds.

— Kitty, répéta-t-il.

O'Reilly se leva et la serra dans ses bras.

— Je suis content que tu aies pu venir. Assieds-toi.

Il attendit qu'elle s'installe dans l'un des fauteuils, puis il reprit sa place dans le sien. Barry s'assit sur la chaise en bois ordinaire que le marquis avait occupée ce même matin.

— Alors, commença-t-elle en l'examinant, comment vas-tu, Fingal ?

Il sourit largement.

— En voie de guérison, et encore plus parce que je te vois, Caitlin O'Hallorhan. Tu es en beauté, ce soir.

— Arrête de dire des bêtises, Fingal Flahertie O'Reilly, espèce de gros imbécile. Tu as toujours été un baratineur, dit-elle en secouant la tête.

Mais Barry entendit le sourire dans sa voix et vit la légère augmentation de couleur sur ses joues.

— Et, dit O'Reilly, tu paraîtrais encore mieux avec un verre à la main. Qu'est-ce que ce sera ? Comme d'habitude ?

— S'il te plaît.

— Barry, voudriez-vous faire les honneurs ? Et servez-vous également.

Barry se leva.

— Certainement.

Il savait exactement ce que voulait O'Reilly, mais il ignorait complètement ce que les mots « comme d'habitude » signifiaient. Beaucoup de femmes buvaient du gin-tonic, de la vodka-jus d'orange ou du cidre pétillant, du Babycham. Il regarda Kitty.

— Un Jameson, s'il vous plaît, Barry, dit-elle.

— D'accord.

Il se tint devant le buffet et versa trois whiskeys irlandais. Il en tendit un à Kitty et un autre à O'Reilly avant de regagner le buffet et de prendre son propre verre.

— *Sláinte*, dit O'Reilly, et il toussa avant de pouvoir boire.

— En effet, dit Kitty. Je serai heureuse de boire à ta santé, Fingal, tant que tu me promets de t'en occuper.

Barry dissimula son sourire. « Pauvre vieil O'Reilly. Assailli non seulement par Kinky, mais aussi par Kitty O'Hallorhan. Si le souci affectueux était un médicament, O'Reilly se relèverait comme Lazare en un rien de temps », pensa Barry.

— *Sláinte mHath*, dit-il, et il but lentement l'alcool tourbeux, l'*uisce beatha*, l'eau-de-vie, et il savoura sa chaleur. Il le préférait maintenant au sherry qu'il favorisait à son arrivée à Ballybucklebo. Il sentit un mouvement derrière lui, et il pivota pour voir Kinky dans l'embrasure de la porte. Son chignon était fraîchement coiffé, et il remarqua qu'elle portait une touche de rouge à lèvres et de fard à joues. Son tablier de calicot était à l'évidence fraîchement lavé, et elle portait ses plus belles chaussures basses.

— Mademoiselle O'Hallorhan, dit-elle, je suis ravie de vous voir.

— Allô, Kinky. Comment allez-vous ?

— Super, donc, répondit Kinky en souriant. Bon, je veux que vous savouriez tous votre verre, mais…

Barry entendit alors le petit côté tranchant dans sa voix lorsqu'elle ajouta :

— Le docteur O'Reilly vous a demandé d'être prête à vous asseoir et manger à 18 h 30, mademoiselle O'Hallorhan. Si vous avez besoin d'un peu de temps pour terminer vos verres — elle regarda directement O'Reilly —, il y a des boules de melon miel dans la salle à manger ; elles ne se gaspilleront pas si elles attendent quelques minutes de plus, mais le repas principal sera prêt à 18 h 45. Je ne voudrais pas qu'il soit trop cuit.

— Compris, Kinky, dit O'Reilly. Nous serons à l'heure.

— J'aurai le filet de porc prêt dans 15 minutes, donc, dit Kinky en jetant un coup d'œil à l'horloge sur le manteau de la cheminée. Non, je raconte un mensonge. 14.

11

Les étoiles et leurs parcours

Le dîner était terminé. O'Reilly repoussa sa chaise, laissa tomber sa serviette sur la table de la salle à manger et réprima un rot de contentement. Kinky, comme d'habitude quand on attendait un invité, lui avait fait honneur. Mais il se dit alors que ce n'était pas comme si elle avait lésiné pendant toutes ces années où il avait dîné habituellement seul.

Il savait qu'il avait été satisfait de sa vie solitaire. Les clients lui offraient pendant son travail plus de contacts avec la race humaine qu'il ne lui en fallait, mais il devait admettre qu'il aimait la bonne compagnie de Barry depuis qu'il était ici en juillet, même s'ils ressemblaient un peu aux deux célibataires Ratty et Mole dans le roman classique *Le Vent dans les saules* de Kenneth Grahame.

O'Reilly regarda Kitty, et il se sourit à lui-même. Ce soir, en plus de la présence de Barry, il avait sans conteste aimé avoir une femme à sa table. Kitty ajoutait du pétillant à la soirée.

Et il avait savouré le repas : des boules de melon miel saupoudrées de gingembre en entrée, un filet de porc rôti et farci, des pommes de terre rôties, du chou-fleur dans une sauce au fromage, des carottes miniatures et la tarte au citron meringuée de Kinky pour dessert.

Le tout avait été couronné par du café. O'Reilly avait pris un autre Jameson, et Kitty avait eu droit à un petit porto Cockburn. Barry, qui allait sous peu sortir pour voir Sonny et Maggie, avait choisi de faire du breuvage son dernier verre, en bon garçon.

Barry et Kitty étaient plongés dans une conversation, et O'Reilly était heureux de garder ses pensées sur le sujet pour lui-même, se contentant d'écouter ce que Barry disait.

— En fait, les trois étoiles du triangle d'été sont Véga, Altaïr et Déeneb.

O'Reilly savait que Barry en avait pas mal appris sur l'astronomie grâce à son père, qui avait été officier de navigation sur le vieux *Warspite*.

Il ignorait qu'elle serait enthousiaste de connaître les noms des étoiles et des constellations, mais alors, Kitty avait toujours été intéressée par le monde au-delà des limites de sa profession choisie. Il observa son visage, animé une minute, sérieux la minute suivante, plissé par un sourire et lisse à l'exception des quelques rides sur son front quand elle fronçait les sourcils lorsque Barry n'était pas clair dans son explication.

— Donc, Altaïr est l'étoile la plus brillante de la ceinture d'Orion?

— Non. C'est l'étoile la plus brillante dans la rangée des trois étoiles dans la constellation de l'Aigle, que l'on prend souvent par erreur pour la ceinture d'Orion. Vous rappelez-vous les noms des étoiles de la ceinture?

— Alnilam, Alnitak… je n'arrive pas à me souvenir de la troisième.

— Évidemment que vous le pouvez. Accordez-vous une minute.

Elle sourit.

C'était un beau sourire dans un beau visage encadré par sa chevelure poivre et sel bien coupée. Ses sourcils étaient fermes et arqués au-dessus d'yeux gris mouchetés d'ambre au regard profond. O'Reilly avait vu les yeux de nombreuses femmes pendant ses années de pratique, mais il ne se rappelait aucune paire aussi saisissante que celle de Kitty. Sous certains éclairages, ils étaient plus félins qu'humains, comme il se souvenait si bien qu'elle-même pouvait l'être. Il soupira. Ils étaient si jeunes à cette époque.

Les années 30 n'étaient pas une période pendant laquelle les hommes et les femmes célibataires couchaient ensemble, mais il se rappelait des soirées d'été quand il était étudiant, encore un garçon ayant grandi trop vite, l'amenant dans ses appartements, l'embrassant, la serrant dans ses bras, la caressant. Et il se souvint de la réaction intense qu'elle avait eue. Il songe alors avec nostalgie que s'ils avaient fait l'amour, même une seule fois, sa vie aurait peut-être suivi un chemin totalement différent.

Tout cela, c'était du passé.

Elle interrompit sa rêverie en disant avec excitation :

— Je l'ai. Mintaka. Mintaka.

Son rire le ramena dans la conversation.

— Bien joué, Kitty, dit-il.

— Ce sont des noms tellement charmants, musicaux.

— Ils sont arabes. Mintaka signifie « ceinture ». Alnilam signifie « rang de perles », dit Barry.

— Vraiment ? dit-elle, son sourire s'élargissant. Glen Miller aurait pu nommer sa musique de danse Alnilam.

Et elle rit d'un bruit de gorge grave avant de demander à Barry de lui apprendre le nom des étoiles du corps d'Orion.

— Rigel, Bételgeuse, Meissa… commença-t-il.

O'Reilly laissa son esprit vagabonder. «Le jeune Barry lui mange dans la main», songea-t-il, et il fut étonné de découvrir qu'il était ému, lui qui avait refusé de s'engager avec une femme depuis que Deidre avait été tuée. Il n'était pas resté totalement chaste ; il laissait cela aux prêtres catholiques. Simplement, il n'avait eu ni le temps ni le désir de retomber amoureux. Et — il sourit — pas beaucoup d'occasions non plus. Comme toutes les femmes du village étaient ses patientes sans exception, les occasions de rencontrer quelqu'un pendant qu'il travaillait étaient plutôt minces.

Ses occasionnelles escapades à Belfast ou les voyages qu'il avait réussi à faire jusqu'à Dublin pour voir l'Irlande jouer au rugby étaient des moments où, pour utiliser le langage de la marine militaire, il avait été en mesure de trouver «une cible» pour une soirée amusante et mutuellement satisfaisante. Il n'avait jamais eu d'intérêt pour quoi que ce soit de permanent.

Il se demanda alors pourquoi il voyait Kitty à peu près sur une base hebdomadaire régulière depuis qu'il l'avait amenée au mariage de Sonny et Maggie en août dernier. C'était une vieille amie, et elle semblait prendre plaisir à être en sa compagnie et à évoquer le passé autant que lui. C'était cela. Rien de plus. Il la regarda plus attentivement. C'était plus qu'une belle femme. À son avis, elle était d'une beauté saisissante. Peu importait que son nez fût trop large, que ses lèvres fussent peut-être un peu trop pleines. Elle avait retiré sa veste quand ils s'étaient installés pour dîner, et il pouvait voir le haut de son décolleté sous le col ouvert de sa blouse rouge cerise, dont le tissu soyeux accentuait la courbe de ses seins ronds.

Il se sourit à lui-même. À la campagne, on aurait dit d'elle que c'est « une femme puissante ».

— Puissante dans l'ensemble, dit-il en comprenant trop tard qu'il avait parlé à voix haute.

— Je te demande pardon, Fingal ? dit Kitty avec un petit rire. À l'école de soins infirmiers, on nous a enseigné que se parler à soi-même pouvait être un signe de folie.

— Sottises, dit O'Reilly. Je réfléchissais tout haut, c'est tout.

Il la regarda droit dans les yeux, surpris de se rendre compte qu'il la voyait sous un éclairage différent. C'était le même changement de perception qu'il pouvait avoir quand il voyait le rivage avant et après l'aube, quand Arthur et lui chassaient les canards. C'était une brusque transformation par la lumière du soleil matinal des formes mal définies en rochers nettement dessinés et en groupes d'algues. C'était presque comme s'il n'avait pas été attentif lors de leurs soirées ensemble.

Il se dit alors que c'était peut-être le parfum musqué qu'elle portait. Ou peut-être que toutes ces étoiles à propos desquelles elle et Barry discutaient s'étaient alignées. Mais peu importe la raison, il allait avoir du plaisir à être seul avec elle plus tard ce soir. Il se tourna vers Barry.

— À présent, jeune homme, loin de moi l'idée de vous chasser, mais...

Barry se leva.

— Je sais que j'ai promis d'aller voir Sonny et Maggie à propos du Sammy d'Eileen Lindsay.

— Bon gars, mon p'tit, dit O'Reilly. Et Barry ? Pendant que vous y êtes, pourriez-vous me rendre un petit service ?

— Certainement.

— Arthur n'a pas fait de promenade de la journée.

O'Reilly vit Barry lever les yeux au ciel. Il ne pouvait pas blâmer le jeune. Le gros labrador semblait encore obsédé par le désir de s'accoupler avec la jambe de pantalon de Barry à la moindre provocation.

— Il aimerait vraiment cela, et il ne faut pas qu'il engraisse. Je vais bientôt l'amener à Strangford pour une journée avec les canards.

À l'étonnement d'O'Reilly, Barry dit :

— D'accord, Fingal. Pour cette fois seulement. Quand je suis rentré à la maison plus tôt aujourd'hui, j'ai semblé être capable de le persuader de faire ce que je lui ordonnais.

Il se tourna vers Kitty. Je vais vous souhaiter le bonsoir, Kitty. Vous serez peut-être partie lorsque je reviendrai.

— Bonsoir, Barry. J'espère vous revoir bientôt.

« Ce sera le cas. Ce ne sera pas le dernier dîner que tu mangeras dans cette maison », pensa O'Reilly.

— Je veux en savoir plus sur les constellations.

— Tout le plaisir est pour moi, dit Barry. Peut-être que je vous verrai plus tard, Fingal ?

Ce fut sa dernière remarque alors qu'il refermait la porte de la salle à manger derrière lui.

— Bon, dit O'Reilly en se levant avant de se tenir derrière la chaise de Kitty, prêt à la tirer en arrière quand elle se lèverait. Emportons nos cafés et nos verres à l'étage. Il y fait plus chaud. Aimerais-tu un peu plus de porto ?

— Non, merci, Fingal, dit-elle en se levant. Montons.

O'Reilly rafraîchit son whiskey et s'installa dans son fauteuil. Il observa Kitty, debout près du foyer. Elle lui tournait le dos, et elle regardait une rangée de cartes de Noël sur le manteau de la cheminée.

— C'est un peu tôt pour les cartes, dit-elle.

— Celles venant de la région commencent habituellement à arriver dans la semaine de Noël, mais celles-là viennent d'outre-mer. Des camarades de classe qui ont émigré. Des collègues du vaisseau de la marine. Il y en a une des parents de Barry en Australie. Celle-ci — il désigna une carte dessinée à la main avec une caricature d'un médecin dessus — vient d'une ancienne patiente à moi. Lis-la.

Elle prit la carte, se tourna à moitié et lut :

— « Les vieux médecins ne meurent jamais. Ils perdent simplement leurs patients. Joyeux Noël et bonne et heureuse année de la part de Seamus, Maureen et Barry Fingal Galvin. Nous allons tous très bien, et Barry Fingal pousse comme de la mauvaise herbe... » Cela continue, mais c'est personnel.

Elle reposa la carte sur le manteau de la cheminée, et elle lui fit face.

— Ils sont en Californie. Ils sont partis en août, dit-il. Seamus Galvin était le plus grand fainéant du monde. Sa femme, Maureen, a envoyé la carte.

— Tout de même, c'est gentil de leur part de se souvenir de toi.

O'Reilly rit.

— Oublie le fait qu'ils se souviennent de moi. Moi, je n'oublierai pas Seamus Galvin de sitôt. Mais il est en Californie, et nous sommes ici.

Il regarda à nouveau son visage. Dieu que c'était une belle femme.

— Il y a des sujets de discussion plus intéressants, dit-il. Qu'as-tu fait depuis la dernière fois où nous nous sommes vus ?

— Depuis quand ? Il y a 10 jours ? Pas grand-chose.

— Viens t'asseoir ici, et raconte-moi tout de toute façon.

Il la regarda avancer sur le sol comme il imaginait qu'une princesse celtique pouvait le faire, avec grâce. Pourquoi la femme ne s'était-elle jamais mariée? Cela le dépassait. Il patienta jusqu'à ce qu'elle soit confortablement installée, les jambes croisées, une cuisse sur l'autre, les mollets joliment formés pendant d'un côté.

— Alors, qu'as-tu fait de bon? demanda O'Reilly.

— Veux-tu vraiment entendre parler des tâches d'une infirmière-chef en service?

Il secoua la tête.

— Je ne parlais pas de cela. Qu'as-tu fait la semaine dernière, quand tu étais en congé?

«Et comme léger à-côté, as-tu vu d'autres hommes?» pensa-t-il, même s'il se rendait compte que cela ne le regardait pas.

Elle gloussa.

— J'ai mené une vie remplie des plaisirs fous de l'hédonisme — si tu considères que faire le ménage de mon appartement, cuisiner pour moi, faire des courses, me faire coiffer, aller chez le dentiste, me rendre à mon cours de peinture du lundi et passer une soirée au cinéma avec mon amie Máeiréad pour voir *My Fair Lady*, c'est vivre dangereusement. Je ne pense pas qu'Audrey Hepburn ait donné une aussi bonne interprétation que Julie Andrews dans la version théâtrale de la comédie musicale.

— Je n'ai vu ni l'une ni l'autre, dit-il, mais j'ai vu *Pygmalion*, la pièce de Bernard Shaw sur laquelle la comédie musicale est basée. C'est toi…

Il pouvait visualiser l'Abbey Theatre à Dublin sur Lower Abbey Street et un jeune Fingal O'Reilly escortant une jeune Kitty O'Hallorhan.

— C'est toi que j'y ai amenée, dit-il enfin.

On pouvait sentir légèrement l'émotion dans sa voix.

— Nous étions affreusement jeunes alors, ajouta-t-il.

Quand elle répondit, il entendit la nostalgie qu'elle laissait souvent transparaître dans sa voix.

— Je me souviens de toi quand tu étais jeune, Fingal, dit-elle en regardant O'Reilly droit dans les yeux. Je me rappelle beaucoup de choses de toi.

Il sentit sa main frôler le dos de la sienne.

O'Reilly toussa, et pas parce que sa gorge picotait. Cela lui donna une fraction de seconde pour rassembler ses pensées. Si sa pipe avait été à portée de main, il aurait facilement pu jouer avec elle pour se donner jusqu'à une minute. Il avait eu hâte de passer du temps seul avec Kitty, mais à présent que cela se produisait, il se rendait compte qu'il n'était pas tout à fait l'aise avec la tournure que prenait la conversation. Et si Kinky entrait juste à cet instant et les voyait presque en train de se tenir la main, il savait qu'il serait gêné.

— Il y a une autre raison pour laquelle je dois vite me remettre sur pied, dit-il en espérant détourner son attention. Il y a une petite question persistante à propos d'un nouveau médecin dans la région, un docteur Fitzpatrick, qui laisse entendre qu'il pourrait nous faire concurrence avec les patients. Ils seront moins tentés de changer d'allégeance si leur médecin habituel — moi — est là. Je le dois à Barry. Je devrais rencontrer Fitzpatrick. Je vais possiblement demander à Kinky d'organiser sa visite ici demain.

— Fitzpatrick ?

Elle fronça les sourcils et demanda :

— Pas le grand Ronald Hercules ? Il était étudiant avec toi, non ?

Elle ne retira pas sa main.

— Nul autre que lui.

C'était agréable de sentir sa chaleur. Il tourna le poignet et enveloppa ses doigts délicats dans sa patte.

— C'était le jeune homme le plus laid que j'aie jamais vu, dit-elle.

O'Reilly s'esclaffa, puis il dit :

— Je parie qu'il ne s'est pas amélioré avec l'âge.

Il serra ses doigts autour des siens en faisant attention à ne pas exercer le genre de pression qu'il mettait habituellement lorsqu'il serrait des mains.

— Mais c'est ton cas, Fingal, dit-elle.

Sa voix était plus basse, plus rauque. Il sentit qu'elle lui pressait la main.

Tu es... tu es distingué.

Il avait envie de rire, de faire un commentaire peu flatteur, mais il regarda dans ses yeux, et il fut réduit au silence. Il y vit de la douceur. D'une façon, il s'agissait des mêmes jeunes yeux doux qui l'avaient attiré cette première fois au printemps de sa vie. Et le docteur Fingal Flahertie O'Reilly, qui ne laissait jamais personne — encore moins ses patients — avoir le dessus sur lui, découvrit qu'il était à court de mots.

Kitty régla son problème en se penchant vers l'espace entre eux et en effleurant doucement ses lèvres des siennes.

Il ouvrit la bouche et savoura le goût de porto qu'elle avait. Il n'était pas un veuf si consommé qu'il avait oublié les plaisirs de la chair, mais en lui, quelque chose d'autre s'éveillait, quelque chose qui était resté en dormance depuis très longtemps.

Il recula la tête. Il était un peu essoufflé et très embrouillé. Il regarda à nouveau dans ses yeux.

— Kitty, réussit-il enfin à dire.

Elle ne lui donna pas l'occasion d'ajouter autre chose. Elle lui tenait encore la main.

— Fingal, j'étais amoureuse de toi il y a environ 30 années de cela. Je ne t'ai jamais tout à fait oublié.

Il fixa le tapis du regard.

— Je pourrais t'aimer encore, si tu me le permettais.

Sa voix était calme, mais encore basse et rauque.

Il ne savait pas quoi dire, mais il vit de la compassion et de la compréhension dans son expression.

— Je… Kitty… c'est-à-dire… eh bien…

Elle gloussa.

— Je t'ai soufflé, n'est-ce pas, Fingal Flahertie O'Reilly ?

Il acquiesça de la tête, préférant ne pas parler.

— C'est un gros morceau pour toi à avaler d'un coup. Je comprends. Cela pourrait te prendre un moment pour t'habituer à l'idée.

— C'est le cas.

Les mots lui échappèrent.

— Alors — elle lâcha sa main —, verse-moi un autre porto. Nous n'en parlerons plus ce soir, mais je t'ai dit ce que je ressentais, Fingal, et je peux attendre que tu décides ce que tu éprouves.

Il se leva et gagna le buffet pour lui verser son verre et rafraîchir le sien. Ordinairement, il méprisait les gens qui, en temps de stress, avaient besoin d'un verre, mais en ce moment, c'était son cas. S'il suivait son cœur là où il semblait se diriger, cela serait déloyal envers la mémoire de Deidre. Et pourtant…

Il lui apporta son verre. Les rides d'humour aux coins de ses yeux et aux commissures de ses lèvres lui illuminaient le visage. Comment l'avait-il qualifiée plus tôt ? De femme puissante. Elle l'était, en effet — et belle, en plus. Il lui tendit son porto.

Elle l'accepta, et une fois de plus, elle le regarda droit dans les yeux.

— Je vais patienter, Fingal, mais pas une éternité.

12

*On ne peut pas avoir
le beurre et l'argent du beurre*

— M onte, empoté.

Barry tint la portière arrière de Brunhilde ouverte
et attendit qu'Arthur Guinness saute à l'intérieur. La petite
voiture fit une embardée sous le poids du gros chien. Barry
était emmitouflé dans sa veste d'hiver bleu foncé et sa vieille
écharpe de deux mètres noire, rouge, blanche et jaune avec
les rayures verticales de l'Association des étudiants en médecine de Belfast, un souvenir de ses jours d'universitaire
encore récents. Il portait une paire de gants en cuir doublés
de molleton.

Il fit claquer la portière, et alors qu'il s'apprêtait à s'installer sur le siège du conducteur, la boue de la ruelle arrière
craqua sous ses bottes Wellington. Il remarqua que les
flaques étaient finement recouvertes de givre qui jetait un
éclat argenté sous la lumière de la demi-lune qui montait
dans le ciel dégagé.

Son souffle restait suspendu dans un petit nuage. Le
gros vent s'était calmé avec l'arrivée de la nuit. Il faisait froid,
il frissonna, mais c'était sec, un temps de Noël, et non la
froide humidité vous transperçant les os qu'il y avait plus tôt
dans la journée.

Il était content d'avoir laissé le moteur en marche. Il y avait un peu d'air légèrement chaud soufflé dans la vieille voiture, assez pour contrer l'air froid. Il passa en première vitesse. Arthur se leva et drapa ses pattes avant autour du cou de Barry. Barry freina et arrêta la voiture avant que la ruelle s'ouvre sur la route principale entre Bangor et Belfast. « Voyons un peu si Arthur se rappelle qu'il a fait ce que je lui ai demandé plus tôt aujourd'hui », se dit-il. Barry pivota dans son siège et souleva chaque patte l'une après l'autre.

— Mettons une chose au clair, chien... commença-t-il en repoussant Arthur. Toi, chien. Moi, patron. Maintenant, allonge-toi, monsieur.

Il fut récompensé en entendant Arthur soupirer comme seul peut le faire un labrador et, d'après ce que pouvait voir Barry sous la faible lumière, se retirer dans l'espace du siège arrière.

— Bon, dit-il, passant à nouveau en première vitesse avant de tourner à droite sur la route pour se rendre à la maison de Sonny et Maggie. Et restes-y, tu m'entends ?

La circulation était légère, et la route était dénuée de neige. Ce fut un trajet sans problème jusqu'à l'endroit où la maison de Sonny s'élevait, sur une colline. En plein jour, Barry savait qu'il y avait une vue splendide sur les champs, jusqu'à l'eau du Belfast Lough et sur les collines d'Antrim sur l'autre rive.

Il se gara sur la route devant le jardin en façade clôturé, dit à Arthur de rester là, sortit et passa le portail en fer forgé. Moins de quatre mois auparavant, il avait marché sur ce sentier, écrasant du marrube noir sous ses pieds, là où il poussait entre les fissures des pavés, et il se souvint de son odeur désagréable. C'était au moment où le conseiller Bishop, fidèle à la promesse que lui avait arrachée O'Reilly en août, avait envoyé une équipe d'ouvriers sur place pour remplacer le toit de Sonny. C'était là la condition nécessaire pour la célébration d'un mariage depuis longtemps retardé entre Sonny Houston et Maggie MacCorkle, la vieille fille de la paroisse.

Alors qu'il était encore à quelques mètres de la porte d'entrée, il entendit le vacarme de chiens qui aboyaient. Sonny en avait cinq. Avant que Maggie et lui se marient et emménagent dans la maison de Sonny, celui-ci avait choisi de vivre dans sa voiture et de loger ses chiens dans une vieille caravane. Aujourd'hui, ils devaient tous vivre ensemble dans la maison. Sonny était fou de ses chiens. Oh, eh bien, être accueilli par des animaux faisait partie intégrante des visites de maisons et de fermes dans l'Ulster.

Il monta les deux marches de l'entrée. Les aboiements de l'intérieur étaient assourdissants, l'équivalent de l'Ulster du premier système d'alarme. Dans de nombreuses maisons dépourvues du téléphone — et d'après ce que savait Barry, les Houston n'en possédaient pas —, les jappements excités étaient le premier signe que quelqu'un venait en visite.

Avant qu'il puisse frapper à la porte d'entrée, elle fut ouverte par un grand homme plus âgé avec une chevelure gris fer, une posture droite, des yeux brillants et des joues qui étaient juste un peu sombres. Barry savait que c'était la conséquence d'une insuffisance cardiaque maîtrisée. Il tenait une paire de lunettes à monture d'écaille dans une main. Des chiens poussant de petits cris et jappant joyeusement déboulèrent sur le sentier créé par les rayons de lumière venant du vestibule coulant à flots par la porte ouverte.

— Docteur Laverty, dit Sonny en tendant la main. Quelle agréable surprise !

— Bonsoir, Sonny.

Barry retira son gant droit avant de lui serrer la main. Il aurait été impoli de ne pas le faire.

— Puis-je entrer ?

— Je vous en prie.

Il fit un pas de côté, et quand Barry passa devant lui, Sonny inséra deux doigts dans sa bouche et produisit un sifflement qui, de l'avis de Barry, aurait fait honneur à une locomotive à vapeur.

Barry fut entouré par une marée de chiens tandis qu'ils se bousculaient les uns les autres pour obéir à l'appel de leur maître les enjoignant de revenir dans la maison.

— Cuisine, ordonna Sonny.

Les chiens disparurent dans le corridor, et Barry entendit Sonny fermer la porte.

— Permettez-moi de prendre votre manteau, docteur.

Tandis que Barry l'ôtait d'un coup d'épaule et retirait son écharpe, il remarqua des photographies en noir et blanc encadrées suspendues sur le mur du vestibule. Il pouvait voir des portiques et des colonnes, de même que des façades de maisons sculptées en forme de visage.

— Où est-ce, Sonny ?

— Pétra. En Jordanie. J'ai pris ces clichés il y a 30 ans. J'étais sur un site de fouilles archéologiques. C'est très spectaculaire en couleur.

Barry se souvint que Sonny Houston, détenteur d'un doctorat, était un expert de la civilisation nabatéenne, entre autres choses.

— Pétra.

Barry s'efforça de se rappeler une citation obscure.

— Quelque chose à voir avec des roses ? demanda-t-il.

— Pétra, la cité vermeille, vieille comme le temps, dit Sonny, et il sourit. C'est comme cela que l'appela Dean Burgon après qu'un Suisse, Johann Ludwig Burckhardt, l'eut découverte. Endroit fascinant. Je dois dire que j'aimerais bien y retourner, mais cela serait beaucoup trop chaud pour Maggie. Beaucoup trop chaud, dit-il en souriant affectueusement. Elle est dans la pièce du devant. Entrez, docteur, je vous en prie.

Il ouvrit une porte et la tint ouverte pour Barry. Sa pensée immédiate fut que Sonny préparait Maggie pour un voyage en Jordanie en l'acclimatant à la chaleur qu'on devait s'attendre à trouver là-bas. Un feu de tourbe rugissant occupait une large cheminée, et la température de la pièce avoisinait probablement ce que l'on expérimentait habituellement dans la chaufferie d'un navire alimenté au charbon.

— Docteur, cher, dit Maggie depuis sa place dans un fauteuil à bascule à haut dossier. Entrez, allez, allez, entrez.

Elle lui lança son sourire aussi édenté que celui d'une huître et se tourna vers un fauteuil bien rembourré où un gros chat, avec un seul œil et une seule oreille valide, était allongé en boule.

— Et toi, fous le camp de là, Général Montgomery.

Pour accentuer son propos, elle sortit une balle de laine de son sac de tricot sur ses cuisses et la lança avec une précision infaillible sur le chat qui se réveilla, miaula et sauta en bas du fauteuil.

— Assoyez-vous, docteur, cher.

Barry s'assit. Il savait qu'il valait mieux ne pas discuter avec Maggie.

Sonny s'avança jusqu'à un deuxième fauteuil à bascule à côté de celui de sa femme, et il leva un livre avec ses mains noueuses. Barry remarqua le titre, *Histoire de la décadence et de la chute de l'Empire romain*. Alors que Sonny, les os craquant un peu, s'abaissait dans le fauteuil, il enfila ses lunettes sur son nez et sourit à Barry.

— Bon, dit Maggie en mettant son tricot de côté, vous prendrez bien une petite tasse de thé et une tranche de mon gâteau aux prunes ?

C'était, tel qu'il l'entendit, moins une question qu'un ordre. Barry, qui avait déjà testé les deux, avait son prétexte tout prêt pour décliner.

— J'adorerais cela, mais j'ai une autre visite à faire, de sorte que j'ai seulement quelques minutes.

Le thé de Maggie était tellement mijoté et si fort qu'il avait la réputation de plier n'importe quelle cuillère à thé qu'on laissait dedans pendant plus d'une minute.

— Pas même une tranche de gâteau ?

Elle semblait déçue.

Il secoua la tête.

— Désolé.

C'était une ancienne coutume de campagne de lancer une tranche du gâteau de mariage sur le sol. Si, comme c'était l'habitude, le gâteau éclatait, le couple se voyait assurer d'avoir de nombreux enfants. S'il restait intact, l'infertilité pouvait s'ensuivre. Dans le cas des gâteaux de Maggie, l'inquiétude était de savoir si le sol allait ou non se fracturer.

— Oh, eh bien, je vais vous en couper une tranche à emporter à la maison, dit-elle en se penchant vers lui pour lui pincer la joue. Les jeunes hommes ont toujours la dent sucrée.

— Cela serait super, Maggie ; mais pour l'instant, j'ai un petit service à vous demander.

— Un service?

Ses yeux sombres pétillèrent.

— À moi? Merveilleux. Que voulez-vous?

— Connaissez-vous Eileen Lindsay?

— Oui. Elle vit dans la cité? Celle avec les trois gamins et ce bon à rien de paresseux de mari qui a pris la poudre d'escampette il y a deux ans?

— C'est elle.

— Qu'est-ce que je peux faire pour elle?

Il se pencha en avant et parla sérieusement.

— Son Sammy est un peu malade, et il a besoin qu'on s'occupe de lui afin qu'Eileen puisse continuer à aller à son boulot, et je me demandais... C'est-à-dire que le docteur O'Reilly et moi, nous nous demandions...

— Que Dieu vous bénisse, docteur Laverty, cher. Évidemment. Sonny et moi en serions ravis, pour ça oui. N'est-ce pas?

Elle sourit à Sonny en face, qui acquiesça de la tête et lui sourit en retour. Quand aimeriez-vous que nous commencions?

Barry regrettait à présent de ne pas avoir accepté son offre de tasse de thé. Il savait que cela lui aurait fait plaisir.

— Que diriez-vous d'après-demain? Je vais d'abord devoir m'entretenir un peu avec elle.

— Ce serait super, pour ça oui. Elle vit encore au numéro 31 de Comber Gardens?

— Oui, c'est le cas.

— Tu vas me conduire là-bas — n'est-ce pas, Sonny?

— Évidemment, chérie.

Sonny retira vivement ses lunettes, plissa les yeux en la regardant, puis demanda :

— Es-tu certaine d'avoir assez chaud, Maggie ?

Sans lui laisser le temps de répondre, il se leva, gagna l'âtre, prit une motte de tourbe dans un panier d'osier et la lança dans le feu. Des étincelles jaillirent comme une volée de lucioles surexcitées pour tourbillonner, danser et faire des cabrioles dans le conduit de la large cheminée.

— Elle est sensible au froid, vous savez, docteur Laverty.

Barry entendit l'inquiétude dans la voix de l'homme. Sonny avait patienté 30 ans pour épouser la femme qu'il aimait, et il semblait certainement aux yeux de Barry que pour Sonny, l'attente avait valu le coup. Au rythme où il avançait lui-même avec Patricia, il se demanda s'il allait devoir l'attendre 30 foutues années. C'était certainement ainsi que les choses semblaient commencer à se présenter. Et il n'y avait pas la moindre foutue chose qu'il pouvait y faire.

Barry se leva.

— Je dois y aller, mais je vais parler à Eileen demain.

— Et vous n'aurez pas besoin de revenir jusqu'ici, docteur, pour nous dire ce qu'elle en pense, dit Sonny en ouvrant la porte du salon. Nous avons fait installer le téléphone. Je vais vous donner le numéro.

Barry sortit son stylo et un cahier de notes pour y inscrire le numéro. Maggie passa devant lui d'un pas affairé.

— Merci, Sonny, dit-il en remettant le stylo et le cahier de notes dans sa poche intérieure.

Maggie réapparut et lui tendit un petit paquet.

— Voilà, docteur, cher. Une petite tranche de gâteau à manger avec votre thé. Il y en a assez là-dedans pour l'autre aussi.

Barry accepta le cadeau.

— Merci, Maggie.

Sonny se tenait debout à côté de Maggie, le bras drapé autour de ses épaules. Il inclina la tête vers le paquet, et il décocha un clin d'œil à Barry. Barry se dit alors que Sonny partageait clairement son avis sur le gâteau de Maggie, mais que cela faisait peut-être partie de la définition de l'amour véritable : Sonny allait le manger sans se plaindre uniquement pour lui faire plaisir.

— Bonsoir, dit-il en sortant.

Le paquet semblait plus lourd que sa taille ne le laissait supposer. Il sourit. Une belle surprise attendait Arthur.

Tandis que Barry avançait sur le trottoir, il se rendit compte qu'il se sentait légèrement content de lui, et peut-être avec raison. Il était sur la bonne voie pour régler le problème d'Eileen. C'était pour lui un souci autant qu'il l'aurait été pour son collègue plus expérimenté — même si c'était loin d'être une question médicale. Et il s'en était occupé de la même manière que l'aurait fait O'Reilly.

Il ouvrit la portière de la voiture et y monta. Arthur ronflait sur le siège arrière, et déjà Brunhilde, emmagasinait l'odeur du chien. Mais bon, avoir une voiture qui empestait était un petit prix à payer pour l'occasion de travailler ici à Ballybucklebo, un village si différent de l'impersonnelle Belfast. Ici, les gens se connaissaient entre eux, ils étaient prêts à s'aider, et ils ne jetaient pas les vieilles gens aux orties. Il se souvint avec un grand plaisir de la façon dont tout le village s'était serré les coudes en août pour préparer la maison qu'il venait de quitter à l'instant pour le couple âgé de nouveaux mariés.

Il fit démarrer le moteur et alluma ses phares. Leurs rayons de lumière ne perçaient pas l'obscurité bien loin, mais c'était sans importance. Il allait rouler lentement, et il connaissait la route qu'il empruntait. C'était peut-être exactement pour cette raison qu'il aimait vivre dans ce village de campagne. La vie était occupée, mais le rythme était tout de même lent. Il savait où il avait envie d'être, et c'était ici, à Ballybucklebo.

Brunhilde rebondit et cliqueta en passant dans un gros nid-de-poule. Il sourit largement et espéra simplement que sa route personnelle serait moins une course à obstacles. Néanmoins, il y avait bien quelques nids-de-poule à négocier : la vague menace du docteur Fitzpatrick et l'inquiétude persistante liée au fait que si Patricia ne rentrait pas à la maison pour Noël, ce pouvait être de mauvais augure pour l'avenir. Les ingénieurs civils avaient la mauvaise habitude d'aller dans des endroits lointains. Son propre père n'était-il pas en Australie ?

Il dut s'arrêter à un petit carrefour pour laisser un tracteur passer. Au loin, il pouvait voir les lumières du village brillant en guise de bienvenue.

« Merde », se dit-il en reprenant son chemin. Il n'allait pas s'inquiéter ce soir. Il allait amener Arthur pour sa promenade promise et le récompenser avec un morceau du gâteau de Maggie, puis pour accorder à O'Reilly un peu de temps en privé avec Kitty, Barry allait passer faire un tour au Canard pour un dernier verre. Ensuite, il allait revenir au numéro 1 de la rue principale, la grande maison qui était l'endroit où avait lieu une grande partie de son travail, mais qui était aussi bien en voie de devenir son foyer.

Arthur et lui avaient profité d'une marche rapide le long de Station Road, sous le pont de la voie ferrée, à travers les dunes, puis sur les galets fermes. La marée était basse, et il ne pouvait pas distinguer le bord de l'eau, mais il pouvait entendre les vagues tandis que chacune d'elles venait caresser le rivage et faisait bruisser et cliqueter les cailloux. De temps à autre, le bruit du ressac était plus fort quand un des gros cargos arrivant ou repartant du port de Belfast à l'embouchure du Lough envoyait les vagues dans son sillage s'écraser sur le rivage. Il était convaincu que c'était à ce moment-là que l'odeur saline de la mer était à son plus âcre.

À présent, tout ce qu'il pouvait entendre était le doux bruit des vagues, le battement des pattes d'Arthur et son halètement alors qu'il courait d'un côté et de l'autre. Le bruit de glouglou du moteur diesel du train entre Belfast et Bangor, celui sur lequel il avait rencontré Patricia la première fois en août, s'était estompé, et il n'y en aurait pas d'autre avant au moins une heure.

Il savoura le silence, la sérénité et l'obscurité. Les rayons des quelques lampadaires de Ballybucklebo n'avaient pas la force d'éclairer jusqu'ici. De l'autre côté du Lough, les lumières de Greencastle plus loin après Greenisland et jusqu'à Carrickfergus donnaient l'impression que des bougies à la flamme vacillante étaient reflétées dans une glace argentée. Avec une régularité mesurée, les rayons des phares de Blackhead du côté d'Antrim et celui de Copeland Islande plus loin sur le Lough jetaient des doigts explorateurs dans la nuit.

Barry leva les yeux vers le ciel froid comme une obsidienne noire polie. La lune avait disparu tôt à l'ouest des collines de Ballybucklebo. Les étoiles brillaient vivement dans l'air froid et clair, et il les vit aussi nettement et aussi distinctement qu'il imaginait qu'avait pu le faire Ernest Shackleton, un autre Irlandais, alors qu'elles brillaient dans le ciel de cristal de l'Antarctique. Là-bas au nord-est, bas sur l'horizon, il y avait *Ursa Major*, la Grande Ourse. Le Chaudron, ce que les Américains appelaient le Big Dipper, avait presque disparu sous l'horizon.

En août, alors qu'il avait raccompagné Patricia depuis la gare jusqu'à son appartement à Kinnegar, l'ensemble du Chaudron — la poignée et le contenant — était haut dans le doux ciel de velours noir au nord-ouest, et les grandes étoiles de la poignée, Alkaïd, Mizor et Alioth, brillaient librement.

Ce soir, seule Alioth, au milieu de la poignée, pouvait être aperçue. C'était comme si le Chaudron coulait dans les flots, et pendant un moment, Barry pria Dieu pour que son amour pour Patricia n'échoue pas si elle ne revenait pas pour Noël.

Puis il s'ordonna de reprendre son sang-froid, et il siffla pour rappeler Arthur, ordonnant au gros chien de venir s'asseoir à ses pieds.

— Assis.

Arthur s'assit.

Barry déballa le gâteau aux prunes de Maggie — deux grosses tranches —, puis il fourra le papier dans la poche de son manteau et déposa les tranches devant Arthur.

Sous la faible clarté, il vit la tête carrée du labrador s'avancer. Il entendit Arthur renifler et sentir l'offrande.

— Ouaf, dit Arthur, comme pour dire : « Tu plaisantes ? »

Il se releva et s'éloigna lentement.

Barry rigola et creusa un trou dans les galets avec le bout de sa botte, puis il enfouit le gâteau et éparpilla des galets dessus. Ce faisant, il marmonna une réplique dont il se sou-venait du poème *L'enterrement de sir John Moore après La Corogne* : «Nous l'avons enterré durant la nuit muette.»

Convaincu que la preuve était bien dissimulée, il cria à Arthur de venir à ses pieds, et ensemble, ils marchèrent rapidement jusqu'au Canard boueux. Il boirait un petit verre rapide, il y perdrait encore un peu de temps, et à ce moment-là, il aurait fait son devoir diplomatique — et plus encore — en laissant le numéro 1 de la rue principale à O'Reilly.

13

❧

Quelqu'un va-t-il m'amener au pub ?

Les portes à doubles battants du Canard se balancèrent et se refermèrent derrière Arthur et lui. Après le silence et l'air froid à l'extérieur, cette unique pièce à plafond bas, avec sa conversation bruyante et son brouillard formé par la fumée de pipes et de cigarettes, ajoutée à l'odeur des maillots de corps, était un paradis chaud et brillamment éclairé. L'endroit était bondé. Des hommes s'appuyaient sur le dessus de marbre le long du bar. Les tables étaient toutes occupées par des clients en pantalons, chemises sans col et gilets, vestes noir rouille et casquettes molles en tweed, la plupart fumant des cigarettes bon marché ou des pipes dodues en argile. Des verres droits d'une pinte de Guinness noire et de plus petits verres contenant du whiskey ambre étaient sur les tables.

Mary Dunleavy, la fille du propriétaire, le salua de la main depuis sa place derrière le long bar. Il lui sourit en retour et attendit que deux hommes debout lui tournant le dos se tournent, l'aperçoivent et se déplacent d'un côté pour lui faire de la place au bar.

Barry reconnut Fergus Finnegan, le jockey aux jambes arquées, de tout son mètre vingt-cinq de hauteur, habillé de jodhpurs et d'une veste d'équitation en tweed.

Il sentit qu'Arthur s'effondrait en tas derrière sa jambe. Mary s'avançait derrière le bar jusqu'à lui.

— Bonsoir, doc, dit Fergus. C'est une soirée plutôt fraîche, pour ça oui.

— Bonsoir, Fergus, dit Barry en retirant ses gants. C'est assez froid. Ce doit être à cause du manque de chaleur dehors.

Ils rirent tous les deux, puis Barry demanda :

— Comment va votre frère ?

— Declan ? Il tremble un peu moins depuis qu'il a eu cette opération, pour ça oui.

— Je suis content d'entendre cela.

Declan Finnegan souffrait de la maladie de Parkinson.

— Et mes yeux n'ont jamais été mieux, doc.

— Bien.

Fergus avait souffert d'une conjonctivite aiguë.

— Aimeriez-vous une pinte, monsieur ?

— Merci, Fergus, mais je suis en devoir. Je vais me payer mon propre verre ce soir, et je dois en prendre un pour Arthur également.

Il se dit que les effets du whiskey qu'il avait bu à l'heure du dîner devaient s'être évaporés, mais il ne voulait pas s'engager dans un match de «je vous en offre un, vous m'en offrez un», selon l'usage des buveurs dans un pub de l'Ulster.

— Allô, docteur Laverty.

Mary, une fille rondelette de 22 ans avec une tignasse couleur fauve, des taches de rousseur et un nez retroussé, se tenait de l'autre côté du bar. Qu'aimeriez-vous boire, monsieur ?

— Une pinte, je vous prie ; et une Smithwick's pour Arthur.

— D'accord.

Elle s'activa devant les pompes.

— Je suis content de voir que vous buvez de la bière noire, doc, dit Fergus.

Il désigna d'un coup de tête une table où un groupe de jeunes hommes qui buvaient des bières plus pâles.

« Probablement une blonde Tennants ou Harp fabriquée par la compagnie Guinness », pensa Barry. La blonde, particulièrement la blonde coupée avec une mesure de jus de lime Rose concentré, devenait une boisson de plus en plus populaire auprès des jeunes.

— Avez-vous déjà essayé une de ces bières blondes, monsieur ?

— De temps à autre. Par une journée chaude.

Fergus secoua la tête et prit une généreuse gorgée de sa propre Guinness, puis il dit très sérieusement :

— J'en ai bu une, une fois. Vous savez quoi, monsieur ? Il y a plus de houblon dans une grenouille morte.

Il termina sa pinte et dit à Mary :

— Quand tu auras une petite minute, je vais prendre un demi.

Barry rit. « Plus de houblon dans une grenouille morte », se répéta-t-il mentalement. Il se souviendrait de celle-là.

— Prend ton mal en patience, Fergus, entendit-il Mary lui répondre. Et tiens, gagne ton pain et donne cela à Arthur.

Elle tendit un bol de Smithwick's à Fergus.

— Je suis désolée, docteur, mais vous savez que cela prend un peu de temps pour remplir une pinte correcte.

Elle pointa un verre au deux tiers plein sur le comptoir.

— Évidemment, elle doit se déposer.

Il regarda les mystérieuses cascades dans le verre, et il n'arriva pas à décider si les bulles blanches montaient ou si la bière noire descendait.

— Tout comme je dois le faire, moi. Déposer de l'argent pour les verres, je veux dire.

Il posa un billet sur le comptoir et attendit qu'elle fasse sonner la caisse enregistreuse et lui remette rapidement sa monnaie.

— Cela ne vous dérangera pas que je serve son whiskey à Fergus pendant que j'attends, alors.

Son sourire était espiègle.

— J'ai entendu dire que les héritiers d'un type comme lui pouvaient poursuivre l'établissement en justice s'il mourait de soif dans un pub.

— Je le pourrais, dit Fergus en se redressant après avoir remis son bol à Arthur. Mais pour sûr, ne te pardonnerais-je pas en échange d'un petit baiser maintenant, Mary?

— Un baiser; c'est ça, Fergus Finnegan? Un baiser?

Elle lui tendit son whiskey avant de lancer;

— Ce sera deux shillings et six pence.

Il prit le verre et déposa les pièces sur le comptoir.

— Juste un petit baiser?

Elle rit.

— J'aimerais mieux embrasser un bouc avec une mauvaise haleine.

— Oh, Seigneur, Mary, tu me scies en deux, dit-il en serrant le côté gauche de son torse. Tu m'as brisé le cœur, pour ça oui.

— Tu n'as pas de cœur.

Elle sourit largement et donna sa pinte à Barry.

— Il n'y a rien dans ta poitrine, Fergus, à l'exception d'une grosse brique dure qui bat. Et elle a entravé ta croissance, en plus.

— Eh bien, dit-il avec un faux regard lubrique, tu sais ce que l'on dit à propos des petits hommes.

— Arrête de dire des sottises.

Elle rejeta sa chevelure en arrière, tira la langue à Fergus et partit vers l'autre bout du bar, où un autre client lui faisait signe. Fergus rit et secoua la tête.

— C'est une fille vraiment vive d'esprit, celle-là, pour ça oui. Elle peut facilement rendre la monnaie de la pièce.

— Elle le peut, Fergus. Cela dit, elle n'a pas le choix, en travaillant dans un endroit comme celui-ci.

— Pas du tout, doc, dit Fergus.

Barry put voir que le petit homme était soudainement sérieux.

— Un peu de baratin avec elle, ça va, mais que Dieu vienne en aide au type qui dépasse la limite. Les gars le tueraient.

Barry se dit alors que ce n'était peut-être pas tout à fait comme le code d'honneur de la chevalerie médiévale envers les femmes, mais les gens de l'Ulster avaient bien leurs valeurs clairement définies.

Il y eut un brusque éclat de rire venant du bar un peu plus loin. Barry se tourna pour voir Mary debout, une main sur la hanche, les yeux brillants, souriant d'une oreille à l'autre. Et les hommes qu'elle servait pointaient un membre de leur groupe à l'évidence dépité, et tout le monde riant, sauf ce dernier.

— Je vois ce que vous voulez dire, dit-il.

La transformation chez elle depuis qu'elle avait quitté son poste d'assistante en boutique de l'autoritaire mademoiselle Moloney, la chapelière que Barry soupçonnait de souffrir d'anémie, était extrêmement étonnante. Il but une gorgée de sa bière noire et ignora Arthur, qui émettait de petits bruits venant du fond de sa gorge pour réclamer une autre pinte.

— Bien joué pour elle, dit Fergus. Son père est très chanceux de l'avoir comme barmaid à temps plein.

— Oui, il l'est, dit Barry. De plus d'une façon.

Il n'y avait pas si longtemps, le conseiller Bishop avait été sur le point de reprendre le bail du Cygne noir à Willy Dunleavy. Il l'aurait fait si O'Reilly n'avait pas enrôlé Sonny et le marquis pour l'aider à mettre un frein à ses intrigues et s'assurer que le bail de Willy était renouvelé pour encore 99 ans. Une fois cela fait, il avait pu offrir à sa fille Mary un travail à temps complet, et elle avait démissionné de la boutique de chapeaux ; elle avait bel et bien échappé à mademoiselle Moloney et à ses manières critiques et autoritaires. Sa transformation de fille timide et réservée en fille sûre d'elle qui se tenait debout devant lui en lui demandant s'il aimerait une autre pinte alors que celle qu'il avait était presque terminée était miraculeuse. En aparté, elle dit à Fergus :

— Répète-moi ce qu'on dit à propos des petits hommes. Ou es-tu l'exception qui confirme la règle ?

Fergus jeta un coup d'œil sur le devant de son pantalon.

Barry savait exactement ce que sous-entendait Fergus à propos de la relation inverse entre la taille d'un homme et celle de son organe. Bon, que dirait Mary ? Rien ; mais son rire diabolique était un chef-d'œuvre de sarcasme.

Barry et Fergus rirent tous les deux.

— D'accord, Mary. Tu gagnes.

Fergus but tout sauf la dernière gorgée de son whiskey.

— En tout cas, il est temps de rentrer.

Barry termina sa pinte.

— Pour moi aussi, dit-il.

Il déposa le verre sur le comptoir au même moment que Fergus posait son verre de whiskey.

— Je m'en vais, doc, dit-il. En passant, serez-vous à la fête de Noël du Rugby Club?

— Je l'espère.

— Super. Je vous verrai là-bas, donc. Je suis le capitaine des 15.

— N'êtes-vous pas un peu petit, Fergus?

— Pas du tout, monsieur. Je joue comme demi de mêlée, pour ça oui.

Barry entendit la fierté dans la voix du petit homme.

— Demi de mêlée? Bon point pour vous, Fergus.

Traditionnellement, le joueur dans cette position était un homme petit. Le demi de mêlée était au rugby l'équivalent du quart-arrière au football américain. Barry avait tout appris sur le football américain dans les vieux films de Francis, le muet qui parle. L'intrigue tournait autour d'une partie de championnat sur un terrain de football américain.

— J'y verrai aussi le docteur O'Reilly, alors je vous souhaiterai un joyeux Noël à tous les deux à ce moment-là. Il est encore trop tôt.

— D'accord, Fergus.

Barry s'adressa à Arthur.

— Viens, Arthur.

Le gros chien se leva et suivit Barry tandis que Fergus et lui avançaient vers les portes.

— Bonsoir, doc, dit Fergus alors qu'il se tournait pour partir. En passant, comment va le docteur O'Reilly? J'ai entendu dire qu'il avait attrapé un petit coup de froid.

❧

Arthur étant de retour dans sa niche, Barry entra par la porte de la cuisine.

— Bonsoir, docteur, l'accueillit Kinky.

Elle portait un peignoir en feutre rose et des pantoufles duveteuses. Sa chevelure était enroulée dans des bigoudis en papier sous un filet à cheveux brun. Elle se tenait devant la cuisinière, attendant que la bouilloire siffle.

— Voudriez-vous quelque chose avant que j'aille me mettre au lit?

— Non, merci, Kinky. Allez-y.

— Encore une petite minute, monsieur. Je vais me remplir une bouillotte.

— Pas de problème, Kinky. Je suppose qu'il n'y a pas eu d'appels?

— Pas un seul, Dieu merci.

— Le docteur O'Reilly est-il encore debout?

— Han. Debout et redevenu complètement lui-même, dit-elle avant de renifler. Dix minutes après le départ de cette gentille mademoiselle O'Hallorhan, je lui ai dit qu'il était l'heure du baume Friar.

— Et?

— Une bonne chrétienne ne répéterait pas ce qu'il m'a dit.

Pendant un moment, Barry s'inquiéta. Fingal pouvait-il avoir outrepassé les limites ?

La bouilloire siffla, et elle ferma le gaz.

— Vous autres, médecins, vous parlez beaucoup des symptômes, n'est-ce pas ?

Elle commença à verser de l'eau dans un sac en caoutchouc recouvert de tissu.

Eh bien, il y a un symptôme chez lui que je recherche. Quand il proteste comme une vieille poule mouillée — elle vissa le bouchon dans le cou de la bouillotte —, c'est qu'il est redevenu lui-même.

Elle sécha l'endroit où se trouvait le bouchon et ajouta :

— Évidemment, c'est un grand soulagement pour moi de le voir mieux, donc.

Il y avait un petit sourire aux coins de ses yeux.

— Et pour moi aussi, Kinky.

— Bien, dit-elle, je vais au lit. Mais courez à l'étage pour voir comment il va. Il est encore dans le salon.

— J'y vais, dit Barry en retirant son manteau d'un coup d'épaule.

— Docteur Laverty ? Me feriez-vous une petite faveur ?

— Certainement.

— Ne l'encouragez pas à prendre encore du whiskey ce soir.

Il entendit à nouveau son inquiétude.

— Promis, dit-il. Pas une goutte.

— Merci, docteur Laverty. Allez-y, à présent.

— Bonsoir, Kinky.

Barry prit la direction du vestibule, et alors qu'il grimpait les marches, il entendit les sons imposants du mouvement de la finale majestueuse de la *Neuvième symphonie* de Beethoven.

L'éclairage était tamisé dans le salon à l'étage où O'Reilly se tenait debout, le dos vers Barry, regardant l'âtre où le feu était devenu cendres. Il avait dû éteindre les lumières et profiter de la musique à la lueur du feu mourant. Il accompagnait le chœur de sa voix de baryton grave :

— *Such' ihn über'm Sternzelt! Über Sternen muß er wohen.*

Barry attendit en silence jusqu'à ce que la symphonie soit arrivée à sa fin et qu'O'Reilly ait éteint le Black Box de Philips avant de tousser et de dire :

— Je suis de retour, Fingal.

Pendant un moment, il crut qu'O'Reilly ne l'avait pas entendu, mais le gros homme se tourna lentement. Sous l'éclairage tamisé, Barry pouvait voir que les yeux d'O'Reilly étaient plus brillants que d'habitude, et quand il parla, il y avait une trace d'émotion dans sa voix.

— Connaissez-vous cette œuvre ?

— Oui.

— C'était la préférée d'une vieille amie à moi.

Il sortit un mouchoir, souffla dedans et se tapota les yeux.

— Foutu rhume de cerveau. Cela fait couler le nez et les yeux.

« Tout comme les souvenirs », pensa Barry, mais il garda cela pour lui et lança :

— Kinky a dit qu'elle croit que vous êtes presque guéri.

— Je vais bien mieux, mon garçon.

O'Reilly se gara dans son fauteuil.

— Aimeriez-vous boire un verre ?

— Pas pour moi, merci, Fingal.

— Ni moi, dit O'Reilly, à la grande surprise de Barry. Venez vous asseoir. Nous avons un peu de nouvelles à rattraper.

Barry s'assit dans l'autre fauteuil.

— Bon, dit O'Reilly, toussant encore. Je vais beaucoup mieux, mais je ne suis pas encore tout à fait moi-même, alors je ne serai pas de retour au travail demain, mais je m'attends à être prêt à revenir jeudi. Au cabinet, en tout cas, si cela ne vous dérange toujours pas de faire les visites à domicile et de répondre aux appels pendant encore deux soirées.

— Oui, bien sûr.

— Bien, dit O'Reilly. Maintenant, à propos du cabinet. Je sais que vous n'avez pas été très occupé, mais dites-moi quels sont les patients que vous voulez revoir.

Barry réfléchit une minute.

— Il n'y a rien de très sérieux, dit-il, puis il commença à faire la liste en les cochant de son index droit sur la paume de sa main gauche. Cissie Sloan : pharyngite. Elle reviendra si elle ne va pas mieux dans quelques jours.

Même sous la faible lumière, Barry pouvait voir O'Reilly rouler les yeux.

— C'est une bonne chose que nous ayons des chaises dans la salle d'attente, et pas des tabourets.

— Parce qu'elle pourrait réussir à faire marcher un tabouret ? Le marquis a dit qu'elle parlait assez pour réussir à persuader un âne d'avancer.

— Je pense que Cissie habite un monde peuplé par des ânes qui marchent sans arrêt et des tabourets qui disparaissent.

O'Reilly rit et toussa en une seule courte respiration sèche.

— Qui d'autre?

— Liam Gillespie devrait être de retour pour Noël.

— Bien.

— Colin Brown ne sera pas de retour...

— Qu'est-ce qui ne va pas avec Colin?

Barry rit.

— Une mauvaise crise de «je ne veux pas aller à l'écolite». Il était offusqué parce qu'on ne lui permettra pas de jouer Joseph dans la pièce de Noël.

— C'est bien le genre de Colin. Si j'étais son professeur, je le tiendrais à l'œil.

Barry imagina le regard diabolique qu'il avait vu dans les yeux du garçon alors qu'il partait le jour où le docteur Fitzpatrick s'était présenté à la porte. Il était content que ses responsabilités concernent les maladies de ses patients uniquement, ce qui lui rappela la suite.

— J'ai oublié de téléphoner à l'hôpital pour m'informer sur la pneumonie du gamin de Jeannie Jingles. Mais je vais le faire demain.

O'Reilly acquiesça de la tête.

— Mademoiselle Moloney est de retour, continua Barry, et je suis assez convaincu qu'elle souffre d'anémie entraînée par un manque de fer. Je vais la revoir lorsque les résultats seront arrivés.

— Pardieu, dit O'Reilly. Je me demande si elle est végétarienne...

— Je n'avais pas pensé à cela.

— Cela pourrait valoir la peine de le découvrir.

— Merci, Fingal, dit Barry en changeant de position dans son fauteuil. Elle et le purpura du jeune Sammy Lindsay sont les deux cas les plus intéressants. J'ai eu un peu de chance de ce côté-là. Maggie dit qu'elle serait heureuse de s'occuper de lui afin qu'Eileen puisse retourner au boulot. Je vais aller le voir demain et en informer Eileen.

— C'est une bonne idée que vous avez eue à propos de Maggie. Eileen sera soulagée.

— Je l'espère. Cela serait dommage si elle devait piger dans ses économies de Noël. Elle travaille déjà assez dur.

— Oh, dit O'Reilly, le monde est mal divisé. Ceux qui travaillent le plus dur sont les moins nantis.

— Vrai et poétiquement exprimé.

— Je l'espère bien ; j'ai volé les paroles d'une chanson traditionnelle écossaise.

O'Reilly se pencha en avant et tapota le genou de Barry.

— Cela pourrait s'appliquer aux médecins assistants et aux médecins généralistes de campagne.

— Allons, Fingal. Vous me payez un salaire honnête.

— Peut-être, mais je vous ai un peu surmené au cours des quelques derniers jours.

— Cela ne me dérange pas. Franchement.

O'Reilly se cala dans son fauteuil.

— Je vous en suis reconnaissant, Barry, dit-il en penchant la tête d'un côté. Il est important que l'un de nous soit ici en tout temps, maintenant qu'il y a un nouvel homme à Kinnegar.

Barry avait presque oublié le docteur Fitzpatrick.

— En tout cas, dit O'Reilly, Kinky lui a téléphoné ce soir. Il va venir demain pour sa « visite de courtoisie ».

— Vraiment ? Eh bien, je suppose que nous devrions faire sa connaissance. L'éthique professionnelle et ce genre de truc.

— L'éthique, mon cul, dit O'Reilly avec un grognement. Mieux vaut connaître ses ennemis. Je veux en savoir plus sur l'homme, et s'il semble à mes yeux qu'il peut être une menace, nous saurons mieux comment le contrer.

Kinky avait raison.

O'Reilly était de retour en force.

— Vrai.

— Donc, voilà pour demain, et le lendemain, je serai au travail.

— Si vous êtes d'attaque.

O'Reilly grogna.

— Et je vais travailler cette fin de semaine. Vous méritez une pause.

— Si vous êtes d'attaque, Fingal.

— Je serai foutrement d'attaque. Vous pouvez compter là-dessus.

— D'accord. D'accord. En fait, j'aimerais bien avoir congé samedi. J'espère voir mon ami Jack Mills.

— Bien, parce que je veux le samedi suivant de congé. Les marées sont parfaites à Strangford Lough, et je vais amener Arthur pour une journée de chasse au gibier.

— Bien. Ce sera à mon tour de travailler, de toute façon.

— Merci, Barry, dit O'Reilly en se levant. Et nous avons tous les deux une journée occupée demain, dit-il avant de bâiller. Donc, je vais au lit.

— Bonsoir, Fingal, dit Barry alors qu'O'Reilly sortait.

Il espéra qu'ils auraient tous les deux une bonne nuit de sommeil afin qu'ils soient reposés, que lui-même puisse affronter le cabinet demain et que Fingal puisse faire sa rencontre avec le docteur Ronald Hercules Fitzpatrick.

14

Qu'y a-t-il dans un nom ?

O'Reilly se tenait à la fenêtre du salon, regardant en bas. Les piétons sur les trottoirs sous lui étaient enveloppés et se hâtaient, trop impatients de sortir du froid pour rester là à bavarder. L'ombre jetée par le clocher de l'église était deux fois plus longue qu'elle l'aurait été en juin. À en juger par le givre cristallin sur les bords du sentier de gravier traversant le cimetière, c'était un matin au froid glacial et craquant.

Il regarda au-dessus du toit de l'église. Le soleil était bas dans un ciel froid, bleu et sans aucun nuage, et on aurait presque pu le persuader que c'était l'été tellement le ciel était clair. Il observa deux goélands argentés planer paresseusement devant lui. L'un avait les plumes mouchetées de brun d'un jeune oiseau, et l'autre avait le plumage lisse de l'adulte, comme la veste de cérémonie bien pressée couleur gris colombe mise en valeur par un gilet blanc lavé de frais. Il entendit leurs chamailleries tapageuses, discordantes sous l'occasionnel marmonnement de la circulation sur la rue principale.

Plus loin du côté du Lough, une volée d'oies, déterminée comme une équipe de bombardiers légers en mission, s'élançait vers l'est en direction de Ballyholme et les champs de chaume de la péninsule d'Ards. Il sourit. Samedi prochain, il aurait peut-être l'occasion de tuer une oie.

— Excusez-moi, docteur O'Reilly.

Il pivota pour voir Kinky debout dans l'embrasure de la porte.

— Dois-je emporter le plateau du café?

— S'il vous plaît.

Au lieu de le soulever, elle dévisagea O'Reilly et fronça les sourcils.

— Tut, tut. Regardez donc votre veston, monsieur.

Il baissa les yeux dessus. Il avait fait beaucoup d'efforts pour s'habiller convenablement ce matin-là afin d'être prêt à accueillir le docteur Fitzpatrick. Ses bottes brunes brillaient — il les avait cirées lui-même —, le pantalon de tweed de son complet était pressé, sa chemise blanche était fraîche du jour, et il portait sa cravate de la Royal Navy Association. Et pourtant, Kinky avait raison. Il y avait une grosse tache au-dessus de la poche gauche de son veston. Merde. Il avait dû y renverser un peu de café.

— Désolé, Kinky.

— Donnez-le-moi, dit-elle, et je vais l'emporter pour l'éponger, donc.

O'Reilly le retira d'un coup d'épaule et le lui tendit.

— Je vais vous le rendre dans une petite minute.

Sur ces mots, elle s'en alla.

O'Reilly alla s'asseoir dans son fauteuil. Kinky ne lui permettrait pas d'accueillir un invité avec un veston taché. Cependant, en ce qui le concernait, il n'y avait foutrement rien de mal au fait de porter une chemise avec les manches roulées et de laisser voir à l'invité que vous reteniez votre pantalon avec une paire de bretelles rouges. Il était certain que la personne qui avait écrit « L'habit ne fait pas le moine » avait dit des conneries.

Il sourit. Kinky, qui était réapparue, ne partagerait pas son opinion.

— Enfilez cela, monsieur.

Elle lui tendit le veston, attendit qu'O'Reilly le revête puis redressa sa cravate, accompagnant ses gestes d'un petit claquement de langue maternel. Puis elle se pencha et souleva le plateau de café.

— Je m'en vais, à présent. Votre invité devrait arriver dans 10 minutes. Je vais l'accompagner en haut quand il sera là.

⁂

O'Reilly pensa à la manière maritime que Barry avait utilisée pour décrire la façon de Kinky de s'occuper de l'homme lorsqu'il était venu la dernière fois.

— Vous n'allez pas d'abord faire feu sur sa proue, n'est-ce pas, Kinky ?

— Pas s'il fait attention à ses manières et s'il ne m'insulte pas, donc, dit Kinky.

— Je suis certain qu'il s'en sortira bien.

Il la regarda s'écarter d'un côté pour laisser entrer Barry alors qu'elle tenait le plateau en main.

— Alors, dit O'Reilly, vous en avez fini un peu tôt aujourd'hui avec le cabinet, non ?

— Oui. Ce n'était pas si mal ce matin. Quelques réguliers, dont quatre pour un tonique.

Barry sourit quand il ajouta :

— J'ai vu les patients venus pour le tonique un par un, et je leur ai demandé de baisser leur pantalon.

« Il se rappelle le jour où j'ai demandé à six patients de se mettre en rang pour leur administrer leurs injections à travers leurs vêtements. Cela ne leur a pas fait le moindre mal, et me débarrasser de six patients en même temps m'a permis d'en finir avec le travail de la matinée afin de pouvoir aller voir les gens réellement malades un peu plus tôt dans l'après-midi. Mais, Barry a ses propres méthodes, et il est bien qu'on lui permette de faire ce qu'il croit être correct — du moins jusqu'à ce qu'il découvre l'erreur dans ses méthodes », songea O'Reilly.

— Kieran O'Hagan est venu pour faire changer son bandage, dit Barry. Son pouce va bien.

— Bien.

O'Reilly désigna une chaise ordinaire d'un signe de la main.

— Assoyez-vous là. Vous ne serez pas dans la ligne de mire directe quand notre estimé collègue, le docteur Ronald Hercules Fitzpatrick, s'assoira dans le fauteuil. Vous pourrez l'observer, et il n'en aura pas conscience. Il devrait arriver d'une minute à l'autre.

Il toussa une fois.

— Comment va la poitrine, aujourd'hui, Fingal?

— Presque parfaite. Je vais être au cabinet demain.

— Bien.

Barry scruta le visage de son aîné et ajouta :

— Votre teint me semble fichtrement mieux, aujourd'hui.

O'Reilly rit pour lui-même. « Oui, si on aime la couleur prune », se dit-il. Il ne se faisait pas d'illusion à propos des nuances de ses joues rendues rougeaudes par des années à braver les éléments de l'Ulster de jour comme de nuit. Les fermiers de l'Ulster n'étaient pas les seuls avec des teints battus par les éléments. Il consulta sa montre. Fitzpatrick était censé être ici à midi. «Encore cinq minutes, et...» Il inclina la tête et écouta. La sonnerie de la porte d'entrée. Une pause. Le pas de Kinky dans le vestibule. Des voix. Une porte qui se fermait. Des pas se rapprochant.

— Il est en avance, dit O'Reilly.

— La ponctualité est la politesse des rois, dit Barry.

— Je pensais que c'était «la vertu des princes», dit O'Reilly.

Barry secoua la tête.

— Pas si votre source est Louis XVIII de France.

O'Reilly eut un petit rire.

— Me voilà bien corrigé.

Le docteur Fitzpatrick entra, suivi par Kinky. C'était une version plus âgée de l'étudiant dans le souvenir d'O'Reilly. Si on lui avait demandé de choisir trois des caractéristiques essentielles de l'homme, cela aurait été son énorme pomme d'Adam, le col à bouts pointus et le pince-nez.

Kinky passa devant l'homme d'un pas affairé.

— Voici le gentleman que vous attendez, monsieur.

L'intonation dans sa voix quand elle avait dit «gentleman» indiquait à O'Reilly qu'en ce qui concernait Kinky, la description était une exagération.

Fitzpatrick jeta un regard noir par-dessus son pince-nez dans sa direction.

— Merci, ma brave dame. Vous pouvez partir à présent.

Barry se leva à moitié et dit :

— Bonjour, docteur Fitzpatrick. Nous nous sommes déjà rencontrés.

O'Reilly resta assis et les ignora tandis qu'ils échangeaient des propos aimables.

«Ma brave dame», avait dit Fitzpatrick en parlant de Kinky, et il l'avait congédiée. O'Reilly eut soudainement une image mentale nette d'une scène qui s'était déroulée dans un café à Dublin, environ 30 ans auparavant, lorsque Fitzpatrick, qui était alors un étudiant du Trinity College, avait appelé la serveuse «ma brave dame». Elle lui avait répondu en termes clairs d'aller faire quelque chose qui, du point de vue de la reproduction, était totalement impossible.

Il se demanda si Kinky allait ajouter autre chose, mais elle se contenta d'un énorme reniflement, puis d'un demi-tour raide qui aurait jeté la honte sur celle d'un sergent-major et d'un départ qui aurait pu être la sortie de la reine de sabbat tellement elle se tenait avec rigidité. O'Reilly rigola.

Barry était retourné à sa chaise. O'Reilly vit Fitzpatrick s'installer, et il se rendit compte qu'on lui parlait.

— Je crois que tu te sens mieux, Fingal.

— Oh, en effet, Hercules.

«Salop obséquieux», pensa-t-il alors.

Le larynx de l'homme s'agitait de haut en bas. La peau sur son cou trembla. «Seigneur Dieu, s'il était une dinde, il glouglouterait», se dit alors O'Reilly.

— Je pense t'avoir dit, O'Reilly, alors que nous étions étudiants, que je préfère qu'on m'appelle Ronald.

— Oui. Les gens sont bizarres quand il s'agit la façon dont ils aiment qu'on les appelle, Ronald.

O'Reilly mit l'accent sur le nom, et avant que Fitzpatrick puisse répondre, il poursuivit :

— Prends Kinky, par exemple. Elle réagit bien à «madame Kincaid». Certains autres noms ne lui font pas autant plaisir.

Il décocha un clin d'œil à Barry et ajouta :

— Je pense qu'ils ont abandonné le dragage du Lough après trois jours.

O'Reilly vit le grand sourire sur le visage de Barry. O'Reilly se demanda s'il avait compris ce qu'il espérait l'entendre dire quand Fitzpatrick mordrait à l'hameçon et dirait...

— Je crains de ne pas comprendre. Draguer le Lough ?

Fitzpatrick se gratta la joue.

Il avait sauté comme une truite pour attraper une mouche. O'Reilly jeta un regard à Barry et haussa un sourcil. Il fut ravi quand Barry, qui avait manifestement suivi le fil des pensées d'O'Reilly, dit avec un sourire :

— Ils cherchaient le corps du dernier homme qui a appelé madame Kincaid « ma brave dame ».

O'Reilly entendit un gloussement sec. Les épaules étroites de Fitzpatrick tremblaient. Nom d'un chien. L'homme riait. Il retira son pince-nez, et il le polit avec un mouchoir.

« Je joue souvent avec ma pipe pour me donner le temps de réfléchir. Se sert-il du même truc, mais avec ses lunettes ? » se demanda O'Reilly. Finalement, Fitzpatrick dit :

— Ha, ha. Drôle. Très drôle. Ils cherchent un corps. Ha.

Barry parla, et cette fois, il y avait une légère trace de tension dans sa voix.

— Madame Kincaid vous a bien dit, la dernière fois que vous êtes venu ici, qu'elle n'aimait pas qu'on l'appelle ainsi.

Puis ses mots se firent plus doux lorsqu'il lui tendit une branche d'olivier.

— Vous devez avoir oublié.

Fitzpatrick se redressa dans son fauteuil, les genoux serrés ensemble comme ceux d'une douairière guindée qui craint qu'un pervers tente de regarder sous sa jupe.

— Je vais m'en souvenir à l'avenir. C'est madame Kinsale.

— Non, dit O'Reilly. Kincaid. Madame Kincaid.

— Il me semble que vous faites un raffut extraordinaire pour une simple servante.

O'Reilly vit Barry se raidir, et il secoua la tête. Puis Barry se détendit, et il ne dit rien. Fitzpatrick était venu, en apparence, pour établir des relations professionnelles diplomatiques. Si, par son attitude, il choisissait de se rendre *persona non grata*, il pourrait bien le regretter au final. Il s'était déjà fait une ennemie de Kinky, et elle était certainement une des arbitres de l'opinion publique les plus importantes de la paroisse. O'Reilly était tout à fait satisfait à l'idée de laisser l'homme creuser sa propre tombe.

— Tu pourrais avoir raison, dit O'Reilly de sa voix la plus lénifiante, et je suis convaincu que tu n'es pas venu dans le seul but de discuter de nos arrangements domestiques ici. En fait, le docteur Laverty et moi-même avons été négligents. Comme le veut la coutume établie, nous aurions dû te rendre visite pour te souhaiter la bienvenue dans le comté.

— Je suis content que tu admettes cela, Fingal.

Fitzpatrick regarda O'Reilly de haut et ajouta :

— Très content.

« Seigneur, Fitzpatrick, tu étais un connard de collet monté à Trinity, et tu es un connard de collet monté aujourd'hui », pensa O'Reilly. Il dit plutôt :

— Nous allons laisser le passé reposer en paix — n'est-ce pas, Ronald ?

— Cela serait le bon geste chrétien à poser.

L'homme avait appartenu — et c'était certainement encore le cas — à l'une des sectes fondamentalistes ultra-conservatrices qui abondaient dans le Nord de l'Irlande.

— Un peu comme tendre l'autre joue ?

— Exactement.

— Oh, dit O'Reilly en se levant pour se donner l'équivalence physique de la hauteur morale. Considère que j'ai tendu l'autre.

Il tendit sa main à Fitzpatrick, qui était assis et qui accepta de la serrer. La main qu'O'Reilly serra était molle, moite et aussi invitante que s'il avait touché les écailles d'un flet récemment remonté sur un bateau.

— En tout cas, comment vont les affaires à Kinnegar ?

Il lâcha la main et renonça à l'idée d'essuyer la sienne sur son pantalon. O'Reilly décida qu'il allait rester debout.

— Très prometteuses. C'était un peu tranquille au début. Je soupçonne certains des patients de mon prédécesseur d'avoir commencé à consulter dans ce cabinet.

Il regarda O'Reilly par-dessus la monture de son pince-nez, et il lui offrit un sourire sombre.

— Je suis très content de dire qu'au cours du dernier mois, le vent semble avoir tourné. Beaucoup des vôtres viennent à présent vers moi.

— Est-ce un fait ?

O'Reilly jeta un regard à Barry pour voir qu'il était assis sur le bord de sa chaise, le front plissé. Il prit une profonde inspiration, comme s'il était sur le point de parler, alors O'Reilly dit :

— Le docteur Laverty et moi n'avons remarqué aucune diminution de notre charge de travail.

Il fixa un regard mauvais sur Barry avant d'ajouter :

— N'est-ce pas, Barry ?

— Aucune.

« Bon garçon. Ne laissez rien voir. C'est notre affaire et non la sienne. »

O'Reilly marcha lentement et alla s'appuyer sur le manteau de la cheminée.

— Eh bien, je pense que vous le constaterez bientôt. Ils semblent aimer mon approche plus traditionnelle.

— Et quelle est-elle ? s'enquit O'Reilly.

Il rit avant de demander :

— « Œil de salamandre et orteil de grenouille » ?

Le larynx de Fitzpatrick s'agita une fois.

— Ou peut-être « poil de chauve-souris et langue de chien » ? dit Barry.

O'Reilly rit plus bruyamment. Barry était incapable de résister à leur jeu de citations. Fitzpatrick n'était pas le seul qui pouvait mordre quand on lui présentait le bon appât.

— Tu peux plaisanter, Fingal ; mais j'ai obtenu quelques succès spectaculaires avec de vieux remèdes de campagne.

— Vraiment, Ronald ? Aimerais-tu nous en donner un exemple ?

O'Reilly s'assura d'arborer une expression de grand intérêt.

— Je suis toujours prêt à apprendre quelque chose de nouveau.

Il fut agacé, car à ce moment-là, sa gorge piqua, et il dut tousser.

Fitzpatrick pointa son index osseux sur O'Reilly.

— Toi-même, tu es un cas exemplaire.

O'Reilly toussa une autre fois, puis il dit :

— Et comment cela ?

— Tu as une trachéo-bronchite. Comment la traites-tu ? Non, je le devine. Avec des antibiotiques. La médecine moderne est désespérément mariée à eux.

— En fait, je ne…

— Ne m'interromps pas.

Le doigt s'agita plus vivement.

— Moi-même, je les trouve peu utiles, mais je trouve qu'une teinture préparée à la maison est très efficace.

O'Reilly trouvait que l'usage insistant du mot «je» par cet homme était agaçant, mais il se contenta de dire :

— Aimerais-tu nous en parler ?

— Ce serait avec plaisir. On prend des racines de primevère, on les écrase, et on les met dans le petit-lait de chèvre.

— Intéressant, dit Barry. Les racines de primevère sont-elles faciles à trouver en décembre ?

O'Reilly était incapable de savoir, d'après l'expression de Barry ou le ton de sa voix, s'il était sincèrement intéressé ou s'il menait Fitzpatrick en bateau.

— La plante ne donne pas de fleurs, mais ses racines sont encore dans le sol.

— Oh, dit Barry. Merci.

— Les racines de primevère dans le petit-lait de chèvre ?

O'Reilly fronça les sourcils avant d'ajouter :

— Cela me semble assez simple. Et le patient boit-il le mélange ?

Fitzpatrick se pencha en avant. Dans ses yeux, O'Reilly vit une lueur de fanatique.

— Non. La prochaine étape, c'est l'astuce, car elle va droit à la racine du problème, dit-il en gloussant. C'est plutôt bon, utiliser des racines pour aller à la racine.

— Continue, dit O'Reilly en pensant que de temps en temps, le vieil adage « Riez et le monde rira avec vous » pouvait être faux. Je suis tout ouïe.

— On insère le mélange dans le nez du patient, dit Fitzpatrick en souriant d'un petit air suffisant. Que penses-tu de cela ?

O'Reilly s'esclaffa. Pendant un moment, il fut incapable de s'arrêter. Quand il réussit finalement à se maîtriser, il dit :

— Ronald, je suis désolé, mais je viens tout juste de comprendre ce que tu as dit plus tôt. « Utiliser des racines pour aller à la racine. » Très bon. Très bon.

— Eh bien, ça va, dans ce cas. Pendant un instant, j'ai cru que tu te moquais de mon traitement ou — ce qui aurait été plus grave encore — que tu riais de moi ! Je déteste quand les gens rient de moi. Cela a toujours été ainsi. Je déteste cela.

Il tapa du pied.

— Moi ? dit O'Reilly, l'image de l'innocence blessée. Rire de toi, Ronald ?

Il jeta un regard à Barry, qui, il put le voir, s'efforçait également de garder le visage neutre.

— Je ne ferais jamais rien de tel. Je me souviens à quel point cela te bouleversait.

— Merci.

Il semblait amadoué.

— Ce n'est pas tous les jours que j'entends parler d'une approche aussi incroyable, dit O'Reilly.

— Eh bien, merci, Fingal.

L'homme minaudait.

O'Reilly regarda Barry, qui articula le mot « incroyable » en silence et sourit largement. « Le dictionnaire anglais Oxford. Plus de gens devraient le lire. Si c'était le cas, ils découvriraient que le mot incroyable est un adjectif faisant référence à ce qui ne peut être cru », pensa O'Reilly. Mais si cela rendait le vieux Fitzpatrick heureux, qui était O'Reilly pour lui gâcher sa matinée ? L'estomac d'O'Reilly gronda. Il se rendit compte qu'il avait faim. Ce devait aussi être le cas de Barry. L'heure du déjeuner approchait, et cela signifiait qu'il était temps de se débarrasser de leur collègue.

— Je suis content que tu t'installes aussi bien, Ronald.

O'Reilly s'avança vers la porte.

— Et le docteur Laverty et moi, nous ne voudrions pas te retenir trop longtemps loin de ton travail — n'est-ce pas, Barry ?

Barry se leva et dit :

— Certainement pas.

Fitzpatrick se leva, et s'inclina à moitié devant Barry.

— Jeune Laverty.

Il rejoignit O'Reilly à grands pas, marqua une pause, et lui tendit sa main. O'Reilly la serra, et Fitzpatrick dit :

— J'ai aimé notre rencontre, Fingal. J'espère que nous pourrons recommencer.

« Et moi, j'aimerais mieux écouter un sermon de deux heures du pasteur presbytérien », pensa O'Reilly, mais il dit plutôt :

— Je ne vois pas ce qui nous en empêcherait. Nous pourrions rattraper le temps perdu et discuter de ce que nous avons fait depuis l'école de médecine.

« Et je parie que ton histoire, Hercules, sera aussi fascinante que le manuel d'instruction qui venait avec le nouveau lave-linge que j'ai acheté à Kinky l'an dernier », se dit-il.

— Je pourrais avoir beaucoup de plaisir à faire cela, Fingal, mais pour le moment, je préférerais garder notre relation sur une base professionnelle, dit-il en s'éclaircissant la gorge. Je pense que nous pourrions découvrir que nous sommes en concurrence.

— Ça me va, dit O'Reilly en se tenant debout bien loin du manteau de la cheminée et en adoptant sa vieille posture familière d'attaque de boxeur avec un pied devant l'autre.

Il n'avait pas boxé depuis qu'il avait quitté la marine, mais les vieilles habitudes ont la vie dure.

— J'hésite à jouer les prophètes de malheur, poursuivit Fitzpatrick, l'air particulièrement joyeux, surtout pendant cette saison festive, mais je me suis demandé si la région est assez vaste pour que trois médecins s'en occupent.

O'Reilly vit Barry tressaillir. Le gars devait être inquiet. O'Reilly pouvait partager son inquiétude, mais si Fitzpatrick jetait un gant professionnel en signe de défi, Fingal O'Reilly était l'homme pour le relever.

— Probablement pas, Ronald, dit-il platement. Je suis certain que tu vas nous manquer, à moi et au docteur Laverty, lorsque tu partiras.

Il avança dans la pièce et ouvrit la porte.

— Maintenant, permets-moi de te raccompagner, dit-il avant de jeter un regard à Barry. Le docteur Laverty et moi descendons prendre notre déjeuner. Je suis désolé que nous ne puissions pas t'inviter à te joindre à nous.

15

Une primevère au bord de la rivière

O'Reilly donna un coup sur sa pipe pour vider la cendre dans un immense cendrier que Kinky avait, après quelques protestations, replacé à sa place habituelle sur la table de la salle à manger. Cela le dépassait qu'elle ait eu l'impression qu'il avait cessé de fumer pour toujours simplement parce qu'il l'avait fait pendant que sa poitrine était mal en point au cours des derniers jours. Le tabac lui avait manqué comme un vieil et cher ami pouvait manquer à un homme.

Il enfonça sa pipe dans la poche de son veston, termina son thé et se leva. Il était temps pour lui d'aller dans les tranchées. Il avait promis à Barry de s'occuper du cabinet ce matin, et pardieu, il allait le faire. Et quand samedi arriverait, il serait suffisamment remis pour travailler durant la fin de semaine également.

O'Reilly repoussa sa chaise loin de la table, se leva, jeta un regard au ciel et espéra que Barry dormait encore. Le garçon avait travaillé dur au cours des derniers jours. O'Reilly n'avait pas entendu Barry partir à un moment donné dans le petit matin, mais il l'avait entendu revenir juste après le lever du soleil. «Qu'il dorme. Il l'a mérité», se dit-il.

O'Reilly passa devant la grande table, entra dans le vestibule et ouvrit la porte de la salle d'attente. Seigneur, c'était le marché de Paddy là-dedans, avec toutes les chaises occupées. Barry aurait été content d'entendre que le lieu était bondé.

— Bonjour, docteur, dirent en chœur les patients.

O'Reilly les ignora et rugit :

— Qui est le premier ?

Cissie Sloan, qui portait un béret bleu sur sa tignasse emmêlée, qui avait une écharpe de laine enroulée autour du cou et dont le reste du corps était emmitouflé dans un gros manteau des surplus de l'armée. O'Reilly savait qu'il avait dû être acheté à l'Army and Navy Store à Belfast. Elle se mit péniblement debout sur ses pieds chaussés de bottes Wellington.

— Bon, Cissie, dit-il, tu connais le chemin.

Tandis qu'il la suivait dans le cabinet, il se rappela le déjeuner de la veille. Malgré tous ses efforts, il avait été incapable de rassurer Barry en lui disant que Fitzpatrick ne posait probablement pas de véritable menace et qu'une fois que la nouveauté de son arrivée se serait étiolée, les patients de Ballybucklebo seraient très heureux de revenir au numéro 1 de la rue principale. Certains d'entre eux — il regarda Cissie s'avancer dans le vestibule et entrer dans le cabinet — ne semblaient pas avoir eu l'idée de partir en premier lieu. Il entendit la chaise craquer quand Cissie s'installa, puis il passa devant elle et alla s'asseoir dans le fauteuil pivotant à roulettes.

— Le docteur Laverty n'est pas là, aujourd'hui ?

— C'est mon tour, Cissie. Il a passé la moitié de la nuit debout.

— Vraiment? Il travaille très dur, pour ça oui.

Elle émit un petit bruit de bouche compatissant et se pencha en avant.

— Et j'ai entendu dire que vous-même, vous n'alliez pas trop fort, monsieur.

— Oh, ce n'était qu'une petite crise de peste bubonique et de lèpre, et je lui ai réglé son cas le temps de dire «ouf».

Il la regarda par-dessus ses lunettes à monture en demi-lunes.

— J'ai la constitution d'un cheval Clydesdale.

Le rire de Cissie était rauque, mais il était difficile pour O'Reilly de dire si c'était à cause du problème de thyroïde qu'elle avait avant ou de son récent mal de gorge.

— Vous êtes un homme terrible, docteur, cher, pour ça oui. Vous moquer d'une pauvre campagnarde comme moi. La lèpre, douce mère. On attrape ça uniquement au plus profond de l'Afrique. Ne disais-je justement pas à ma cousine Aggie… vous savez, celle qui a six orteils? Elle et moi, nous travaillions dans la salle paroissiale pour la préparer pour le spectacle, et nous venions d'accrocher une autre chaîne en papier rouge, et Aggie a dit…

— Cissie, dit O'Reilly avec vigueur, qu'est-ce qui ne va pas aujourd'hui? Le docteur Laverty m'a dit que tu souffrais d'un mal de gorge.

— Pourriez-vous l'examiner un peu? Cela ne va pas mieux. Je pense que vous devriez regarder. Ma cousine…

— Bon.

Il prit un abaisse-langue dans un pot qui en était rempli posé sur son secrétaire, et il sortit une lampe-stylo de la poche intérieure de son veston.

— Ouvre grand et sors la langue.

À défaut d'autre chose, cela allait stopper le flot de paroles. Le fond de sa gorge était rouge, mais plutôt comme il l'aurait anticipé après un traitement de deux ou trois jours pour une pharyngite.

— Cela ne me semble pas si mal, commença-t-il tandis qu'il retirait la spatule en bois.

— Aggie dit que le coton de sainte Brigitte ne fonctionne peut-être pas et qu'il est possible que la pénicilline prescrite par le jeune docteur, sans lui vouloir de mal, ne...

Elle hésita et regarda O'Reilly, qui savait très bien que ce souhait exprimé par les mots «sans lui vouloir de mal» présageait inévitablement une critique.

— ... soit pas la bonne chose, continua Cissie. Elle dit...

— Quoi?

O'Reilly retira ses lunettes à monture en demi-lunes et les laissa pendre par une branche entre un doigt et son pouce, résistant à la tentation de demander laquelle des cinq écoles de médecine irlandaises était l'alma mater d'Aggie.

— Elle dit que ce dont j'ai besoin, c'est de jeter ces pilules dans l'évier et de me procurer du petit-lait de chèvre et d'y mettre un tas de racines de primevère broyées...

O'Reilly lâcha ses lunettes, faisant taire Cissie un instant, puis il s'assit le dos droit.

— Et elle te recommande de t'enfoncer le mélange dans le nez?

Cissie rayonna.

— Comme vous êtes brillant, docteur! C'est exactement ce qu'elle dit. Et pensez-vous que je dois le faire?

Elle fronça les sourcils.

— Je ne suis jamais tout à fait convaincue avec notre Aggie...

O'Reilly se pencha, récupéra ses lunettes, sortit sa pipe et la bourra, tout à fait satisfait de la laisser jacasser pendant qu'il réfléchissait rapidement. Pour commencer, soit parce qu'elle-même souffrait d'un mal de gorge ou parce qu'elle était allée voir un médecin au nom de Cissie, Aggie avait presque certainement consulté Fitzpatrick. Jusqu'à hier, depuis toutes ces années ici, O'Reilly n'avait jamais entendu dire que cette panacée en particulier était populaire parmi les citoyens locaux, et il était sûr de connaître tous les remèdes des résidents du coin.

— Je pense toujours qu'Aggie a besoin d'un lèvemement, dit Cissie.

O'Reilly ignora la mauvaise prononciation du mot « lavement ». Il était davantage préoccupé parce que la suggestion — qui, il en était certain, venait de Fitzpatrick — était du charlatanisme flagrant et pouvait affecter une patiente de Barry. En ce qui concernait O'Reilly, l'homme pouvait prescrire de l'eau bouillie à ceux de sa propre pratique. Mais quand ses conseils commençaient à affecter les clients du numéro 1 de la rue principale, il était temps d'y apporter son attention. Il commencerait par Cissie, qui, à son avis, avait besoin de la pénicilline prescrite par Barry.

— Je me suis dit que je viendrais chercher une seconde opinion, juste pour être sûre, dit Cissie.

O'Reilly étouffa son agacement à l'idée d'être considéré comme une deuxième option pour Aggie. L'important était de s'assurer que Cissie continuait à suivre son traitement.

Il fourra sa pipe bourrée dans une poche, puis il se pencha en avant et dit :

— J'ai commis une erreur avec toi en juillet — n'est-ce pas, Cissie ?

— Oui. Vous ne saviez pas que j'avais cette chose à la thyroïde, dit-elle en souriant. Mais même un évêque peut se tromper, parfois. Seul notre homme à Rome est infaillible.

— C'est vrai, Cissie ; je ne suis pas infaillible. Mais qui a découvert que ta thyroïde était déréglée ?

— Le docteur Laverty.

— Et a-t-il suggéré des racines de primevère broyées, ou bien de la pénicilline pour ta gorge ?

— De la pénicilline.

Elle paraissait perplexe, puis elle dit :

— Oui, et il m'a dit de continuer à me servir du coton de sainte Brigitte aussi.

— Ce coton est un truc puissant, dit O'Reilly. Maintenant, Cissie, si tu devais parier de l'argent là-dessus, où irait ton oseille ? Sur la pénicilline ou sur les racines de primevère ?

— Sur le docteur Laverty — et je lui donnerais l'avantage, pour ça oui.

— Bon point pour toi, Cissie.

O'Reilly se leva et l'aida à se mettre debout.

— Le docteur Laverty ne te laisserait pas tomber, tu le sais. Alors, continue à prendre la pénicilline comme te l'a prescrit le docteur Laverty, et tu seras en pleine forme dans quelques jours.

— Merci, docteur. Je n'aimerais pas m'enfoncer ce truc dans le nez, gloussa-t-elle. Peut-être qu'Aggie pourrait s'en servir comme lèvemement. Je pense que je vais lui dire…

— Je suis certain que tu le feras, Cissie.

Il la dirigea vers la porte, qu'il ouvrit, et il la guida à l'extérieur.

— Et reviens si jamais tu es inquiète.

— Merci, docteur. Et je vais...

Elle parlait encore quand il ferma la porte du cabinet, et même à travers le bois, il pouvait encore l'entendre jacasser dans le vestibule. Il repêcha sa pipe, l'alluma, et savoura quelques bonnes bouffées jusqu'à ce qu'il entende la porte d'entrée se refermer. Satisfait de savoir qu'elle était partie, il s'aventura à nouveau dans la salle d'attente. Il entrouvrit la porte et écouta. Il put surprendre les quelques mots de la fin d'une conversation entre deux de ses clients réguliers, deux personnes plus âgées qui considéraient leurs visites hebdomadaires faites à leur conseiller médical davantage comme une sortie sociale qu'une entreprise thérapeutique.

— Je ne t'ai pas vu ici la semaine dernière, Bertha.

— Je ne suis pas venue, Jimmy.

— Oh. Pourquoi pas ?

— Tu sais fichtrement bien qu'il n'y a qu'une seule chose qui peut m'en empêcher.

Les mots suivants furent déclamés avec une hauteur dédaigneuse.

— J'étais malade, pour ça oui.

O'Reilly rigola, et il fut juste un peu ému quand elle poursuivit avec un ton si sérieux qu'il soulignait l'absolue sincérité de ses sentiments :

— Et je ne voudrais pas déranger les docteurs. Pas quand je me sens mal.

Il ouvrit la porte en grand.

— Qui est le suivant... ?

La porte de l'extérieur s'ouvrit, et le marquis entra. Tout le monde se leva, les hommes le saluant d'un poing sur le front, les femmes exécutant de petites révérences. Tous s'écartèrent afin qu'il puisse passer en premier. O'Reilly se dit alors que le rang avait ses privilèges, principe qu'il mettait lui-même en pratique pour passer en début de file.

— Bonjour, mon seigneur, dit-il.

— Bonjour, docteur, et bonjour, tout le monde. Je vous en prie, assoyez-vous.

L'homme exsudait la grâce naturelle.

— Je ne vais retenir le docteur O'Reilly que pendant quelques très courtes minutes.

O'Reilly s'écarta, puis il suivit le marquis dans le cabinet, et il referma la porte. Il patienta tandis que l'homme retirait son pardessus en poils de chameau avec ses revers de velours noirs, puis son blazer arborant l'écusson des Irish Guards sur sa poche de poitrine avec une aisance familière avant de rouler ses manches de chemise et de monter s'allonger sur le divan d'examen.

— Avez-vous remarqué des changements depuis la dernière fois que vous êtes venu il y a deux mois? demanda O'Reilly pendant qu'il enroulait le brassard du tensiomètre autour de la partie supérieure de son bras et le gonflait.

— Il n'y a aucun changement, sauf que ces petites pilules rougeaudes que vous m'avez données me font trop pisser, dit-il en souriant largement. Un petit prix à payer, je suppose.

— Très petit. À votre âge, la haute pression non traitée peut entraîner des accidents vasculaires cérébraux.

O'Reilly enfonça son stéthoscope dans ses oreilles et glissa le pavillon sous le brassard sur le devant du coude. Il dégonfla le brassard, et il regarda tomber la colonne de mercure en notant la pression, qui était à 150, quand les premiers sons du sang courant dans l'artère radiale purent se faire entendre et qu'elle passa à 85 quand ils disparurent. Pas trop au-dessus de la normale de 120 et 80 pour un homme plus jeune.

— Comme avant, dit-il en retirant le brassard. Assoyez-vous, je vous prie.

Le marquis plaça ses jambes au bord du divan et s'assit.

O'Reilly souleva l'ophtalmoscope sur la table d'instruments, alluma sa lumière et dit :

— Fixez le mur au-dessus de mon épaule, s'il vous plait.

Il appliqua la lumière dans le cristallin de l'œil gauche. Tout ce qu'il put voir fut un brouillard rouge jusqu'à ce qu'il ait joué avec la roue de focalisation. Le disque optique, la rétine rouge vif, apparut. Il y avait une petite région circulaire légèrement colorée au centre de son champ de vision. C'était la macula, l'endroit où le nerf optique quittait l'arrière du globe oculaire et où de minuscules artères et des veines se dispersaient pour nourrir et drainer la rétine. Les marges maculaires n'étaient pas brouillées, et il n'y avait pas de restriction de vaisseaux sanguins ni de signes de ces petites parcelles de saignement que l'on décrivait graphiquement comme des « flammes hémorragiques ». La présence d'un ou de plusieurs de ces signes aurait été la preuve que l'hypertension s'aggravait.

— Bien, le disque est parfait, dit-il en reportant ton attention sur l'œil droit. À présent, comme le diraient nos amis animateurs de radio, voyons la face B.

Il ne lui fallut que quelques instants pour confirmer que la rétine droite aussi était en santé.

— Vous serez bon pour deux mois encore.

O'Reilly gagna son secrétaire et s'assit dans le fauteuil pivotant tandis que le marquis remettait ses vêtements.

— Tenez.

O'Reilly se tourna à moitié et tendit à son patient une prescription de chlorothiazide à une dose de 500 mg à prendre quotidiennement.

— Cela gardera votre état stable, John.

— Merci, Fingal. Maintenant, je ne vais vous prendre qu'une autre petite minute. Je suis content de voir que vous allez mieux.

— Je vais merveilleusement bien.

— Bien, car le conseil de direction du Rugby Club aimerait que vous assistiez à une réunion extraordinaire samedi soir après la partie.

O'Reilly pivota pour être face au marquis.

— Les petits idiots d'emmerdeurs ont-ils voté contre l'augmentation d'une livre de la cotisation mercredi soir ?

— Pas du tout. Ils l'ont acceptée avec à peine plus d'un murmure. J'ai laissé entendre, lorsque je suis passé vous rendre visite mardi matin, que selon moi, le conseiller Bishop pourrait s'opposer. Il l'a fait, mais nous savons tous qu'il serait prêt à lutter avec un ours pour un demi-penny, alors nous l'avons fait taire en un rien de temps. Non, Fingal : ils veulent faire les derniers arrangements pour la fête de Noël de cette année, et ils aimeraient beaucoup que vous soyez présent, si vous êtes d'attaque.

— Samedi ?

O'Reilly plissa le front et dit :

— Je devrais pouvoir m'organiser. Je vais être de garde, mais je suis certain que je pourrai faire avec.

— Bien, dit le marquis en se dirigeant vers la porte.

Il tint un doigt à côté de son nez.

— Je pense qu'ils préparent peut-être une petite surprise pour vous, mais j'aimerais que vous n'en disiez rien.

— Une surprise ?

Le pli sur le front d'O'Reilly se creusa.

— Quel genre ?

— Je ne dirai rien de plus, dit le marquis en sortant. À bon entendeur, salut !

— Merci pour le tuyau, monsieur.

O'Reilly suivit le marquis jusqu'à la porte d'entrée.

— Je ne suis pas un grand amateur de surprises, même si elles partent d'une bonne intention.

— Je sais cela, Fingal. C'est pourquoi je vous ai prévenu.

Et sans attendre la réponse, il partit.

— Hm, dit O'Reilly pour lui-même. Une surprise ? De plus en plus curieux.

Alors qu'il se dirigeait vers la salle d'attente, un Barry non rasé qui bâillait arriva au pied de l'escalier.

— Bonjour, Barry.

— Bonjour, Fingal. Je vais juste aller manger un morceau.

— Bon garçon. Je repars pour les mines de sel, mais je vous verrai au déjeuner.

Kinky retira le cendrier et fixa un regard noir sur O'Reilly.

— Ceci sera pour après le déjeuner, docteur, monsieur. Vous n'aurez pas besoin de votre pipe avant cela. Vous êtes d'accord, docteur Laverty ?

— Oh, en effet, Kinky.

Barry, à présent rasé de frais et habillé, était assis à sa place habituelle au bout de la table.

— Vous vous mettez à deux contre moi? demanda O'Reilly, mais il sourit et opina de la tête.

Il avait fumé deux pleines pipes de son tabac préféré, Gallaher's Erinmore Flake, pendant qu'il s'occupait du cabinet. Il pouvait attendre une autre demi-heure environ.

— Qu'y a-t-il pour déjeuner, Kinky?

Son estomac gargouilla.

— J'ai préparé une bonne soupe de pommes de terre, dit-elle, et quand vous aurez tous les deux avalé cela, il y aura ensuite une tarte aux œufs et au bacon.

Elle gagna la porte et ajouta :

— Et vous n'aurez rien de tout cela si vous ne me laissez pas retourner dans ma cuisine.

O'Reilly était prêt pour son déjeuner, mais pendant qu'il attendait, il voulait savoir ce qu'avait fait Barry jusqu'aux petites heures du matin.

— Je vous ai entendu revenir tôt ce matin. Mauvaise nuit?

Barry bâilla.

— Vous connaissez Jeremy Dunne?

— Fermier, dit O'Reilly, quarante acres partagées entre la culture des céréales et l'élevage du bœuf. Sa terre jouxte celle des Gillespie à l'ouest et le domaine du marquis à l'est. Son fils adulte vit avec lui. Jeremy est veuf. Un gars nerveux. Il a des ennuis avec un ulcère duodénal.

— Il avait de véritables ennuis avec cet ulcère ce matin. Il a perforé. Ce n'était pas un diagnostic compliqué une fois que son fils a pu me parler de l'ulcère. Le pauvre diable était sous le choc avec une sévère douleur abdominale et tous les signes d'une péritonite. Tout ce que j'ai pu faire a été d'appeler une ambulance et de l'envoyer au Royal au plus vite. J'ai téléphoné à mon ami Jack Mills quand je me suis levé aujourd'hui. Votre ami Cromie et Jack l'ont opéré, puis ils ont refermé le trou et nettoyé tout le contenu intestinal de son estomac. Ils s'attendent à ce qu'il rentre chez lui pour Noël.

O'Reilly était content, et ce n'était pas seulement parce que le diagnostic de Barry avait été exact. Le garçon apprenait à surveiller de près leurs clients, même s'ils étaient sous les soins d'un spécialiste à l'hôpital.

— Vous vous en êtes bien tiré, Barry.

Barry sourit largement.

— Merci, Fingal, mais c'était loin d'être un diagnostic difficile, vu l'historique de l'homme.

Barry était doté d'une modestie inhérente. Certaines personnes pouvaient voir cela comme un manque d'assurance, mais O'Reilly était certain de savoir qu'il en était autrement.

— Vous vous en êtes bien tiré, fiston, dit-il. Très bien. Et peut-être qu'avec un peu de chance, vous ne serez pas trop occupé cet après-midi. Avez-vous plusieurs visites à faire ?

— Je vais passer chez Eileen Lindsay et voir comment s'entendent Sammy et Maggie, puis je vais me pointer chez Kieran pour changer son bandage. Ils vivent à quelques portes plus loin. Cela lui épargnera le trajet, et je pense que c'est à peu près tout pour aujourd'hui, à moins que Kinky ait autre chose pour moi ou que d'autres appels arrivent plus tard.

Barry joua avec sa cuillère à soupe.

— Comment était le cabinet ?

O'Reilly s'étira sur sa chaise.

— La routine. J'ai été occupé en diable. Ce n'est pas tout le monde qui a fichu le camp à Kinnegar.

Cette nouvelle amena un sourire sur le visage de Barry.

O'Reilly poursuivit :

— Cissie est venue. Elle n'est pas convaincue que votre pénicilline fonctionne assez vite.

Barry rit.

— Du Cissie typique. Que lui avez-vous dit ?

O'Reilly fut content de voir le rire. Quatre mois plus tôt, Barry se serait cabré parce qu'il aurait manqué de confiance en lui. Le garçon apprenait.

— Je lui ai dit de ne pas prêter la moindre attention aux conseils se voulant utiles de sa cousine Aggie.

Il décida de ne pas perturber Barry en lui disant d'où il croyait que ce conseil venait.

— Elle ira bien, conclut-il.

Il plissa le nez et détecta les odeurs d'oignon et de poireau mêlées à celle des pommes de terre qui étaient soufflées par la porte. Le vieil Arthur pouvait bien être un bon chien de chasse, mais pardieu, quand il s'agissait de renifler la bouffe, O'Reilly pensait que lui-même n'avait pas d'égal.

Kinky entra avec une soupière fumante dans les mains, puis elle la déposa sur la table et tendit une louche à O'Reilly. Il commença à remplir sa propre assiette à soupe.

— Des appels, ce matin, Kinky ?

Barry fit glisser son assiette à soupe sur la table. Kinky se tenait à côté d'O'Reilly, les mains jointes devant son tablier, attendant manifestement son verdict sur sa soupe.

— Aucun de vos patients, docteur Laverty, dit-elle. Mais, votre jeune dame a téléphoné pendant que vous dormiez…

Barry se leva à moitié.

— Quand je dormais ? Je l'ai ratée ? Merde.

Barry vit Kinky presser les lèvres.

— Désolé, Kinky.

— J'ai entendu pire, dit-elle.

« Cette bonne vieille Kinky, notre imperturbable Rocher de l'Éternité », pensa O'Reilly.

— Mademoiselle Spence a dit qu'elle était pressée d'aller quelque part. Elle m'a demandé de ne pas vous déranger et de vous dire qu'elle allait rappeler…

— Quand ?

— À la première heure samedi matin.

Barry retomba sur sa chaise. Il soupira.

— Samedi ?

— Allons, Barry, dit O'Reilly en lui tendant une pleine assiette. Ce sera samedi en un rien de temps.

— J'imagine.

Barry prit sa première bouchée de soupe.

— Et nous aurons bien assez à faire entre-temps pour garder votre esprit occupé.

— Et c'est une bonne chose, monsieur, dit Kinky très sérieusement. Le diable occupe les mains désœuvrées, donc.

— Eh bien, pardieu, Kinky, il n'a pas beaucoup occupé les vôtres. Cette soupe est fantastique.

O'Reilly se fit un point d'honneur de se lécher les lèvres bruyamment, et il fut récompensé par le sourire de Kinky.

— Délicieuse, dit Barry, même s'il avait l'air encore très déçu.

« Sa copine lui manque », se dit O'Reilly, et il pensa à quelques phrases du poème *When I was one-and-twenty* d'A. E. Housman, où il était question de cœur sorti de la poitrine et de regrets.

Kinky opina de la tête à répétition.

— C'est la recette de ma mère, donc.

Elle versa ce qui restait de la soupe dans l'assiette d'O'Reilly.

— Maintenant, savourez-la, monsieur, et je vais aller chercher la tarte aux œufs et au bacon.

O'Reilly termina sa soupe et regarda par la fenêtre. Le ciel au-dessus du clocher de l'église était de ce bleu métallique qui se présente seulement par jour glacial et sec. Il décida qu'il avait besoin d'un peu d'air frais. Il avait été enfermé trop longtemps dans la maison, et Barry n'allait pas être très occupé cet après-midi.

— Vous savez, dit-il en regardant directement Barry, Kinky a raison à propos du diable qui occupe les mains désœuvrées. Alors, j'ai eu une idée.

— À quel sujet?

— J'aimerais vous accompagner pendant vos visites cet après-midi, puis aller faire un tour dans la salle paroissiale et voir comment avancent les préparatifs pour le spectacle. Puis j'irais promener Arthur, et...

— ... et vous vous arrêteriez au Canard en rentrant à la maison.

Barry rit.

— Comment le saviez-vous?

Cependant, O'Reilly n'avait pas besoin d'une réponse. Il savait que Barry commençait à comprendre ses habitudes, tout comme il commençait à comprendre Barry.

— Et si vous avez l'intention de vous balader ainsi, dit Kinky en déposant une grande tarte aux œufs et au bacon sur la table avec sa croûte luisante et dorée, vous aurez besoin de vos forces, les docteurs. Alors, mangez.

16

Ma pauvre folle est suspendue

Cela faisait un moment que Barry n'avait pas été conduit en voiture par O'Reilly dans sa Rover au long capot, mais même les yeux bandés, il aurait su qu'il se trouvait dans la vieille voiture à cause de son essence unique de fumée de tabac de pipe et d'infusion de chien humide. Arthur dormait sur la banquette arrière.

O'Reilly, pendant qu'il traversait le village, avait été arrêté par le feu de circulation, et il n'avait pas pu accélérer avant la sortie pour la cité. Il avait été contraint de maintenir une vitesse de 50 kilomètres à l'heure. Barry n'était pas le moins du monde peiné que leur avancée se soit faite à un train de sénateur cet après-midi-là, au contraire de la version motorisée habituelle d'O'Reilly de la charge de la bridage légère.

Ils se garèrent dans Comber Gardens, devant la maison d'Eileen.

Maggie MacCorkle répondit à la porte. Elle sourit de son sourire édenté, et elle dit :

— Allô, les docteurs, chers. Vous allez mieux, je vois, docteur O'Reilly.

— Beaucoup mieux. Merci, Maggie.

— Entrez. J'ai installé le petit gars confortablement dans le salon en façade. Il y a un feu allumé pour lui, pour ça oui.

Barry remarqua qu'elle portait une toque brune tricotée avec une branchette de gui coincé dans le tissage. Maggie n'aurait pas été Maggie si elle n'avait pas porté un chapeau avec une quelconque décoration florale. Il songea que cela ressemblait à un pudding de Noël qui n'avait pas encore été allumé.

— Comment va-t-il, Maggie ? demanda-t-il tandis qu'elle refermait la porte d'entrée derrière lui et O'Reilly.

— Sammy ?

Elle plissa le front avant d'ajouter :

— Il est un peu mieux, je pense. Il a bien mangé tout son déjeuner — elle fronça les sourcils —, mais il n'a pas terminé son morceau de mon gâteau aux prunes.

Barry dissimula son sourire.

— Ce dont il souffre coupe en effet l'appétit. Il s'ennuie probablement un peu aussi.

— Je l'ai distrait constamment, pour ça oui, docteur. Mais, il n'est pas encore dans son assiette, si vous voyez ce que je veux dire.

Barry voyait bien. C'était une expression qui signifiait ne pas être en forme.

— C'était à prévoir.

Il suivit Maggie dans le corridor, lui-même talonné par O'Reilly. Sammy, après tout, était un patient de Barry, et les subtilités du monde médical devaient être respectées avec O'Reilly restant bien en arrière-plan — à moins qu'on lui demande son opinion.

Maggie attendit dans le corridor, comme Barry savait qu'elle le ferait. Elle n'était pas de la famille directe, et les convenances l'excluaient de l'examen, même si elle agissait *in loco parentis.*

Le salon en façade était chaud, et les charbons brûlaient joyeusement dans l'âtre. Barry présuma que puisqu'Eileen avait recommencé à travailler, les restrictions quant à l'allumage du feu avaient été levées. Sammy était allongé sur un divan sous un plaid en tissu écossais, la tête soutenue par deux oreillers. Il leva les yeux de la bande dessinée qu'il lisait.

— Allô, docteur Laverty, dit-il avant de retourner à sa lecture.

— Est-ce *Beano*? demanda Barry. Est-ce qu'il y a encore Denis la petite peste et Lord Snooty?

— Oui, dit Sammy, montrant un peu plus d'intérêt. Comment savez-vous cela?

— Je le recevais toutes les semaines lorsque j'avais ton âge.

— C'est vrai?

D'après l'expression sur le visage du garçon, la connaissance des bandes dessinées de son médecin avait fait son impression. Il la présenta à Barry et pointa une page ouverte.

— Ce type, Billy Whiz, il est nouveau cette année.

Barry prit le magazine mince, sourit devant le personnage dessiné en couleurs éclatantes et rendit la bande dessinée à son propriétaire.

— Merci, Sammy. Comment vas-tu, aujourd'hui?

— Ces bosses ont l'air différentes, pour ça oui. Et mes genoux et mes chevilles vont un peu mieux.

— Pas de maux de ventre?

Barry était assez sûr de connaître la réponse, mais il voulait en être convaincu. Les patients souffrant du purpura de Schönlein-Henoch pouvaient développer des douleurs abdominales en passant du sang dans leurs selles, mais la douleur était habituellement violente, et dans le cas de Sammy, elles auraient probablement obligé sa mère ou Maggie à convoquer le médecin immédiatement.

— Nan, dit-il en secouant la tête. Je dois être mieux pour Noël, pour ça oui.

Barry s'assit sur le bord du divan.

— Puis-je jeter un petit coup d'œil à tes rougeurs?

— Oui, certainement.

Il rejeta la couverture, et se rappelant vraisemblablement la dernière visite de Barry, il descendit son pantalon de pyjama et roula sur le ventre.

— Je ne suis plus comme une pomme de terre qui a germé.

Barry vit immédiatement que l'enflure des genoux et des chevilles de Sammy avait diminué. Il vit également que les éruptions d'urticaire étaient lisses sur la peau et qu'elles avaient pris la classique teinte pourpre.

— Remonte ton pantalon, fiston, dit-il, puis il jeta un regard à O'Reilly qui se tenait en silence à côté d'eux. Qu'en pensez-vous, Fingal?

— Vous êtes en plein dessus, Barry. C'est bien du *porphura*.

— Pardon?

— C'est la racine grecque de « pourpre ». Purpura pour vous.

— Je suis content que vous soyez d'accord.

Et en vérité, Barry l'était. Il avait été plutôt sûr de son diagnostic, mais c'était bien de le voir confirmé par son collègue plus expérimenté. Il se retourna vers Sammy.

— Tu es en voie de guérison, Sammy.

— Super, dit-il en souriant timidement. Je pense que c'est grâce à madame Houston.

Madame Houston ? Barry dut réfléchir, puis il se souvint que Maggie, qui était mademoiselle MacCorkle quand il était arrivé ici, était à présent madame Sonny Houston. Il trouva que c'était idiot de sa part. Il lui dit d'entrer, puis il demanda à Sammy :

— Et comment fait-elle cela ?

— Allez-y, madame Houston, la pressa Sammy. Montrez aux docteurs.

Barry vit Maggie rougir.

— Je ne le ferai pas, pour ça non.

— Oh, allez, insista Sammy.

— Cela ne vous dérangera pas, les docteurs ?

Barry, qui ne savait pas du tout de quoi ils parlaient, secoua la tête.

— Ne faites pas attention à moi, dit-il.

O'Reilly haussa les épaules et décocha un clin d'œil à Barry. Barry pensait peut-être qu'O'Reilly avait déjà vu ce que faisait Maggie.

— Attendez de voir ça, docteur Laverty, dit Sammy en souriant largement.

Maggie alla se tenir dans l'embrasure de la porte. Elle leva les mains, agrippa le bord supérieur du cadre de la porte, poussa un puissant grognement et réussit à soulever son corps à 180 degrés.

Barry la dévisagea, bouche bée. Il entendit Sammy taper des mains et O'Reilly marmonner :

— Douce mère de Dieu.

Maggie, à présent totalement inversée, accrocha les talons de ses chaussures sur le cadre de la porte et retira ses mains, de sorte qu'elle pendait uniquement par ses talons. Sa volumineuse jupe noire tombait sur sa tête, et ainsi, elle donna l'impression à Barry d'être une immense chauve-souris à l'étrange silhouette, une chauve-souris portant une culotte bouffante blanche aux chevilles qui avait dû lui être transmise par sa grand-mère.

— Maggie, descends immédiatement. Tu vas te tuer ! rugit O'Reilly.

Maggie exécuta un saut périlleux avant ; elle atterrit agilement sur ses pieds, se pencha un moment sur ses genoux puis se releva en se tenant aussi droite qu'une gymnaste descendue de son cheval d'arçon.

— Ouais, Maggie ! cria un Sammy enthousiaste. C'était génial, pour ça oui.

Barry secoua la tête et sourit.

— Pardieu, déclara O'Reilly ; les miracles ne cesseront-ils jamais ? Où diable as-tu appris à faire une chose semblable, Maggie ?

Elle lissa sa jupe et dit, un peu essoufflée :

— Vous vous rappelez qu'au mariage, Sonny a révélé que j'étais une plongeuse au tremplin lorsque j'étais jeune fille ?

— Oui, dit Barry. Moi, je m'en souviens.

— Eh bien, notre entraîneur était très avant-gardiste pour son époque. Il nous faisait faire de la gymnastique pour nous garder souples. Aimeriez-vous me voir faire le grand écart ?

— Je pense, dit O'Reilly, que nous avons eu suffisamment d'excitation pour une journée.

Il se tourna vers Barry et lui fit lentement un clin d'œil.

— Docteur Laverty, pensez-vous que cela expliquerait ses maux de tête ?

Barry se souvenait nettement de sa première consultation avec Maggie, quand elle s'était plainte de maux de tête... à cinq centimètres au-dessus du sommet de son crâne. Il fit de son mieux pour garder une expression neutre alors qu'il disait :

— Sans aucun doute, docteur O'Reilly.

— Arrêtez de dire des bêtises, les docteurs, dit Maggie. Faire cela ne m'a jamais fait le moindre mal de toute ma vie.

Sammy intervint avec enthousiaste.

— Et elle va m'enseigner comment faire dès que je serai guéri.

— Vraiment ? dit Barry avec un soupir en se demandant à quel point cela lui serait aisé de réparer un cou brisé quand Sammy, comme il le ferait fort probablement, tomberait.

— C'est quelque chose à espérer. En tout cas, dit-il en se levant, je pense que tu es en voie de guérison, Sammy. Tu pourrais même être mieux pour le jour de Noël.

Il se tourna alors vers Fingal.

— Qu'en pensez-vous, docteur O'Reilly ?

— Tu seras à la fête de Noël du Rugby Club, je parierais là-dessus, et tu y verras le père Noël.

Sammy lui offrit un grand sourire.

— Oui. Et il viendra aussi ici. J'ai organisé cela. Vous rappelez-vous que j'ai dit que je le ferais, docteur Laverty ?

Barry se souvenait vaguement du moment où Sammy lui avait dit fièrement que son frère, sa sœur et lui avaient un plan pour aider le père Noël avec ses finances. À présent qu'Eileen était de retour au travail, elle augmentait probablement ses économies de Noël. La boîte à thé contenant les billets de 10 shillings était encore à sa place sur le manteau de la cheminée.

Il ébouriffa la chevelure de Sammy.

— Bon garçon, dit-il avant de se tourner vers Maggie. Nous partons. Nous devons rendre visite à Kieran et Ethel.

— Allez-y, les docteurs, dit Maggie. Mais, si vous avez besoin de moi... je serai suspendue dans le coin.

Elle rejeta la tête en arrière, ouvrit sa bouche édentée et gloussa. Ses yeux se fermèrent, ses épaules tremblèrent, et finalement, elle réussit à dire :

— Suspendue dans le coin. Oh, mon doux. Mon doux, en voilà une bonne, pour ça oui. Attendez que je la raconte à Sonny. Il va éclater de rire, pour ça oui.

Elle ricanait encore tandis que Barry suivait O'Reilly dans la rue pour la courte promenade jusque chez les O'Hagan. Ils y étaient presque quand ils rencontrèrent Eileen Lindsay se hâtant dans la direction opposée.

Elle s'arrêta quand elle les vit.

— Bonjour, dit-elle. Sammy va-t-il bien ?

Barry entendit l'inquiétude dans sa voix.

— Beaucoup mieux, dit Barry. Beaucoup mieux.

— Dieu merci.

— Tu rentres tôt, dit O'Reilly.

— Oui. Les directeurs ont fermé l'usine pour la journée pour faire de l'entretien sur les métiers à tisser. Je ne suis pas triste de rentrer plus tôt. Ainsi, madame Houston peut rentrer retrouver son mari chez elle.

Barry dut tendre l'oreille pour l'entendre marmonner dans sa barbe :

— Nous devrions toutes être assez chanceuses pour en avoir un.

Elle haussa la voix et elle poursuivit :

— Elle est comme un cadeau du ciel, pour ça oui. Merci, docteur Laverty. Merci infiniment.

— Remerciez Maggie, et pas moi, dit Barry, réchauffé par ses paroles, même si la journée était froide. Rentrez chez vous à présent, Eileen.

Il la regarda continuer dans la rue au même rythme rapide, une femme qui semblait toujours être à court de temps. C'était une affliction compréhensible pour une femme célibataire avec trois enfants, et Barry ressentit une pointe de compassion pour elle.

— Venez, Fingal. Allons rendre notre dernière visite.

Il fallut seulement un petit moment pour atteindre la maison des O'Hagan, où Barry changea le bandage de Kieran. Le vieil ongle commençait à se séparer, et il tomberait bientôt. Barry rassura Kieran et Ethel, demanda à Kieran de passer au cabinet en début de semaine suivante puis donna un coup de tête vers O'Reilly pour indiquer qu'ils devaient partir.

Ils marchèrent dans un silence agréable sur la rue étroite jusqu'à l'endroit où la Rover les attendait. Barry anticipait avec plaisir le trajet paisible jusqu'à la salle paroissiale, suivi d'une marche dans les dunes avec Arthur puis d'une pinte au Canard boueux.

Le spectacle de Maggie, qui courait dans la rue vers eux — sans manteau dans l'air glacial — ne sembla pas avoir de sens au début. Elle agitait les bras, et elle criait :

— Les docteurs ! Les docteurs ! Venez vite. Pour l'amour de Dieu, venez vite !

Cela ne pouvait signifier qu'une chose : Sammy. Le purpura de Schönlein-Henoch devait montrer son côté plus
sinistre. Barry partit à la course avec O'Reilly sur ses talons.
Merde. Le petit gars avait paru si bien une demi-heure plus
tôt. S'il saignait dans le ventre, il aurait besoin d'une injection sous-cutanée d'adrénaline et d'un antihistaminique oral
pendant qu'on appelait une ambulance pour l'amener au
Children's Hospital.

— Est-ce que Sammy va bien ? A-t-il mal ? cria-t-il quand
il rattrapa Maggie, qui était à présent pliée en deux, les
mains sur les genoux.

— Non, non, haleta-t-elle avant de prendre une profonde inspiration. Ce n'est pas Sammy. C'est Eileen.

17

Il n'y a pas de fumée sans feu

Barry passa la porte d'entrée au pas de charge, vaguement conscient qu'O'Reilly le suivait. La scène devant lui semblait figée dans le temps. Eileen se tenait à côté du feu ; elle était à moitié tournée vers lui, de sorte qu'il voyait son profil. Sa tête pendait. Des larmes lui striaient les joues. Elle tenait un billet de 10 shillings dans une main et serrait la boîte à thé, un souvenir du mariage de la princesse Elizabeth, dans l'autre. Son couvercle pendait, ouvert, et Barry pouvait voir qu'elle était vide.

Sammy était assis sur le divan. Ses bras étaient enroulés autour de ses genoux relevés, et il fixait avec des yeux ronds la boîte tenue dans la main de sa mère à l'évidence bouleversée. Sa bande dessinée gisait sur le sol avec le plaid en tissu écossais.

Barry se dit avec un immense soulagement qu'au moins, Eileen n'était pas allongée sur le sol avec la bande dessinée et le plaid.

O'Reilly arriva et demanda :

— Qu'est-ce qui se passe ?

— Je ne sais pas encore, dit Barry.

Eileen s'approcha de lui et lui tendit la boîte.

— Ils ont disparu, dit-elle d'une petite voix cassée. Tous. J'allais y mettre 10 shillings, mais regardez…

Barry s'exécuta, et tout à fait irrationnellement, il espéra qu'en regardant bien, il pourrait miraculeusement faire réapparaître l'argent.

— Quinze livres. Toutes mes économies depuis Noël dernier.

Il gagnait trente-cinq livres par semaine, et ce n'était pas beaucoup d'argent. Barry regarda Eileen. Il vit comment ses épaules tremblaient, remarqua que l'un de ses bas de nylon filait encore et devina qu'elle négligeait ses propres petits luxes afin de mettre de l'argent de côté pour acheter quelque chose à ses enfants pour le jour de Noël. Et à raison de cinq livres chacun, ce n'était pas grand-chose.

Il n'était pas étonnant qu'elle ait dit à ses enfants que le père Noël était un peu fauché cette année. Où diable l'argent pouvait-il être passé ? Y avait-il un moyen de le récupérer ? Il fallait faire quelque chose pour l'aider. Mais quoi ? Avant que Barry puisse décider, O'Reilly prit les choses en main.

Il passa devant Barry, plaça un bras paternel autour des épaules d'Eileen et lui demanda :

— Quand as-tu vu l'argent pour la dernière fois, Eileen ?

Elle renifla et se frotta les yeux avec une main.

— Ce matin, après avoir allumé le feu pour Sammy et l'avoir amené ici en bas.

Elle s'obligea à faire un petit sourire vers Sammy.

— Il s'ennuie terriblement dans sa chambre à coucher, pour ça oui.

— Donc, dit O'Reilly, l'argent a disparu depuis ce moment-là.

— Oui, docteur. Ce doit être cela.

— Alors, qui est entré dans la pièce depuis que tu as allumé le feu — à part Sammy et Maggie?

Ses sourcils broussailleux se rejoignirent au centre de son front.

Malgré la gravité de la situation, Barry dut dissimuler un sourire alors qu'il imaginait Fingal Flahertie O'Reilly avec un chapeau à la Sherlock Holmes sur la tête et une pipe d'écume de mer dans la bouche. Cela, évidemment, aurait placé Barry dans le rôle du docteur Watson.

Eileen sanglota, et O'Reilly sortit un grand mouchoir pour le lui offrir.

— Prends ton temps, dit-il.

Eileen se moucha le nez, lui rendit son mouchoir et dit :

— Sammy, Mary et Willy. Ils ont été seuls un petit moment après mon départ pour le travail. Son frère et sa sœur s'occupent de Sammy jusqu'à ce que madame Houston arrive ici, puis ils partent pour l'école.

Quelque chose remua dans la mémoire de Barry. Qu'avait dit Sammy à propos d'une idée pour aider le père Noël avec sa situation financière délicate ?

— Et je suis arrivée ici à 8 h 30.

Barry se tourna pour voir Maggie, encore essoufflée, debout dans l'embrasure de la porte.

— Et je suis ici depuis, ajouta-t-elle.

— Et il n'y a pas eu de visiteur ?

— Non, dit-elle.

— Aucun voyageur de commerce n'est venu ?

— Personne, dit Maggie, à l'exception de vous et du docteur Laverty.

— Et Sammy est resté ici dans la pièce en tout temps ?

— Oui.

Elle se gratta la joue.

— Non, dit-elle alors. Je dis un mensonge. Il a dû aller faire pipi.

— Hum.

Les sourcils d'O'Reilly se rejoignirent.

— Hum, répéta-t-il.

Son dilemme était évident pour Barry. Si personne n'était entré dans la maison, les seuls suspects possibles étaient les enfants d'Eileen, désormais, on savait que Maggie avait été seule dans la pièce pendant que son protégé était à la salle de bain.

Aller au fond de l'affaire allait prendre une grosse dose de tact. Barry ouvrit son manteau. Avec quatre adultes, un enfant et un feu de charbon, le petit salon devenait étouffant.

O'Reilly retira son bras des épaules d'Eileen, puis il se tourna et regarda Sammy.

L'enfant le regarda en retour.

— Bon, Sammy, dit O'Reilly très doucement. Est-ce que toi ou Mary ou Willy, vous avez volé l'argent de ta maman ?

Le tact, constata Barry, n'était pas le point fort d'O'Reilly ; il aurait dû le savoir. Sammy sursauta.

— Volé ? Non. Nous n'avons *jamais* fait cela, pour ça non.

Il s'agissait là du démenti le plus véhément du vocabulaire de l'Ulster. Barry attendit de voir si O'Reilly accepterait la parole de l'enfant, s'il reposerait sa question ou s'il allait mettre Maggie en doute. Pendant un petit moment, le gros homme sembla à court de mots.

Puis il y eut un bruit de cliquetis, et Barry tourna les yeux à temps pour voir les charbons se redistribuer dans l'âtre. Le feu. Qu'y avait-il à propos du feu? Barry jeta un regard à Sammy, dont les yeux se promenaient de la boîte tenue dans la main de sa mère au feu avant de revenir sur la boîte. Barry se souvint de quelque chose. Eileen n'allait pas allumer le feu avant qu'il soit temps pour les enfants d'envoyer leurs lettres au père Noël. Sammy n'avait pas fait cela, n'est-ce pas? Était-ce possible? «Seigneur», pensa Barry. Il vit quelque chose dans les yeux du garçon, et il fut brusquement convaincu de savoir exactement ce qui s'était passé. Et s'il avait raison — il jeta un coup d'œil à Eileen —, il allait être très difficile de l'aider. Le garçon n'avait pas pu faire cela, n'est-ce pas? Barry sentit le froid dans son ventre.

— Docteur O'Reilly, demanda Barry, puis-je poser une question à Sammy?

— Allez-y.

Barry hésita. Il ne voulait pas donner à Sammy l'impression que les adultes se liguaient contre lui. Barry sourit et dit:

— Sammy, je sais que tu n'as pas volé l'argent.

— Vous voyez?

Sammy regarda O'Reilly.

Barry regarda Maggie par-dessus son épaule. D'après sa façon de froncer les sourcils, elle avait compris d'elle-même qu'elle était à présent la principale suspecte.

— Et je sais que vous ne l'avez pas fait, Maggie.

Elle opina de la tête dans sa direction.

Barry traversa la pièce, prit un tisonnier, s'accroupit, brassa le feu puis regarda Sammy droit dans les yeux.

— Mais tu voulais aider le père Noël, n'est-ce pas?

Sammy leva les yeux sur sa mère et sur la boîte dans sa main.

— Oui, dit-il d'une toute petite voix, et je voulais aider ma maman.

Il baissa les yeux et joua avec le tissu de sa veste de pyjama.

— Vous vous rappelez que ma maman a dit que le père Noël était un peu fauché cette année et que lorsque nous allions envoyer nos lettres par la cheminée, il ne faudrait pas que nous lui demandions beaucoup?

— Oui, Sammy.

Barry s'en souvenait en effet.

— Elle était très malheureuse de cela, pour ça oui.

La voix de Sammy commençait à se briser.

Mary et Willy et moi, nous avons pensé que si le père Noël avait un peu plus d'argent, maman retrouverait sa bonne humeur. Et j'allais dire à maman aujourd'hui ce que nous avons fait, mais je n'en ai pas eu l'occasion.

Il commença à pleurer et ajouta :

— Elle a ouvert la boîte, elle a regardé dedans, elle a été très bouleversée, et... et... et...

Ses sanglots étouffaient ses mots.

— Et je pense que nous avons fait quelque chose de mal, pour ça oui, conclut-il.

— Donc, Sammy, tous les trois, vous avez envoyé l'argent au père Noël par la cheminée?

La main d'Eileen vola à sa bouche ouverte.

— Oui, réussit à dire Sammy.

Et comme si d'avoir dit la vérité lui avait en partie fait retrouver le moral, il continua :

— Donc, maintenant, le père Noël aura des tas et des tas d'argent. N'est-ce pas, docteur?

« Mais pas Eileen », pensa Barry. Il garda cependant cette pensée pour lui.

— N'est-ce pas, docteur ? demanda à nouveau Sammy, qui recommença à pleurer.

Eileen le rejoignit, puis elle l'enveloppa dans ses bras et dit :

— Ça va, Sammy. Ça va. Ne pleure pas. Ça va.

O'Reilly posa une main sur son épaule et dit :

— Et tout ira bien, Eileen. Ne t'inquiète pas pour l'argent. Le docteur Laverty et moi, nous allons régler cela pour toi. N'est-ce pas ?

Il dévisage Barry.

— Oui, Fingal, dit Barry, sachant très bien que même s'il ne savait pas du tout de quoi parlait O'Reilly, l'homme avait fait cette déclaration avec tellement d'autorité que s'il avait dit à Barry de léviter jusqu'au plafond de la pièce, il aurait aussi répondu par l'affirmative et se serait élevé en conséquence.

— Vraiment, docteur O'Reilly ? Juré devant Dieu ?

Eileen sourit à O'Reilly à travers ses larmes.

— Juré devant Dieu, Eileen, dit-il.

Et Barry frissonna intérieurement. Il n'y avait pas de promesse qui engageait davantage dans l'Ulster.

— C'est super, alors, pour ça oui, intervint Maggie. Je suis très contente que tout soit réglé. Vous savez, je pense que nous avons tous besoin d'une bonne petite tasse de thé, et j'ai quelques tranches de mon gâteau aux prunes dans la cuisine.

Avant que Barry puisse réponde, O'Reilly dit :

— Prépares-en pour Eileen et toi, Maggie. Le docteur Laverty et moi avons une autre visite à faire.

Il se dirigea vers la porte, et Barry dut se précipiter pour le suivre.

— Et ne t'inquiète pas, Eileen, dit O'Reilly en partant. Sammy a raison. Le père Noël va avoir des tas d'argent. Promis.

Aucun des deux hommes ne parla avant que la Rover soit à mi-chemin sur l'une des routes secondaires montant dans les collines de Ballybucklebo au-dessus du village.

— Fingal, dit finalement Barry, vous avez dit à Eileen de ne pas s'inquiéter, donc je suppose que vous avez un plan?

O'Reilly projeta la Rover dans un virage. Les roues à l'intérieur du virage bondirent sur le bas-côté jusqu'à ce qu'il remette la voiture sur sa voie, ralentisse, tourne dans l'entrée d'un champ et freine férocement.

— Ouvrez le portail.

Barry fit ce qu'on lui demandait; il attendit qu'O'Reilly passe avec la voiture, puis il le suivit à pied et referma le portail. Ils étaient dans un champ qui avait été laissé en jachère et qui avait sa propre petite parcelle dans la courtepointe plus large de petits champs. Certains étaient des pâturages avec de petits troupeaux de moutons à la laine cotonneuse ou de bétail brun suède. D'autres étaient fraîchement labourés, et leurs sillons de terreau attendaient patiemment les semences d'orge, d'avoine ou de blé du printemps. Au printemps, les semences allaient germer et habiller la terre d'une fine mousseline verte. À la fin de l'été, il y aurait des champs d'or où les vents doux faisaient onduler la terre par vague tout comme le vent du soir faisait onduler une mer calme. Il marqua une pause, pensant au changement lent des saisons d'un fermier, content d'avoir déjà vécu son premier été et son premier automne. À présent, son premier hiver était arrivé.

Il ne restait plus beaucoup de temps avant que le partenariat qu'il était maintenant sûr de vouloir soit à portée de sa main. Il ne s'occupait peut-être pas de cas professionnellement stimulants qu'il avait l'habitude de voir à l'hôpital universitaire, mais être mêlé à la vie du village — et non seulement aux problèmes médicaux des résidents — avait ses avantages. Tout cet épisode qui venait d'avoir lieu était un autre exemple de la manière dont un médecin généraliste comme O'Reilly pouvait faire une différence dans la vie des gens, et Barry ne doutait pas qu'O'Reilly, même s'il n'allait pas en parler maintenant, aurait une solution pour les soucis d'Eileen. Travailler ici était bien ce qui l'attirait, à moins que ce maudit Fitzpatrick…

Barry n'acheva pas sa pensée, et il se mit à marcher vers l'endroit où O'Reilly avait garé la voiture, environ 20 mètres plus loin. Le champ, comme tous les champs de l'Ulster, était petit et comportait des limites irrégulières dessinées par ses murs en pierre sèche, les pierres grises mouchetées de lichen brun. Même au milieu de l'après-midi, l'herbe était givrée comme par du sucre glace. Au centre de la pelouse s'élevait un tertre, couronné par un unique prunellier et entouré par des buissons d'ajoncs jaunes en fleur. Barry savait qu'il s'agissait d'une colline des fées et que lorsque le champ serait cultivé, aucune charrue ne toucherait au tertre de peur que les petites personnes qui vivaient là fassent cailler le lait des vaches ou ruinent la récolte.

Il inhala un mélange de l'odeur d'amande des fleurs d'ajonc et du parfum aigre de la bouse de vache. L'endroit avait récemment servi de pâturage à un troupeau. Un filet vaporeux de fumée s'élevait de la petite vallée suivante et restait en suspension dans l'air froid. Il pouvait sentir l'odeur du bois qui brûlait. Quelqu'un avait dû rabattre une haie et nettoyer un fossé et disposait à présent du petit bois.

Barry vit O'Reilly quitter son côté de la voiture et ouvrir la portière arrière pour Arthur Guinness. Le gros chien déboula sur le sol en agitant la queue, reniflant l'air avant de partir au galop, seulement pour être rappelé par O'Reilly.

— Ici, monsieur. Viens.

À l'étonnement de Barry, la bête habituellement indisciplinée obéit immédiatement.

— Venez, Barry ! cria O'Reilly, et il commença à marcher vers l'anneau féérique. Au pied, toi.

Et le gros chien marcha à côté d'O'Reilly, le museau à moins de deux centimètres devant la jambe de son maître.

Barry courut pour les rattraper, son souffle formant un nuage dans l'air immobile. Il voulait connaître le plan d'O'Reilly pour aider Eileen Lindsay à récupérer sa fortune.

Au-dessus de sa tête lui parvint un « pi-witt, pi-witt » plaintif. Levant les yeux, il vit une volée de pluviers verts avec leurs crêtes évidentes, les oiseaux vert foncé sur le ciel bleu coquille battant des ailes langoureusement pour rentrer chez eux avec ce battement d'ailes étrange qui leur donnait leur nom de l'Ulster, les vanneaux.

Barry vit qu'O'Reilly et Arthur avaient atteint le bord de l'anneau féérique et qu'ils avaient arrêté de marcher.

O'Reilly se tenait avec les jambes écartées, et il ordonna :

— Assis.

Arthur obéit, levant les yeux sur O'Reilly. Son museau remuait, reniflait, cherchait. Il émit de petits marmonnements de gorge excités, et sa queue balaya un côté et l'autre du sol, débarrassant une forme de pointe de tarte d'herbe de son givre.

Barry les rattrapa.

— Fingal, dit-il, je vous ai posé une question à propos d'Eileen et de votre plan.

O'Reilly plissa le front, semblant ne pas avoir entendu la question, et déclara simplement :

— Ces ajoncs sont remplis de lapins. Regardez cela.

Il pointa les buissons d'ajoncs.

— Débusque, Arthur, dit-il doucement.

Le gros chien partit, le nez au sol. Il quadrilla le sol, et Barry savait qu'il tentait de trouver la piste d'une odeur. Arthur s'arrêta net, pivota et partit en ligne droite vers le bord des buissons, puis il s'arrêta et regarda O'Reilly derrière lui.

— Fais les sortir, mon garçon. Fais les sortir.

Les buissons craquèrent et oscillèrent tandis qu'Arthur se poussait en dessous, le ventre près du sol. Il disparut, et pendant quelques instants, tout ce que Barry put entendre fut un bruit de piétinement dans les broussailles. Puis ce bruit cessa et fut remplacé par un bruissement précipité. Trois lapins à la fourrure beige et brune et dont les oreilles étaient aplaties vers l'arrière de leur crâne sortirent en trombe de leur abri et filèrent dans le champ.

O'Reilly sourit largement et dit :

— Si j'avais eu mon fusil de chasse, nous aurions eu de la tourte au lapin demain soir.

Barry ressentit de la sympathie pour les lapins pendant un instant, puis il se rendit compte qu'il ne se serait pas opposé — pas une seule seconde — à plonger sa fourchette dans l'une des tourtes au gibier de Kinky. Il fixa les buissons en s'attendant à voir réapparaître Arthur, mais le bruit de piétinement recommença et se dirigeait plus au fond du fourré. Il se frotta les mains. Elles commençaient à geler, tout comme le bout de son nez. Il aurait aimé retourner dans la voiture et prendre la direction de la chaleur de la salle paroissiale comme l'avait suggéré O'Reilly au déjeuner. Et il aurait aimé obtenir une réponse à la question qui le tourmentait encore.

— Fingal, à propos de l'argent d'Eileen... Comment allons-nous le récupérer pour elle?

O'Reilly haussa les épaules et dit :

— Pour vous dire la vérité, Barry, en ce moment, je n'en ai pas la moindre idée.

— Mais vous sembliez si sûr de vous dans la maison, et...

Avec la soudaineté de l'explosion d'une mine sous les pieds, les ajoncs bruissèrent, et le staccato d'ailes courtaudes battant avec fracas fut accompagné d'un «kek, kek, kek» rauque. Un faisan s'était projeté dans le ciel au-dessus des buissons, sa tête émeraude iridescente sous le soleil, sa longue queue aux plumes rayées flottant derrière tandis qu'il prenait de la hauteur. Barry tressaillit, puis il reprit son sang-froid.

O'Reilly cria :

— Viens, Arthur!

Puis il se tourna vers Barry.

— Avez-vous vu ce gros gars?

— Difficile de le rater.

— C'est inhabituel pour un faisan d'être si loin du domaine du marquis, mentionna O'Reilly, mais de temps à autre, l'inattendu se produit.

Arthur réapparut, et O'Reilly l'appela au pied.

— Venez, Barry. Allons au Canard. Nous irons voir comment se prépare le spectacle un autre jour.

Il reprit la direction de la voiture, et Barry le suivit en se demandant si l'effort et le froid avaient fatigué son collègue plus âgé, habituellement infatigable.

— Vous sentez-vous bien?

— On ne peut mieux, dit-il, mais il frissonna. J'aimerais seulement boire une pinte. Je n'en ai pas eu depuis lundi.

«Cela tuerait le gros homme d'admettre une faiblesse», se dit Barry, mais, il dit plutôt :

— D'accord. Et Fingal?

— Quoi?

— Vous n'avez vraiment pas de plan pour Eileen, n'est-ce pas?

— Pas le moindre; mais rappelez-vous le faisan. L'inattendu a l'habitude de se produire.

— Donc, vous allez vous contenter de rassurer tout le monde et de simplement espérer qu'il se produise quelque chose?

— Non.

O'Reilly ouvrit la portière arrière de la voiture et attendit qu'Arthur saute à l'intérieur.

— Je laisse ces aspirations de retournements généraux à monsieur Micawber.

— Dickens.

— Je sais cela. *David Copperfield.*

Il fit claquer la portière arrière.

— Non, j'ai dit que je penserais à quelque chose, et je vais foutrement trouver quoi faire, dit-il avant d'ouvrir la portière du conducteur. Mais, je réfléchis bien mieux avec une pinte en main. Alors, courez ouvrir le portail comme un bon garçon.

Et Barry, vaguement rassuré, fit exactement cela.

18

Les « en fait » sont des choses très têtues

La température s'était maintenue jusqu'à samedi, et quand Barry descendit un peu en retard pour le petit déjeuner, le soleil dansait sur les facettes du verre taillé des carafes sur le buffet et rebondissait sur le couvercle au dôme en argent d'un chauffe-plats. L'arôme du café frais était écrasé par l'odeur des harengs fumés pochés.

O'Reilly, assis au bout de la table, agita sa fourchette à poisson dans la direction générale du buffet et dit :

— Bonjour, Barry. Servez-vous. Je vous en ai laissé deux.

Il engouffra une bouchée et ajouta :

— Pas comme certaines boulettes de pâte auxquelles je pourrai faire allusion.

— Bonjour, Fingal.

Barry bâilla et ignora la pique venant de l'homme qui, peu de temps auparavant, avait mangé un canard rôti entier destiné à tous les deux sans avoir une seule pensée pour son assistant affamé. Il ouvrit le chauffe-plats et recula pour laisser se dissiper un nuage de vapeur à l'odeur de poisson.

Il était content que Fingal soit de garde aujourd'hui. La journée de la veille avait été chargée après le déjeuner. Il était passé voir Sammy et Maggie, il avait rendu visite à

Jeannie Jingles, et il avait organisé des visites de suivi pour Eddie, dont la pneumonie était bien en voie de guérison et qui avait reçu son congé de l'hôpital pour enfants. Ensuite, il avait fait trois autres visites à domicile.

À présent que le nuage de vapeur s'était dissipé, il utilisa un couvert de service de poisson à lame large pour mettre les harengs dorés et fumés au bois de chêne sur son assiette, qu'il emporta à sa place avant de revenir se verser une tasse de café. Patricia devait téléphoner d'une minute à l'autre. Elle serait peut-être maintenant en mesure de lui dire qu'elle rentrait à la maison ; il était possible que cela soit la raison de son appel aujourd'hui. Elle avait peut-être cédé et était prête à accepter son offre de payer le billet du transbordeur. Il l'espérait en diable.

— Versez-m'en un pendant que vous êtes debout.

O'Reilly tendit sa tasse à Barry, et il repoussa son assiette, remplie de squelettes de hareng.

Tandis qu'il servait deux tasses, Barry compta quatre épines dorsales. O'Reilly ne s'était pas privé. Kinky estimait que le retour de l'irritabilité d'O'Reilly était un signe de sa guérison, tout comme le retour de son appétit. Il tendit sa tasse à O'Reilly.

— Tenez.

— Merci, Barry, dit O'Reilly en acceptant la tasse et la soucoupe. Comment était votre nuit ?

Barry revint à sa place et but une grosse gorgée.

— Occupée.

— Oh ?

— Oui. J'ai dû sortir à 2 h 00. Le juge Egan avait des douleurs à la poitrine.

— Il a une angine, dit O'Reilly. Faisait-il un infarctus ?

— Je ne sais pas, mais ses comprimés de nitroglycérine ne stoppaient pas la douleur, alors je lui ai donné 15 mg de morphine, et je l'ai envoyé en ambulance. J'ai dû attendre qu'elle arrive.

— Bon garçon, dit O'Reilly en beurrant sa troisième rôtie. Eoin est un homme bien. Il aura 73 ans jeudi prochain.

Barry secoua la tête. Il aurait pu jurer qu'O'Reilly transportait chaque petite information utile à propos de chacun de ses patients avec lui dans sa grosse tête à la chevelure hirsute et à la face burinée. Barry se mit au travail pour séparer le filet des arêtes, mais il hésita quand O'Reilly continua.

— Son nom lui convient.

— Eoin ? Pourquoi ? Ce n'est que de l'irlandais archaïque pour le nom John. La plupart des gens aujourd'hui utilisent Sean.

O'Reilly secoua la tête.

— Pas Eoin. Son patronyme, Egan. Il est dérivé de *MacAodhagáin*. La famille était composée de *brehons*, les avocats et les juges héréditaires des chefs de clan de Roscommon.

— Ça parle au diable.

Barry rigola et reprit le filetage de son poisson, puis il marqua une pause pour dire :

— Cela ferait de lui Juge Juge… exactement comme ce type, Major Major Major dans *Catch 22*.

— Joseph Heller. Un livre foutrement drôle.

O'Reilly, qui avait terminé sa rôtie, fixait le support à rôties.

Barry fit glisser la tranche de poisson, qui était à présent dépourvue d'arêtes, sur le côté de son assiette.

— Nous avions un chef de clinique en recherche qui travaillait sur l'incontinence urinaire. Le pauvre type s'appelait Leakey. Cela lui convenait. Il était ennuyeux comme la pluie.

O'Reilly s'esclaffa longtemps et bruyamment, et Barry se dit que c'était pour cette raison qu'il n'avait pas entendu que le téléphone sonnait dans le vestibule jusqu'à ce que Kinky entre et dise :

— Votre mademoiselle Spence est au bout du fil.

Barry bondit de sa chaise comme un lévrier s'élançant de la barrière de départ ; il bouscula Kinky, attrapa le combiné et dit :

— Allô ? Patricia ?

— Comment vas-tu, Barry ?

— Bien. Comment vas-tu — il baissa la voix —, chérie ?

La porte de la salle à manger était ouverte.

— Tu vas devoir parler plus fort, dit-elle.

Il tourna le dos à la porte ouverte, mit sa main en coupe autour du microphone et dit un peu plus fort :

— Je t'aime.

Il entendit son petit rire.

— Je t'aime aussi, Barry. Vraiment.

C'était un soulagement. Il voulait lui demander si elle revenait dans l'Ulster, mais au lieu de cela, il dit :

— Où es-tu ? À la résidence ?

— Non. Je suis à Bourn. Je passe la fin de semaine avec Jenny.

— Jenny qui ?

Il aurait foutrement aimé qu'elle passe la fin de semaine avec lui.

— Jenny. Jenny Compton. Je t'ai parlé d'elle.

— Oui.

C'était la fille chez qui Patricia irait pour Noël si elle ne rentrait pas dans le Nord de l'Irlande.

— Ses parents ont des tonnes d'argent. Son père est courtier, et il dit que je peux bavarder tant que je le veux avec son téléphone et oublier le coût. Il peut déduire les appels téléphoniques de ses frais professionnels.

— Ce doit être bien, dit Barry. Néanmoins, être capable d'avoir une bonne conversation est un changement par rapport aux deux minutes rapides au téléphone une fois par semaine et à la lettre occasionnelle.

— Je suis désolée, Barry, dit-elle, mais ma charge de travail scolaire est très lourde. Je n'ai tout simplement pas le temps d'écrire des lettres chaque soir.

— Je comprends cela, dit-il, pensant qu'il devait encore une lettre à ses parents. Je suis aussi coupable que toi. Mais tu me manques, Patricia.

— Et tu me manques aussi… particulièrement dans ma petite chambre à coucher la nuit. C'est très froid, à cette époque de l'année.

Il y avait une touche d'enrouement dans sa voix.

Seigneur, il mourrait d'envie de la serrer dans ses bras. Il était sur le point de lui dire à quel point il aurait aimé être là pour la garder au chaud, mais elle poursuivit sur sa lancée.

— Ma chambre à coucher est charmante et confortable, ici. Jenny et ses parents vivent dans une maison de campagne. Un toit de chaume, de vieilles poutres en chêne. Elle a été construite en 1643.

— Cela me semble très rustique.

Comment pouvait-elle lui faire cela ? Faire une remarque sexy, puis changer de sujet. Il aurait aimé qu'elle cesse de jacasser et lui dise ce qu'il voulait savoir.

— Ce l'est. L'endroit se trouve à quelques pas seulement du manoir local, Bourn Hall, et ça, c'est un endroit fascinant.

— J'en suis certain.

Sa bouche et ses seins étaient également fascinants, et il la désirait ardemment.

— Elle était la propriété de la famille De La Warr... ceux en l'honneur de qui l'état du Delaware américain a été nommé.

— Patricia...

Il sourit à Kinky alors qu'elle retournait dans sa cuisine. Le sourire de Barry s'estompa. Patricia n'était habituellement pas du genre volubile. Elle parlait sans arrêt parce qu'elle avait quelque chose de désagréable à lui dire. Il le sentait.

— La même famille est propriétaire d'une grande forêt, et c'est exactement cet endroit que l'auteur A. A. Milne a appelé le « Bois des cent acres » dans les histoires de *Winnie l'Ourson*.

— Vraiment ?

Il commença à laisser transparaître son manque d'intérêt dans sa voix. Il était certain qu'elle se servait de ce bavardage banal comme d'un écran de fumée pour éviter de lui dire qu'elle ne venait pas.

— C'est intéressant.

Il l'entendit glousser.

— En parlant de Winnie, chéri, tu parles un peu comme Bourriquet.

Barry prit une profonde inspiration.

— Écoute, Patricia, c'est merveilleux de bavarder, mais il me faut savoir quelque chose afin d'organiser un horaire de garde avec Fingal : rentres-tu à la maison ?

Il entendit une touche d'agacement s'infiltrer dans sa voix.

— Je ne le sais pas encore.

Barry essaya de ne pas montrer sa déception, mais malgré cela, il lui demanda :

— Si tu ne le sais pas encore, pourquoi as-tu téléphoné ?

— Parce que, Barry, j'aime entendre ta voix — son ton était mesuré —, et je savais que cela ne dérangerait pas le père de Jenny. Tu me manques, et j'étais heureuse que nous puissions nous parler.

— Seigneur, j'aimerais discuter aussi, mais j'aimerais mieux le faire face à face.

— Moi aussi.

— T'es-tu informé à propos du transbordeur ?

Il attendit de voir comment elle allait réagir. Rien.

— Patricia, es-tu toujours là ?

— Pas encore. J'ai été occupée.

— Trop occupée pour faire un appel téléphonique ? Merde, Patricia, je vais payer le billet, et il ne peut pas coûter beaucoup.

Il y eut une longue pause avant qu'elle lui déclare très catégoriquement :

— Je ne suis pas sûre que j'aimerais cela, Barry.

— Pourquoi pas, merde ? Je travaille. Je gagne de l'argent. Tu es étudiante. Je t'aime. Je veux te voir. Je présume que tu veux me voir ?

— Ne fait pas l'idiot.

Il pressa les lèvres.

— Pourquoi offrir de payer ton billet est-il idiot ?

— Ce que je voulais dire, c'est que je veux évidemment te voir et que si tu crois le contraire, tu es idiot.

— Alors, laisse-moi payer pour ton billet.

Il patienta.

— Barry…

Sa voix était très calme.

— Je t'aime, continua Patricia, mais…

— Mais ? Mais ? Mais quoi ?

— Mais cela me semble beaucoup d'argent pour un assistant médical sous-payé…

Il sentit qu'elle essayait de refuser gentiment.

— C'est mon argent.

— Et tu travailles très dur pour le gagner.

Il comprit qu'il menait un combat perdu.

— Je ne pense pas que ce soit à cause de cela du tout. C'est ta foutue fierté. D'une manière ou d'une autre, tu penses que le fait d'accepter de l'argent de moi menacerait ton indépendance.

Il l'entendit s'éclaircir la gorge puis dire posément :

— Je crois en effet que les femmes ne devraient pas être financièrement dépendantes des hommes.

— Oh, allons, Patricia. Je ne te demande pas cela. Je ne te demande pas de transiger avec tes principes. Tout ce que je veux, c'est te voir. Tu me manques comme ce n'est pas possible.

— Et tu me manques, Barry. Toutefois, je ne vais pas accepter ton argent.

— Ce ne sont pas des « principes ». C'est de l'entêtement. Tu m'as dit de ne pas faire l'idiot. Ne sois pas stupide.

Sa main serrait le combiné.

— Barry, je t'aime, mais cette conversation ne mène nulle part.

Les mots suivants échappèrent à Barry.

— Nous non plus, avec toi qui refuses de revenir à la maison.

Les mots de Patricia furent secs.

— Je ne refuse pas de venir, mais je refuse de prendre ton argent.

— Et c'est définitif ?

Il patienta. Avait-il entendu sa voix se briser quand elle avait répondu par l'affirmative ?

Il tint le combiné devant son visage et le fixa. « Loin des yeux, près du cœur ? De la merde, oui ». Il le replaça sur son oreille et devant sa bouche.

— Es-tu encore là, Barry ? Barry ?

— Oui.

Le silence s'installa et dura. « Que je sois maudit si je suis le premier à parler », se dit-il.

— Barry ? Je t'aime.

— Dans ce cas, laisse-moi acheter ton billet.

— Non.

Il ferma les yeux avec force, prit une profonde inspiration et dit :

— Je vais raccrocher à présent, Patricia. Tu sais où me trouver si tu changes d'avis.

Il y avait un picotement derrière ses paupières.

— Au revoir, Barry.

Il entendit le clic, et la communication fut coupée. Diable. Pourquoi la foutue femme ne voulait-elle pas entendre raison ? Il reposa le combiné.

— Profite de tes stupides canards, dit-il à personne en particulier.

Barry s'éclaircit la gorge, frotta le dos de sa main sur ses yeux, lissa la mèche rebelle qui, il le savait, devait pointer sur son crâne, puis il retourna dans la salle à manger.

O'Reilly mâchait de la nourriture, et l'assiette avec les deux harengs fumés qui aurait dû attendre à la place de Barry s'était miraculeusement déplacée devant O'Reilly, qui terminait le dernier morceau. Il sourit d'un air qui sembla coupable à Barry, et il dit :

— Ils refroidissaient. Cela aurait été dommage de les perdre. Kinky est partie mettre deux œufs à bouillir pour vous.

— Seigneur, Fingal...

Cependant, Barry découvrit qu'il n'avait pas envie de commencer une autre dispute — pas immédiatement après la dernière.

— Oubliez ça. Les œufs seront parfaits.

Il prit sa tasse à moitié pleine de café, et il alla au buffet pour la remplir et la réchauffer avec du café frais de la cafetière.

O'Reilly rota, puis il dit :

— Pardon.

Il se leva et alla regarder par la fenêtre en saillie avant d'ajouter :

— C'est une belle journée dehors, Barry. Qu'allez-vous faire, maintenant que vous êtes libre ?

Barry haussa les épaules.

— Je ne sais pas trop. Me reposer un moment.

O'Reilly rit.

— Vous voulez yeulement être yeul ?

Barry ne peut s'empêcher de sourire.

— Fingal, c'est la pire imitation de Marlene Dietrich que j'aie jamais entendue.

— Mais c'est vrai, n'est-ce pas ? Je n'écoutais pas votre conversation délibérément, mais je n'ai pas pu m'empêcher d'entendre le ton de votre voix.

Barry haussa les épaules.

— Elle se montre têtue, c'est tout.

O'Reilly se rapprocha de Barry, posa une main sur son épaule et dit gentiment :

— Elle finira par changer d'avis, fiston. Vous verrez. Barry aurait ri de toute autre personne qui aurait dit cela, mais O'Reilly était un juge très futé des gens, et Barry trouvait son conseil réconfortant, voire totalement crédible.

— Merci, Fingal.

— Et entre-temps, continua O'Reilly, vous pouvez relaxer ce matin et faire vos mots croisés énigmatiques, mais cet après-midi, vous nous accompagnez, Kitty et moi.

— Kitty et vous ? Où cela ?

— Je lui ai téléphoné hier soir. Elle vient ici, et Kitty, Arthur et moi... et vous, à présent, nous allons aller voir un combat de titans. Une partie de rugby entre les Ballybucklebo Bonnaughts et les Glengormley Gallowglasses.

Barry rit. Les Bonnaughts avaient été nommés d'après les soldats mercenaires irlandais du XIVe siècle, et les Gallowglasses devaient leur nom aux combattants professionnels écossais qui avaient été les premiers à venir en Irlande en 1258. Et Barry se souvint que la façon dont les deux équipes se comportaient chaque fois qu'elles se rencontraient faisait en sorte qu'il était très approprié que chacune d'elle soit nommée en l'honneur d'un groupe de guerriers.

Certaines de leurs rencontres étaient des légendes dans les cercles du rugby de l'Ulster.

— Cela devrait être toute une bagarre, dit-il. J'accepte, Fingal, mais…

— Mais quoi ?

— Ne préféreriez-vous pas être seul avec Kitty ?

O'Reilly s'esclaffa bruyamment.

— À une partie de rugby ? Seul avec elle ? Ne soyez pas stupide. Pas dans l'après-midi, du moins. Je l'amène au Crawfordsburn pour dîner, et j'aurais bien besoin de votre aide à ce moment-là.

— Vous avez besoin de mon aide pour manger ?

— Non, imbécile. Je dois me rendre à une réunion mystérieuse de comité après la partie. J'aimerais que vous la distrayiez jusqu'à ce que ce soit terminé.

— D'accord.

— Cependant, Barry, je ne prendrais pas cela mal si vous disparaissiez après la fin de la réunion.

Barry regarda pour voir si le gros homme rougissait, mais étant donné le teint naturellement avivé d'O'Reilly, c'était impossible à déterminer.

— Je peux faire cela, Fingal.

Il se souvint qu'il voulait contacter Jack Mills pour qu'il vienne à la maison manger un peu de la cuisine de Kinky ou — il eut une bonne idée — pour que lui-même rejoigne Jack à la danse dans la résidence des infirmières.

— Il me faut seulement aller passer un coup de fil.

19

Les balourds boueux dans les buts

O'Reilly gara la Rover dans un stationnement de gravier
à côté d'une rangée de vieux hêtres qui poussaient
devant le replat herbeux. Il estima qu'ils mesuraient tous au
moins 30 mètres de hauteur. Il se pencha, donna un petit
baiser sur la joue de Kitty et dit :

— Nous sommes arrivés.

Il sortit et ouvrit la portière arrière pour Arthur
Guinness. Le chien courut immédiatement jusqu'à l'arbre le
plus près et leva une patte. O'Reilly regarda la route derrière
lui. Aucun signe de la voiture de Barry. Il l'apportait afin
qu'il puisse conduire Kitty au numéro 1 de la rue principale
après la partie, quand O'Reilly serait à sa réunion du comité.

Il regarda en haut à travers les doigts squelettiques des
branches nues des arbres, là où les cirrus semblaient être des
taches de crayon blanc sur un immense ciel couleur de
papier cartouche bleu pâle. Les nuages bougeaient à peine
tant le vent était rare et O'Reilly se dit alors que même si l'air
avait peu de chances d'entraîner de nombreux cas de coup
de chaleur, il n'était pas d'un froid mordant. Kitty n'allait pas
geler en restant debout près des lignes de touche pour
regarder la partie. « Bien. »

Il marcha lentement vers son côté de la voiture. Les noix de hêtre crissèrent sous ses pieds. Il la regarda et vit qu'elle se tenait debout devant lui. Kitty n'était pas du genre à attendre que le gentleman ouvre la portière pour elle. C'était une femme en contrôle d'elle-même. Il s'en doutait jusqu'à ce mardi soir dernier. Depuis qu'elle avait pris l'initiative, l'avait embrassé et avait dit — ou du moins avait laissé entendre — qu'elle était toujours amoureuse de lui, il ne doutait plus du fait que Kitty O'Hallorhan était une femme indépendante. Et il admirait cela chez elle.

Elle portait un manteau trois-quarts vert bouteille sur un pantalon à étriers noir et des chaussures à talons plats. Le col de fourrure du manteau était relevé contre le bas de son visage, et ses remarquables yeux ambre mouchetés de gris pétillaient sous un fichu en soie orné d'un motif sur le thème des courses de chevaux. « Pardieu, c'est un vrai pur-sang, cette Kitty », pensa-t-il avec un sourire. « Admets-le, Fingal. Elle a beaucoup d'affection pour toi », se dit-il ensuite quand il vit le doux regard qu'elle avait pour lui, un regard qu'il se souvenait bien avoir vu de si nombreuses années plus tôt.

Et il reconnut que depuis mardi soir, elle lui avait donné beaucoup à réfléchir sur ce qu'il ressentait pour elle, mais ici, alors qu'ils étaient en route vers la partie de rugby, ce n'était pas le bon moment pour lui en parler. Peut-être ce soir au dîner. S'il pouvait arriver à démêler ses sentiments avec précision.

Il se tint à côté d'elle.

— Voici Barry, dit-il alors qu'il regardait la Volkswagen usée avancer dans l'allée et s'arrêter à côté de la Rover.

Barry sortit et les rejoignit.

— Qu'est-ce qui vous a retardé ?

— Seigneur, Fingal, dit Barry, j'aurais besoin d'une chambre de combustion sur ma voiture pour vous suivre, avec la manière dont vous conduisez. Saviez-vous que vous aviez envoyé un autre cycliste dans le fossé ?

— L'ai-je frappé ? demanda O'Reilly en souriant. Cela ne compte pas si tout ce que je fais, c'est leur donner une petite poussée.

— Tu l'as presque fait, Fingal, dit Kitty. Tu m'as terrifiée.

Le sourire d'O'Reilly disparu, et il dit d'un ton contrit :

— Je suis désolé.

— Franchement, dit-elle en secouant la tête.

Elle passa son bras sous le sien et dit :

— Je vais te pardonner, cette fois, mais je m'attends à ce que tu conduises plus prudemment à l'avenir.

Puis elle commença à avancer à grands pas vers le terrain et lança :

— Viens. Allons voir la partie.

— Attends une minute.

O'Reilly tendit la main vers le siège arrière de la Rover et sortit une gibecière en toile.

— De la nourriture, dit-il en faisant glisser la lanière sur son épaule. Kinky nous a donné quelques bouteilles thermos de sa soupe aux tomates, et — il fit apparaître une flasque en argent d'une poche intérieure — j'ai apporté l'anti-venin… juste au cas.

Le rire de Kitty était grave et mélodieux.

— Je pensais que saint Patrick avait chassé tous les serpents d'Irlande.

— Oh, dit O'Reilly, rangeant la flasque dans la poche de son pardessus, on ne peut jamais être assez prudent. Un ou deux ont pu revenir en douce.

Il était sur le point de partir quand une Sunbeam Talbot noire arriva et se gara avant que le docteur Ronald Hercules Fitzpatrick en émerge. O'Reilly attendit que l'homme s'approche, puis il le salua poliment et lui présenta Kitty.

À l'évidence, l'homme la reconnut.

— Ravi de vous revoir, mademoiselle O'Hallorhan. Beaucoup de temps a passé depuis Dublin et nos jours d'étudiants, dit-il en frottant ses mains gantées avec le genre de délectation qu'aurait pu afficher un entrepreneur en pompes funèbres en voyant un cadavre frais. Alors, Fingal, continua-t-il, penses-tu que ton groupe a une chance ?

O'Reilly grogna. C'était une question idiote.

— Je suis ici pour soutenir l'opposition. Je soutiens les Glengormley Gallowglasses depuis des années, ajouta Fitzpatrick.

— Vraiment ? dit O'Reilly. Eh bien, je ne donnerais pas cher de leurs chances aujourd'hui. Les Bonnaughts ont deux joueurs de l'Ulster de leur côté.

— Mon brave homme…

« Il est vraiment à côté de la plaque avec ces "braves ceci et cela", l'emmerdeur condescendant », pensa O'Reilly.

— Nous avons un type qui est arrière et qui restera anonyme, prêté par le Nord. Il a joué pour l'Irlande trois fois, vous savez. Nous allons tout simplement vous dévorer vivants. Vous dévorer.

— Vraiment ?

O'Reilly croisa les bras sur son torse. Avoir un joueur du North of Ireland Football Club, un des clubs de la ligue majeure, un joueur qui n'était pas un membre régulier des Gallowglasses, c'était presque comme tricher, mais O'Reilly n'allait pas s'y opposer. Au lieu de cela, il dit :

— Ronald, je sais que tu as ta religion à cœur, mais aimerais-tu appuyer cette remarque avec quelques livres ?

Fitzpatrick plissa le front et mit un index plié sur sa lèvre inférieure.

— Je ne devrais vraiment pas.

« Il a seulement besoin d'un peu d'encouragements », pensa O'Reilly.

— À mon avis, Hercules, ton groupe ne pourrait pas battre un tapis... avec le vent dans le dos.

Fitzgerald glouglouta, ses caroncules tremblèrent, et sa pomme d'Adam sautilla.

— Très bien, docteur O'Reilly, je vais accepter une petite mise. Disons... disons une livre.

O'Reilly sourit largement.

— Oh, allez. Tant qu'à être puni, il faut que cela vaille la peine.

Ses yeux se plissèrent et sa voix se durcit.

— Monte à 10 livres, et je suis ton homme.

Il y eut une excursion massive dans le larynx de Fitzgerald tandis qu'il avalait, puis il dit tout en tendant la main :

— Tu as ton pari.

O'Reilly serra la main tendue de Fitzpatrick et remarqua que l'homme n'avait pas eu la courtoisie de retirer son gant.

— Pari tenu, dit-il. Je te reverrai au club-house après la partie. À présent, si tu veux bien nous excuser, nous ne voulons pas rater le coup de départ.

Il prit la tête du groupe vers le haut du replat en direction du bord du terrain, échangeant des salutations avec d'autres partisans de l'équipe locale qui avaient pris leurs places près de la ligne de touche. La section d'encouragement des visiteurs occupait le côté le plus éloigné sur le terrain. Déjà, des insultes bon enfant étaient échangées de part et d'autre du terrain :

— Voyez-vous votre demi de mêlée de Ballybucklebo ?

— Qu'est-ce qu'il y a à propos de Fergus Finnegan ?

— Ses jambes sont tellement arquées qu'on pourrait conduire un poney et une charrette entre elles.

Il y eut des cris d'encouragement et des sifflements venant de la ligne de touche à l'autre extrémité.

Pour ne pas être en reste, Archie Auchinleck cria à son tour :

— Voyez-vous votre demi de mêlée ? La dernière fois qu'il était ici, il n'était même pas question qu'il fasse une passe à son trois-quarts centre ; il a essayé de lancer le ballon au sol… et il a raté son coup.

Il y eut des rugissements d'encouragement et des rires de son côté.

— Et toi ? Ta mère est une traînée.

— Voilà ce que j'appelle avoir de la répartie.

Il y eut une tempête de rires.

— T'as l'esprit tellement aiguisé que tu vas te couper, pour ça oui.

O'Reilly se joignit aux rires alors qu'il s'arrêtait sur la ligne de centre.

— Allonge-toi, monsieur, dit-il à Arthur, puis il attendit que les gens du coin fassent de la place pour son groupe et lui, et il se tint solidement sur ses pieds en survolant la scène du regard.

Le gazon court et souple, les lignes de touche marquées à la chaux, la ligne de centre, les lignes de 25 mètres et les lignes de but étaient assez standards, jusqu'aux poteaux des buts en « H » à chaque extrémité. Le terrain avait été découpé dans une terre agricole non défrichée.

Il le savait parce qu'il avait aidé au découpage en 1947.

À l'origine, c'était une parcelle de terre en friche d'un fermier. Il s'agissait alors d'une terre irrégulière, recouverte d'ajoncs, de roncières et de fougères, une terre rocheuse et pas très bien drainée. Inutile comme terre arable. Un groupe de villageois et lui, avec la même idée en tête, avaient levé des fonds pour acheter le lot pour une somme modique. Et par la seule force de leurs propres efforts, ils l'avaient défrichée et drainée.

Il fallait en convenir : le fait que le terrain était situé à mi-hauteur des célèbres drumlins de County Down — de petites collines arrondies laissées par la dernière ère glaciaire — et qu'il était par conséquent incliné dans un angle de 10 degrés d'une ligne de but à l'autre ligne de but était simplement considéré comme une excentricité locale.

Ce qui rendait le lieu véritablement unique et qui était une source constante de fierté pour O'Reilly était que le Rugby Union Club et la Gaelic Atletic Association avaient participé à la récupération de la terre, ce qui faisait qu'aujourd'hui, ils avaient un droit égal sur les installations. Les joueurs de rugby majoritairement protestants l'utilisaient les samedis. L'équipe Gaelic Football entièrement catholique et l'équipe de hurling s'en servaient un dimanche sur deux en alternance après la messe. Les deux groupes se rassemblaient pour les activités importantes comme la prochaine fête annuelle de Noël.

Les tribus adverses s'affrontaient souvent dans d'autres parties du Nord ou, au mieux, étaient dans un état permanent de «neutralité armée», de l'avis d'O'Reilly. Donc, la collaboration sportive ici en disait long sur la paix qui régissait les deux communautés du village.

Enfin, la paix à Ballybucklebo. Il n'y avait pas de branche d'olivier échangée aujourd'hui entre les deux équipes, qui étaient rivales depuis que le terrain était ouvert. Glengormley était en banlieue de Belfast. Ballybucklebo était catégoriquement rurale.

En plus de préparer le terrain, les pères fondateurs avaient construit un petit club-house d'un étage qui s'élevait à son extrémité la plus éloignée et à une certaine distance des lignes de touche.

Il irait là-bas après la partie pour la réunion du comité. Mais ce serait après la partie.

Des applaudissements se déclenchèrent sur la ligne de touche la plus éloignée tandis que les 15 joueurs opposés, les Glengormley Gallowglasses, portant leurs chandails bleu et jaune à rayures verticales et leurs shorts noirs, sortaient en courant du club-house. Deux des hommes plus gros, les joueurs avant, portaient des casques de rugby en cuir.

Ils étaient poursuivis par les chandails noir et blanc à carreaux et les pantalons blancs des Ballybucklebo Bonnaughts. O'Reilly se joignit aux rugissements d'approbation pour son équipe. Il avait une loyauté féroce pour son club, et il voulait qu'il ait une victoire aujourd'hui, sans égard à son pari avec Fitzpatrick. Cela ne faisait qu'ajouter du piquant.

Une grande silhouette solitaire aux cheveux gris acier arriva sur le terrain en courant. Il portait le jersey vert d'Irlande avec son bouclier de tissu blanc avec une branchette et trois trèfles fixés sur le sein gauche. O'Reilly ressentit une pointe de nostalgie quand il se souvint de sa propre occasion de représenter son pays avant la guerre.

Le marquis, l'arbitre d'aujourd'hui, avait été sélectionné quelques années avant O'Reilly. Quand il atteignit le centre du terrain, il siffla dans son sifflet, et les deux capitaines d'équipe le rejoignirent. Une pièce fut lancée. Les Bonnaughts gagnèrent et choisirent de jouer la première demie en montée, ce qui leur donnerait l'avantage dans la deuxième demie quand ils s'affaisseraient après leur premier effort physique : ils pourraient avoir la gravité de leur côté. Leur choix donna le droit à l'équipe adverse de donner le coup d'envoi.

Tandis que les Bonnaughts s'alignaient sur le terrain à 10 mètres de la ligne de demi-centre, le botteur adverse, leur arrière importé, déposa le ballon ovale sur l'un de ses bouts pointus au milieu de la ligne de centre. Ensuite, il recula de huit pas précisément et se tourna rapidement sur ses deux flancs pour s'assurer que son équipe se tenait derrière lui et n'était pas par conséquent hors-jeu. Quand le marquis siffla dans son sifflet, le botteur fonça en avant et donna au ballon un puissant coup de pied. Son équipe, comme si elle était brusquement galvanisée, se lança après lui à toute allure.

O'Reilly regarda le ballon monter dans le ciel, hésiter et tomber à pic sur terre pour être attrapé par l'arrière de l'équipe locale, qui reçut presque simultanément les épaules d'un avant adverse en plein ventre.

O'Reilly entendit le bruit sourd et l'expulsion soudaine du souffle de l'arrière. Il aurait sacrifié sa chance de vivre éternellement pour jouer encore, mais — il haussa les épaules — les *anno domini* avaient exercé leurs ravages, et il devait accepter ce fait. En tendant la main et prenant celle de Kitty en lui souriant, ainsi qu'à Barry, il se dit qu'il pouvait aujourd'hui s'installer et regarder 80 minutes de cahot orchestré.

20

La victoire la plus serrée que vous ayez jamais vue

Cela avait été une campagne durement menée. Deux Bonnaughts et trois Gallowglasses étaient sortis blessés du jeu. Aucun ne l'était suffisamment pour nécessiter plus que les premiers soins, mais les yeux au beurre noir, les nez ensanglantés et les côtes fêlées avaient fait leur effet. Seul un joueur par équipe était revenu. La gibecière sur l'épaule d'O'Reilly était plus légère, à présent que tous les trois avaient terminé la soupe qui les avait agréablement réchauffés. Arthur ronflait doucement, ayant vraisemblablement décidé beaucoup plus tôt que les 30 silhouettes qui se fonçaient dessus autour de lui ne valaient pas la peine d'être chassées. O'Reilly commençait à ressentir un peu le froid, et il regarda Kitty.

— As-tu assez chaud ?

— Je suis bien, Fingal.

Elle se rapprocha de lui, et il remarqua son parfum subtil. Ses joues étaient d'un rouge rosé, et une petite goutte pendait au bout de son nez. Elle avait froid, mais elle le supportait pour ne pas lui gâcher son plaisir. Il mit un bras autour de ses épaules et les pressa.

— Bonne fille, dit-il en sortant sa flasque. Aimerais-tu un petit coup ?

Elle secoua la tête.

— Barry ?

Barry trépigna. Il avait l'air gelé.

— Pourquoi pas ? Je n'étais pas venu à un match de rugby depuis un certain temps. J'avais oublié à quel point ils peuvent être amusants. Je suis allé à la Schools Cup avec Jack Mills, à la dernière fête de la Saint-Patrick.

— Qui a gagné ?

O'Reilly tendit la flasque et une tasse à Barry.

— Belfast Royal Academy a partagé la victoire avec mon ancienne école, Campbell College.

Barry accepta la flasque et versa une mesure dans sa petite tasse en argent.

— Il faisait froid également. Un peu plus de chaleur n'aurait pas fait de mal, ce jour-là.

— Alors, avez-vous du plaisir à regarder ? Vous amusez-vous ? demanda O'Reilly. Bien. Vous avez travaillé très dur, et c'est votre premier jour de congé. Je détesterais vous voir le gaspiller.

— J'aime bien mieux être ici plutôt que traîner au numéro 1 à attendre le téléphone de Jack.

Barry sirota son whiskey, et Fingal, malgré sa hâte d'avoir son tour, était parfaitement heureux d'attendre que Barry ait terminé. Il était content d'avoir amené Barry avec eux. Le garçon était vraiment déçu que son amoureuse ne veuille pas promettre de venir pour Noël. Mieux valait le garder occupé.

O'Reilly consulta sa montre. Il restait seulement trois minutes avant la fin des 80 minutes réglementaires, et

Ballybucklebo menait par deux points. Ses 10 livres semblaient assurées.

— Alors Kitty, demanda-t-il, est-ce que tu crois que nos gladiateurs locaux peuvent y arriver ?

Elle hésita, regarda de l'autre côté du terrain, là où les Bonnaughts attaquaient près de la ligne des buts des Gallowglasses, et dit :

— Glengormley va devoir faire un tir de réparation ou marquer un touché.

Elle plissa le front avant d'ajouter :

— Et s'ils peuvent se mettre en position, leur arrière est un foutrement bon botteur. Mais ils ont beaucoup de distance à parcourir... et c'est en montée.

— Je suis d'accord, Kitty.

O'Reilly expliqua alors à Barry :

— Elle a toujours été au fait de ce jeu.

Elle rit.

— Il le fallait. J'ai passé assez de samedis après-midi sur des terrains diablement froids à te regarder te débattre dans la boue avec tes amis.

O'Reilly lui pressa l'épaule plus fortement et dit :

— Et si ma mémoire est fidèle, tu aimais les fêtes au club-house après les parties.

Il la sentit réagir en se rapprochant de lui, tenir son bras et lever un sourire dans sa direction.

— Tu étais plutôt doué pour la danse, Fingal.

O'Reilly la regarda dans les yeux et rit.

Le marquis siffla bruyamment à cause d'une infraction quelconque.

O'Reilly n'avait pas vu la faute.

— Que s'est-il passé ? demanda-t-il.

— Un Bonnaughts était hors-jeu, dit Barry. L'arbitre doit accorder une mêlée. L'avantage est au Gallowglasses.

O'Reilly acquiesça. Si Ballybucklebo pouvait gagner le ballon, l'équipe aurait une très bonne chance de marquer, d'emporter la partie et — il sourit largement — de garantir son pari. Les joueurs avant, « les blocs » de chaque équipe, se préparèrent. Trois hommes de chaque équipe mirent leurs bras autour des épaules de l'autre. Celui du milieu, le talonneur, serait celui qui tenterait de s'emparer du ballon. C'était la « première ligne ». Deux autres gros hommes, qui avaient aussi avec les bras autour des épaules l'un de l'autre, poussèrent leurs têtes entre les hanches du talonneur et des hommes de chaque côté, ses piliers. Ils posèrent leurs épaules sur les piliers et sur le dos du talonneur. C'était la « deuxième ligne », et O'Reilly ressentit une pointe d'envie. Cela avait été sa position. Il pouvait fermer les yeux et sentir la sueur fraîche, les muscles bandés de l'autre homme de deuxième ligne.

Un seul type passa sa tête entre leurs fesses. C'était la troisième ligne. De chaque côté des deux moitiés de la mêlée, un homme attendait. C'étaient les ailiers.

Ballybucklebo avait été l'équipe fautive, de sorte que Glengormley avait l'avantage de contrôler initialement le ballon. Leur demi de mêlée, un homme plus petit, se tenait sur le côté des rangs adverses, le ballon en main. Fergus Finnegan se tenait à proximité de son côté de l'action.

Le marquis siffla dans son sifflet. Les premières lignes adverses, propulsées par la poussée des deuxièmes lignes et des ailiers, se penchèrent au niveau des hanches et s'attaquèrent mutuellement en s'emboîtant, tête contre tête. Les ailiers poussèrent de toutes leurs forces sur les côtés de leur bloc respectif. O'Reilly se dit que les 16 hommes ressemblaient à une immense tortue crétacée; ils se soulevèrent, grognèrent et se poussèrent les uns les autres.

Il y avait un tunnel entre les deuxièmes lignes adverses, et c'est là-dedans que le demi de mêlée propulsa le ballon. Il y eut encore un soulèvement et des poussées, puis un grognement collectif venant des partisans de Ballybucklebo et un cri d'encouragement venant de la ligne de touche à l'autre extrémité. Glengormley avait gagné la possession du ballon, et dès la seconde où il apparut derrière les jambes de l'ailier de l'équipe, le demi de mêlée s'en empara.

— Donne-le à l'arrière! cria un partisan de Glengormley.

O'Reilly se dit alors que c'était la tactique défensive classique. L'arrière pouvait faire un botté en hauteur aussi loin que possible sur le terrain, déplaçant par conséquent le jeu loin de la ligne des buts vulnérable de son équipe.

Mais avec seulement quelques minutes à jouer, les Gallowglasses avaient décidé de courir un risque. La ligne complète de trois-quarts de l'ennemi était en mouvement, courant à vive allure en échelon en montant, couvrant la majorité de la largeur du terrain; les joueurs étaient aiguillonnés par les encouragements surexcités de leurs partisans.

— Attention à leur arrière! rugit O'Reilly.

Il avait remarqué que leur arrière, le remplaçant du Nord, avait rejoint la fin de la ligne en tant qu'attaquant supplémentaire. Cela pouvait être dangereux.

Il pouvait sentir Kitty sur son flanc faire de petits bonds excités, et il l'entendit marmonner:

— Plaquez ce gars.

Juste avant qu'un joueur de Glengormley soit plaqué, il passa le ballon sur le côté à l'homme suivant. Puis les mouvements s'enfilèrent comme un genre de jeu d'échecs qui faisait transpirer tandis que le ballon avançait sur la ligne. Un joueur après l'autre fut plaqué jusqu'à ce que finalement, le ballon finisse dans les mains de leur arrière. Il ne restait qu'un seul joueur de Ballybucklebo entre lui et le but inévitable.

O'Reilly découvrit qu'il retenait son souffle quand l'homme, le ballon serré sous son bras, passa en trombe si près qu'il avait dû réveiller Arthur Guinness qui dormait.

— Wouf, dit-il.

O'Reilly ignora le chien.

— Wouf, wouf, dit Arthur, ignorant O'Reilly.

— Attention au botté ! cria O'Reilly.

Si leur homme pouvait envoyer le ballon au-delà du joueur de Ballybucklebo qui se tenait maintenant sur son chemin, il pourrait être en mesure de courir en contournant le défenseur, récupérer le ballon et l'emporter avec lui pour un touché.

Le joueur de Glengormley lâcha le ballon sur sa botte et exécuta un délicat coup de pied chopé ; il envoya le ballon voler par-dessus le joueur des Bonnaughts, le projetant jusque sur le terrain à découvert derrière lui. O'Reilly tressaillit et marmonna :

— Oh, merde.

De l'autre côté du terrain, les partisans agitaient leurs écharpes portant les couleurs de Glengormley, et ils applaudissaient vigoureusement.

— Voilà, dit O'Reilly avec résignation. Voilà mes 10 livres qui disparaissent. Cela aurait dû être un but facile. Cela aurait dû l'être.

Arthur commença à yodler férocement, et il s'élança à l'attaque sur le terrain.

Barry cria :

— Rappelez-le, Fingal !

Kitty éclata d'un rire désarmé.

La foule de Ballybucklebo commença à psalmodier d'une seule voix :

— Vas-y, Arthur !

Deux joueurs des Gallowglasses se lancèrent sur le chien quand il courut devant eux, mais il les évita facilement.

— Vas-y, Arthur ! Vas-y, Arthur !

Le rugissement de la foule augmenta jusqu'au crescendo. Encouragé par les cris enthousiastes, Arthur attrapa le ballon, glissa en effectuant un virage et revint vers son maître comme s'il récupérait fièrement un oiseau tombé. Le marquis ne siffla pas tant qu'il joua un long solo sur son instrument. O'Reilly se dit que cela ressemblait au train annonçant son arrivée sur une voie d'évitement.

Un chœur de huées s'éleva de la ligne de touche adverse pour être noyé par les applaudissements assourdissants du côté d'O'Reilly.

O'Reilly, malgré sa tentative désespérée de dissimuler un immense sourire, prit le ballon humide de bave dans la bouche d'Arthur.

— Nous allons t'acheter un jersey des Bonnaughts la semaine prochaine, dit-il. Tenez, Barry. Tenez son collier.

Barry le fit et dit :

— Assis, monsieur.

Arthur sourit et haleta, sa langue rose pendante, sa queue s'agitant. Il n'accorda pas la moindre attention à l'ordre de Barry.

O'Reilly s'avança sur le terrain et rapporta le ballon au marquis.

— Tenez, monsieur, dit-il en lui donnant le ballon. Désolé pour cela.

— On ne peut rien y faire, Fingal. Je vais devoir leur accorder un tir de réparation.

— Je suis sûr que vous avez raison, monsieur, dit O'Reilly avant de sortir du terrain sous les applaudissements des partisans de son équipe.

Il ne restait plus qu'une minute.

Les équipes se placèrent avec les Bonnaughts alignés derrière leur ligne de but.

— Penses-tu qu'il peut réussir le tir, Kitty ? demanda O'Reilly dès qu'il fut à nouveau à côté d'elle.

— Ils gagneront s'il le fait.

Elle regarda l'endroit où le botteur des Gallowglasses déposait le ballon ovale sur sa pointe étroite dans un trou peu profond qu'il avait taillé dans le gazon avec le talon de sa botte. Puis elle plissa les yeux et regarda du côté des poteaux du but en forme de « H ».

— Il est presque sur la ligne de touche, alors c'est un angle très pointu, et c'est à une bonne distance.

— Et, dit Barry, il a le vent contre lui.

— Il va rater, dit O'Reilly avec plus d'assurance qu'il en ressentait vraiment.

Si le ballon était botté entre les montants, cela valait trois points. Il avait les moyens de perdre 10 livres, mais il

n'aimait pas l'idée de voir la satisfaction que sa perte donnerait au docteur Ronald Hercules Fitzpatrick.

— C'est obligé.

Le botteur recula de sept pas derrière le ballon droit,
tourna et se tint avec raideur, les bras sur les flancs, les pieds
collés.

Les partisans des deux côtés se turent. Il était considéré
comme extrêmement antisportif de faire du bruit et de possiblement ruiner la concentration du botteur. L'homme
courut vers le ballon, la tête baissée, et il lança sa jambe
droite en avant et lui assena un puissant coup. Le bruit sourd
sur le cuir résonna sur le terrain.

O'Reilly regarda le ballon voler dans le ciel. Il était à une
bonne hauteur, et il aurait la portée. Il se dirigeait d'un côté
de l'espace entre les montants, mais il devrait passer. « Merde,
voilà mes dix livres qui s'envolent », pensa-t-il. Mais il sentit
le vent sur sa joue. Il y eut un soudain coup de vent plus fort.
Il vit le vent attraper le ballon et lui donner un petit coup qui
fut juste assez suffisant pour modifier sa trajectoire et le
pousser bien loin du poteau gauche.

Il serra les poings et lança les deux bras en l'air en criant :

— Foutrement merveilleux !

Puis sans se soucier des applaudissements frénétiques et
du sifflet de l'arbitre résonnant pour annoncer la fin de la
partie, il enferma Kitty dans une grosse étreinte, la souleva
du sol, la fit tourner dans un grand cercle et l'embrassa
fermement.

— Repose-moi, Fingal, dit-elle à travers son rire.
Repose-moi.

Il le fit, mais il lui prit la main et la retint alors qu'il
disait :

— Bien joué, notre équipe.

— Bien joué, en effet, dit-elle, puis elle se pencha pour caresser la tête d'Arthur. Et bien joué, Arthur.

— Stupide chien, dit-il affectueusement.

— Wouf, dit Arthur.

— Et, dit O'Reilly, il est temps que tu rentres dans ta niche, monsieur. Je dois me rendre à ma réunion du comité, à présent.

Barry, qui tenait encore le collier d'Arthur, dit :

— Si vous êtes prête, Kitty, je vais vous raccompagner au numéro 1.

— S'il vous plaît.

O'Reilly, qui lui tenait encore la main, découvrit qu'il ne voulait pas la lâcher. Il la pressa, la libéra et dit :

— Ce ne sera pas long. Juste une petite affaire avec Fitzpatrick, et la réunion devrait être courte. Ensuite, je serai à la maison en un rien de temps.

— Et conduis prudemment, Fingal, dit Kitty. Tu m'entends ?

Il faillit dire «Oui, chérie», mais il réussit à étouffer les mots.

— Allez, dit-il, vas-y.

Et tandis que Barry, Arthur et Kitty s'éloignaient à pied vers le stationnement, il s'attarda un moment encore, remarqua son fichu et se souvint de ce qu'il avait pensé précédemment. C'était un pur-sang, cette Kitty O'Hallorhan. Un vrai pur-sang.

21

Vous ne pouvez jamais planifier l'avenir en fonction du passé

O'Reilly resta dehors devant le club-house, et il regarda le dernier joueur des Bonnaughts victorieux entrer pour sa douche bien méritée. La lumière déclinait, et la température tombait tandis que le soir arrivait en douce. Son attention fut attirée par le bruit d'une volée de choucas chamailleurs en route vers leurs nids dans les grands hêtres. Il leva les yeux quand les oiseaux déboulèrent dans le ciel pâle et gris-bleu du crépuscule. Leurs plumes étaient aussi luisantes que la robe fraîchement étrillée d'une jument noire.

Il piétina de ses pieds bottés et battit rapidement des bras sur son torse. Il n'y avait pas trace de Fitzpatrick. Il devait 10 livres à O'Reilly, et il lui fallait être ici pour régler sa dette d'honneur. S'il en avait.

O'Reilly savait depuis cette époque lointaine de leurs jours à l'école de médecine que Ronald Hercules Fitzpatrick était un misérable ver de terre, mais un homme qui avait serré une main pour valider un pari — en Irlande, un contrat plus engageant que celui écrit sur du papier vélin par le juge en chef avec pour témoins deux juges de la Haute Cour et scellé de sang — et qui partait sans payer ce genre de pari n'était même pas digne de mépris.

Au minimum, il devait à O'Reilly une explication en personne. O'Reilly pouvait même accepter que le pari soit annulé, gracieuseté d'Arthur Guinness. Mais ne tout simplement pas se présenter était plus qu'impoli. C'était lâche.

Il avait décidé qu'il allait patienter encore cinq minutes. Après tout, il était possible que Fitzpatrick ait été légitimement retardé. Ensuite, il entrerait et se réchaufferait. Les pensées d'O'Reilly furent interrompues par le marquis qui était apparu dans l'embrasure de la porte.

— Entrez-vous, Fingal ?

Sa chevelure était lisse et humide après sa récente douche d'après-match, et ses joues brillaient.

— Nous aimerions assez régler nos affaires et rentrer à la maison.

— Oui, monsieur. J'arrive.

O'Reilly monta trois petites marches. Il passa la porte que le marquis tenait ouverte, et il longea un corridor où des photographies encadrées de chacune des équipes de quinze joueurs depuis la fondation du club le regardaient sur un mur, en face de l'autre décoré pareillement avec les équipes de football gaélique et de hurling.

Il était si profondément plongé dans ses pensées qu'il avait à peine conscience du marquis qui marchait à côté de son épaule.

«Foutu Fitzpatrick.» Certaines de ses pratiques médicales qu'il prescrivait laissaient un peu à désirer, mais O'Reilly était suffisamment réaliste pour admettre qu'une bonne partie de la sagesse reçue dans son propre type de médecine était probablement suspecte. Une bonne part de ce que Barry et lui pratiquaient était simplement basée sur les déclarations autoritaires de leurs professeurs, qui, à leur tour, les avaient apprises de leurs prédécesseurs. Cela dit, l'an dernier, quand des chirurgiens à Leeds avaient transplanté avec succès un rein d'un cadavre sur un patient vivant, il avait fallu être impressionné.

Le charlatanisme de Fitzpatrick était-il une véritable menace ? Cela pouvait l'être pour ses patients, auquel cas il fallait faire quelque chose. Mais avait-il des chances d'attirer assez de clients pour compliquer les choses à Ballybucklebo ? O'Reilly en doutait, mais il avait vu à quel point Barry était soucieux, même si le garçon tentait de dissimuler ses inquiétudes.

Elles pourraient constituer des motifs suffisant pour hâter le départ de Fitzpatrick vers des terres inconnues. Le fait qu'il soit parti sans payer, bien qu'étant un irritant, n'était pas une raison pour qu'O'Reilly organise une vendetta, mais cela ne lui faisait pas du tout aimer Ronald Hercules Fitzpatrick. O'Reilly ne savait pas encore trop comment aider Eileen Lindsay, mais il savait qu'il devait essayer. Tandis qu'il manigançait à propos de l'avenir de la femme, il était aussi bien de voir ce qu'il pouvait trouver comme plan pour gêner Fitzpatrick également. Si l'homme se révélait véritablement aussi médicalement dangereux qu'O'Reilly commençait à le suspecter, aussi sûrement que les marées montaient et descendaient, O'Reilly s'occuperait de lui, et un peu de réflexion sur la façon d'atteindre son but ne ferait pas de mal.

Mais pour le moment, il avait une affaire à régler.

Il ouvrit la porte de la salle du conseil d'administration et la tint ouverte pour le marquis, qui entra directement. O'Reilly le suivit dans la pièce confortable lambrissée de chêne. La conversation fut suspendue quand les pairs entrèrent.

Un radiateur à pétrole servait à éliminer le froid de l'air, et O'Reilly pouvait sentir ses vapeurs. À travers le brouillard de fumée de tabac, il pouvait distinguer les photographies des anciens présidents, de différents officiels et de la présidente du comité des dames, de même que les clichés de la tête et des épaules des joueurs qui, au fil des ans, avaient représenté l'Ulster. Il sourit en voyant sa photo et celle du marquis comme les deux membres du club qui avaient reçu la casquette de leur pays.

Les casquettes étaient une coutume qui remontait aux casquettes d'écolier que les garçons portaient au milieu du XIXᵉ siècle. La tradition de présenter aux athlètes de différents niveaux, y compris internationaux, des casquettes décorées s'était développée. C'était comparable aux lettres décernées aux joueurs des collèges américains.

Il détourna les yeux des vieilles photographies pour voir le groupe, le comité exécutif, entourant la longue table d'acajou au centre de la pièce. L'unique femme, Flo Bishop, était restée assise. C'était une grosse femme, et elle portait un chapeau coûteux et une robe à la mode qui était destinée à une femme deux fois plus jeune. Il dissimula son sourire. Kinky aurait dit que c'était « un mouton habillé en agneau ».

Les cinq hommes, tous bien connus d'O'Reilly, s'étaient levés pour le marquis. Il y avait Fergus Finnegan, le capitaine d'équipe, monsieur Robinson, le pasteur presbytérien vêtu de son col romain blanc, le prêtre de la paroisse, le père O'Toole dans sa soutane, le capitaine de l'équipe de hurling, Dermot Kennedy, dont la fille Jeannie avait eu une appendicite en août, et le conseiller Bertie Bishop, qui était un membre extraordinaire — «avec beaucoup d'extra», songea O'Reilly. Le complet sombre trois-pièces de Bishop était froissé, et O'Reilly pouvait voir, pendue sur le gilet, une chaîne de montre en or avec l'emblème de l'Ordre des francs-maçons en équerre pendant à un bout.

— Je vous en prie, assoyez-vous, dit le marquis, prenant sa place de mécène du club et de président d'honneur à la tête de la table.

Devant lui, il y avait un marteau et un livre de procès-verbaux relié en cuir.

Les hommes s'assirent, et O'Reilly, après avoir suspendu son pardessus, sa casquette et son écharpe sur une patère, se joignit à eux, s'assoyant à la droite du marquis. Après tout, il était le secrétaire-trésorier, et ce, depuis plus d'années qu'il ne voulait bien s'en souvenir.

— Bonsoir à tous, dit O'Reilly. Bonsoir, madame Bishop.

Il donna un coup de tête en direction de Flo Bishop, la secrétaire du comité des dames cette année.

— Bonsoir, docteur.

Le chœur à l'unisson aurait pu sortir de sa salle d'attente, mais ici, pour une fois, la déférence était due au respect pour son talent passé comme joueur de rugby.

Les hommes levèrent des regards chargés d'attente vers le marquis.

O'Reilly sourit et se pencha vers Flo Bishop, qui était assise à sa droite. Il lui demanda à voix basse :

— Comment vous portez-vous, Flo ?

Sa question était plus que le simple «Comment allez-vous?» poli de la classe supérieure.

— Super, docteur, pour ça oui. Merci. Ces petites pilules que m'a données le docteur Laverty sont parfaites, pour ça oui. Je ne suis plus fatiguée tout le temps, à présent. Je cours partout comme une petite fille.

— Bien.

En août, Barry avait établi le diagnostic très futé de sa myasthénie grave, une maladie rare qui interférait avec la transmission des impulsions nerveuses dans les muscles squelettiques. Les malades étaient perpétuellement léthargiques, mais le bromure de néostigmine que lui avait donnée Barry faisait à l'évidence l'affaire, et elle était pleine d'énergie.

— J'en suis ravi, dit O'Reilly.

Elle se pencha plus près et murmura :

— Et j'ai perdu six kg.

— Impressionnant, Flo, dit-il en la regardant de nouveau.

Il estima que même avec six kg en moins, elle pouvait certainement en perdre encore un peu.

Il entendit le marquis tousser, donner un petit coup de marteau et dire :

— J'aimerais ouvrir la séance. Comme vous le savez tous, ceci est une séance extraordinaire de l'exécutif, alors nous pouvons nous dispenser d'approuver le procès-verbal de la dernière séance plénière.

Il repoussa le livre des procès-verbaux fermé.

Le conseiller Bertie Bishop leva la main comme s'il allait frapper le dessus de la table. Il se poussa en avant dans sa chaise de l'autre côté de la table. Il devait s'asseoir à une certaine distance pour accommoder son gros ventre.

— Je ne suis toujours pas content avec l'augmentation d'une livre des frais de cotisation, pour ça non.

— Tais... toi... Bertie.

Sa femme, Flo, prononça chaque mot clairement et fixa sur lui un regard noir qu'O'Reilly estima être en mesure de donner du fil à retordre au légendaire basilic — et le regard de ce dernier pouvait changer un homme en pierre.

— C'est de l'histoire ancienne, pour ça oui, gronda-t-elle.

— Oui, chérie.

Il baissa la main et se mit à marmonner.

Le marquis, un sourire ironique aux lèvres, dit :

— Ce n'est pas à votre tour de parler, je crois, Bertie.

— C'est du vol de grand chemin, pour ça oui.

— Bertie, dit Flo en se penchant sur la table. Ça suffit.

Le marquis opina de la tête.

— Nous avons deux points à l'ordre du jour pour cet après-midi, et j'aimerais poursuivre aussi vite que possible pour les régler. Premièrement, la fête de Noël. Voulez-vous nous mettre au courant des derniers développements, Flo ?

— Oui, monsieur.

Elle sortit un sac à main qui, pensa O'Reilly, aurait pu servir de cale à un bateau à vapeur, puis elle le posa sur la table, fourragea dedans et sortit un cahier de notes avec une spirale courant sur la tranche.

— Nous la tiendrons comme d'habitude le 23 — c'est un mercredi. Elle commencera à 17 h 00 afin que les plus jeunes enfants puissent venir un peu avant l'heure de leur coucher, et — elle sourit à O'Reilly — à 18 h 00, le père Noël arrivera, si cela vous convient, docteur O'Reilly.

— Ho, ho, ho, dit O'Reilly, qui aimait jouer son rôle annuel depuis plusieurs années.

Flo hocha quelques fois la tête, plongea la main dans son sac à main et en sortit un ruban à mesurer.

— Si cela ne vous dérange pas de vous lever, monsieur ?

O'Reilly se leva et attendit que Flo se lève également et passe le ruban autour de sa taille. Elle le pinça pour marquer la mesure, le retira, le roula et écrivit une note dans son cahier. Elle secoua la tête vers O'Reilly.

— Je vais devoir demander à l'une des dames d'agrandir le pantalon de trois centimètres à la taille, monsieur. Si cela ne vous offusque pas, vous commencez à prendre de l'ampleur.

O'Reilly rit, pas le moins du monde insulté.

— Le docteur Laverty m'a dit que mademoiselle Moloney est rentrée de chez sa sœur. C'est une excellente couturière. Vous voudrez peut-être vous adresser à elle.

À défaut d'autre chose, il pensait que cela pouvait être une manière de permettre à mademoiselle M d'être peu à peu de nouveau acceptée dans le village.

— Vraiment ? Je vais passer à la boutique de mode et lui dire un petit mot. Maintenant — elle consulta ses notes —, mes dames s'occuperont du buffet.

Elle sourit à O'Reilly.

— Pensez-vous que madame Kincaid aimerait nous donner un coup de main ?

— Je vais certainement lui poser la question, mais je suis convaincue qu'elle acceptera.

— Bien, et quand nous aurons fini de décorer la salle paroissiale pour le spectacle — elle hocha la tête vers le père O'Toole, qui lui sourit en retour —, nous nous occuperons du club-house ici.

— Merci, madame Bishop, dit-il.

— Et Fergus ? continua-t-elle. Pouvez-vous vous procurer l'arbre ?

— Vous pouvez en couper un sur le domaine, offrit le marquis.

— Merci, monsieur. Je vais m'en charger.

— Monsieur le président, les interrompit Bertie Bishop.

Il se leva comme il le faisait toujours en mettant ses pouces à l'intérieur des revers de son veston.

— Les arrangements pour les cadeaux des enfants seront-ils les mêmes cette année ?

Le marquis fronça les sourcils.

— Je pense que la secrétaire des dames a encore la parole.

Flo dévisagea son mari. « Peut-être que j'ai été rapide à la comparer au basilic. Si elle avait quelques serpents dans les cheveux, elle ferait une Méduse de première classe », pensa O'Reilly.

— Vas-y, Bertie, chéri…

Son expression démentait son ton mielleux.

— Comme j'ai dit, est-ce que ce sera la même chose pour les cadeaux des enfants ?

— Oui, conseiller.

Le prêtre parla doucement, son accent musical de Cork résonnant comme celui de Kinky à l'oreille d'O'Reilly.

— Nous allons dire aux parents d'apporter un cadeau emballé pour chacun de leurs enfants. Ils inscriront le nom de l'enfant clairement au dos, puis ils me donneront les paquets afin que je les insère dans le sac du père Noël, dit-il en souriant à O'Reilly. Juste avant l'arrivée du père Noël, je vais placer le sac sous l'arbre, puis quand il sortira un pré-sent, il pourra lire l'étiquette pour appeler le nom de l'enfant, et le petit pourra s'avancer pour prendre son cadeau, donc.

O'Reilly opina de la tête. C'était un bon plan, et il fonctionnait depuis de nombreuses années. Il faisait foutrement mieux de fonctionner : cela avait été son idée. Bertie Bishop jacassait à propos d'autre chose, mais O'Reilly n'écoutait pas. La vision de lui-même tirant des cadeaux d'un sac avait fait germer une idée en lui — une idée brillante, même si c'était lui qui le pensait. Avec un peu de chance, il pourrait bien être en mesure de régler les problèmes de fonds de Noël d'Eileen Lindsay.

— Pardieu, dit-il tout haut, c'est le bon billet... littéralement.

— Je vous demande pardon, Fingal ?

O'Reilly vit l'expression perplexe du marquis, et il se rendit compte qu'il venait d'exprimer ses pensées à voix haute.

Il toussa.

— Je suis désolé. Je réfléchissais tout haut. Je ne voulais pas vous interrompre.

— Il n'y a pas de mal. Vous aviez bien terminé — n'est-ce pas, Bertie ?

— Oui.

Le conseiller s'assit.

— Merci. À présent, quelqu'un a-t-il autre chose à dire au sujet des arrangements pour Noël ?

Il attendit. Personne ne parla.

— Très bien. Cela m'amène à notre dernier point. C'était à l'ordre du jour mardi, mais malheureusement, le docteur O'Reilly n'était pas trop en forme, et il ne pouvait pas être avec nous. Fingal, voudriez-vous vous lever ?

O'Reilly fronça les sourcils. Ce devait être la surprise dont l'avait prévenu le marquis quand il était venu lui rendre visite mardi. O'Reilly se leva.

Le marquis prit un petit paquet emballé de papier brun sur la table. O'Reilly ne l'avait pas remarqué avant.

— Docteur O'Reilly, dit le marquis, compte tenu de vos efforts au nom des Ballybucklebo Bonnaughts depuis 15 ans, depuis que vous avez entrepris de construire ce terrain, le comité a décidé de reconnaître votre contribution en vous remettant un petit quelque chose.

Il tendit le paquet à O'Reilly sous les applaudissements des autres membres.

— Ouvrez-le, docteur, dit Flo.

Complètement à court de mots, notamment à cause d'une grosse boule dans la gorge, O'Reilly commença à retirer l'emballage lentement et soigneusement. Il lutta avec un peu de papier collant qui maintenait le papier fermé. Il était toujours embarrassé par les démonstrations publiques de reconnaissance, et en effet, quand le patient occasionnel le remerciait, il trouvait que c'était une récompense suffisante.

Une fois le papier enlevé, il découvrit une petite boîte recouverte de velours. Il ouvrit la boîte pour y trouver un stylo-plume et un porte-mine Parker assortis. Il se sentait encore un peu gêné, mais il réussit à dire :

— Merci à tous, merci infiniment.

— Lisez l'inscription, réclama Bertie Bishop. Lisez-la à voix haute.

Il y avait une petite plaque en cuivre à l'intérieur du couvercle de la boîte. Il lut :

— « Au docteur Fingal Flahertie O'Reilly en reconnaissance des nombreux services rendus au Ballybucklebo Bonnaughts Rugby Club. »

— Bravo ! Bravo !, crièrent en chœur les personnes présentes tout en applaudissant, et Bertie Bishop, qui n'était pas du genre timide, dit :

— C'est moi qui leur ai demandé d'écrire le mot « nombreux », pour ça oui.

— Tais-toi, Bertie, dit sa femme, et sa réprimande fut accueillie par des rires autour de la table.

O'Reilly fut content que ces exclamations lui aient donné le temps de reprendre ses esprits.

— Écoutez, dit-il, tenant la boîte ouverte vers son public afin que tous puissent la voir, je n'ai jamais eu de stylo Parker, sans parler d'un stylo et d'un porte-mine. J'ai toujours voulu un ensemble comme celui-ci, et en considérant les circonstances dans lesquelles je les reçois — il referma la boîte et la fit glisser dans sa poche —, je vais les chérir. Vraiment. Merci. Merci à tous.

Il y eut un autre tour d'applaudissements.

« Doux Jésus », se dit-il en pensant au fait que le cadeau était une marque de reconnaissance des 15 ans qu'il avait passés au Rugby Club — presque autant d'années qu'il avait passées ici à Ballybucklebo. Ces années avaient été bonnes, très bonnes, et cela le rendait humble. Mais il était néanmoins gratifiant d'être distingué comme une personne qui avait contribué à la petite communauté. Il n'avait pas compris à quel point il était véritablement ému jusqu'à ce qu'il prenne conscience d'un picotement derrière ses paupières.

Quand les applaudissements moururent, tout le monde le regardait encore, l'air d'attendre quelque chose. O'Reilly déglutit. Il n'était pas habitué à ce genre de reconnaissance publique et n'était pas tout à fait sûr d'approuver cela, mais il sentait qu'il devait ajouter quelque chose. Il s'éclaircit la gorge.

— C'est comme le dit Bourriquet dans *Winnie l'Ourson* : «C'est agréable d'être remarqué.» Mais je dois dire qu'il y a plusieurs personnes qui ont fait autant de choses pour le club que moi — voire plus.

— Nous avons pensé, dit le marquis avec un grand sourire, que c'était un cadeau fait par le comité pour assurer sa préservation.

O'Reilly fronça les sourcils.

Le marquis présenta le livre des procès-verbaux ouvert à O'Reilly.

— Nous avons pensé que si notre estimé secrétaire-trésorier avait les bons outils, nous aurions finalement une chance de déchiffrer les procès-verbaux.

Tout le monde rit.

— Oh, dit O'Reilly, soulagé.

À l'évidence, le marquis avait senti la gêne de son ami, et il faisait rire tout le monde pour détourner leur attention pendant les instants qu'il lui fallait pour reprendre son sang-froid.

— Ne savez-vous pas qu'une écriture illisible est la marque de commerce de tout médecin de premier ordre?

Il y eut d'autres rires quand le prêtre dit doucement :

— Dans ce cas, docteur, si la dernière prescription que vous avez écrite pour moi est une indication, vous devriez bientôt être en lice pour un prix Nobel, donc.

O'Reilly sourit, secoua la tête, ferma la boîte et la glissa dans la poche intérieure de son veston.

— Je suis touché, et tout ce que je peux dire c'est : merci infiniment. Merci infiniment, en effet. Je vais chérir ce cadeau, et… puisque je suis apparemment dans les bonnes grâces en ce moment, j'aimerais vous demander une petite faveur. Je sais que je devrais vous avoir avisés de ce petit point dont j'aimerais que le comité discute, mais comme je l'ai dit il y a une minute, pardieu, c'est le bon billet. L'idée vient tout juste de me venir à l'esprit.

Le marquis promena son regard d'un visage à l'autre, puis il dit :

— Je vous en prie, allez-y, Fingal.

— Je vais devoir vous demander de me faire confiance pendant une semaine ou deux, car je dois conserver le secret. Je veux organiser une tombola pour une très bonne cause. Je ne peux pas vous dire de quoi il s'agit aujourd'hui, mais je sais que vous — il laissa son regard s'attarder sur les visages de chaque homme d'Église tour à tour — allez tous approuver.

Il fit un rapide calcul mental avant d'ajouter :

— Et je veux que le club accepte de ne prendre que 25 % de la somme collectée.

— Pardon, docteur, dit Bertie Bishop de là où il était assis. Je ne vois pas ce que tout ceci a à voir avec le club. Pourquoi n'organisez-vous pas la tombola vous-même ?

— Je vous le demande, Bertie, parce que le club a les droits légaux de parrainer une tombola, et pas moi…

— C'est vrai. Je n'avais pas pensé à cela.

— Et, continua allégrement O'Reilly, la fête serait un événement merveilleux pour procéder au tirage.

«Parce que quand Eileen recevra l'argent — et je sais comment organiser cela —, elle pourra aller acheter des cadeaux le lendemain, puisque les magasins seront ouverts.

Le père Noël viendra après tout chez elle la veille de Noël»,
pensa-t-il.

— J'aimerais demander l'approbation du conseil.

Il balaya la table du regard et espéra ardemment.
Ordinairement, il aurait fait ses devoirs politiques, un peu
de lobbying en douce auprès des membres d'abord, souvent
abreuvés avec un ou deux pintes.

— Voulez-vous faire une proposition formelle, Fingal?
demanda le marquis.

— Pas si tout le monde est d'accord.

Il patienta.

— Quelqu'un s'y oppose-t-il?

— Je n'aime pas ce truc de pourcentage, dit Bishop. Que
diriez-vous de 50-50?

— Conseiller, dit le père O'Toole. Je crois que le docteur
O'Reilly a dit que c'était pour une bonne cause.

— Une très bonne cause, ajouta O'Reilly. Et c'est Noël,
Bertie.

Bishop eut la bonne grâce de rougir.

— Dans ce cas, je retire mon objection.

— Brave homme, Bertie.

Le marquis promena son regard autour de la table et
attendit avant de déclarer finalement :

— Je n'entends pas d'autre désaccord.

Puis il sourit à O'Reilly et ajouta :

— On dirait que vous avez le feu vert, Fingal, et le partage que vous avez demandé. Je suppose que vous vous
occuperez des détails?

— Je le ferai. Merci, tout le monde, dit O'Reilly.

Le problème numéro un était réglé et sortit de la tête
d'O'Reilly. Fitzpatrick pourrait devoir attendre, mais même

s'il était hors de vue, il n'était pas hors des pensées d'O'Reilly — simplement en attente.

— Très bien, dit le marquis. S'il n'y a plus d'autres points à régler, je vais accepter une proposition d'ajournement.

Avec la proposition dûment faite et secondée, la réunion se termina. O'Reilly dut attendre que les autres membres récupèrent leurs chapeaux et leurs manteaux avant de pouvoir prendre les siens. Il attendit à la table tout en ayant aimé qu'ils se pressent, et tandis qu'il patientait, il sortit son cadeau. C'était un très bel ensemble. Il allait le chérir.

La petite foule s'était dispersée rapidement, chaque membre souhaitant bonsoir à O'Reilly en partant. Seul le pasteur presbytérien restait quand O'Reilly s'avança pour prendre son manteau, son écharpe et sa casquette.

— Docteur O'Reilly, dit-il. Je suis prêt à accepter votre idée au pied de la lettre et à vous croire lorsque vous dites que c'est pour une bonne cause. Puis-je vous aider ?

— C'est très civique de votre part, révérend. Oh, si vous voulez bien me pardonner, je veux plutôt dire que c'est très chrétien…

Le pasteur rit.

— Cependant, je suis en route pour la maison à l'instant pour en discuter avec le docteur Laverty, et j'ai déjà un homme en tête pour organiser la tombola pour moi.

— Oh ?

— En effet, dit O'Reilly, Donal Donnelly sera de retour de sa lune de miel lundi, et je n'ai aucun doute quant au fait qu'il est l'homme de l'emploi.

22

Tu es un homme dur

Barry conduisit prudemment jusqu'au numéro 1 de la rue principale. Il y avait des plaques de glace mince sur la route, et il n'allait pas courir le risque de déraper. Il gara Brunhilde dans la ruelle et suggéra à Kitty d'entrer par le jardin arrière et dans la cuisine. Il voulait lui accorder un peu d'avance avant de laisser sortir Arthur Guinness, le don Juan qui montait la jambe des humains — et le héros très récent des Ballybucklebo Bonnaughts —, de la banquette arrière. Cela protégerait au moins ses vêtements des habituelles avances amoureuses d'Arthur.

— Laissez simplement le portail de la cour ouvert, dit-il.

Il la regarda tandis qu'elle traversait le jardin, marchant devant la niche d'Arthur, puis devant les pommiers à présent dénudés et qu'elle passait la porte. Il sortit et ouvrit la portière pour Arthur.

— Rentre chez toi, monsieur.

Barry pointa la niche, et à son étonnement, le gros chien obéit docilement. Le pantalon de Barry était à nouveau à l'abri.

Il entra lui-même dans le jardin et referma soigneusement le portail. Il ne voulait pas être responsable d'avoir permis au labrador de s'échapper au cas où le chien se fasse encore une fois plaisir en s'adonnant à l'un de ses passe-temps favoris, voler des bottes Wellington. Barry se hâta sur le sentier, conscient que le crépuscule tombait à présent et qu'il y avait un refroidissement distinct dans l'air.

La cuisine était chaleureuse, et il pouvait sentir le brandy émanant du gâteau de Noël qu'avait cuisiné Kinky en août, puis qu'elle avait depuis généreusement arrosé d'alcool sur une base régulière. Le gâteau était sur la plaque à pâtisserie sur la surface de travail, et les deux femmes admiraient le beau travail de Kinky. Elle expliquait ses méthodes à Kinky pendant que Barry gardait le silence et les observait. Il constata qu'elles étaient tellement concentrées qu'elles ne l'avaient pas entendu entrer.

— La pâte d'amande doit avoir quatre centimètres d'épaisseur, donc, et on la colle sur la confiture d'abricot, dit Kinky. On le fait quatre jours avant de le glacer, car sinon, la pâte d'amande coule à travers le glaçage.

— C'est très intéressant, dit Kitty.

— Maintenant, dit-elle, pour le glaçage royal.

Elle leva un saladier en céramique recouvert d'une pièce de gaze humide. Écartant la gaze, elle exposa une pâte d'un blanc pur qui était, Barry pouvait le voir, assez souple pour être étalée avec un couteau sur la pâte d'amandes. Tandis qu'elle travaillait, Kinky chantonnait pour elle-même. Elle se servit du couteau pour transformer la surface initialement lisse en une série d'ondulations irrégulières rappelant les sastrugi que l'on retrouvait en abondance sur les plaques de glace de l'Antarctique.

— Voilà. À présent, cela ressemble à une scène d'hiver, donc.

Elle fourragea dans une petite boîte en fer blanc et en sortit un bonhomme de neige, deux clowns de cirque et une ballerine portant un tutu court en tulle avec à la main une baguette comportant une étoile au bout. Toutes les figurines mesuraient cinq centimètres et avaient une base circulaire. Elle les déposa en groupe dans un coin sur le dessus du gâteau en pressant leurs bases dans le glaçage qui se figeait déjà.

— Je vais ajouter la branchette de gui dans l'autre coin lors du jour J, dit-elle. Les décorations font plaisir aux enfants, donc.

Elle jeta un regard entendu à Kitty avant d'ajouter :

Et le gros homme les aime aussi.

Kitty gloussa.

Barry sourit avec les deux femmes, mais voir Kinky au travail l'avait rendu un peu triste. Son gâteau lui rappelait de manière inattendue l'époque des Noëls de sa propre enfance, avec sa mère — à présent en Australie et à qui il devait vraiment écrire — décorant leur gâteau. Il n'aurait pas été surpris qu'O'Reilly lui-même se sente nostalgique si certaines scènes de cette saison ravivaient des souvenirs.

— C'est magnifique, Kinky, dit-il.

Elle sursauta légèrement.

— Seigneur Jésus, docteur Laverty, dit-elle, ne vous faufilez pas en douce ainsi derrière les gens. Vous pourriez provoquer une crise de nerfs chez une pauvre femme de Cork, donc.

— Je suis désolé, dit-il.

— Il n'y a pas vraiment eu de mal. Je vais vous pardonner — mais d'autres ne le feraient pas.

Elle souriait tandis qu'elle soulevait le gâteau pour le déposer dans une boîte à gâteau en fer-blanc.

— Allez-vous accompagner mademoiselle O'Hallorhan à l'étage, monsieur? Il me reste encore quelques petites choses à faire ici.

— Certainement, dit Barry. Le docteur O'Reilly devrait rentrer bientôt à la maison, Kinky. Nous l'avons laissé au Rugby Club.

Puis il s'adressa à Kitty.

— Venez. Nous allons monter et attendre Fingal.

— Bien, dit-elle en gagnant la porte du corridor. Je connais le chemin. Je vais laisser mon manteau dans le vestibule.

Barry avait commencé à la suivre quand Kinky dit :

— C'est lui qui est de garde aujourd'hui, n'est-ce pas?

— Oui, dit Barry en hésitant. Y a-t-il eu des appels pour lui?

— Pas le moindre. Mais votre ami, le docteur Mills, a appelé. Et il a dit qu'il était désolé de ne pas avoir téléphoné hier soir puis d'avoir raté votre appel d'aujourd'hui. Mais il a dit qu'il rappellerait plus tard.

Barry s'était attendu à avoir des nouvelles de Jack, mais il avait deviné que, comme c'était souvent le cas dans la vie des médecins débutants en formation, des affaires médicales s'étaient présentées dans la vie de son ami.

— Merci, Kinky.

Il prit la direction de l'escalier, et en passant devant le téléphone du vestibule, il pensa à certains des appels qu'il avait pris ou faits récemment.

Quelques jours plus tôt, il avait suggéré que Jack vienne ici pour l'un des dîners de Kinky. Aujourd'hui, étant donné l'entêtement de Patricia sur le fait d'accepter son offre de payer pour son billet de retour à la maison, Barry n'en était plus aussi sûr. Peut-être qu'il irait avec Jack à l'une des fêtes des infirmières ou à la danse dont il avait parlé. La danse pourrait être un peu amusante. Il y verrait presque certaine-ment quelques-uns de ses anciens camarades de classe, et il pourrait prendre de leurs nouvelles. «Pourquoi pas?», se demanda-t-il alors qu'il reprenait sa montée. «Pourquoi pas, en effet?»

Kitty était debout devant le foyer dans le salon, le dos au feu, son pantalon à étriers noir complété par un épais chan-dail à col roulé en laine crème qu'elle remplissait plutôt bien, ne put s'empêcher de remarquer Barry.

— Aimeriez-vous quelque chose, Kitty?

Barry donna un coup de tête vers les carafes en verre taillé sur le buffet.

— Non, merci, Barry. Je vais attendre Fingal.

Elle leva les mains vers le feu pendant un moment avant de les frotter ensemble et de souffler dessus.

— C'est devenu assez mordant, dehors. Je ne suis pas malheureuse d'être ici au chaud, dit-elle en se déplaçant pour s'asseoir dans l'un des fauteuils.

Barry sentit du mouvement et vit Lady Macbeth sauter avec légèreté sur les cuisses de Kitty pour être accueillie avec une caresse tandis que la petite chatte s'ins-tallait confortablement. Kitty sourit à Barry.

— C'est une loi, vous savez.

— Quoi donc?

— Peu importe la couleur du chat, il sera attiré par les vêtements de couleur opposée. Mon pantalon noir sera couvert de poils blancs, dit-il en riant. Cela ne me dérange pas, et c'est une jolie petite créature. N'est-ce pas que tu l'es?

Elle chatouilla Lady Macbeth sous le menton, et elle fut récompensée par un ronronnement grave.

— Je n'avais jamais pensé que Fingal puisse être un homme à chat, dit-elle. Il ressemble davantage à son chien, du genre d'un éléphant dans une boutique de porcelaine.

Barry opina de la tête, mais il dit :

— Je ne pense pas qu'il ait déjà eu l'idée de se procurer une chatte, mais quelqu'un l'a abandonnée ici, et il l'a simplement adoptée. Cela lui semblait la chose naturelle à faire.

Kitty regarda Barry droit dans les yeux.

— Il a toujours été ainsi, vous savez, depuis que je le connais. Toujours du côté de la veuve et de l'orphelin. Je pense, dit-elle — et Barry crut déceler une touche de nostalgie dans sa voix —, qu'il est un gros sensible à l'intérieur et que toutes ces fanfaronnades et cette bravade lui servent de couverture.

— Vous pourriez avoir raison, Kitty.

— Cela peut faire de lui un homme très difficile à bien connaître. Très difficile.

Il n'en doutait plus, à présent. Et ce fut moins le ton de sa voix que de la manière dont elle le regardait qui fit décider à Barry que d'une certaine manière, elle cherchait à se faire rassurer.

— C'est difficile pour moi de le savoir. Je ne suis ici que depuis quelques mois, mais je pense commencer à le connaître un peu.

«Seigneur, elle pourrait être ma propre mère. Je suis loin d'être en position de la conseiller», pensa-t-il.

— Il faut peut-être simplement du temps, ajouta-t-il.

Elle soupira.

— Vous pourriez avoir raison.

Barry ressentit l'envie inattendue d'aller faire un câlin à la femme et de lui murmurer que tout irait bien.

Il ne s'était pas attendu à ce que Kitty O'Hallorhan soit si franche avec lui, qui était presque un étranger et qu'elle connaissait à peine. Quand elle reprit la parole, ses yeux s'arrondirent, et il se demanda si elle avait réussi à lire dans son esprit.

— Ce n'est pas pour moi que je vous demande cela, dit-elle. J'ai beaucoup d'affection pour le gros imbécile, Barry, mais il n'a eu que madame Kincaid pour avoir un œil sur lui, et maintenant, il y a vous. Voulez-vous me rendre un service ?

Il vit quelque chose tout au fond de ses extraordinaires yeux gris qui, à cet instant précis, lui auraient fait répondre par l'affirmative même si elle lui avait demandé de s'arracher deux de ses propres ongles.

— Bien sûr, dit-il.

— Prenez le temps de bien le connaître, et avec le temps — et ne me demandez pas combien de temps cela prendra —, essayez de devenir son ami. S'il vous plaît ?

Barry ne savait pas trop comment réagir, alors il se contenta de dire :

— Je vais faire de mon mieux, Kitty.

— Merci, Barry.

Elle détourna les yeux et fixa un point un peu plus loin. Ses yeux étaient très brillants quand elle dit sans le regarder :

— J'apprécierais cela énormément.

Barry essayait de formuler une réponse adéquate quand le sujet de leur conversation arriva.

— C'est aussi froid dehors, dit O'Reilly en faisant irruption devant Barry en route vers le buffet, que l'haleine d'une belle-mère. Je pense, mentionna-t-il en se versant une bonne dose de Jameson, qu'un peu d'antigel interne est de mise. Quelqu'un d'autre ?

Kitty, encore de dos à lui, dit très joyeusement :

— Puis-je avoir un gin-tonic, Fingal ?

O'Reilly lui sourit.

— Nous n'avons habituellement pas cela en réserve, mais je me suis rappelé que tu aimais cela autant que le Jameson, alors j'ai acheté une bouteille.

Il se pencha, ouvrit une porte du buffet et fit apparaître une bouteille de gin Gilbey et une bouteille d'eau tonique Schweppes.

— Barry ?

O'Reilly se redressa et commença à préparer le cocktail de Kitty.

Barry secoua la tête.

— Je vais me rendre à Belfast en voiture plus tard, Fingal, et les routes sont légèrement glacées.

— Je ne l'ai pas remarqué, dit O'Reilly. Mais bon, j'étais pressé de rentrer à la maison.

« Et quand cela se produit, même l'ère de glace n'aurait pas la témérité d'entraver votre progression, Fingal ; l'occasionnelle plaque de glace oserait encore moins le faire », pensa Barry.

O'Reilly tendit son verre à Kitty, se laissa choir dans l'autre fauteuil, lui fit un grand sourire, leva son verre et dit :

— *Sláinte.*

Elle le regarda en face et fit tinter son verre contre le sien en souriant franchement.

— Santé, Fingal. C'est bon de te voir de retour. Vraiment.

Barry se demanda s'il y avait un message sous-entendu plus profond ou si elle voulait simplement parler de sa réunion.

— Comment cela s'est-il passé au Rugby Club? demanda-t-il.

— Bref, net et précis, dit O'Reilly. Nous avons fait tous les arrangements pour la fête de Noël. Je vais être le père Noël.

— Et toute idée que vous pourriez avoir de faire de moi un lutin…

— Vous êtes beaucoup trop grand, dit O'Reilly, et de toute façon, j'ai un autre boulot pour vous.

— Pas ce soir; pas question. Je vais à Belfast dès que mon ami Jack me téléphone.

— Bien, dit O'Reilly. Amusez-vous, et dormez jusqu'à tard demain. Mon travail peut attendre jusqu'à lundi, jusqu'à ce que Donal Donnelly et Julie rentrent de leur voyage de noces.

Barry entendit intérieurement le tintement de clochettes d'alarme à la simple mention du nom de Donal.

— Oui, lança O'Reilly. J'ai la solution aux problèmes financiers d'Eileen Lindsay.

— Oh? Laquelle?

Barry fronça les sourcils. Il était partant s'il s'agissait d'aider Eileen; mais si O'Reilly voulait faire participer Donal, le plan impliquait probablement le braquage de la succursale de la Bank of Ireland de Ballybucklebo, et Barry n'avait pas envie d'être placé dans le rôle du chauffeur dans la voiture de fuite. Il voulait une explication immédiatement, mais il entendit le téléphone sonner en bas.

— Il doit s'agir de votre ami Mills, dit O'Reilly. Courez en bas, et allez aux nouvelles comme un bon garçon. Évitez à Kinky de monter jusqu'ici.

Barry se souvint qu'O'Reilly, qui comptait amener Kitty pour dîner au Crawsfordsburn Inn, avait dit qu'il ne le prendrait pas mal si Barry disparaissait à peu près à cette heure-ci dans la soirée.

— D'accord, Fingal.

Barry s'avança vers la porte, se tourna à moitié et dit :

— Si je ne vous revois pas, passez une agréable soirée, Kitty.

Il n'attendit pas qu'elle lui réponde et courut en bas de l'escalier, puis il prit le combiné et dit :

— Allô ?

— Comment diable vas-tu, Barry ?

L'accent de Culleybackey de Jack était aussi marqué que de coutume. Je suis désolé que nous nous soyons manqués, mais tu sais comment les choses se passent quand un service est occupé.

— Je vais super bien, Jack, dit Barry. Et ne t'inquiète jamais de rater quelques coups de téléphone. On ne peut rien y faire.

Il prit une profonde inspiration, pensa à Patricia, se rendit compte qu'il ressentait encore quelque chose entre la déception et la colère et décida que ce que l'on ne voyait pas ne faisait pas de mal.

— Es-tu encore partant pour faire quelque chose ce soir ?

— Le pape est-il catholique ? Il y a une danse à la résidence des infirmières.

— Allons-y. Veux-tu d'abord venir ici pour dîner ? Kinky a préparé une tourte à la viande de bœuf et aux rognons.

— Non, merci. Je dois passer prendre Mandy, et elle demeure sur Antrim Road. Cela me prendra un moment pour arriver chez elle et revenir un peu avant 19 h 00. La danse est à 20 h 00 à la résidence des infirmières, Bostock House — juste de l'autre côté de la rue devant le terrain du Royal.

— Seigneur, Jack. N'essaie pas de montrer à un vieux singe à faire des grimaces. Je sais où se trouve Bostock House. N'avions-nous pas tous les deux l'habitude de passer y prendre des infirmières ?

— En effet, Effendi. Quel idiot je suis ! Mais bon, je viens d'une famille d'idiots. Rencontrons-nous dans l'oasis d'O'Kane aux environs de 19 h 00. C'est dans la famille de mon père, les Ben-i-sadr — pas la tribu des Howitat —, et tous les verres que nous voulons nous attendent.

L'accent de Jack était une version parfaite de celui d'Omar Shariff dans le film *Laurence d'Arabie*, que Barry et Jack avaient vu ensemble deux ans plus tôt.

Barry rit et dit :

— Toi et tes imitations. Ferme-la, Mills, mais d'accord, je vais vous voir, Mandy et toi, au Oak à 19 h 00.

Barry reposa le combiné et consulta sa montre. Eh bien, il avait suffisamment de temps pour se rendre présentable en vue de la sortie et ensuite manger la tourte à la viande de bœuf et aux rognons de Kinky. Il savait qu'elle serait très peinée s'il ne la mangeait pas. Elle savait qu'O'Reilly ne dînait pas à la maison ce soir, et cela aurait manqué de consi-dération de la part de Barry de la laisser préparer un dîner pour lui seul au lieu de la prévenir du fait qu'elle n'avait pas besoin de le faire. Il avait une certaine compréhension des efforts que déployait Kinky pour bien nourrir son monde. Elle ne s'offusquait jamais lorsque ses docteurs devaient rater un repas s'ils étaient appelés au-dehors pour des motifs médicaux, mais elle pouvait se montrer méprisante s'ils savaient à l'avance qu'ils seraient à l'extérieur et négligeaient de l'en informer. « Et elle a tout à fait raison », se dit Barry. La garder au fait de ses plans était la moindre des politesses dont il pouvait faire preuve envers elle.

Il grimpa les marches pour se rendre dans sa chambre au grenier. Alors qu'il passait devant la porte fermée du salon à l'étage, il entendit O'Reilly dire :

— Donal Donnelly est l'homme de la situation.

Il entendit ensuite O'Reilly rire aux éclats et Kitty lui emboîter le pas de son rire plus aigu.

Barry sourit et décida que peu importe ce qu'était le boulot pour Donal, il serait dévoilé en temps et lieu. Ce soir, il allait voir son ami, oublier la médecine et les citoyens de Ballybucklebo, et pour un petit moment au moins, il ne penserait plus à l'entêtement de l'amour de sa vie.

23

Un festin de vins vieux

O'Reilly s'éloigna d'un pas et tint le manteau de Kitty pour elle. Il remarqua la façon dont ses cheveux fins bouclaient délicatement sur sa nuque, et il eut conscience de son parfum subtil.

— Je pense, Fingal, dit-elle, que puisque je n'ai bu qu'un petit gin-tonic et que toi, tu as eu ton anti-venin à la partie et un grand John Jameson il y a un instant, je devrais conduire.

— Conduire ma Rover ? C'est une grosse brute lourde.

— Ma Mini est garée dans la ruelle juste à côté de la Volkswagen de Barry.

Elle passa son bras sous le sien et commença à marcher vers la cuisine.

— Je vais conduire jusqu'à Crawfordsburn et nous ramener tous les deux ici après afin que tu puisses prendre ton dernier verre là-bas sans te soucier de conduire jusqu'à la maison.

La cuisine était vide. Kinky avait dû disparaître dans ses quartiers pour regarder son petit poste de télévision. La comédie *Steptoe and Son*, à propos d'un duo de chiffonniers anglais et de leur cheval, Hercules, était l'une de ses préférées, même si O'Reilly savait qu'elle aimait aussi l'émission de satyre politique de fin de soirée du samedi, *That Was the*

Week That Was, avant qu'elle soit retirée des ondes l'année précédente.

— Je ne m'inquiéterais pas. Ce ne serait pas la première fois que l'agent Mulligan, le plus fin de Ballybucklebo, me reconduirait à la maison. Il dit que c'est moins d'ennuis que de m'arrêter. Cependant, je ne vais boire qu'un ou deux verres de plus ce soir. Je suis de garde.

Il ouvrit la porte arrière pour elle et fronça les sourcils. Il n'était pas certain de se sentir à l'aise à l'idée d'avoir une femme pour chauffeur.

— Je vais te rappeler que ce ne sera que deux verres, dit-elle, et nous prenons ma voiture. Ce n'est pas seulement toi que tu pourrais envoyer dans le fossé. J'aime bien être en un seul morceau.

« Et je t'aime ainsi moi aussi », pensa-t-il en la suivant à travers la porte du fond avant de la refermer derrière lui.

— Tu commences à parler comme une épouse, Caitlin O'Hallorhan, dit-il sans réfléchir, heureux qu'ils soient dehors dans l'obscurité du jardin et qu'elle ne puisse pas voir son visage.

Il savait qu'il souriait probablement d'une oreille à l'autre comme un idiot parce qu'au moment où les mots lui avaient échappé, il s'était rendu compte qu'il pourrait faire pire — si jamais il se remariait un jour. Oui, et cela se produirait quand des cerises pousseraient sur ses pommiers dont il pouvait distinguer les branches nues dépeintes sur le ciel sombre. Les étoiles brillaient comme des rivets plaqués d'argent de la cuirasse d'ébène du chevalier noir.

— Mais d'accord. Tu conduis.

— Ouaf ? demanda Arthur d'une voix endormie tandis qu'ils passaient devant sa niche.

— Samedi prochain, dit O'Reilly au chien, qui renâcla et resta dans sa maison.

Tandis qu'il lui ouvrait le portail du jardin, O'Reilly expliqua à Kitty :

— Nous irons tous les deux à Strangford Lough la fin de semaine prochaine pour une journée de chasse au gibier. Arthur aime vraiment cela.

— Je suis heureuse pour Arthur, dit-elle, mais je suis désolée pour les pauvres canards. J'imagine qu'ils n'aiment pas beaucoup cela.

O'Reilly frissonna. C'était exactement le sentiment qu'avait Deidre.

— Nous y voici, déclara Kitty. Monte.

Il ouvrit la portière de la voiture et se tassa sur le siège avant de la Morris Mini. Il ressentit une sympathie immédiate pour ces étudiants de première année qui tentaient à l'occasion de voir combien d'entre eux pouvaient s'enfoncer dans une cabine téléphonique. Par la grâce de son souffle expulsé et en serrant fortement les bras sur ses flancs, il fut capable de fermer sa portière. Tout juste.

— Jolie petite voiture, dit-il en maudissant intérieurement son concepteur, sir Alex Issigonis.

Kitty vira sur la route entre Belfast et Bangor. La circulation était fluide, mais O'Reilly crut qu'il valait mieux lui permettre de se concentrer sur sa conduite, alors il resta assis en silence. L'intérieur de la petite voiture était éclairé, puis plongé dans l'obscurité alors qu'elle progressait entre des flaques de lumières jetées par les quelques lampadaires.

Ils quittèrent Ballybucklebo et roulèrent dans la campagne.

Il resta assis dans l'obscurité et laissa son esprit vagabonder à son gré. O'Reilly réfléchit à ses plans pour aider Eileen. Ils semblaient assez infaillibles. Il sourit. « Bien », se dit-il. Il se demanda distraitement comment allait s'en sortir l'équipe de rugby irlandaise dans les séries internationales de cette année. La France, le Pays de Galle, l'Angleterre et l'Écosse déploieraient tous de puissantes équipes.

L'intérieur de la voiture était éclairé par les phares des voitures arrivant en sens inverse. Il pivota et examina le profil de Kitty. Elle était une jolie fille quand elle était étudiante en soins infirmiers. Et elle était aujourd'hui une belle femme mature.

« Pourquoi, alors ? Pourquoi ne s'est-elle jamais mariée ? » se demanda-t-il alors, comme il l'avait fait plusieurs fois depuis mardi. Elle l'avait surpris mardi en lui disant qu'elle ne l'avait jamais oublié et qu'elle pouvait encore l'aimer s'il la laissait faire. Elle ne pouvait pas avoir entretenu un amour pour lui — pas pendant environ vingt cinq ans. N'est-ce pas ?

« Pourquoi pas ? » Il se frotta le front avec le talon de sa main gantée. Il l'avait fait pendant vingt-trois ans, mais pour Deidre, et non pour Kitty. La lumière du premier lampadaire du village de Crawfordsburn fut reflétée par les yeux de Kitty, puis la voiture fut replongée dans l'obscurité. Il se dit alors qu'il devait peut-être laisser la flamme de son propre amour se calmer. Elle ne devait pas s'éteindre — oh, non —, mais briller un peu moins vivement.

Il se souvint de la sensation de la main de Kitty dans la sienne après le dîner au numéro 1 de la rue principale, de l'effleurement de ses lèvres sur les siennes, et pendant un moment, il eut l'envie presque irrésistible de se pencher et de lui embrasser la joue. Mais elle signalait un virage à gauche dans le stationnement de l'auberge, et il ne voulait pas la distraire.

Une fois qu'elle se fut garée, il l'escorta dans l'auberge, l'aida pendant qu'ils suspendaient leurs manteaux dans le vestiaire du hall et lui tint le coude en la guidant vers le bureau de la réception. L'entrée de l'auberge était décorée pour Noël avec des branchettes de gui posées sur le dessus de cadres dorés de paysages irlandais et deux chaînes en papier multicolore formant une boucle en diagonale d'un coin à l'autre sous les poutres du plafond. Un miroir sur un mur était à moitié vaporisé de neige artificielle. O'Reilly s'arrêta au bureau de la réception.

— Bonsoir John. Voici mademoiselle O'Hallorhan.

— Bonsoir, docteur O'Reilly. Enchanté de vous rencontrer, mademoiselle.

Kitty lui sourit.

— John, le salua-t-elle.

— Voulez-vous me faire une petite faveur? demanda O'Reilly.

— Comme d'habitude, docteur?

— Oui. Mademoiselle O'Hallorhan et moi serons dans votre salle à manger. Si madame Kincaid téléphone, voulez-vous venir me chercher?

— Comme au mariage?

O'Reilly opina de la tête.

— Tout le plaisir est pour moi, monsieur. Mais j'espère que je n'aurai pas à le faire.

— Moi aussi, dit O'Reilly.

Il regarda l'horloge grand-père collée sur un mur.

— Nous sommes un peu tôt, alors nous allons attendre au bar jusqu'à ce que notre table soit prête.

Tenant encore Kitty par le coude, il l'entraîna vers le bar-salon, où un feu de tourbe brûlait sous un manteau de cheminée orné d'une couronne de houx. Des clients, plusieurs des mêmes hommes qui étaient là lundi, les réguliers, occupaient les mêmes box. Il n'avait pas besoin de venir ici très souvent, mais le Canard n'avait pas de restaurant, et s'il voulait être franc — il regarda Kitty —, l'amener là aurait fait aller les langues à Ballybucklebo.

Colette était derrière le bar. Elle les accueillit avec un grand sourire, se déplaça le long du comptoir et dit :

— Comment allez-vous, docteur O'Reilly ? Vous êtes venu dîner, d'après ce que j'ai entendu. Une table pour deux ? Elle sera prête dans une petite minute, pour ça oui. Aimeriez-vous un petit verre tous les deux pendant que vous patientez ?

Elle soulevait déjà la bouteille de Jameson. Elle servait O'Reilly lors de ses visites occasionnelles depuis aussi loin que remontaient ses souvenirs, et Colette, il le savait, était une excellente barmaid avec une mémoire encyclopédique pour ce que préféraient ses clients. Elle connaissait bien les vins aussi. Il le fallait, dans un endroit trop petit pour employer un sommelier. Il sourit et opina de la tête en guise d'approbation.

— Non, merci, dit fermement Kitty. Nous prendrons une bouteille de vin avec notre dîner. De plus, je conduis, et Fingal est de garde.

Les yeux de Colette s'arrondirent, mais elle garda le silence, replaça la bouteille et dit :

— Assoyez-vous un peu, alors, et je vais aller vous chercher les menus, pour ça oui.

Elle repartit derrière le comptoir.

O'Reilly jeta un regard à Kitty, haussa les épaules et se rappela à lui-même qu'il avait promis de ne boire qu'un ou deux verres de plus. Il attendit que Kitty soit installée à une petite table, sortit sa pipe et demanda :

— Cela te dérange-t-il si je fume ?

— Pas du tout. Mon père fumait la pipe. L'odeur du tabac me fait penser à lui.

Quand O'Reilly eut allumé sa pipe, elle se pencha sur la table et posa les deux mains sur le dessus, les paumes en l'air, puis elle le regarda droit dans les yeux et dit :

— Merci de m'avoir amenée à la partie d'aujourd'hui, Fingal. J'ai vraiment eu du plaisir. Cela m'a ramenée en arrière.

O'Reilly lui sourit, car il savait qu'elle faisait allusion aux fois où elle était venue le regarder jouer, et le fait d'entendre ses paroles lui rappela également cette époque. Ses souvenirs étaient doux-amers, mais avec seulement une légère touche d'amertume. Sa main couvrit les siennes.

— Moi aussi, dit-il.

Il entendit quelqu'un tousser. Colette était de retour.

— Voici pour vous, dit-elle en leur tendant un menu à chacun, et voici la carte des vins.

Elle l'offrit à O'Reilly, mais il secoua la tête.

— Donnez-la à la dame, Colette.

Il vit ses yeux s'arrondir pour la deuxième fois en autant de minutes. Les hommes choisissaient toujours les vins.

— Kitty est l'experte en vins. Je ne saurais pas distinguer un merlot d'un marron glacé.

Colette haussa les épaules et tendit la liste à Kitty.

— Je vais vous donner quelques minutes.

Et elle s'en alla.

O'Reilly ouvrit le menu, le lut rapidement et prit sa décision. Des scampi pour commencer, puis le homard thermidor. Il aimait particulièrement la manière dont le chef ici préparait les crevettes roses de Dublin Bay, les scampi, et les faisait frire dans une délicieuse panure. Son estomac gargouilla de plaisir anticipé.

— Pardonne-moi, dit-il en posant le menu sur la table.

Kitty l'ignora tandis qu'elle lisait, mettait le menu de côté et se concentrait sur la carte des vins. Finalement, elle opina de la tête de façon catégorique et referma la liste.

— Qu'aimerais-tu ? demanda-t-il.

— Des escargots, dit-elle, puis… cuisinent-ils bien le steak de filet de bœuf ici, Fingal ?

Il acquiesça de la tête.

— Bien, dit-elle, je vais prendre le mien à point.

O'Reilly se cala dans sa chaise et retira sa pipe de sa bouche. Il secoua la tête rapidement et cligna deux fois des paupières, mais l'image mentale nette demeura : un petit restaurant à Dublin, des lumières tamisées, une bougie qui s'éteignait lentement sur la table et un étudiant en médecine qui se demandait s'il allait avoir les moyens de payer le repas qu'ils venaient tout juste de commander pour célébrer sa qualification au titre d'infirmière.

— C'est exactement ce que tu as pris la toute première fois où je t'ai amenée dîner, dit-il doucement, et il la regarda. Je m'en souviens, car je n'avais jamais vu quelqu'un manger des escargots auparavant. Nous pensions que seuls les Français faisaient cela.

— Le propriétaire du restaurant était un Français.

Elle sourit, et il vit son teint rougir alors que son sourire s'élargissait. Elle couvrit le dos de sa main avec sa paume.

— Je ne pensais pas que tu t'en souviendrais, dit-elle, sa voix étant rauque sous le coup des émotions.

— Je m'en souviens, Kitty, dit-il. Tu portais une robe verte, et je me suis penché vers toi pour te dire que je pensais que tu étais éblouissante... et j'ai renversé un verre de vin rouge sur tes cuisses.

Il sentit sa main presser la sienne, et il entendit son rire de gorge.

— Tu as une très bonne mémoire, Fingal, dit-elle.

— Pour certaines choses. Les choses importantes.

Il la regarda dans les yeux et dit :

— Avant que tu commandes le vin, de sorte que je ne puisse absolument pas le renverser ce soir, je vais me pencher vers toi — il se pencha plus près, lui murmurant presque à l'oreille — et te dire que tu es encore éblouissante.

Il tourna sa main et il prit la sienne avant d'ajouter :

— Indéniablement éblouissante.

— Merci, Fingal.

Il vit Colette s'approcher, relâcha la main de Kitty d'un air coupable, recula, fourra sa pipe dans sa bouche et lâcha un nuage de fumée qui aurait pu cacher son vieux *Warspite* aux yeux ennemis.

— Prêts ? demanda Colette, crayon et calepin en l'air.

O'Reilly passa la commande.

Colette se tourna vers Kitty.

— Et pour le vin ?

— Je pense que nous aimerions le Bâtard Montrachet, dit Kitty, mais seulement si tu es d'accord, Fingal. Il est un peu cher.

« Du Kitty typique », songea-t-il. Elle avait un goût superbe, mais gardait un œil sur les finances aussi.

— Pour toi, Kitty, en ce jour de victoire pour les Bonnaughts, je pense que le chéquier d'O'Reilly peut le supporter.

— Merci, dit-elle en souriant. Le Montrachet vaut les quelques livres supplémentaires, et il n'est pas extrêmement coûteux, comme un Lafitte Rothschild 61.

Les sourcils de Colette montèrent au ciel, et il y avait une note de respect dans sa voix quand elle dit :

— Nous avons... nous avons un 52, je le sais avec certitude, pour ça oui.

— Ce serait merveilleux, dit Kitty. Peut-être que nous pourrions en avoir un verre tout de suite ?

— Je vais l'apporter immédiatement.

Colette partit, et O'Reilly se mit à rire.

— Et je suppose que tu aimes tes martinis mélangés au *shaker*, et non à la cuillère, et que tu portes sur toi un Beretta 418 automatique ou un Walther PPK ?

— De quoi parles-tu, Fingal ? demanda-t-elle en haussant les sourcils.

— Je parle de notre homme, James Bond. Et il connaît aussi très bien ses vins.

— Je vois.

Elle rit puis lui demanda :

— As-tu vu les films ?

— Non, dit O'Reilly, mais j'ai lu chacun des livres d'Ian Fleming jusqu'au dernier.

— Ne vas-tu pas au cinéma ?

— Je n'ai pas eu le temps, dit-il. Mais à présent que j'ai Barry pour partager le travail...

Il se rappela l'avoir embrassée dans la dernière rangée d'un cinéma à Dublin et lança :

— Nous pourrions y aller ensemble.

— J'aimerais beaucoup cela.

— Et j'espère que vous aimerez ceci, mademoiselle, dit Colette en déposant deux coupes sur la table avant de montrer l'étiquette de la bouteille à Kitty.

Leur table dans la salle à manger était dans une alcôve en forme de petit fer à cheval nichée dans un coin. Il y avait une banquette semi-circulaire au lieu de chaises, et O'Reilly s'assit confortablement, près du côté gauche de Kitty, avec le dos tourné vers les tentures de velours rouges tirées sur les fenêtres ouvrant sur le mur extérieur.

De la neige blanche faite de coton était coincée sur le dessus des demi-cloisons séparant la niche des autres box. La pièce était remplie d'autres dîneurs et du murmure des conversations. O'Reilly était content qu'il n'y ait pas cette petite musique d'ascenseur qui était devenue incontournable dans la plupart des restaurants de l'Ulster.

L'éclairage fourni par deux imposants lustres anciens était agréablement tamisé. Les serveurs en habit de soirée circulaient silencieusement, apportant et récupérant des assiettes pleines et des plats vides.

Sur une table à la nappe blanche immaculée, en sûreté dans son chandelier en verre taillé, brûlait une unique bougie au centre de leur table. O'Reilly vit sa flamme reflétée dans les yeux de Kitty. Il lui sourit et leva son verre.

Il n'était pas très amateur de vin, mais celui qu'elle avait choisi était frais et sec.

— Bon, dit-il. Très bon.

— J'ai pensé que tu l'aimerais, dit-elle avec un petit rire. Du moins, ce sera le cas jusqu'à ce que tu voies l'addition.

— Je t'ai déjà dit que cela m'allait, et merci d'avoir posé la question. Ce soir, dit O'Reilly en se glissant un peu plus près d'elle, tout est possible. À tes yeux brillants.

Il but.

Tandis qu'elle opinait de la tête pour accepter son toast, leur serveur arriva à leur table.

— Pour madame, dit-il en déposant l'assiette d'escargots devant Kitty.

L'odeur d'ail taquina le palais d'O'Reilly.

— Et pour vous, docteur : les scampi. Bon appétit.

Cette dernière réplique en fut prononcée avec un lourd accent de Belfast alors qu'il se retirait.

O'Reilly était prêt à commencer à s'empiffrer, mais il attendit que Kitty se lance. Il la regarda mettre le premier escargot dans sa bouche, puis il vit les coins de ses yeux se plisser quand elle l'avala.

— Ceci, dit-elle, est très bon.

— Bien.

O'Reilly piqua trois scampi d'un coup, les fourra dans sa bouche et mâcha vigoureusement. La panure était croustillante et cuite à la perfection, et la chair du petit crustacé était ferme et de saveur délicate. Il en piqua trois autres, mais il fut interrompu par Kitty, qui lui demanda :

— Aimes-tu l'ail, Fingal?

Il acquiesça de la tête, sa fourchette pleine à mi-chemin de sa bouche.

— Essaie ceci, dit-elle en tenant un escargot sur une fourchette.

Et avant qu'il puisse parler, elle le lui mit dans la bouche, comme une mère oiseau nourrissant un oisillon affamé.

Il mâcha.

Puis elle dit en se penchant plus près de lui :

— C'est le seul ennui avec l'ail : si on n'en a pas mangé un peu soi-même, ce n'est pas très agréable d'être embrassé par quelqu'un qui en a mangé.

O'Reilly interrompit sa mastication. Sa bouche s'ouvrit légèrement. Pardieu, si c'était une invitation pour l'embrasser, il allait la prendre au mot à la première occasion. Cette pensée l'enchanta, et pourtant, tout comme le vin avait un léger arrière-goût d'abricot, sa déclaration assurée laissait elle aussi une impression. C'était la remarque d'une femme qui avait l'habitude d'être embrassée, et cela, tout à fait irrationnellement, le rendait jaloux.

Il avala, lui sourit largement et dit :

— Tu n'auras pas à t'inquiéter de cela ce soir, Kitty.

Il la laisserait décider s'il voulait dire qu'il n'allait pas l'embrasser ou si, puisqu'elle lui avait donné un escargot, il était à présent tout à fait prêt à le faire. Son sourire était invitant, et il se rapprocha un peu, conscient encore une fois du parfum musqué qu'elle portait. « Au diable les autres dîneurs », pensa-t-il, penchant la tête pour l'embrasser sur la joue. Alors qu'il se redressait, il vit John, le réceptionniste, debout devant la table.

— Oui, John ?

— Je suis désolé de vous déranger, docteur O'Reilly, mais votre madame Kincaid est au téléphone, et elle dit que c'est urgent.

— D'accord.

O'Reilly se leva et repoussa la table. Il oublia tout le reste, car il savait que Kinky était douée pour se débrouiller avec les appels anodins et qu'elle ne lui aurait pas téléphoné à moins qu'il y ait une réelle urgence. Il quitta la salle à manger et fonça dans le hall sans se donner la peine de s'excuser auprès d'un client qu'il bouscula en passant.

Le combiné était posé sur le bureau. Il s'en empara.

— Allô ? Kinky ?

— Docteur O'Reilly. Je viens d'avoir mademoiselle Hagerty, la sage-femme, au téléphone. Elle est avec une patiente, Gertie Gorman, du 27 Shore Road.

«Gorman?» O'Reilly ne reconnaissait pas ce nom.

— La femme est en travail; mademoiselle Hagerty pense que cela ne se passe pas bien, et elle est incapable de joindre le docteur de la femme. Le docteur Laverty est à Belfast, et elle veut savoir si vous pouvez venir l'aider, monsieur.

— Évidemment, Kinky. Téléphonez à mademoiselle Hagerty, dites-lui que je suis en route, puis apportez les sacs pour les accouchements à la cuisine. Je serai là dans une demi-heure.

Il tendit le combiné à John et dit :

— Raccrochez pour moi.

O'Reilly retourna dans la salle à manger en courant, et expliqua la situation à Kitty et au maître d'hôtel, qui accepta qu'O'Reilly règle l'addition la prochaine fois.

— Viens, Kitty, dit-il. Conduis-moi à la maison.

Tandis qu'il la poussait dans le hall, il dit :

— Je suis désolé pour cela. Quand nous serons à la maison, je vais prendre la Rover, et tu pourras toi-même rentrer chez toi…

— Au diable cette idée, Fingal, dit-elle en attrapant son manteau dans le vestiaire. Je suis infirmière, tu t'en souviens? Je viens avec toi.

24

Que la danse commence
et que la joie soit sans restriction

C'était une courte marche entre le pub O'Kane, l'auberge The Oak Inn et Bostock House, la résidence des infirmières. Barry, Jack et Mandy durent esquiver le trafic pour traverser Grosvenor Road. Ils passèrent les grilles ouvertes de l'hôpital Royal Victoria et continuèrent à marcher lentement sur le terrain de l'hôpital. Ils marchaient d'un air complice, côte à côte, les talons aiguilles de Mandy cliquetant sur la chaussée. Barry sentait le froid de l'air de décembre sur ses joues et son nez, et il pouvait entendre une ambulance approchant rapidement tandis que sa sirène s'élevait au-dessus du grondement grave et constant de la circulation.

Ils passèrent un stationnement où il avait laissé Brunhilde une heure et demie plus tôt avant de rencontrer Jack et Mandy au Oak à 19 h 15. Ils avaient 15 minutes de retard. Chacun d'eux avait bu deux verres, et maintenant, à 20 h 45, ils se dirigeaient vers la danse.

Barry inspira les odeurs des vapeurs de gaz d'échappement de la ville assourdissante et celle de la fumée des cheminées d'usines et des foyers. Le bruit et la puanteur étaient très différents du calme et de l'air pur de Ballybucklebo. Il se rappelait avec affection ses récentes années de formation ici, à Belfast, mais il savait à présent qu'il ne pourrait jamais vivre dans cette ville.

Tandis qu'ils s'avançaient vers la résidence des infirmières, il entendit — faiblement au début, mais plus fortement alors qu'ils approchaient du bâtiment de briques rouges — les sons d'un groupe de jazz traditionnel. Les trois amis montèrent les marches en pierre de l'entrée de la maison. Joe, le portier et intendant général, un boxeur à la retraite et le gardien jaloux de ses jeunes protégées, était assis à une table et prenait les billets. Jack lui en tendit trois. Cela avait été bien de sa part de les acheter et de refuser que Barry paie le sien.

— Docteur Mills?

Joe accepta les billets. Il était aussi chauve qu'une boule de billard. Son visage battu, avec son nez écrasé, se fendit d'un grand sourire aux dents écartées et s'élargit d'une oreille en chou-fleur à l'autre.

— Comment le monde vous malmène-t-il?

— Je ne peux pas me plaindre, Joe, dit Jack. C'est bon d'être de retour à Bostock.

— C'est super de vous voir, pour ça oui. Et vous aussi, docteur Laverty, monsieur.

— Il en va de même pour moi, Joe.

Barry se dit que c'était amusant, puisque deux ans plus tôt, Jack et lui avaient été pris en chasse sur les pelouses par un Joe enragé. Ils avaient ramené deux étudiantes en soins infirmiers après leur couvre-feu. Cela avait été l'idée de Jack de se moquer de Joe afin qu'il se mette en colère, pourchasse ses persécuteurs et laisse la porte sans surveillance assez longtemps pour que les deux jeunes femmes courent à l'intérieur sans être vues et évitent d'être dénoncées à l'infirmière-chef.

À la façon dont il les accueillait, il avait dû oublier cet épisode particulier, mais alors, on estimait généralement parmi les étudiants en médecine que Joe avait reçu un coup de poing de trop à la tête et qu'il lui manquait au moins une case.

Barry entra dans le vestibule bruyant et bondé. Des pères Noël et des bonshommes de neige découpés étaient collés sur les murs vert hôpital. Un sapin s'élevait dans le coin du fond. Des boules de Noël en verre coloré pendaient à chaque branche drapée de guirlandes de Noël. Une étoile dorée au sommet de l'arbre penchait d'un côté et agissait comme une flèche pointant vers une affiche portant l'inscription « Joyeux Noël ».

L'endroit était très chaud. Il patienta en file derrière Jack et Mandy et retira son pardessus, puis il le laissa dans le vestiaire. Il lissa par réflexe sa mèche blonde et redressa sa vieille cravate de Campbell.

Des couples, de même que des femmes et des hommes célibataires, entraient et sortaient par deux portes à double battant qui donnaient, il le savait, sur le vestibule principal de la résidence. Il était utilisé pour les assemblées et les spectacles amateurs, et ce soir-là, il faisait office de salle de danse. Il reconnut les accords de *Muskat Ramble* que l'on jouait dans la salle, et il tenta de fredonner l'air en chœur, mais il maudit son absence d'oreille musicale et sourit pour lui-même. Si Patricia s'était trouvée ici, elle aurait pu chanter de sa voix grave de contralto. Son sourire s'estompa. Si elle s'était trouvée ici ? Il mourrait d'envie qu'elle soit ici, et il songea à inventer un prétexte et à reprendre le chemin de la maison. « Fichue intransigeance », se dit-il.

— On se voit à l'intérieur, Barry.

Jack, tenant fermement la main de Mandy, l'entraîna vers le plancher de danse. Barry les regarda partir, les fesses de Mandy se trémoussant avec insolence sous sa jupe ajustée rouge qui s'arrêtait aux genoux, la courbe de ses mollets accentuée par ses bas noirs extra-fins et ses talons. Barry sourit. Elle avait vraiment des jambes superbes. Il sentit un petit mouvement dans son pantalon. Seigneur, il y avait si longtemps qu'il s'était trouvé près d'une fille.

— Biè, comment vas-tu, Barry ?

Il pivota pour voir un vieil ami, Harry Sloan. C'était un pathologiste en devenir qui précédait plusieurs de ses remarques de cet étrange bruit de braiment. C'était lui qui avait accéléré l'examen microscopique des lames de tissus cardiaques provenant d'un patient de Barry qui était mort en août quand Barry avait eu besoin des résultats urgemment. Il était encore redevable à Harry.

— Je vais bien, Harry, merci.

— Je pensais que tu avais une nana régulière. Elle est dans le vestiaire, c'est ça ?

Barry prit une profonde inspiration, secoua la tête et expira avec force.

— Non, je suis seul.

Et même s'il avait pensé à Patricia à peine quelques instants plus tôt, il ne voulait pas qu'on la lui rappelle encore. Pas en ce moment. Pas alors que le simple fait de penser à son refus d'accepter son offre réveillait sa colère.

— Biè. Elle t'a laissé tomber, c'est ça ?

Harry secoua sa chevelure prématurément blanche et dit gentiment :

— Tss, tss.

Barry pressa les lèvres.

— Pas exactement, mais elle a gagné une bourse d'études pour Cambridge, et elle n'est pas encore rentrée à la maison pour Noël.

«Si jamais elle rentre à la maison», pensa-t-il.

Le sourire d'Harry était large.

— Oui. Donc, quand le chat est sorti, les souris dansent, c'est ça ?

Barry haussa les épaules. Il devait admettre qu'il était ici en partie pour essayer de punir Patricia, même s'il ne savait pas trop comment le fait qu'il assiste à une danse pouvait l'émouvoir le moins du monde s'il ne le lui disait pas. Et il y avait un peu de vérité dans ce que disait Harry. Barry avait été entièrement fidèle à Patricia depuis qu'elle était partie pour l'Angleterre en septembre, mais il avait ressenti ce frisson simplement en regardant les jambes de Mandy. Et la pièce à côté était remplie d'attirantes jeunes femmes célibataires.

— Oui, c'est quelque chose comme cela, dit-il.

— Allons-y, alors, dit Harry en s'avançant vers les portes à double battant. Allons jeter un œil sur les belles nanas.

À l'intérieur de la salle, l'éclairage avait été tamisé, et Barry cligna des paupières en attendant que ses yeux s'habituent à la lumière basse et au picotement causé par la fumée de tabac. Le groupe jouait sur une scène au fond de la salle, et il était bien avancé dans *When the Saints Go Marching In*. Il pouvait à présent lire les lettres peintes sur la batterie,

«The White Eagles». Il avait souvent dansé au son de ce groupe de Belfast bien connu dans des événements étudiants.

Une grosse boule suspendue au plafond tournait, faisant en sorte que la lumière reflétée sur la multitude de petites glaces à sa surface jette constamment des taches vives et mouvantes sur les murs, le plancher et les danseurs. Les motifs auraient pu être créés par un kaléidoscope monochrome. Le plancher de danse était bondé. Certains couples se déplaçaient sur la piste en dansant le quickstep. La plupart dansaient joyeusement le jive, les hommes faisant tourner et tourbillonner leurs partenaires dans un jeu de talons rapides, les jambes qui pirouettaient offrant des aperçus de cuisses au-dessus des bas tandis que les jupes tournoyaient joyeusement comme les toits de toile d'une multitude de carrousels.

Le trompettiste tint une note haute, et le batteur frappa avec bonheur sur son instrument tandis que la musique atteignait son apogée dans un grand frisson. C'était la fin de la prestation. Certains couples restèrent ensemble en quittant le plancher de danse et d'autres remercièrent leurs partenaires et retournèrent de leur propre côté dans la salle, les hommes allant à droite et les femmes se dirigeant à gauche. Les lumières s'avivèrent. Barry sentit qu'Harry lui donnait une petite poussée.

— Vois-tu cette petite blonde?

Il désigna d'un coup de tête une fille debout qui parlait à une petite brunette.

— Elle s'appelle Jane Duggan. Je suis sorti avec elle quelques fois l'an dernier. C'est une fille qui aime bien s'amuser, pour ça oui.

— Oh?

— Je vais aller lui demander la prochaine danse. Vas-tu inviter son amie?

Barry hésita. Patricia serait-elle blessée si elle le découvrait? Merde, si elle s'était trouvée dans l'Ulster, il ne serait pas allé à cette danse en premier lieu. Et s'il était quand même allé à la danse, elle serait venue avec lui, avec sa jambe boiteuse et tout le reste. Et ce n'était pas comme s'il allait amener la brunette au lit. Ce n'était qu'une danse.

— D'accord, dit-il.

Ensemble, ils traversèrent le plancher de danse. Pendant un moment, Barry se rappela l'histoire d'un jeune homme qui avait demandé une danse à une fille de l'usine de tabac Gallagher seulement pour se faire dire : «Nan. Demande à ma sœur. Je transpire comme ce n'est pas possible.»

— ... alors, disait la brunette, l'infirmière est devenue folle.

Barry sourit. Il entendit Harry inviter la blonde avant de la prendre par la main et l'entraîner sur le plancher de danse.

— Puis-je avoir la prochaine danse? demanda-t-il à la brunette.

Il vit ses yeux foncés se rider aux coins et ses lèvres pleines se courber en un sourire. Sa chevelure sombre — il était impossible de distinguer sa véritable couleur sous l'éclairage de la salle — pendait sur ses épaules, puis se tournait vers l'intérieur aux extrémités pour encadrer son visage, comme Diana Rigg portait les siens dans l'émission de télévision *The Avengers*. Il estima qu'elle avait environ 20 ou 21 ans.

— Tout le plaisir est pour moi.

Elle lui offrit sa main, et il la prit.

— Barry Laverty, dit-il. De Ballybucklebo.

Sa main était agréablement fraîche dans la sienne. Elle portait un chandail vert lime à col en V qui dévoilait un soupçon de son décolleté avec une large ceinture en cuir verni, et sa jupe qui lui arrivait aux genoux était plissée et vert foncé.

— Peggy Duff. Je vis à Knock. Nous sommes presque voisins.

Barry était habituellement timide en présence des filles, se trouvant la plupart du temps aux prises avec une phrase d'approche inepte, comme « Venez-vous souvent ici ? » ou une remarque sur le temps. Cependant, il se souvint brusquement de ce qu'il l'avait entendu dire.

— Pourquoi l'infirmière a-t-elle piqué une crise de nerfs ?

Elle rit, mettant un profond rire de gorge qui se termina par un grognement.

— Quand j'étais une étudiante de première année en soins infirmiers, elle m'a envoyé nettoyer le dentier de tous les vieillards. Je n'ai pas réfléchi ; je les ai tous rassemblés dans une seule bassine, et je les ai nettoyés…

— Je parie que vous avez eu un mal de chien à découvrir quelles dents appartenaient à quel patient, dit Barry en riant.

— Il m'a fallu deux jours d'essais et d'erreurs, répondit-elle en riant à nouveau. L'infirmière n'était pas contente de moi.

Il aimait son aisance à rire d'elle-même.

— Je suis certain qu'elle s'en est remise, dit-il.

Les lumières baissèrent. Le groupe se lança dans une chanson lente, *Saint James Infirmary*. Il l'amena sur le plancher de danse, mit son bras droit autour de sa taille et tint sa main droite dans la sienne, leurs bras allongés. C'était la posture qu'il avait apprise dans les cours de danse à son pensionnat pour garçons. Sa partenaire avait été une chaise en bois, et elle n'était certainement pas aussi douce que la fille qu'il tenait à présent près de lui. Et la chaise ne portait pas non plus un parfum comme celui de Peggy. Il le reconnut comme étant *Je reviens*; il en avait déjà acheté un flacon — il lui semblait qu'une éternité s'était écoulée depuis — comme cadeau d'anniversaire à une certaine étudiante en soins infirmiers. Une fille qu'il avait connue avant Patricia.

Il fit en sorte qu'ils se déplacent sur plancher. L'absence d'oreille musicale chez Barry était complétée par son incapacité à respecter un rythme. Il savait que les vedettes de cinéma comme Glen Ford ou Henry Fonda auraient fait tournoyer cette fille et l'auraient charmée par leur expertise. Barry Laverty la poussa sur le plancher avec un pas oscillant entre une valse et le pas traînant d'un patient avec une quelconque maladie neurologique. Au moins, il réussit à éviter de lui marcher sur les pieds. Ils ne parlèrent pas pendant la danse, mais elle lui permit tout de même de la tenir d'un peu plus près et de mettre sa joue sur la sienne. Il pouvait sentir la douceur de ses seins, et il laissa sa main tomber dans le creux de son dos. Elle ne se dégagea pas; elle se poussa plutôt un peu plus contre lui. Il sentit encore une fois l'érection qu'il avait eue quand il avait regardé s'éloigner le dos de Mandy. «Je suis désolé, Patricia», se dit-il, le mot «désolé» indiquant plutôt l'insincérité de ses pensées. «Mais tu devrais être ici avec moi. Vraiment, tu le devrais», pensa-t-il en effleurant doucement la joue de Peggy avec ses lèvres.

Il était légèrement essoufflé quand la musique s'arrêta, et ce n'était pas à cause de l'effort de la danse. Ils s'écartèrent l'un de l'autre, mais il retint sa main, et elle ne s'y opposa pas.

— Vous n'êtes pas Fred Astaire, dit-elle avec un sourire. Aimeriez-vous vraiment danser encore un peu, ou préféreriez-vous m'offrir un verre?

— Je pensais que vous ne le demanderiez jamais, dit-il, soulagé de ne plus avoir à trébucher maladroitement. Le bar est dans le hall.

Tenant encore sa main, il lui fit longer le bord du plancher de danse. Il ne vit nulle part Harry et sa partenaire blonde, mais il agita la main en direction de Jack et Mandy quand ils tournoyèrent devant lui. Barry amena Peggy dans le hall d'entrée en passant par les portes à double battant.

— Qu'aimeriez-vous?

— Une vodka-jus d'orange, s'il vous plaît.

Il lui trouva une chaise, la laissa s'asseoir et rejoignit la file devant le petit bar. Il se tourna et la regarda. Peggy n'était pas vraiment une fille très attirante. Elle n'était pas aussi belle que Patricia, se rappela-t-il à lui-même — personne ne l'était —, mais Jack Mills aurait décrit Peggy Duff comme « un repos pour les yeux ». Elle était très reposante.

Il commanda sa boisson et un verre de jus d'orange pour lui-même. Il rentrerait bientôt en voiture à la maison; il n'avait jamais vraiment eu l'intention de rester longtemps de toute façon, mais cela avait été agréable de voir Jack, Mandy et Harry, un autre camarade de classe. Barry paya les verres et les emporta jusqu'à Peggy.

— Tenez, dit-il en lui tendant sa vodka avant de s'asseoir en face d'elle.

— Merci. Vous êtes aussi un buveur de vodka ?

Il secoua la tête.

— Ce n'est qu'un jus d'orange. Je conduis.

Elle tapota sa main libre.

— C'est brillant, Barry. Quand je travaillais au service des urgences, j'ai vu suffisamment de jeunes en lambeaux parce qu'un imbécile avait pensé qu'il pouvait boire beaucoup d'alcool et conduire quand même.

— J'en ai vu quelques-uns moi-même.

— Comment ?

— Je suis médecin généraliste, l'assistant d'un docteur O'Reilly à Ballybucklebo, mais j'ai travaillé trois mois à l'urgence du Royal quand j'étais interne, l'an dernier.

Elle but une gorgée de sa boisson.

— J'ai dû vous rater de peu. J'y étais en juin dernier, juste avant de recevoir mon diplôme d'infirmière.

Elle le regarda plus attentivement et plissa un peu le front.

— Barry Laverty ? Laverty ? Êtes-vous le gars qui fréquentait Brid McCormack ?

— C'est moi, dit Barry, se rappelant ses yeux verts et sa chevelure auburn, un souvenir rendu plus réel par le parfum de Peggy.

— Elle a épousé Roger Grant, le chirurgien, en septembre.

Brid lui avait parlé de cela en janvier de l'année précédente, quand elle lui avait calmement annoncé qu'elle allait épouser quelqu'un d'autre. Aujourd'hui, on était en décembre, et il semblait que Patricia perdait son intérêt envers lui. Il devait y avoir quelque chose de maudit quand il s'agissait des femmes, de lui et de l'hiver. Il soupira et fut étonné de sentir la main de Peggy couvrir la sienne.

— C'est une très belle fille. Elle était dans la classe précédant la mienne à l'école des soins infirmiers.

Il la regarda dans les yeux et y vit de la compassion.

— Oh, dit-il, haussant les épaules avant de se souvenir à voix haute des répliques de Christopher Marlow dans *Le Juif de Malte* : «Cela se passait dans un autre pays. D'ailleurs, la Donzelle est morte.»

Peggy le regarda d'un air narquois.

— Brid n'est pas morte, d'après ce que je sais.

— Je sais. Cela veut juste dire que je l'ai oubliée.

Il se dit alors que la question suivante allait sûrement être : «Fréquentez-vous quelqu'un d'autre?» Il ne savait pas comment il allait lui répondre, réchauffé comme il l'était par la pression croissante de sa main sur la sienne.

— Ce n'est pas agréable de se faire larguer, dit-elle. Mon petit ami et moi, nous nous sommes séparés il y a six mois.

Elle soupira avant d'ajouter :

— On s'y habitue, mais cela fait mal.

— On s'y habitue? Vraiment? dit-il, se demandant s'il s'en remettrait si Patricia le laissait vraiment tomber.

Il savait qu'O'Reilly portait encore le deuil de son épouse perdue après un très long temps, mais au moins, Fingal fréquentait Kitty, à présent.

— Oui, dit-elle. Il le faut. La vie continue.

Barry remarqua que son verre était vide, à présent.

— En voudriez-vous un autre?

Elle secoua la tête et jeta un coup d'œil à sa montre.

— Je vis à Knock, comme je l'ai dit, et je dois me lever tôt demain matin. Mon amie m'a conduite ici, mais elle semble avoir disparu avec votre copain aux cheveux blancs. Est-ce que cela vous dérangerait de me reconduire chez moi ? C'est sur la route de Ballybucklebo.

Barry termina son jus d'orange et se leva.

— J'en serai ravi.

Il avait dit ces mots sans hésitation.

— Allons chercher nos manteaux, et nous marcherons ensemble jusqu'à ma voiture.

Elle attendit pour l'embrasser qu'ils soient assez éloignés de Bostock pour être dans les ombres, loin des yeux curieux. Elle l'embrassa doucement au début, mais plus passionnément ensuite, et cela ne dérangea pas Barry. Pas le moins du monde.

25

Les absents ont toujours tort

— Voici la maison.

O'Reilly gara la Rover devant le 27 Shore Road.

— Sors, dit-il à Kitty, puis il sortit lui-même sur le trottoir et ouvrit la portière arrière.

Il attrapa deux lourds sacs d'accouchements qu'il avait, quelques minutes plus tôt, sortis de la cuisine du numéro 1 de la rue principale et chargés dans la voiture.

— Peux-tu fermer cette portière, Kitty ?

Elle contourna la voiture jusqu'à son côté et fit claquer la portière.

— Ouvre la porte du jardin.

Par-dessus le bruit des vagues qui s'écrasaient sur la plage à proximité, il entendit le grincement des pentures rouillées. Le portail bas en fer forgé s'élevait dans un mur de briques d'un mètre de hauteur.

Kitty se hâta vers la maison, et il la suivit, laissant le portail ouvert.

Toutes les maisons individuelles le long de cette partie de Shore Road étaient identiques, et bien qu'O'Reilly n'ait jamais visité celle-ci auparavant, plusieurs de ses patients vivaient à proximité. Il avança rapidement derrière Kitty, et il n'eut aucune difficulté à trouver son chemin sur le petit sentier même si la nuit était d'encre.

La porte s'ouvrit après le coup de Kitty, et mademoiselle Hagerty, la sage-femme du comté, soignée comme toujours dans son uniforme bleu et son tablier blanc amidonné, fut rétroéclairée par les lumières du vestibule.

— Je suis très contente que vous ayez pu venir, docteur O'Reilly, dit-elle, puis elle tourna et commença à marcher rapidement. La patiente est dans la chambre principale à l'étage! cria-t-elle par-dessus son épaule. Je ne veux pas la laisser seule longtemps. Suivez-moi.

Il présuma que le mari, comme tout homme raisonnable de l'Ulster avec une femme en travail, se trouvait au pub et que c'était la raison pour laquelle elle avait dû répondre à la porte.

— Voici l'infirmière O'Hallorhan! cria-t-il en guise de présentation alors qu'il transportait les sacs lourds dans un corridor bien tapissé et en haut d'un large escalier.

Des peintures à l'huile de pêcheurs et de paysages qu'il reconnut comme étant de la main de Humbert Craig étaient suspendues en ordre ascendant pour tenir compagnie à quiconque grimpait les marches. Craig était un homme de Bangor, et il avait souvent peint des scènes du Belfast Lough. O'Reilly pouvait entendre la femme gémir, et il vit mademoiselle Hagerty disparaître par une porte ouverte du côté droit sur le palier.

Il la suivit, déposa les sacs sur le tapis et se redressa, puis il retira brusquement son pardessus et son veston et les jeta dans un coin de la pièce. Roulant les manches de sa chemise, il se déplaça pour se tenir à côté d'un grand lit à deux places. Mademoiselle Hagerty se tenait du côté opposé. Kitty entra et attendit discrètement près de la porte. Gertie Gorman, une femme qu'il devinait dans la fin de la vingtaine, était allongée sur le dessus d'un drap de caoutchouc que mademoiselle Hagerty avait dû placer là pour protéger le matelas. La literie gisait en tas au pied de la table de nuit. Sa chemise de nuit était remontée sous ses seins.

— Bonjour, madame Gorman, dit-il. Je suis le docteur O'Reilly.

Elle se débrouilla pour lui faire un pauvre sourire.

— Merci d'être…

Son visage se fripa, puis elle serra les dents et gémit. O'Reilly jeta un regard à mademoiselle Hagerty et haussa un sourcil broussailleux.

— Elle dit que les douleurs ont commencé il y a environ 10 heures. Elles arrivent toutes les trois minutes et durent une minute. Elle est bien avancée.

Il opina de la tête.

— Elle en est à combien d'enfants?

— C'est l'accouchement numéro trois. Les deux autres ont été des accouchements courts, durant huit et six heures respectivement. Et elle a de petits bébés, pesant environ trois kg.

«Merci au Ciel pour les petites bénédictions», pensa-t-il. Les deuxième, troisième et quatrième accouchements étaient les plus faciles — ceux qui risquaient le moins de comporter des complications. D'un autre côté, le temps de travail s'écourtait habituellement après chaque grossesse. Cette fois, c'était plus long, et cela était inquiétant, mais elle était probablement presque prête à accoucher. Il était temps de commencer à évaluer précisément ce qui se passait et de mobiliser ses forces.

— Kitty, pourrais-tu dégager un espace sur la table de nuit et sortir tous les emballages stériles des sacs?

Kitty gagna la table de nuit et commença à retirer les effets qui se trouvaient dessus.

— Mademoiselle Hagerty, je vais avoir besoin que vous me fassiez un compte-rendu. Est-elle à terme?

— Trente-huit semaines, dit mademoiselle Hagerty. Et la grossesse n'a pas eu de complications pour autant que je le sache.

O'Reilly fronça les sourcils. «Pour autant que je le sache?» Habituellement, la majorité des soins prénataux pour une femme avec une grossesse sans complication relevait presque exclusivement de sa sage-femme.

— Quand l'avez-vous vue pour la dernière fois?

— Il y a un mois.

Il entendit sa propre voix augmenter de volume.

— Un mois? Au cours du troisième trimestre?

Mademoiselle Hagerty inspira ses joues minces vers l'intérieur.

— Le docteur Fitzpatrick s'est montré des plus insistants pour être presque exclusivement responsable de ses soins.

O'Reilly secoua la tête. «Stupide. Stupide.» Une sage-femme expérimentée comme mademoiselle Hagerty en était une avec les outils de diagnostic les plus sensibles. C'était le summum de l'arrogance que d'ignorer son expertise.

— Mais pour autant que vous le sachiez, il n'y a pas eu de problème?

— Pas d'après ce que je sais. Je l'ai demandé à Gertie dès que je suis arrivée ici, et elle a dit que le docteur Fitzpatrick ne cessait pas de lui dire que tout allait bien. Pas de haute pression. Bonne prise de poids. Le bébé grandissait, et son pouls était normal.

Il entendit le dédain dans son ton.

— Donc, pour autant que je le sache, il n'y a pas eu de difficulté avant le travail. Enfin, aucune n'a été remarquée.

Il plissa le front. Qu'est-ce que cela voulait dire ? O'Reilly détestait discuter d'une patiente d'une manière aussi impersonnelle devant elle, mais il avait besoin d'informations essentielles, et pendant une contraction, elle n'était pas en position de tenir une conversation de toute façon. Il essaya de la rassurer en lui pressant la main pendant un moment, et il fut content de voir qu'elle réussissait à lui faire un faible sourire tandis que la contraction se calmait. Il était temps de l'examiner. Il explorerait plus tard les insinuations de mademoiselle Hagerty.

— Je vais examiner votre ventre, dit-il en lançant un regard interrogateur à mademoiselle Hagerty.

Il n'eut aucun problème à comprendre les mots qu'elle articula en silence : « Je pense que c'est un siège. »

« Un siège ? Seigneur Tout-Puissant », se dit-il. Quand un bébé arrivait par les fesses plutôt que par la tête, les risques de blessures sérieuses chez la mère et de dommages, d'asphyxie et de mort chez l'enfant étaient beaucoup plus élevés.

Cela expliquerait certainement ce qu'avait dit mademoiselle Hagerty à propos de ce qui avait été remarqué. C'était une responsabilité importante de la sage-femme soignante ou du médecin de reconnaître des présentations anormales et d'organiser le transfert de la patiente dans une unité de maternité convenablement équipée. Un obstétricien spécialiste qui pouvait, si nécessaire, faire appel aux services d'une équipe devait s'occuper de l'accouchement et, si nécessaire, procéder à une césarienne.

O'Reilly n'avait plus eu à faire un accouchement par le siège depuis avant la guerre. Ses paumes commencèrent à transpirer. Mademoiselle Hagerty pouvait avoir tort, et dans le cas contraire, il espérait que le travail ne serait pas suffisamment avancé, ce qui ferait en sorte qu'il pourrait amener Gertie dans l'aile de maternité du Royal Hospital.

Il se positionna devant elle et posa les mains de chaque côté de son ventre gonflé. À travers la paroi abdominale et l'utérus temporairement détendu, il pouvait distinguer le contour lisse et courbé du dos du bébé allongé sur le flanc droit de sa mère. Il le suivit vers le haut jusqu'à ce qu'il ne puisse plus le sentir. Il plaça ses mains de chaque côté du fundus, le haut de l'utérus, et les fit bouger de droite à gauche. Quelque chose de solide faisait un mouvement de va-et-vient entre ses mains. Il était, pour utiliser le terme médical, ballottable. Habituellement, la tête l'était, et les fesses l'étaient moins. Il utilisa les doigts de sa main droite et son pouce courbés comme une griffe pour attraper la chose ronde et dure, et il fut certain qu'il s'agissait de la tête du bébé. Il rencontra le regard de mademoiselle Hagerty et opina de la tête.

En se servant de ses deux mains, une de chaque côté de la partie inférieure de son ventre immédiatement au-dessus des os pubiens, il fut capable de distinguer une forme profondément entrée dans le pelvis. Au toucher, cela ne semblait pas une tête. C'était plus étroit. À nouveau, il opina de la tête vers mademoiselle Hagerty, puis il demanda :

— Le pouls du bébé est-il convenable ?

— Il était à 140 avant votre arrivée.

C'était bien. Au moins, cela était normal.

Avant qu'il puisse passer à d'autres manœuvres, il sentit le début d'une nouvelle contraction. Jusqu'à ce que la contraction passe, il serait incapable de sentir quoi que ce soit, sauf les muscles utérins durs comme l'acier. Il était temps de se préparer à examiner la patiente par son vagin.

— La salle de bain est-elle sur le palier?

— Deux portes plus loin à droite.

Les gémissements de Gertie le poursuivirent, et ils s'étaient tus au moment où il revint après s'être lavé les mains. Tandis que Kitty lui tendait une serviette stérile et ouvrait un emballage de gants en caoutchouc pendant qu'il séchait ses mains, les gémissements reprirent, puis on entendit :

— Je dois pousser. Je dois pousser.

Suivirent les exhortations de mademoiselle Hagerty :

— Respire, Gertie. Respire.

Il enfila les gants, accompagné par la musique de la respiration courte, rapide et superficielle de la patiente. Il pria Dieu pour que le col de l'utérus soit complètement dilaté.

Si, comme il en était presque convaincu, les fesses du bébé se présentaient en premier, elles étaient plus étroites que la tête et pouvaient se glisser à travers un col d'utérus partiellement dilaté et descendre dans le pelvis, où la pression qu'elles exerçaient sur les muscles du plancher pelvien donnerait à la femme une envie irrésistible de pousser.

Elle pouvait bien pousser les parties plus étroites du bébé au-delà du col de l'utérus et dehors sans difficulté apparente, mais une fois que le cou serait passé à travers l'anneau circulaire du col, la tête plus large se coincerait sans qu'on puisse la récupérer. Les conséquences seraient désastreuses à la fois pour la mère et pour l'enfant.

O'Reilly leva une paire de pinces porte-éponges que Kitty avait placée sur la table de nuit, son chariot d'instruments de fortune. Il lança une poignée de boules de coton dans un bol de désinfectant Savlon dilué et se déplaça à côté de la patiente, accompagné de Kitty, qui portait le bol.

— Peux-tu lever les jambes, Gertie?

Il patienta pendant que mademoiselle Hagerty aidait sa patiente à plier les genoux et à ouvrir les cuisses. Les lèvres de la vulve béaient, et dans l'ouverture, il pouvait voir quelque chose de lisse et sombre. C'était une fesse. Sa couleur prune était causée par le sang qui avait reflué massivement dans ses vaisseaux sanguins par la contraction du canal pelvien.

Cela répondait à deux questions. C'était indéniablement un accouchement par le siège, et le temps manquait pour organiser un transfert. Ce foutu Fitzpatrick aurait dû diagnostiquer cela des semaines auparavant — mademoiselle Hagerty l'aurait fait, si on lui en avait donné l'occasion.

Pour l'instant, il n'avait pas le temps de se mettre dans tous ses états à ce propos. Il s'en occuperait plus tard. Gertie Gorman avait besoin de son attention exclusive.

— Je vais vous laver, dit O'Reilly, chargeant les pinces avec les boules de coton trempées. Désolé si c'est un peu froid.

Elle tressaillit quand il commença à badigeonner sa vulve, l'intérieur de ses cuisses et ses fesses avec la solution jaune pâle dont les vapeurs chatouillèrent le nez d'O'Reilly. Il lança les pinces dans le bol.

— À présent, tu vas sentir que je te touche.

— Tiens.

Kitty lui offrit un emballage ouvert de serviettes stériles.

— Merci.

Il en prit une et la drapa sur le pubis et le bas du ventre de la patiente. Il posa sa main gauche sur la serviette et glissa les deux premiers doigts de sa main droite à l'intérieur de son vagin, au-delà des fesses et dans le pelvis. En les tendant aussi loin que possible, il pouvait distinguer les cuisses du bébé là où les jambes étaient repliées sur son ventre. Les orteils seraient à l'intérieur de l'utérus près de la tête du bébé, de sorte que c'était un mode fessier, et non un mode des pieds, quand les pieds arrivaient en premier, ou un siège complet, quand les jambes du bébé sont croisées comme lorsqu'on est assis en tailleur. « Bien. » Dans la présentation en mode fessier, il y avait beaucoup moins de risques que le cordon ombilical glisse dehors avant que le bébé vienne au monde, soit compressé et coupe l'alimentation en oxygène.

Sa main gauche sentit le début d'une contraction. Gertie gémit et se tortilla sur le lit. Les instructions de mademoiselle Hagerty quant à sa respiration tombèrent dans l'oreille d'une sourde. O'Reilly sentit les muscles du ventre de Gertie se raidir tandis qu'elle poussait vers le bas et que les fesses du bébé s'avançaient dans la partie inférieure du pelvis. Il réussit à glisser ses doigts plus profondément, et à son immense soulagement, il ne trouva pas de preuve de la dilatation incomplète de l'utérus ou d'un prolapsus du cordon.

Même si O'Reilly n'était pas un homme religieux, il marmonna une petite prière de remerciements.

— Elle est complètement dilatée, dit-il avant de retirer ses doigts.

Seigneur, comme il aurait aimé qu'elle soit à l'hôpital! Premièrement, avoir ses pieds dans des étriers et les fesses par-dessus le bord de la table d'accouchement aurait facilité grandement les manœuvres qu'il allait devoir mener pour accélérer la naissance du bébé. Et fait encore plus important, il aurait eu là-bas un anesthésiste qui aurait pu l'endormir si des procédures difficiles étaient requises.

Il allait devoir se débrouiller avec ce qu'il avait sous la main, et cela ne serait pas la première fois.

— Kitty, il y a un kit pour faire des blocages nerveux locaux dans les emballages et une bouteille de Xylocaïne. Sors-les.

Il n'avait pas de temps à consacrer aux formules de politesse.

— Mademoiselle Hagerty, continua-t-il, faites tout ce que vous pouvez pour l'empêcher de pousser.

Il n'avait pas besoin de dire à une sage-femme aussi expérimentée qu'elle d'écouter le cœur du fœtus entre les contractions. Elle le ferait et l'informerait s'il y avait des anormalités.

— Le kit de blocage du nerf honteux est ouvert, dit Kitty avant de s'écarter de la table de nuit. Je n'en ai pas vu comme celui-là depuis que j'ai suivi ma formation de sage-femme pendant la guerre.

— J'ignorais que tu l'avais fait.

O'Reilly commença à assembler une grosse seringue avec sa très longue aiguille. En Irlande, les infirmières diplômées qui voulaient devenir sages-femmes suivaient deux années de formation supplémentaires après avoir obtenu leur diplôme d'État. Gertie gémit quand une autre contraction surgit.

— J'avais pensé aimer cela, dit Kitty, tenant la bouteille d'anesthésique local de Xylocaïne afin qu'il puisse pénétrer le bouchon de caoutchouc avec l'aiguille et remplir la cartouche de la seringue.

— Cela n'a pas été le cas ? dit-il en ramenant le piston vers lui.

Elle secoua la tête.

— J'ai préféré les soins infirmiers généraux.

«Chacun ses goûts», pensa O'Reilly. Mais même si ses connaissances devaient être rouillées, c'était un grand réconfort pour lui d'être assisté non pas par une, mais par deux sages-femmes. Il aurait aimé lui demander pourquoi elle préférait les soins infirmiers généraux, mais il ne le ferait pas tout de suite. Là, il était temps de continuer le travail.

Il avait fallu deux autres contractions avant qu'il soit en mesure d'identifier et de s'occuper des nerfs qui communiquaient avec le bas du vagin et la partie entre l'anus et le pubis. Une fois qu'ils furent infiltrés par la Xylocaïne, il fut beaucoup plus à l'aise en sachant que peu importe ce qu'il allait faire à présent, il n'allait pas faire souffrir la patiente.

Il expira longuement, puis il se servit du dos de son bras pour essuyer la transpiration sur son front et dit :

— Kitty, il y a un tablier en caoutchouc dans le sac. Pourrais-tu me le mettre ?

Tout en parlant, il lui tendit la seringue à présent usagée.

Elle glissa les cordons par-dessus sa tête et attacha le cordon à la taille. La patiente était lavée et couverte, et il était en blouse et portait des gants. Le travail progressait, et la partie difficile se présentait : l'attente. O'Reilly savait que plus de dommages étaient causés par des assistants médicaux impétueux qui intervenaient trop tôt à des bébés se présentant par le siège.

— Faites-la pousser, mademoiselle Hagerty. Ouvre cet emballage, Kitty.

Il effectua un petit mouvement sec avec les deux premiers doigts de sa main droite.

Elle opina de la tête et ouvrit l'emballage, qui contenait une paire de ciseaux aux lames lourdes.

Il attendit qu'une autre contraction passe et qu'une fesse et la fente entre les deux soient visibles dans l'ouverture vaginale.

— À présent, Gertie, dit-il, nous allons te déplacer un peu. Vois si tu peux nous aider un peu.

Aidé à la fois par Kitty et mademoiselle Hagerty, il réussit à tourner Gertie de manière à ce qu'elle soit allongée en travers du lit, la tête soutenue par des oreillers, les fesses au bord du lit.

O'Reilly prit les ciseaux et se déplaça pour se tenir entre ses jambes relevées. Kitty et mademoiselle Hagerty savaient quoi faire toutes les deux. Chacune prit une jambe et la soutint, agissant comme des étriers humains afin qu'O'Reilly ait le meilleur accès possible au champ d'opération.

Il attendit la contraction suivante, glissa un doigt à l'intérieur et guida une des lames des ciseaux dans le vagin. Au plus fort de la contraction, il trancha, réalisant une épisiotomie dans la sortie vaginale afin de donner plus d'espace au bébé. Il sentit l'odeur métallique du sang, et il vit des gouttes tomber sur le tapis. On ne pouvait rien y faire. Il lâcha les ciseaux.

Maintenant, l'attente reprenait. Il fallait de la maîtrise de soi pour ne pas commencer à tirailler et à tirer sur les hanches du bébé dès qu'elles apparaissaient.

— Alors, pourquoi n'as-tu pas aimé l'obstétrique, Kitty ? demanda-t-il tandis que mademoiselle Hagerty encourageait Gertie à pousser.

— Ce n'était pas tant que je n'aimais pas cela. J'avais passé un peu de temps dans les services de neurologie et de neurochirurgie, et je trouvais simplement ces sujets beaucoup plus fascinants.

« Intéressant », pensa O'Reilly en la regardant. Il avait toujours aimé l'obstétrique ; il aurait pu se spécialiser si la guerre n'était pas intervenue. Il avait toujours été un peu intimidé par les maladies du système nerveux. Leur étude était une discipline très intellectuelle. Il sourit pour lui-même. Il n'aurait pas aimé l'admettre, il le savait, mais il était probable qu'à certains égards, Kitty soit plus intelligente que lui. Il se retourna pour regarder la patiente. Il ne devait pas laisser son attention vagabonder.

— Une grosse poussée, Gertie, encouragea mademoiselle Hagerty. Pouuuuusse.

Le corps du bébé, son dos sur le côté droit de la mère, commença à émerger et à monter vers le haut, contraint par les contractions utérines et par la configuration du canal génital. O'Reilly vit le bas des fesses et ne remarqua pas de signe d'un scrotum enflé, de sorte qu'il sut que c'était une fille, et ensuite, les deux fesses furent à l'air libre, suivies des hanches, de la partie inférieure du ventre et, finalement, de l'ombilic et du cordon.

Bientôt, il serait temps d'agir. Il attendit jusqu'à ce que mademoiselle Hagerty ordonne à Gertie de pousser encore une fois.

O'Reilly utilisa un doigt et un pouce pour tirer une boucle de cordon vers le bas, puis il inséra son index dans le pli de chaque côté du bébé entre ses cuisses et son ventre, tirant délicatement jusqu'à ce que les creux derrière les genoux apparaissent. Il plia les jambes du bébé à tour de rôle et amena d'un geste large les membres inférieurs vers l'extérieur sur le tronc du bébé, puis il guida les jambes à l'air libre.

Il retira ses mains. Le tronc pivota jusqu'à ce que le dos soit vers le ciel. La rotation était une fonction des contractions utérines contraignant les parties les plus larges du petit corps à passer dans les parties les plus larges du canal génital. Le corps apparut de plus en plus et pendit vers le tapis. O'Reilly gardait toujours ses mains sur lui, permettant à la gravité d'aider l'utérus à sortir le bébé.

Il jeta un regard à mademoiselle Hagerty, qui mit immédiatement une main sur le ventre de la patiente pour sentir le début d'une contraction et exercer une pression afin d'empêcher les bras du bébé de se déployer.

Il tendit la main sous le petit tronc, glissa deux doigts dans le vagin et trouva les bras croisés devant le torse, comme des membres de pierre au sommet de la tombe d'un chevalier médiéval. En un instant, il les déplia vers l'extérieur, et ils pendirent mollement.

Gertie commença à faire un bruit de gorge.

— Une autre se prépare, dit mademoiselle Hagerty. Pouuuuussse, Gertie.

La partie la plus délicate arrivait. L'accouchement de la tête. Elle était sur le point d'entrer dans le canal génital, et dès qu'elle le ferait, elle compresserait le cordon ombilical et interférerait avec l'alimentation en oxygène du bébé. Il disposait de 10 minutes pour sortir la tête avant que l'enfant s'asphyxie lui-même. Il savait que l'on devait attendre que cinq de ces minutes s'écoulent pour permettre à la tête de descendre lentement dans l'étroit pelvis osseux afin que le crâne mou et le cerveau vulnérable à l'intérieur ne soient pas compressés trop rapidement.

O'Reilly savait que des obstétriciens plus âgés favorisaient l'usage de leurs mains — une au-dessus du pubis pour pousser et l'autre avec les doigts dans la bouche du bébé et accrochés autour de ses épaules pour tirer. La manœuvre de Mauriceau-Smellie-Viet était ainsi nommée en l'honneur de trois médecins qui avaient été les premiers à la décrire. Un certain docteur Burns avait suggéré une méthode plus simple alors qu'O'Reilly était encore étudiant, et c'était celle-là qu'on lui avait enseignée.

Il permit simplement au bébé de pendre comme il le faisait à ce moment-là, tirant sa tête dans le pelvis avec son propre poids. O'Reilly vit la nuque apparaître, et il se tourna afin d'être debout avec le dos vers la jambe gauche de la patiente. Il sourit largement à Kitty, qui soutenait la jambe droite.

— Dur labeur, dit-elle.

Il ne savait pas trop si elle parlait d'elle-même, de lui ou de Gertie.

Il opina de la tête et se concentra sur son travail. Tenant les chevilles de l'enfant dans sa main droite, il tira délicatement, puis souleva les jambes en position verticale au-dessus du pubis de la mère.

— Maintenant, docteur ? demanda mademoiselle Hagerty.

Il acquiesça de la tête, et quand elle commença à dire à Gertie de ne pas pousser si elle pouvait se retenir, O'Reilly utilisa sa main gauche pour faire pression sur le périnée sous l'entrée vaginale.

La combinaison de ce geste et de l'absence de poussées supplémentaires allait lui permettre de faire sortir la tête lentement et d'éviter le risque de déchirer les tissus tendres de la mère.

Il vit apparaître la face et la petite bouche. Il aurait vendu son âme immortelle pour une deuxième paire de mains. Quelqu'un aurait dû utiliser un appareil d'aspiration pour dégager la bouche et la gorge de bébé de son mucus.

Lentement, il laissa la tête apparaître jusqu'à ce que finalement, il tienne la fillette en l'air par les talons. Il utilisa le petit doigt de sa main gauche pour enlever un peu de mucus dans sa bouche. Elle plissa les yeux, attira de l'air dans ses poumons et poussa un long cri aigu et tremblant.

— C'est une fille ! rugit-il afin que Gertie puisse l'entendre par-dessus le vacarme du nouveau-né. Une jolie petite fille.

Mademoiselle Hagerty et Kitty plièrent les genoux de Gertie et déposèrent ses pieds sur le lit.

— Ouf, laissa tomber Kitty. Elle commençait à devenir lourde.

— Oublie ça, dit-il. Ouvre le kit de pinces.

En un clin d'œil, il avait pincé et coupé le cordon ombilical, puis il avait emmailloté la fillette dans une serviette et l'avait tendue à mademoiselle Hagerty, qui, à son tour, l'avait donnée à Gertie afin qu'elle la prenne.

O'Reilly sourit. Pour lui, il y avait peu de spectacles plus satisfaisants qu'une mère avec son nouveau-né en santé.

Il eut peu de temps pour profiter de la scène.

Avec une petite giclée de sang, le cordon pendant du vagin s'allongea, et en un rien de temps, le placenta sortit du corps de Gertie, ressemblant à un gros tas de foie cru.

— Donnez-lui de l'ergométrine, mademoiselle Hagerty, dit-il. L'une de vous pourrait-elle ouvrir l'emballage de suture, s'il vous plaît?

Il jeta un coup d'œil à la plaie ouverte de l'épisiotomie.

— J'ai un peu de broderie à faire.

Il arqua le dos et poussa ses omoplates l'une vers l'autre pour calmer les nœuds, puis il ferma les yeux avec force et cligna des paupières. Une fois l'emballage de suture ouvert, il prit les forceps, le fil de suture et le porte-aiguille, et il commença à coudre.

En un temps qui sembla étonnamment court, la plaie avait été soignée. Gertie buvait une tasse de thé qu'avait préparée mademoiselle Hagerty, et le bébé Gorman était emmailloté et dormait profondément dans son berceau.

Il coupa les bouts du fil de la dernière suture, reposa les instruments sur leur serviette, retira ses gants de caoutchouc et demanda à Kitty de défaire les cordons de son tablier avant de gagner la salle de bain pour se laver les mains et nettoyer ses avant-bras du sang et du vernix, la substance ressemblant à du fromage qui recouvre la peau d'un nouveau-né.

Quand il revint, le bébé Gorman s'était réveillé et exigeait sa nourriture.

Tandis que mademoiselle Hagerty portait la petite à sa mère, O'Reilly se pencha, récupéra son veston, l'enfila et s'avança à côté de Kitty.

Elle lui sourit.

— C'était très bien fait, Fingal. J'ai vu des obstétriciens spécialistes ne pas réaliser aussi bien des accouchements par le siège.

— C'est parfaitement vrai, docteur O'Reilly, dit mademoiselle Hagerty.

Normalement, il aurait balayé tout compliment semblable avec une répartie bourrue, mais comme elle venait de Kitty, il était content de l'avoir impressionnée. Il sentit de la chaleur sur ses joues.

— Merci, Kitty. Le fait que vous vous soyez trouvées ici toutes les deux est une sacrée bonne chose. Je n'aurais pas pu m'en sortir sans toi ou mademoiselle Hagerty.

Kitty embrassa rapidement la joue d'O'Reilly.

— C'était un super travail, et j'ai eu de la chance d'être ici. J'avais presque oublié à quel point une naissance peut être émouvante.

Il vit ses yeux briller quand elle tourna le regard vers le bébé Gorman. Les joues d'O'Reilly brûlèrent encore plus, mais heureusement, mademoiselle Hagerty était trop occupée à superviser les tentatives de Gertie pour nourrir sa fille au sein pour l'avoir remarqué.

— Même si cela t'a coûté un dîner ?

— Je préfère m'être trouvée ici avec toi, Fingal. Nous pouvons toujours dîner un autre jour.

Il attendrait cela avec impatience.

— Je vais me rattraper pour le dîner manqué, je te le promets, dit-il alors que son estomac grondait. Et si on disait dimanche prochain ? Le jeune Barry sera de garde, alors il n'y aura aucun risque que nous soyons dérangés comme ce soir.

Elle secoua la tête.

— Je ne peux pas. Je suis désolée, dit-elle, et elle semblait déçue. J'ai une semaine de vacances qui se présente lundi, et j'ai promis d'aller voir ma mère — elle a 81 ans. Elle vit à Tallaght, à l'extérieur de Dublin.

O'Reilly découvrit que le fait qu'il ne pouvait l'accompagner le décevait. Et il savait qu'il serait de garde ou occupé après ce dimanche. Il eut une idée.

— Seras-tu dans le Nord le jour de Noël ?

— Oui.

— Que dirais-tu de venir dîner au numéro 1 ?

Ses yeux pétillèrent.

— J'adorerais cela.

L'estomac d'O'Reilly gronda plus bruyamment, et elle rit.

— Tu dois être affamé. Ramène-moi au numéro 1, dit-elle, et si Kinky ne voit pas d'inconvénient à ce que j'utilise sa cuisine, je vais nous préparer une bouchée à manger.

— Pardieu, c'est d'accord. Accorde-moi juste une minute.

Il alla à côté du lit et baissa les yeux sur le bébé qui tétait. Il y avait tant de sérénité sur le visage sans charme de Gertie qu'O'Reilly pensa immédiatement à la *Vierge et l'Enfant* de Michel-Ange.

— Désolée de vous avoir dérangé, monsieur.

— Sottises. N'est-ce pas mon travail ?

Il n'attendit pas la réponse avant de demander :

— Comment vas-tu appeler la petite ?

— Eh bien, monsieur, comme c'est la saison de Noël, je n'arrive pas à me décider entre Carol ou Noelle, mais je pense que je préfère Noelle.

— Bon point pour toi, dit O'Reilly. C'est un nom charmant — n'est-ce pas, mademoiselle Hagerty?

— En effet, oui. C'était celui de ma mère.

Elle se redressa et dit :

— Merci d'être venu, docteur O'Reilly. Ne vous inquiétez pas, à présent. Je vais tout ranger. Vous et votre infirmière, allez-y.

— Nous partons, dit O'Reilly en traversant la pièce pour prendre son pardessus. Et je vais m'organiser pour que le docteur Fitzpatrick assure le suivi.

— Ne voulez-vous pas que je lui dise un mot, monsieur?

Elle hésita avant de dire très doucement :

— Ce n'est pas à moi de critiquer, monsieur, mais il aurait dû être ici. Vraiment, il aurait dû.

« Vous avez raison là-dessus, et il aurait dû établir le diagnostic voilà des semaines, nous épargner beaucoup d'ennuis et éviter à Gertie et à son nouveau-né d'être exposés à des risques inacceptables », pensa O'Reilly.

— Je suis sûr qu'il y a une explication, et quoi qu'il en soit, tout est bien qui finit bien. Parlez-lui. C'est votre devoir, mademoiselle Hagerty.

O'Reilly prit Kitty par le coude et commença à l'entraîner vers la porte. Puis, il dit :

— Mais moi aussi, je dois lui parler.

Et il aperçut un peu de son nez dans le miroir suspendu au mur. Le bout, presque aussi loin que l'arête, était d'un blanc d'albâtre.

— Moi aussi, répéta-t-il.

26

Malheur à ceux qui de bon matin...

Barry aida Peggy à monter dans la voiture, puis il contourna le véhicule et monta.

— Attachez votre ceinture, dit-il en bouclant la sienne.

Il ne s'en servait pas toujours, mais il savait que cela ferait plaisir à Peggy.

— C'est vous qui avez mentionné le carnage aux urgences. Une fois, j'ai vu une fille dont le visage avait traversé le pare-brise pour rebondir sur le verre brisé. Il a fallu 15 heures aux chirurgiens plastiques pour essayer de lui redonner un semblant de visage.

— Beurk.

— Les ceintures de sécurité ne sont pas un accessoire standard, mais j'en ai fait installer à Brunhilde.

Il fit démarrer le moteur.

— Brun qui ?

— Brunhilde. Ma voiture.

Il roula hors du stationnement et ajouta :

— J'ai pensé qu'elle méritait un nom. Les Volkswagen sont fabriquées en Allemagne, et Brunhilde apparait dans de nombreuses histoires teutonnes.

— Oh.

Peggy marqua une pause tandis que Barry mettait son clignotant pour tourner à droite sur Grosvenor Road, puis s'insérait dans la circulation en direction du centre-ville.

— Qui est cette Brun-chose-machin-chouette, au juste ?

— Une déesse nordique. Wagner a fait d'elle une héroïne dans certains de ses opéras.

— Vous aimez l'opéra ?

Sa voix s'éleva dans une question étonnée.

— Seigneur Jésus, dit-elle en gloussant. Je préfère les Beatles et Buddy Holly. J'ai pleuré quand il a été tué. Comme je suis idiote !

Elle gloussa à nouveau.

— Le 3 février 1959, dit Barry, avec Big Bopper.

— Et Richie Valens.

Elle continua à bavarder joyeusement à propos de musique pop, et elle l'informa fièrement du fait que les deux meilleures chansons de l'année 1964 étaient *I Won't Forget You* et *It's Over* de Roy Orbison.

Barry était trop occupé à se concentrer sur ses virages sur College Square, au-delà de la Royal Belfast Academical Institution, connue simplement sous le nom « Inst », puis sur Wellington Place.

Peggy semblait assez satisfaite de continuer à jacasser.

— Je ne suis jamais allée à l'opéra, dit-elle. Comment est-ce ?

— Je commence tout juste à le découvrir, dit-il en pensant à la première aria qu'il avait entendue — et à la personne avec qui il l'avait entendue.

« Sois maudite, Patricia. Pourquoi ne rentres-tu pas à la maison ? » pensa-t-il alors.

— Parlez-moi davantage de Brun-je-ne-sais-plus-qui, dit-elle.

— Brunhilde. Je vais vous en parler dans une seconde.

Le trafic avançait lentement ; tout le monde faisait des départs et des arrêts constants sur Donegal Square, et il devait surveiller le camion qui se trouvait devant. Il eut beaucoup de temps pour remarquer les vitrines des boutiques vivement éclairées à sa gauche, chacune avec ses décors de Noël. Une scène de ski avec des collines de neige artificielle remplissait la majeure partie de la vitrine de l'Athletic Store, avec des mannequins hommes et femmes vêtus de vêtements de ski gaiement colorés.

Il pouvait entendre la respiration de Peggy, et il lui jeta un nouveau regard. Ses lèvres étaient légèrement entrouvertes ; très peu de temps auparavant, il avait embrassé ces lèvres, et cela avait été très agréable. Il détourna les yeux.

Au coin du coin le plus éloigné de Donegal Place, les fenêtres de Robinson and Cleavers brûlaient de mille feux. Le grand magasin avait un vaste étalage de trains électriques mobiles. Il vit qu'il y avait une crèche, et... Il fut distrait par un nuage du parfum de Peggy, et il regarda son visage de profil. Elle avait certainement de superbes pommettes.

Il sentit un mouvement, et il regarda devant, là où le camion était arrêté par les feux de circulation au croisement entre Donegal Square et Donegal Place. Barry dut freiner. Il pouvait entendre *Oh Little Town of Bethlehem* acheminée par des amplificateurs.

Son parfum, ses lèvres ouvertes, la façon dont elle avait répondu à ses baisers dans le stationnement... Peggy n'était pas une jolie fille ; c'était une fille très attirante. Barry se demanda si elle allait l'inviter à entrer chez elle et — plus important encore — comment il allait réagir. En cet instant, il ne doutait pas de ce qu'il voulait.

Il déglutit et regarda à sa droite, là où l'hôtel de ville avec ses nombreux dômes était décoré de lumières féériques. Directement devant et au centre de la large allée courant entre The Square et le portique à colonnes de l'hôtel de ville s'élevait un immense arbre de Noël. Ses lumières clignotaient et brillaient.

— Cet arbre est le cadeau annuel de la Norvège à Belfast, dit-elle.

Le trafic se mit en marche.

— Je sais, dit-il, et Brunhilde venait d'Islande. C'était une princesse et une puissante guerrière. Un type appelé Siegfried est tombé amoureux d'elle, mais quand il l'a trahie avec une autre femme, Gudrun, Brunhilde s'est suicidée.

— Oh… dit-elle. C'est triste. Pauvre Brunhilde. Je sais exactement ce qu'elle a ressenti.

Le trafic avançait à nouveau, et Barry roula.

— Comment cela ? demanda-t-il.

— J'ai découvert que mon homme voyait une fille qui travaillait dans le service public, et quand je l'ai interrogé là-dessus, il a juré que ce n'était pas vrai. Petit con d'infidèle.

Il entendit l'émotion dans sa voix.

— Cela a dû être pénible pour vous, dit-il en se demandant qui parlait — Barry Laverty, le jeune homme ordinaire qui pouvait être compatissant envers une jeune femme, ou Barry Laverty, le médecin qui s'intéressait professionnellement à une personne bouleversée. Parfois, il constatait qu'il était difficile de démêler ces deux parts de sa vie. Comme dans le cas d'O'Reilly, le médecin en Barry n'était jamais tout à fait en congé.

— Cela ne me dérangeait pas tant qu'il soit sorti avec elle, mais il m'avait menti à ce propos. Je ne pouvais pas supporter cela. Il n'y a pas si longtemps, je pense que j'aurais pu faire comme Brunhilde. Je le pense sincèrement.

Barry vira sur Victoria Street et repassa simultanément dans sa tête une liste de ce qu'il fallait faire si quelqu'un menaçait de se suicider, se demandant comment il devait réagir à son aveu.

— Mais, bien sûr, dit-elle en riant gaiement, sa voix redevenant légère, la vie doit continuer. C'est comme le dit mon amie Diana : « Les hommes sont comme les autocars. Il y en a toujours un autre qui se présente quelques minutes plus tard. »

Il sentit sa main presser sa cuisse gauche.

— Il y a des tas de poissons dans la mer, dit-il, n'étant pas tout à fait sûr de vouloir être considéré sous un tel éclairage.

Toutefois, si c'était ce qu'elle pensait, il pouvait toujours invoquer la réplique de Jack : « Pourquoi acheter une vache quand on peut avoir une bouteille de lait chaque fois qu'on en a envie ? » Il se demanda alors s'il voulait que Peggy soit une bouteille de lait, une partie de jambes en l'air facile.

— J'ai déjà entendu cela, dit-elle en gloussant.

C'était un son dur et désagréable.

— Êtes-vous un bon nageur ?

Elle avait laissé sa voix devenir plus basse, un peu plus rauque. Barry était un mordu de la pêche à la mouche. Il n'avait aucune difficulté à reconnaître un hameçon lancé dans le but d'attraper quelque chose. Il y avait certainement du mouvement dans son pantalon.

«Si tu laisses cela se développer comme cela semble parti ce soir, seras-tu capable de te désengager quand tu le voudras? Ou voudras-tu revoir Peggy? Et dans ce cas, seras-tu capable d'affronter Patricia si — merde — elle se décide finalement à mettre son foutu entêtement de côté et à monter sur ce foutu, stupide transbordeur pour rentrer à la maison dans l'Ulster? Patricia, je ne serais pas avec cette Peggy si tu avais respecté ta promesse», se dit-il.

Il décida de voir jusqu'où cette fille voulait jouer le jeu.

— Nageur? C'était le sport pour lequel j'étais le plus doué à l'école.

Il approchait de l'horloge Albert. En un rien de temps, il allait être de l'autre côté de Queen's Bridge et en direction de Newtownards Road vers la banlieue de Belmont. Elle gloussa à nouveau. C'était vraiment désagréable.

— Oh, dit-elle avant de presser plus fortement sa cuisse. J'aime les nageurs.

«Et je commence à m'éloigner des eaux peu profondes. Je ferais mieux de nager sur place et de ralentir les choses un peu», pensa Barry.

— C'était au collège. Je n'ai pas eu beaucoup de temps pour nager à l'école de médecine. Je suis un peu rouillé.

Le trafic accéléra pendant qu'il traversait le pont, et il n'osa pas risquer un coup d'œil sur son visage pour voir s'il pouvait estimer sa réaction sous l'éclairage fourni par les lumières disposées à intervalles réguliers sur les parapets du pont. D'après son silence et l'immobilité de sa main sur sa cuisse, elle réfléchissait à sa dernière remarque, décidant comment y répondre.

Il passa Queen's Quay à sa gauche. C'était le terminus de la ligne ferroviaire entre Belfast et Bangor. C'était là qu'en août, il avait attendu l'arrivée de Patricia afin qu'ensemble, ils puissent attraper le dernier train de ce soir d'été. C'était pendant ce trajet en train qu'il avait perdu son cœur, et à ce moment-là, il avait été certain de l'avoir perdu pour toujours.

— Peut-être que vous avez seulement besoin d'un peu d'huile? dit-elle.

Il s'était souvent demandé quels signaux poussaient même la plus affamée des truites à mordre un peu une mouche pour ensuite la recracher. Il s'agissait peut-être de l'infime sensation du bout pointu de l'hameçon sur sa lèvre.

— Peut-être.

Il conserva un ton évasif et répéta :

— Peut-être.

Il sentit qu'elle s'écartait un peu.

— Comme vous voulez, dit-elle.

Il entendit un «hum» marmonné.

Bien. Cela avait refroidi les choses un peu, lui donnait le temps de réfléchir. Pour user d'une expression locale, elle n'y était pas allée à reculons pour faire ses avances et prendre l'initiative. Les filles de l'Ulster ne le faisaient habituellement pas, mais elles s'attendaient à être séduites. Barry ne doutait pas que s'il voulait vraiment aller plus loin avec Peggy, il ne serait pas vraiment difficile d'éveiller son intérêt, mais pour le moment, il était satisfait de conduire.

— Vous allez devoir sortir bientôt, dit-elle, et elle retira sa main sur sa cuisse.

Il ignora l'occasion de dire une réplique à double sens.

— Pour arriver là où vous vivez?

— C'est exact. Prenez l'Upper Newtownards Road vers Ormiston Crescent. Je demeure dans un appartement au numéro 12.

— D'accord.

Barry vira à droite à l'embranchement aux Holywood Arches, là où O'Reilly avait prévu qu'une ambulance passe prendre Liam Gillespie le soir où sa rate avait éclaté. Liam devrait être bien en voie de guérison, à présent. Il restait moins de deux kilomètres avant son prochain virage.

— Et si je monte sur Ormiston, je peux reprendre Belmont Road ?

— C'est exact.

— C'est ce que je pensais. Je suis allé au Campbell College, et c'est juste en haut de la rue.

Il avait passé quatre ans là-bas et rencontré Jack Mills. Sans Jack, Barry ne se serait pas trouvé ici aujourd'hui.

— Vous êtes un ancien de Campbell ?

— C'est exact.

L'école pour garçons avait la réputation d'être prétentieuse.

— L'école pour la crème de la société d'Ulster, ajouta-t-il.

— La crème ?

— Oh, oui, dit-il en virant à gauche. Assurément la crème. Riche et très épaisse.

Elle rit bruyamment de cette vieille plaisanterie sur l'endroit.

Il semblait qu'elle n'allait pas être rancunière à son endroit parce qu'il était resté froid devant ses avances.

— C'est ici, dit-elle, et il commença à ralentir. La prochaine maison à gauche.

Barry se gara devant une maison individuelle de trois étages en briques rouges, défit sa ceinture de sécurité, sortit, contourna la voiture et ouvrit la portière de Peggy.

Elle sortit.

— Merci de m'avoir reconduite.

Elle se leva sur le bout de ses orteils et lui embrassa la joue.

— Aimeriez-vous entrer ? demanda-t-elle. Il n'est pas très tard…

Barry hésita. Il inspira son lourd parfum. Ses bras glissèrent autour de sa taille, et elle se rapprocha. Il pencha ses lèvres sur les siennes et vers sa chaleur. Il la goûta et sentit la langue de Peggy l'explorer. Il la serra plus fort, sentant la douceur ferme de ses seins contre son torse à travers les couches de leurs vêtements. Il interrompit le baiser et se servit de sa main pour guider la tête de Peggy sur son épaule. Sa présence entre ses bras semblait si naturelle, et cela faisait des mois que Patricia était partie pour Cambridge. Sa respiration s'accéléra, et il se pencha pour l'embraser à nouveau, plus passionnément et plus profondément.

— Nous devrions vraiment entrer, dit-elle d'une voix rauque, puis elle lui prit la main et commença à marcher vers le portail.

Barry la suivit.

— Ma colocataire, Jane, la blonde avec votre ami aux cheveux blancs, ne rentrera pas avant des lustres, comme je la connais, dit-elle.

L'invitation était claire dans sa voix. Barry prit une profonde inspiration. Était-ce réellement vrai que ce que les yeux ne voyaient pas, le cœur ne s'en souciait pas ?

— Alors, vous entrez ? dit-elle. J'ai quelques vinyles fantastiques de Buddy Holly et des Everly Brothers.

Elle se mit à glousser, et la dureté du son rompit le charme fragile qu'elle avait commencé à jeter sur lui.

Au lieu du braiment métallique dans ses oreilles, il entendit dans sa tête le grave contralto de gorge de Patricia. Au lieu du lourd parfum trop sucré de Peggy, il sentit le musc délicat que portait parfois Patricia. Au lieu de Buddy Holly, dont Barry n'aimait pas la musique, il s'imagina entendre le bel aria qu'il avait entendu la première fois dans l'appartement de Patricia. Elle avait dit qu'il s'agissait de *Voi che sapete* du *Mariage de Figaro*. Il désirait Peggy en ce moment, mais pas suffisamment pour mettre en péril la possibilité d'avoir Patricia pour, l'espérait-il, toujours.

Barry cessa de marcher, et il retira sa main des siennes.

— Peggy...

— Quoi?

— Je n'entre pas.

— Non? Seigneur. Quelle façon de faire marcher une fille!

— Je suis désolé, dit-il. Vraiment, je le suis. Mais, j'ai une petite amie; elle est en Angleterre en ce moment. Ce serait injuste envers elle, et cela ne serait pas juste pour vous.

Elle secoua la tête.

— C'est une fille chanceuse, qui qu'elle soit.

Elle lui donna un petit baiser sur la joue.

— Et vous êtes un homme bien pour me l'avoir dit — contrairement à d'autres que je pourrais mentionner.

Elle l'embrassa délicatement.

— Bonsoir, Barry Laverty, dit-elle doucement en se tournant pour partir. Et si vous vous lassez de cette fille, vous connaissez mon adresse.

— Merci, Peggy, dit-il, mais je n'ai pas l'intention de me lasser d'elle.

«Même si elle semble se lasser de moi», songea-t-il.

— Bonsoir et joyeux Noël.

— Joyeux Noël, Barry. Et bon retour à la maison.

Elle passa le portail, et il attendit d'être sûr qu'elle soit en sécurité à l'intérieur de la grande maison.

Puis Barry Laverty sauta dans Brunhilde et la fit démarrer, et il conduisit la voiture sur le chemin du retour qui grimpait jusqu'au sommet de Craigantlet Hills avant de descendre pour croiser la route vers Ballybucklebo et la maison.

Il espérait qu'O'Reilly n'avait pas été trop occupé en répondant à des appels pour profiter de sa soirée avec Kitty. Cette Kitty O'Hallorhan était une femme très spéciale, tout comme, pardieu, l'était sa Patricia Spence. Et s'il voulait vraiment savoir si elle rentrait à la maison pour Noël, il le demanderait à Kinky. Elle était extralucide. Il était convaincu qu'elle l'était. Il n'aurait pas dû en être convaincu, puisqu'il était un homme avec une formation scientifique, mais il était prêt à manger son chapeau si Kinky n'avait pas le don. Évidemment qu'elle le saurait.

27

Il vaut mieux ne pas se raviser en cours de route

À en juger par sa mine renfrognée, O'Reilly était dans l'un de ses humeurs d'ours qui a mal à la tête. Il remercia à peine madame Kincaid quand elle déposa un plat de service contenant une grande omelette devant lui avant de partir silencieusement. Il en prit le deux tiers et dit à Barry de lui passer son assiette.

Barry accepta son tiers, décida que la prudence était mère de sûreté et garda son opinion pour lui. Il se versa une tasse de café et s'assit à la table du petit déjeuner en le buvant lentement. Il regarda par la fenêtre en saillie, son regard allant au-delà du clocher de l'église vers un ciel d'un bleu si vif qu'on aurait dit que Dieu l'avait créé en émail. Il écouta le carillon des cloches de la chapelle, haut et fort dans le ciel dégagé et sans doute glacial.

Il essaya une première bouchée de son omelette. Elle était légère, aérienne et remplie de fromage cheddar fondu. Il goûta une touche subtile d'oignon. Le mets était généreusement parsemé de champignons et fondait dans sa bouche. «Délicieux», pensa-t-il.

Il tenta d'ignorer O'Reilly, qui était assis à sa place habituelle, penché sur son assiette et engouffrant l'omelette. «Il ne fait aucun doute que dans les cercles de la pêche à la ligne, on référerait à O'Reilly comme à un poisson-balayeur », se dit Barry, le mordu de la pêche sauvage. Néanmoins, s'il se comportait comme il le faisait habituellement, la nourriture devrait monter directement de l'estomac d'O'Reilly jusqu'au point dans son cerveau qui influençait son humeur et la changer en mieux.

— C'était merveilleux, dit O'Reilly, avalant la dernière bouchée de sa part du lion.

Il sourit largement et rota joyeusement.

— Bonjour à vous, jeune Barry.

Il s'étira et prit sa tasse de café.

— Bonjour, Fingal, dit-il.

— Et comment étaient les choses dans votre Gloccamorra particulier hier soir, mon garçon ?

Barry termina sa bouchée avant de répondre.

— Bien, dit-il, bien content de jouer le jeu des citations. Le saule pleurait certainement, et l'arc-en-ciel de Finian était aussi brillant que jamais. C'était bon de voir Jack, et la danse des infirmières a été amusante.

Il remplit sa fourchette d'omelette.

— Comment s'est déroulée votre soirée, Fingal ? Je suis rentré tôt, et je vous ai entendus, Kitty et vous, dans la salle à manger. Je ne voulais pas vous déranger, alors je suis monté me coucher.

Il s'était demandé pourquoi ils se trouvaient dans la salle à manger et non dans le salon à l'étage.

O'Reilly grogna et tendit la main vers le support à rôties.

— Nous étions dans la salle à manger parce que Kitty a préparé en vitesse une foutrement bonne friture. Elle est très douée avec un poêlon.

Il y avait un air rêveur dans les yeux d'O'Reilly.

Barry se dit alors que si le chemin vers le cœur d'un homme passait par son estomac, Kitty O'Hallorhan devait être bien avancée. Mais cela ne répondait toujours pas à sa véritable question. Pourquoi O'Reilly avait-il voulu encore manger après un repas au Crawfordsburn ?

— Je pensais que vous la sortiez pour dîner, dit Barry.

— Foutu Fitzpatrick. Il a failli me faire mourir d'inanition.

Barry hésita, la fourchette à mi-chemin de sa bouche. Il y avait des péchés véniels et des péchés mortels. Avec le meurtre, l'adultère et l'idolâtrie, empêcher O'Reilly de manger faisait catégoriquement partie de ces derniers.

— Comment a-t-il fait cela, Fingal ?

— Kitty et moi venions tout juste de recevoir nos entrées à l'auberge quand Kinky m'a fait demander pour que j'aille voir l'une des patientes malchanceuses de Fitzpatrick. Elle était en travail, et notre homme aurait tout aussi bien pu se trouver du côté sombre de la lune.

Il beurra une rôtie.

— Mademoiselle Hagerty n'était-elle pas capable de s'en sortir seule ?

Barry avait appris que si un médecin généraliste n'était pas disponible, les sages-femmes étaient tout à fait capables de mener à bien des accouchements normaux. Il inséra le contenu de sa fourchette dans sa bouche et mâcha.

— Pas celui-là, dit O'Reilly en étalant généreusement la marmelade maison de Kinky sur sa rôtie. L'empoté de Kinnegar a décidé de s'occuper de tous les soins prénataux, puis il a dit à mademoiselle Hagerty de ne pas se donner la peine de voir la patiente…

Barry faillit s'étouffer tandis qu'il avalait, toussait, puis disait :

— L'idiot.

— *Amadán*, c'est bien vrai. Il a raté un accouchement par le siège. Mademoiselle Hagerty était assez convaincue qu'il s'agissait de cela — le mari a envoyé quelqu'un la chercher parce qu'il ne pouvait pas trouver Fitzpatrick —, mais elle ne voulait pas appeler l'ambulance avant qu'un médecin ait examiné la patiente. Mademoiselle Hagerty m'a dit que Gertie Gorman a toujours été le genre de femme qui n'aime pas déranger les gens. Gertie a donc attendu que son travail soit bien avancé avant d'envoyer chercher de l'aide. Elle a attendu foutrement trop longtemps.

— Il a raté un accouchement par le siège ?

Ces accouchements étaient toujours délicats, et un médecin à moitié compétent aurait dû établir le diagnostic.

— Et après que mademoiselle Hagerty ait tenté de le trouver, elle m'a fait appeler. La patiente était complètement dilatée, et il était trop tard pour l'envoyer à l'hôpital. J'ai dû procéder à l'accouchement sur place.

— Et cela s'est bien passé ?

— Oh, oui, dit O'Reilly.

Il dévora le triangle de pain rôti en une bouchée, et ses paroles suivantes furent difficiles à distinguer alors qu'il parlait en ayant la bouche à moitié pleine.

— Une jolie petite fille. Sa maman va l'appeler Noelle.

Il avala et jeta un coup d'œil à sa montre.

Il est 9 h 45. J'avais dans l'idée que Fitzpatrick aurait pu téléphoner ici à l'heure qu'il est…

— Pour vous remercier de vous être chargé des choses pour lui ?

— Me remercier?

O'Reilly secoua sa tête en broussaille.

— Je doute qu'il connaisse le mot « merci ». Non. Pour obtenir de moi des détails médicaux sur la manière dont les choses se sont déroulées. Il va en avoir besoin pour prendre correctement soin de sa patiente.

Les restes de la tranche de sa rôtie disparurent.

— À présent, elle devrait peut-être devenir l'une de nos patientes, Fingal, dit Barry.

Il ressentit un brin d'optimisme à l'idée que le flot de la marée des patients allant vers Fitzpatrick commence à tourner.

O'Reilly tendit encore une fois la main vers le support à rôties et étala rapidement du beurre et de la marmelade sur une nouvelle tranche. Il secoua la tête.

— Je lui ai déjà dit de rester avec son propre médecin.

Il regarda Barry droit dans les yeux avant d'ajouter :

— Fitzpatrick peut bien être un voleur de patient sans éthique et un parasite. Mais *nous* ne pouvons pas faire les choses comme cela dans notre pratique. Si elle veut venir nous voir une fois que tous les soins postnataux et le suivi pour le bébé seront terminés, c'est une autre affaire. Il n'est pas bon pour une patiente de changer de médecin en cours de traitement.

Barry opina de la tête. Il n'était pas étonné par les propos d'O'Reilly. À ce stade, il n'en aurait pas moins attendu de son collègue plus expérimenté. Il était également satisfait de la manière qu'avait eue O'Reilly de référer à la pratique en disant « notre pratique ». Barry termina son omelette et jeta un regard d'espoir à la dernière rôtie sur son support.

— Allez-vous faire quelque chose au sujet du docteur Fitzpatrick, Fingal ? demanda-t-il.

O'Reilly acquiesça pesamment de la tête et engloutit sa rôtie avant de dire :

— J'ai donné le bénéfice du doute au connard. Mais il nous vole nos patients, il s'est montré foutrement impoli avec Kinky, il a distribué des conseils médicaux qui frisent le charlatanisme et il est parti sans régler un pari avec moi. Et ceci, mettre une patiente et son bébé en danger, c'est la dernière dose fatale de substance vitale dans un contenant déjà plein.

— La goutte qui fait déborder le vase, dit Barry avec un sourire.

— Exact, dit O'Reilly. En ce qui me concerne, l'homme devrait attraper une ou deux des plaies d'Égypte puis disparaître dans la jungle.

Barry eut une vision soudaine d'O'Reilly sous les traits de Moïse infligeant ses plaies à Pharaon, incluant la peste chez son bétail, la vermine dans son pays et — loin de lui cette idée — une pluie de sang sur Kinnegar.

— Fingal, vous ne songez tout de même pas à tuer son premier-né, n'est-ce pas ?

O'Reilly rit, émettant un son qui parut démoniaque à Barry, un rire assorti aux feux qui brillaient au fond des yeux de l'homme.

— Non, dit-il, mais j'ai bien l'intention d'aller le rencontrer, de lui rappeler gentiment l'erreur de son approche. De lui donner un avertissement préalable.

— Un genre de tape sur les doigts ?

— Oui, dit O'Reilly. Et s'il ne veut rien entendre...

Le bout du nez d'O'Reilly blêmit, et l'homme plus âgé ajouta :

— Dans ce cas, je vais l'étriper et le trancher en filet avant de jeter ses restes aux goélands. Je vais me rendre à Kinnegar et le voir demain ou après-demain si je ne tombe pas sur lui avant.

O'Reilly mâcha son deuxième morceau de rôtie.

Barry se leva et marcha rapidement autour de la table, et sans demander la permission, il s'empara de la dernière tranche, retourna vite à sa place et ignora le regard blessé d'O'Reilly. Puis il dit :

— Voulez-vous me passer le beurre et la marmelade, je vous prie, Fingal ?

— Qu'est-ce que c'est ? demanda O'Reilly. Une mutinerie dans les rangs ?

— Non, dit Barry, mais après ce que vous avez fait à mes harengs l'autre soir, je commence à comprendre, Fingal, que l'idée de base avec vous, c'est : « Celui qui hésite est perdu. »

O'Reilly rit.

— C'est bien joué, Barry. Mais en réalité, c'est : « La femme qui hésite et délibère est perdue. » C'est de Thomas Addison.

— Me voilà bien corrigé. Et j'aimerais encore avoir le beurre…

— … et la marmelade.

O'Reilly les lui passa. Il regardait avec mélancolie le support à rôties quand Kinky apparut dans l'embrasure de la porte.

— Bonjour, docteur Laverty, dit-elle. Et comment était votre petit déjeuner ?

— Merveilleux. Merci, Kinky, dit Barry. L'omelette était magnifique.

— Non, dit O'Reilly, elle ne l'était pas. Elle était extraordinaire.

Barry vit ses nombreux mentons trembler tandis qu'elle riait. Il se demanda si le moment était bien choisi pour lui demander si Patricia allait rentrer pour Noël, mais il se retint quand O'Reilly ajouta :

— L'omelette était vraiment extraordinaire, Kinky, mais… je pense que vous avez été un peu… un peu…

Il fixa le support à rôties vide.

— Radine ? Je ne l'ai pas été, donc.

Kinky posa une main sur une hanche considérable.

— Pendant que vous étiez malade, monsieur, j'ai voulu bien vous nourrir, mais à présent, vous allez mieux.

Elle fixa le tour de taille d'O'Reilly.

— J'ai déjà entendu dire que votre costume de père Noël a besoin d'être agrandi. Je n'en dirai pas plus.

O'Reilly prit une profonde inspiration, puis il soupira et tapota distraitement son ventre.

Barry mâcha la dernière rôtie avec encore plus d'enthousiasme. Il ne réussissait pas souvent à l'emporter sur Fingal. Il avait l'intention d'en profiter, mais son plaisir fut coupé court par la sonnerie du téléphone dans le vestibule.

— Excusez-moi, dit Kinky, et elle s'éclipsa.

Barry avala sa dernière bouchée, se tourna vers la porte, attendit puis écouta tandis que Kinky revenait et disait :

— C'est Cissie Sloan, docteur O'Reilly. Son petit Callum a avalé une pièce de six pence. Je lui ai dit de l'amener au cabinet et de se présenter à la porte d'entrée principale. Elle sera ici dans environ 15 minutes.

— Bien, Kinky, dit O'Reilly. Vous serez occupée dans la cuisine, alors je vais simplement attendre ici et les faire entrer lorsqu'ils arriveront.

❦

Barry avait été content de verser pour eux deux une seconde tasse de café et de s'asseoir pour bavarder avec O'Reilly. Il avait eu l'intention de monter à l'étage pour tenter de résoudre les énigmatiques mots croisés du *Sunday Times*, mais cela pouvait attendre après l'arrivée de Cissie.

Barry voulait voir si la gorge de la dame allait mieux. Si c'était le cas, cela lui épargnerait une visite de suivi plus tard dans la semaine. Il se demandait aussi comment O'Reilly allait s'occuper de la pièce de six pence disparue.

La sonnette de la porte d'entrée retentit. O'Reilly se leva et sortit de la salle à manger d'un pas tranquille. Barry lui emboîta le pas. Il sentit un courant d'air quand la porte d'entrée s'ouvrit. Il faisait froid ; c'était donc un phénomène naturel, et non la conséquence du flot incessant de paroles de Cissie.

— Merci infiniment de nous voir, les docteurs, et un dimanche en plus. Et moi qui étais en route pour la messe.

Barry se dit que cela expliquait les gants et le chapeau à fleurs qu'elle portait pour mettre en valeur ce qui devait être son plus beau manteau et ses chaussures à talons plats.

— Et voilà que ce petit vaurien, ce… vagabond avale une pièce de six pence, et… commença-t-elle en poussant un garçon d'environ huit ou neuf ans devant elle.

— Amène-le dans le cabinet, Cissie.

O'Reilly ferma la porte d'entrée.

— Et Dieu sait si elle va rester coincée dans son petit ventre. Et son père est parti à Belfast par le premier train pour s'informer pour l'achat d'un furet. De méchantes bêtes puantes. Mais il en veut un pour chasser les lapins…

Pendant le temps qu'il avait fallu à Cissie pour dire cela, O'Reilly les avait entraînés, elle et Callum, dans le cabinet, puis il avait demandé à Callum de détacher la ceinture de son pantalon, de sortir les pans de sa chemise et de son maillot de corps et de sauter sur le divan d'examen.

Barry se tint juste à l'intérieur du cadre de la porte pour observer et, que Dieu lui vienne en aide, écouter. Il ne doutait pas du fait que la gorge de Cissie se portait mieux.

— Je cuisine une bonne tourte au lapin, pour ça oui, même si c'est moi qui le dis. J'ai obtenu la recette de madame Kincaid — c'est une femme charmante… pour une dame qui vient de la République…

Barry entendit la méfiance nourrie depuis l'enfance de nombreuses personnes de l'Ulster, même des catholiques comme Cissie, envers des compatriotes au sud de la frontière, même si ici, à Ballybucklebo, il n'y avait pas de conflit sectaire. Il regarda O'Reilly demander à Callum de s'allonger à plat, puis palper délicatement le ventre du garçon.

— On peut se demander si l'Irlande ne redeviendra jamais unie.

Cette pensée devait en avoir provoqué d'autres plus graves, parce que Cissie fronça les sourcils, frotta sa lèvre supérieure avec la paume de sa main droite, mit inconsciemment les doigts dans son nez et ne dit rien pendant au moins deux secondes.

O'Reilly, comme un arrière de rugby courant avec le ballon et voyant un trou dans les défenses, plongea dans l'ouverture.

— Il ira bien, Cissie. Il n'y a aucune raison de s'inquiéter. Il va faire passer la pièce naturellement dans un jour ou deux.

Elle sortit les doigts de son nez.

— Juré, docteur ?

— Juré craché. J'en suis tellement sûr que je ne vais même pas te demander de voir à ce qu'il utilise un pot d'enfant afin que tu puisses faire ce qu'il faut jusqu'à ce que tu la trouves et prouves qu'elle est sortie.

Cissie plissa le nez.

— Je n'aimerais pas beaucoup cela, pour ça non. Néanmoins, c'est mieux que ce qu'a suggéré ma cousine Aggie... Vous connaissez Aggie, celle qui a...

— Six orteils, articula Barry en silence de concert avec la déclaration de Cissie.

Elle ratait rarement une occasion de le mentionner. Il vit O'Reilly opiner de la tête et sourire.

— En tous cas, Aggie dit que Callum aurait besoin d'une grosse opération avec un de ces chirurgiens du Royal. Mais bon, elle voulait que je m'enfonce des racines de primevère dans le nez.

Elle se tourna vers Barry et ajouta :

— Ces pilules que vous m'avez données ont superbement fait le boulot, pour ça oui. Cela fait deux fois à présent que vous me guérissez, docteur Laverty...

— Vous n'aurez pas à revenir me voir, alors, Cissie.

— Compris, dit-elle, permettant à O'Reilly de l'entraîner vers la porte.

Callum terminait de rentrer les pans de sa chemise avec une main, l'autre étant fermement tenue par Cissie tandis qu'elle le traînait dans son sillage.

— Et bon retour, Cissie, dit O'Reilly en s'apprêtant à fermer la porte d'entrée derrière elle. Et si tu veux mon conseil, Callum…

Le petit garçon, toujours accroché à la main de sa mère, se tourna pour regarder O'Reilly, qui ajouta :

— Ne laisse pas ta mère déduire la pièce de six pence de ton allocation de la semaine prochaine. Noël sera là dans 12 jours.

Il riait encore quand il referma la porte derrière lui.

— Encore 12 jours. Le temps filera en un rien de temps, dit-il. Cela a passé si vite depuis le Noël dernier.

Barry crut déceler une note nostalgique dans la voix du gros homme quand il continua :

— Il semble revenir plus vite chaque foutue année.

— Je n'ai pas vraiment remarqué, dit Barry, mais avec seulement quelques jours encore, nous devrions tous les deux nous accorder un jour de congé la semaine prochaine pour faire quelques achats de Noël.

— Bonne idée.

— Et je ne sais pas ce que vous allez faire ce matin, Fingal, mais voir ce petit garçon et sa mère m'a rappelé quelque chose que je remets à plus tard depuis trop longtemps.

— L'atermoiement est, comme a dit Edward Young aux environs de 1695, un voleur de temps.

— Vous avez raison.

Barry commença à monter les marches et lança :

— Donc, ce matin, au diable les mots croisés. Je vais écrire à ma mère et à mon père.

— Transmettez-leur mes hommages, Barry, mais ne mettez pas trop de temps à écrire, car j'aimerais que vous me rendiez un petit service plus tard.

— Oh ?

— Le jardinier de Sa Seigneurie coupe toujours un arbre pour moi. Il doit être prêt aujourd'hui. Pourriez-vous aller faire un tour là-bas et le récupérer ?

— Certainement, Fingal.

— Bon garçon. J'aimerais le décorer aujourd'hui, car j'ai l'étrange impression que nous pourrions être occupés la semaine prochaine.

❦

28

Conspirant dans l'ombre,
il peine fort pour gagner un immense tas d'argent

O'Reilly savoura le goût fort du tabac, un goût qu'il avait acquis pendant sa deuxième année de médecine. Il ne voulait rien savoir des cigarettes. Leur goût était trop doux. Il souffla un nuage de fumée âcre qui tourbillonna jusqu'au plafond du salon, puis il prit une inspiration. Dans sa gorge et son torse, il n'avait plus l'impression qu'on passait une feuille de papier de verre rude sur des tissus éraflés. Il allait tout à fait mieux.

Il avait drapé son veston sur le dos d'un fauteuil la veille. Il gisait à présent en tas froissé sur le siège. Sa Seigneurie Lady Macbeth avait dû le traîner en bas, et elle était à présent recroquevillée au milieu, la queue sur le nez. Elle émettait de doux petits bruits de sifflement tandis que ses membres tressaillaient sporadiquement et que ses globes oculaires roulaient derrière ses paupières fermées.

— Désolé de troubler tes rêves, dit-il alors qu'il la délogeait et soulevait son vêtement.

Elle lui lança un regard de mépris dédaigneux, sauta sur le plancher et traversa le tapis jusqu'au coin de la pièce. Là, un sapin de Norvège fraîchement coupé de deux mètres et demi s'élevait dans une vieille boîte à beurre soutenue par des traverses en bois clouées de chaque côté. Lady Macbeth étira ses membres antérieurs, posa ses pattes avant sur le dessus de la boîte et arqua son épine dorsale, de sorte que son dos devint concave, puis elle bâilla vigoureusement. Elle contempla l'arbre, et pendant un moment, O'Reilly se demanda ce qu'il pourrait advenir éventuellement de toutes décorations suspendues qui attiraient l'attention de la petite chatte.

Il le laisserait dépourvu de décorations pendant encore un temps, puis il enrôlerait Kinky et Barry pour l'aider à le parer et à installer les cadeaux dessous à mesure qu'ils arriveraient par la poste. Il savait que Barry avait déjà reçu un paquet d'Australie.

O'Reilly jeta un regard au manteau de la cheminée. Il était rempli de cartes livrées pour lui et Barry. Ils allaient bientôt devoir commencer à disposer les nouvelles venues sur le buffet et en bas dans la salle à manger. Il avait déjà déposé le quota du courrier du jour sans l'ouvrir sur le buffet ; six de plus lui étaient adressées, et trois étaient pour Barry. Celui-ci rendait visite à un enfant asthmatique. O'Reilly avait vu Billy Cadogan la veille au soir. Le garçon était l'un des cinq enfants de Phyllis et Eamon, qui tenaient le kiosque de journaux. Ils vivaient dans une maison au toit de chaume à côté de la boutique, plus loin sur Main Street. Barry ne savait pas que Phyllis souffrait du psoriasis et qu'Eamon avait une hernie, mais la famille était membre de la pratique depuis des années.

O'Reilly se souvenait de s'être occupé des accouchements de tous les enfants, sauf d'un. Brid, qui aurait — il fronça les sourcils — six ans en septembre, s'était présentée très vite, et au moment où lui-même était arrivé, mademoiselle Hagerty était occupée à nettoyer, et la petite était lavée et endormie dans un des tiroirs d'une commode.

La veille au soir, O'Reilly avait administré au garçon une injection sous-cutanée de 0,3 ml d'une solution d'adrénaline 1 : 1000, et cela n'était pas la première fois qu'il l'avait fait au cours des trois dernières années. La respiration sifflante du garçon s'était améliorée pendant un temps, mais sa mère avait téléphoné une demi-heure plus tôt pour dire que l'état de l'enfant s'était détérioré. Barry allait probablement devoir lui donner plus d'adrénaline et de l'éphédrine 10 mg/ml par la bouche.

L'asthme était une maladie des plus désagréables. Quand O'Reilly était arrivé, Billy haletait, se serrait la gorge avec une main et roulait ses yeux en direction de son médecin dans une supplique silencieuse pour obtenir son aide. Quelques minutes après l'injection, le petit garçon avait été capable de haleter un « Merci, docteur ». O'Reilly avait remercié silencieusement la personne qui avait découvert que l'adrénaline — une hormone sécrétée par une glande qui était situait en haut des reins — pouvait apaiser le resserrement des tubes bronchiques.

C'est à ce moment-là qu'O'Reilly avait remarqué que sa propre respiration s'était améliorée, et Dieu merci, depuis qu'il était rentré chez lui et avait eu une bonne nuit de sommeil, elle était totalement remise. Il inspira l'odeur du sapin frais des aiguilles de l'arbre.

Il se dit alors que le parfum était l'élément le plus évocateur de toutes les scènes et de tous les sons, goûts et odeurs de Noël. S'il fermait les yeux, il pouvait se laisser reporter jusqu'à un certain Noël en 1940, celui qu'il avait passé avec Deidre avant que la guerre les emporte tous les deux, lui vers la mer et Deidre pour toujours.

Ils vivaient dans une petite maison de chambres à Portsmouth. Il attendait son affectation sur un bateau. Leur arbre était minuscule, mais son parfum de sapin avait embaumé leur salon. Deidre était aussi nerveuse qu'une chatonne parce qu'elle n'avait jamais cuisiné une dinde auparavant, et il savait qu'elle avait vraiment voulu que leur premier Noël soit parfait.

Il lui avait acheté un collier de perles, et il pouvait se rappeler ses cris de joie quand elle avait ouvert la boîte et sa manière de l'embrasser.

Que la dinde ait manqué de cuisson n'avait pas eu la moindre importance.

Il admira ses boutons de manchette en or, ceux qu'elle lui avait offerts ce Noël-là. Il se souvenait nettement que le jour de Noël 1940 était tombé un lundi. Il portait ses boutons de manchette depuis ce jour. Il soupira, enfila son veston et retourna en bas dans le cabinet.

Il avait décidé qu'il devait essayer de laisser cette flamme briller un peu moins intensément, et maintenant que Kitty était revenue dans sa vie, il allait respecter cette promesse qu'il s'était faite. Il se dit alors qu'il était étrange que toute blessure à la chair, sauf si elle était mortelle, finisse par guérir. Elle ne le faisait pas sans laisser une cicatrice, il est vrai, et parfois, elle nécessitait l'aide de points de suture ou d'un onguent. Mais elle finissait par guérir. «Et il en va de même pour les blessures du cœur», se dit-il ironiquement.

Mais s'il permettait à Kitty d'être le baume pour son cœur brisé, il devrait la laisser entrer dans son cœur. Il devrait accepter d'être vulnérable s'il voulait un jour ressentir le plaisir et le contentement, l'affection qu'une bonne femme pouvait apporter.

Ce ne serait pas la joie sauvage de la jeunesse qu'il avait connue avec Deidre — cela ne pourrait jamais plus l'être. Mais il y avait quelque chose en lui qui remuait pour Kitty O'Hallorhan, la Kitty qui était une jeune fille dans ses souvenirs, la Kitty qu'il voyait à présent comme une femme mature, maîtresse d'elle-même, professionnelle et… « Admets-le, Fingal, elle est belle et désirable », se dit-il.

Cela valait-il la peine de courir le risque d'être blessé si elle le rejetait ou si, après un certain temps, elle décidait (ou ils décidaient) que cela avait seulement été « une aventure qui passe » ? Il sourit. Kitty et lui avaient l'habitude de danser en 1935 sur la chanson de Cole Porter, *Just one of Those Things*, qui évoquait exactement cela.

Il décida que cela valait le coup d'essayer, pardieu. Cela valait le risque, et — il sourit largement — pas seulement parce que Kitty était une belle femme ; elle était aussi une superbe cuisinière. Il se souvint avec délice de la friture qu'elle lui avait préparée la veille. Il se demanda si c'était elle ou sa mère qui allait cuisiner à Tallaght.

La pauvre Deidre n'avait pas tout à fait maîtrisé l'art de cuisiner, mais avec elle, il avait été heureux de dîner d'un bol de soupe aux tomates Heinz et de pain de la boulangerie. Il sourit, et il fut content de pouvoir se souvenir d'elle avec un sourire.

Le pas d'O'Reilly s'allégea tandis qu'il descendait les deux dernières marches et longeait le corridor pour aller ouvrir la porte de la salle d'attente. Il remarqua qu'il n'y avait plus de places assises, et il rugit :

— Bon, qui est le premier ?

— C'est nous, monsieur.

O'Reilly reconnut immédiatement la tignasse poil de carotte de Donal Donnelly et ses dents de lapin, ainsi que la chevelure couleur de blé de Julie Donnelly, née MacAteer.

— Entrez, alors. Vous connaissez tous les deux le chemin.

Il prit la direction du cabinet, sachant qu'ils allaient le suivre. C'était tout un coup de chance. Il avait besoin de l'aide de Donal avec son plan pour amasser des fonds pour Eileen Lindsay.

Il s'écarta devant la porte tandis que Donal, tenant fermement la main de Julie, la laissa le précéder dans le cabinet. Donal tint une des chaises en bois à dossier droit pour elle, puis il attendit qu'elle soit assise, et c'est seulement à ce moment-là qu'il s'installa lui-même.

O'Reilly prit sa place dans le fauteuil pivotant devant le secrétaire et sortit ses lunettes à monture en demi-lunes.

— Bien, dit-il, c'est bon de vous voir de retour tous les deux. Comment était la lune de miel ?

Donal rougit violemment, son teint à présent assorti à sa chevelure.

— La ville de Londres était merveilleuse, dit Julie alors que ses yeux verts pétillaient. Et nous y avons passé une semaine complète. Nous avons vu le palais de Buckingham, la relève de la garde, la tour de Londres…

— Et ceci vous intéresserait, monsieur.

Donal avait le visage moins rouge, et il avait recouvré la parole.

— Savez-vous qu'il y a un croiseur de la Deuxième Guerre mondiale ancré dans la Tamise qui sert de genre de musée, pour ça oui ?

— C'est le HMS *Belfast*, dit O'Reilly, un croiseur avec des canons de 15 centimètres. Il a été construit chez Harland and Wolff, juste ici dans l'Ulster, et a été inauguré le jour de la Saint-Patrick en 1938.

— Vraiment ?

Donal parut convenablement impressionné et il opina de la tête.

— Mon doux, c'est puissant, pour ça oui. Mais bon, vous le savez, puisque vous êtes un homme de la marine, monsieur.

O'Reilly toussa.

— Tu as raison, Donal ; mais je ne pense pas que vous soyez venus ici tous les deux ce matin pour parler de la marine.

— Oh, non, docteur, dit Julie. Vous rappelez-vous que je vous ai dit au mariage que j'étais à nouveau enceinte ?

O'Reilly acquiesça d'un signe de tête.

— Vous m'avez dit de venir voir le docteur Laverty ou vous lorsque nous rentrerions à la maison.

Elle reprit la main de Donal et le regarda pendant un long moment, puis elle demanda :

— Vous vous rappelez ce qui est arrivé la dernière fois, docteur O'Reilly ?

— Oui.

En effet, il s'en souvenait. Elle avait fait une fausse couche en août. C'était dommage.

Il vit ses yeux briller de larmes tandis qu'elle déclarait fermement :

— Donal dit que nous n'allons courir aucun risque avec celui-ci, alors il m'a fait revenir ici à la minute où nous sommes revenus.

— C'est très sensé de sa part, dit O'Reilly en regardant Donal par-dessus ses lunettes. Je vais devoir te poser quelques questions, t'examiner et prendre des arrangements pour faire quelques tests sanguins, Julie. Cela te dérange-t-il que Donal reste ?

— Pas du tout.

Elle secoua la tête, et sa belle chevelure tourna et ondula.

— Il est certain que ce qu'il ne connaît pas de moi maintenant — après que nous nous sommes fréquentés pendant neuf mois, que nous avons été mariés depuis une semaine et qu'il m'a mise enceinte deux fois —, on pourrait l'écrire à l'arrière d'un timbre-poste avec une plume à pointe large.

— Compris.

O'Reilly se tourna, se pencha en avant, ouvrit un tiroir du secrétaire et en sortit un graphique pour noter les détails initiaux de la grossesse et pour inscrire les résultats de chaque visite subséquente. Il écrivit le nom de la jeune femme en haut et ajouta le nom du père. Il lui demanda son adresse — 12, Comber Gardens —, son âge — 20 ans — et son occupation — femme au foyer.

Il compléta rapidement les détails de son historique médical et chirurgical, celui de sa famille et les dates et conséquences de ses grossesses précédentes.

— Et vos menstruations, Julie ? Sont-elles régulières ?

— Elles sont réglées comme une horloge.

— Et quel était le premier jour des dernières ?

— Le 17 octobre, monsieur.

O'Reilly calcula rapidement, soustrayant sept jours et ajoutant neuf mois.

— Cela signifie que tu vas accoucher le 10 juillet de l'an prochain.

— En juillet, docteur ? demanda Donal. Alors, si c'est un petit garçon et qu'il naît quelques jours en retard, il y a un nom qui l'attend. William, dit-il fièrement.

— Vainqueur de la Boyne, le 12 juillet 1690. Le roi Guillaume d'Orange — ou William —, dont la mémoire est glorieuse et immortelle, ajouta O'Reilly.

— Il n'en est pas question, Donal Donnelly, dit fermement Julie. Nous allons appeler un petit garçon Brendan... en l'honneur de mon papa. Et si c'est une petite fille, elle s'appellera Minnie en l'honneur de ta mère.

— Oui, chérie, dit docilement Donal.

Malgré le fait que Donal portait son habituel pantalon de velours côtelé et que Julie portait une jupe bleu pâle, O'Reilly ne doutait pas de l'identité de la personne qui portait la culotte dans ce ménage. Pas du tout. Et c'était une bonne chose, en plus. Donal pouvait bien avoir un cœur d'or, mais de temps à autre, il avait assurément besoin de quelqu'un pour empêcher ses pieds de s'égarer trop loin du droit chemin.

O'Reilly se leva et alla laver ses mains dans l'évier.

— Va derrière les paravents, s'il te plaît, Julie. Tu sais ce qu'il faut enlever ; monte sur le divan, et place le drap sur toi.

En un petit moment, O'Reilly avait complété son examen, content de remarquer que sa tension artérielle était normale à 120/80 et qu'après avoir enfilé une paire de gants en caoutchouc et réalisé un examen interne, il avait pu toucher un utérus ferme qui correspondait à la taille pour les neuf semaines qui s'étaient écoulées depuis ses dernières menstruations.

— Habille-toi, à présent, dit-il en l'aidant à descendre du divan, et quand tu seras décente, tu viendras nous rejoindre.

Il retira ses gants, les laissa tomber dans une poubelle opérée par une pédale, se lava les mains et s'assit à son secrétaire. En quelques instants, il avait rempli le formulaire de demande de service du laboratoire.

Il était assis en face de Donal quand elle sortit de derrière les paravents et s'installa sur sa chaise.

— Amenez cela à l'hôpital de Bangor dans un ou deux jours, dit-il en lui tendant le formulaire. C'est la routine. Pas de souci à se faire.

— Je sais cela, monsieur.

Elle hésita avant de demander :

— N'ai-je pas eu à le faire... la dernière fois ?

Sa lèvre trembla.

O'Reilly comprenait son inquiétude naturelle. Rien de ce qu'il pourrait dire pour la rassurer n'empêcherait une femme qui avait fait une fausse couche de s'inquiéter lors de sa grossesse suivante. Mais il allait essayer.

— Ne te fais pas trop de soucis, Julie. Les fausses couches se produisent, je te l'accorde, mais cela ne se produit pas souvent deux fois de suite.

Il utilisa son index pour dessiner une croix imaginaire sur son sein gauche.

— Juré.

— Merci, docteur O'Reilly, dit Julie. Le docteur Laverty et vous faites en sorte que je me sente toujours très à l'aise. Vraiment.

— Oh, dit O'Reilly, tout le plaisir est pour moi. Tout semble réellement bien se passer. Franchement.

Julie sourit, et serrant le formulaire de demande de service rose dans sa main, elle se leva.

— Vous êtes très occupé, alors nous allons partir. Je vais aller à Bangor aujourd'hui.

— Assieds-toi, je t'en prie, Julie, dit O'Reilly. Avant que vous partiez, j'ai un petit service à demander à Donal.

Donal se redressa sur sa chaise.

— À moi, monsieur ?

— Oui, à toi.

O'Reilly posa un doigt le long de son nez crochu.

— Et j'ai besoin que vous me promettiez tous les deux de garder cela pour vous. Cela doit être une surprise.

— Nous le ferons, pour ça oui. N'est-ce pas, Julie ?

— Évidemment.

— Connaissez-vous Eileen Lindsay, tous les deux ?

— La petite dame qui a trois mouflets et pas de mari ? demanda Donal. Machiniste aux Belfast Mills ?

— C'est elle. Elle est un peu à court d'argent, cette année.

— Je suis désolée d'entendre cela, dit Julie.

Le sourire de Donal s'élargit d'une oreille à l'autre.

— Et vous voulez que j'organise une petite collecte avec les gars du pub ? Un truc comme cela ? Vous voulez que je voie si nous pouvons amasser un peu d'oseille ? Certainement, cela serait facile comme tout.

O'Reilly secoua la tête.

— Non, Donal. Si nous faisons cela, Eileen saura que c'est de la charité, et c'est une femme fière. Elle ne prendrait pas l'argent.

Les sourcils de Donal se rejoignirent. Des rides verticales apparurent sur son front.

— C'est vrai, dit-il, c'est un peu délicat, si on veut. Je ne sais pas trop ce que nous pouvons faire, alors. J'aurais besoin d'y réfléchir un peu.

O'Reilly sourit devant le combat mental évident de Donal. C'était un jeune homme bien, un garçon aimable, mais il était peu probable qu'il parte pour Stockholm dans un avenir proche pour être l'un des lauréats dans la cérémonie des prix Nobel.

— Je suis sûre que le docteur O'Reilly a un plan, dit doucement Julie.

Le froncement de sourcils de Donal disparut.

— Oui, dit O'Reilly. Je veux organiser une tombola.

— Une tombola ?

Les yeux de Donal se plissèrent, et les lignes verticales réapparurent.

— Une tombola ? Je ne vois pas pourquoi vous avez besoin de nous pour cela, monsieur. Sûrement, n'importe qui peut organiser une tombola. Tout ce qu'il faut c'est un prix, un tas de gens pour acheter des billets, un tirage et un gagnant.

— Et quelqu'un peut-il prédire le gagnant, Donal ?

— Pas du tout. On vend des billets avec des numéros sur le billet et sur son talon. Le client garde son billet, on conserve le talon. On met tous les talons dans un chapeau, on les mélange et quelqu'un d'honnête en tire un. La personne qui a le billet avec les mêmes nombres que sur le talon, c'est la personne gagnante. On ne peut pas truquer…

Comme si un rideau avait été levé derrière les yeux de Donal, ils s'arrondirent et s'illuminèrent. Son sourire était si large qu'il dévoilait les gencives au-dessus de ses dents de lapin.

— On ne peut pas tricher en ce qui concerne le gagnant, à moins…

— Donal, l'interrompit O'Reilly. Je ne veux franchement pas le savoir.

— Oh.

Le visage de Donal s'allongea.

O'Reilly baissa la voix.

— Je ne veux pas savoir comment tu pourrais le faire, dit-il en décochant un clin d'œil à Donal. Je veux savoir si tu peux le faire.

— Le pape est-il catholique ? demanda Donal en se levant. Dites-moi seulement quel est le prix et combien vaut un billet. Julie et moi, nous allons acheter un rouleau de billets et organiser les ventes.

— Génial, dit O'Reilly

— Quel est le prix ? demanda Donal.

O'Reilly glissa une main dans la poche de son pantalon de tweed et en sortit un billet de 10 livres. Il le tendit à Julie.

— Je veux que tu ailles au magasin de volailles pour acheter la plus grosse dinde que tu puisses y trouver. Et demande à Johnny Jordan de la livrer alors qu'elle est fraîche au Rugby Club le 23. Nous allons la faire tirer à la fête.

— Je vais le faire.

— Combien coûtera un billet, monsieur ? demanda Donal.

— Une livre chacun.

— D'accord. Nous allons collecter l'argent et vous le donner…

Donal avait dû voir les sourcils d'O'Reilly voler au ciel, car il dit immédiatement :

— Ça va, doc. Je veux dire tout l'argent.

— Tu ferais mieux, dit doucement Julie. Il ira à Eileen — n'est-ce pas, docteur O'Reilly ?

— C'est cela, dit O'Reilly. Ce sera un partage 75-25. La part du lion pour Eileen et le reste pour le club. J'ai déjà obtenu l'accord du comité.

— Mais l'acceptera-t-elle ?

O'Reilly opina de la tête.

— Elle le fera si elle le gagne.

— « Le » gagne ? demanda Donal en fronçant les sourcils. Je pensais que le prix était une dinde.

— Ce l'est, dit O'Reilly. Mais nous allons annoncer qu'il y a un prix boni juste avant le tirage pour la personne qui…

O'Reilly serra le poing. Il n'avait pas réfléchi à cela aussi clairement qu'il aurait dû de faire.

— Pour la personne qui… Vas-y, Donal, c'est ton rayon.

— Pour la personne qui a le billet gagnant pour la dinde, dit Donal. Ils aimeront cela, c'est sûr, mais — son sourire était immense — seulement si ce billet porte également tous les mêmes nombres en ligne, comme 1111…

« Et si c'était ton numéro, Donal, les nombres seraient 666 », pensa O'Reilly avec un sourire.

— Le gagnant rafle aussi l'oseille.

— Brillant, dit O'Reilly, et il donna une tape sur l'épaule de Donal.

Puis, une pensée le frappa.

— Mais Donal, si tu vends 250 billets, le gagnant pourrait être le 111 ou le 222, et cela…

Donal secoua la tête comme un parent aurait pu le faire devant un enfant pas très futé.

— Docteur, monsieur. Soignez les gens de votre côté, et laissez-moi le soin des tirages.

— Je pense, dit O'Reilly, que cela a énormément de sens. Je n'ai qu'une dernière question.

— Allez-y, doc.

— Es-tu absolument sûr de pouvoir t'arranger pour qu'Eileen soit la gagnante ?

Donal secoua la tête.

— Pas moi. Vous le pouvez, monsieur.

— Moi?

— Oui. Si Eileen est aussi fauchée que vous le dite, doc, elle n'aura pas les moyens de payer une livre pour un billet. Mais vous pourriez lui en offrir un.

— Sous quel prétexte?

Ce fut au tour d'O'Reilly de froncer les sourcils.

Donal se gratta le menton, puis il arrondit les lèvres et dit :

— Dites-lui que Sa Seigneurie en a acheté un tas pour que le club les distribue gratuitement. Elle va accepter cette histoire. Vous et moi, nous savons que celui que vous allez lui donner affichera tous les mêmes nombres en ligne.

Et ce serait le billet gagnant. O'Reilly le savait. La façon dont Donal organiserait cela le regardait, mais O'Reilly savait qu'il le ferait.

— Toi, Donal, dit O'Reilly, tu es un génie.

« Et peut-être que Stockholm reste encore possible dans ton avenir », pensa-t-il.

— Bon. Allez-y, vous deux.

Il les raccompagna à la porte, puis il reprit le chemin de la salle d'attente. Il avait passé pas mal de temps avec les Donnelly ; il allait donc devoir y aller un peu vite avec le reste de la foule qui attendait patiemment, mais le docteur Fingal Flahertie O'Reilly, M.D., C.M. et D.E.S., n'était pas étranger à cette pratique si le temps épargné l'était pour une bonne cause. Et de toute façon, il restait environ trois heures avant le déjeuner, et déjà, il sentait qu'il avait un petit creux. Il n'y avait pas de raison pour que les patients se mettent entre lui et son repas. Aucune.

29

*Jusqu'à ce que la poudre
à canon disparaisse sous leurs bottes*

O'Reilly pensait connaître tout le monde à Ballybucklebo, sauf que cet homme, le dernier patient dans la salle d'attente, était un étranger.

— Entrez donc. C'est votre tour, dit-il. Je suis le docteur O'Reilly.

Au premier coup d'œil, il n'y avait pas d'indices évidents sur la raison de la présence de l'homme.

Il avait le visage allongé et semblait être au début de la trentaine. Il portait un imperméable Dexter, un cache-col en laine aux couleurs du Glentoran Soccer Club et une casquette en tweed informe. Il sourit faiblement, se leva du banc et suivit O'Reilly dans le cabinet.

Tandis qu'il marchait dans le vestibule, O'Reilly remarqua un parfum des plus appétissants planant hors de la cuisine.

— Asseyez-vous, monsieur…

— Shanks, monsieur. Gerry Shanks.

Il s'assit et retira vivement sa casquette plate.

— Vous êtes nouveau par ici, n'est-ce pas ? demanda O'Reilly.

— Je viens de déménager à Kinnegar, pour ça oui.

— Attendez, dit O'Reilly. Je vais devoir prendre quelques renseignements.

Il sortit une carte de dossier de patient et demanda rapidement l'adresse et le numéro de téléphone de Shanks, qu'il nota.

— C'est vraiment un beau stylo, monsieur, pour ça oui, mentionna Shanks. Un Parker, c'est ça ?

— Exact.

O'Reilly contempla son nouveau stylo avec affection.

— C'est un cadeau. Il écrit certainement tout en douceur.

Il laissa le stylo en position au-dessus de la carte et demanda :

— Aimeriez-vous me dire ce qui vous amène ici, Gerry ?

— Oui, monsieur. Je suis venu vous voir tout spécialement, si on veut. Mon copain, Charlie, il vit ici. Il a vécu ici toute sa vie. Lui et moi, nous étions tôliers-monteurs sur l'île. Charlie a dit qu'il pensait que vous pourriez peut-être m'aider.

— Donc, vous et Charlie, vous construisez des bateaux sur Queen's Island ?

O'Reilly voulait en finir avec cette consultation et découvrir quel plat avait dégagé cette odeur dans le vestibule, mais cela l'agaçait de n'avoir pas la moindre idée de qui pouvait être « Charlie ». Et il aurait dû le savoir si l'homme vivait ici. O'Reilly voulait l'apprendre sans poser la question directement. Il n'arrivait certainement pas à penser à qui que ce soit avec ce nom, un patient dans sa pratique qui était un ouvrier de chantier naval.

Le nouveau patient portait une écharpe Glentoran. Sachant que la fidélité de Charlie au soccer pouvait s'avérer un indice utile, il demanda :

— Charlie soutient-il Glentoran aussi?

— Pas du tout, monsieur.

Gerry sourit largement et ajouta :

— Il est un peu idiot. C'est un homme des Blues. Ce groupe n'arriverait pas à retrouver son chemin hors des toilettes. Charlie pense qu'ils sont la crème de la crème. Mais nous sommes quand même les meilleurs amis, si on veut. Nous le sommes depuis que nous sommes petits garçons à l'école Sulliver Upper School à Holywood.

À la connaissance d'O'Reilly, il n'y avait pas non plus dans sa pratique de partisan des «The Blues», plus officiellement connus sous le nom de Linfield, de sérieux rivaux de Glentoran. Son estomac gronda. La faim était sur le point d'avoir le dessus sur sa fierté quand Gerry Shanks lui lança :

— Vous connaissez Charlie, monsieur. Charlie Gorman. Le mari de Gertie.

O'Reilly sourit largement. Ce n'était pas étonnant qu'il n'ait pas immédiatement reconnu le Charlie en question. Vraisemblablement, il était, tout comme sa femme pour qui O'Reilly avait réalisé l'accouchement par le siège, un patient de Fitzpatrick.

— Ce Charlie. D'accord, dit O'Reilly.

— En tous cas, monsieur, Charlie dit que vous avez fait un vrai bon boulot pour l'accouchement de sa femme. Et donc, il s'est dit que vous pourriez peut-être m'aider un peu.

Il s'assit avec raideur et jeta un regard autour de lui pour s'assurer qu'on ne pouvait pas l'entendre.

— Lui et moi étions des patients du bon vieux docteur Bowman jusqu'à ce qu'il prenne sa retraite. Nos parents allaient le voir avant que vous arriviez ici, monsieur. Aujourd'hui, nous allons voir Fitzpatrick parce qu'il a repris la pratique.

Gerry baissa la voix.

— Honnêtement, monsieur — et peut-être que je ne devrais pas le dire, car vous autres, médecins, vous vous serrez les coudes —, Charlie et moi, nous ne sommes pas sûrs que notre homme soit vraiment au fait de son affaire.

O'Reilly tira ses lunettes à monture en demi-lunes jusqu'à l'extrémité de son nez et dévisagea Gerry. Il n'allait pas discuter avec un patient de son opinion sur la compétence de Fitzpatrick. Cela aurait été contraire à l'éthique. Au lieu de cela, il dit :

— Nous sommes censés nous soutenir les uns les autres, c'est vrai, mais — il retira ses lunettes — les patients ont tout à fait le droit de demander une seconde opinion.

Il se cala confortablement dans son fauteuil et laissa la main tenant les lunettes par une branche pendre sur le côté du fauteuil.

— Donc, que puis-je faire pour vous, Gerry ?

Gerry se détendit visiblement.

— Cela ne vous dérangerait pas, monsieur ?

— Allez-y. J'écoute.

— C'est un peu embarrassant, si on veut.

L'estomac d'O'Reilly gronda, mais il dit :

— Prenez votre temps.

Shanks prit une profonde respiration.

— C'est à propos ma femme et moi, pour ça oui.

— Continuez.

Tous les mariages n'étaient pas le paradis, O'Reilly savait cela, mais il espérait que ce ne serait pas un long récit décousu de malheur.

— Nous aimerions avoir un autre bébé, pour ça oui.

— Hummmm, dit O'Reilly.

Il se demanda si Barry pouvait être utile. Il connaissait forcément mieux l'usage des nouveaux médicaments pour la fertilité, comme le Clomiphène récemment offert et la puissante hormone gonadotrope, Pergonal.

— Et quel conseil avez-vous reçu ?

Shanks haussa les épaules.

— C'est bizarre, pour ça oui. Nous avons deux enfants. Angus a cinq ans, et Siobhan a quatre ans. Ma femme l'a nourrie pendant 18 mois, alors nous avons commencé à essayer d'en faire un autre il y a deux ans seulement.

Il fronça les sourcils avant d'ajouter :

— Avant, je n'avais qu'à baisser mon pantalon au bout du lit, et Mairead était partie pour la gloire, mais rien ne s'est produit cette fois-ci.

Puis Shanks rougit.

— Et ce n'est pas faute d'essayer — au début en tout cas.

— Et êtes-vous allé consulter quelqu'un à ce sujet ?

— Oui. Le docteur Bowman juste avant sa retraite. C'était un vrai bon monsieur, un homme intelligent, pour ça oui. Il a dit dès le début qu'il ne connaissait rien à propos de la fertilité, alors il nous a envoyés dans une clinique au Royal où il y a des médecins spécialistes.

— Et ?

— Ils ont fait tous les tests, et en bout de piste, ils ont dit qu'il n'y avait rien d'anormal.

O'Reilly fronça les sourcils.

— Si vous avez vu des médecins spécialistes, Gerry, je doute de pouvoir faire quoi que ce soit. Je suis un médecin de campagne généraliste.

Et avouer son manque d'expertise dans ce domaine particulier ne dérangeait pas Fingal Flahertie O'Reilly le moins du monde.

— Oh, doc, je le sais bien.

O'Reilly regarda subrepticement sa montre.

— Je vous prends beaucoup de temps, pour ça oui, dit Shanks. J'ai seulement une petite question, c'est tout.

— Allez-y.

— Voyant que Fitzpatrick est nouveau, ma femme a pensé que nous n'avions rien à perdre en lui demandant son avis.

« Mais, vous pourriez bien avoir perdu quelque chose quand même », pensa O'Reilly. Les couples infertiles étaient parmi les patients les plus vulnérables. Ils se raccrochaient souvent désespérément à la moindre lueur d'espoir même si elle était sans valeur. Et dans certains cas, cela pouvait être nuisible. Dieu seul pouvait deviner quelle étrange idée Fitzpatrick avait pu avoir pour le traitement de l'infertilité.

— Et a-t-il suggéré des racines de primevères écrasées dans du lait de chèvre? demanda O'Reilly, sachant qu'il ne serait pas étonné si la réponse était affirmative.

Gerry secoua la tête.

— Ou bien de la confiture de moelle végétale dans votre oreille gauche une fois par mois lors de la pleine lune?

O'Reilly savait que la plupart des patients, même ceux qui étaient infertiles, auraient ri d'une suggestion aussi idiote. Il avait servi cette boutade de nombreuses fois dans le passé comme métaphore pour une thérapie inutile demandée par un patient.

Il fut surpris quand Gerry s'abstint de rire, mais dit très sérieusement :

— J'aimerais qu'il l'ait fait, pour ça oui. Il a dit à Mairead — c'est ma femme — quelque chose de bien pire.

— Oh ?

— Oui. Je ne vous fais pas marcher, monsieur. Il lui a dit d'arrêter de mettre du sucre dans ma tasse de thé du matin.

— Il n'y a pas de quoi tuer un homme, Gerry.

— Et il lui a dit d'y mettre une cuillère à thé — une cuillère à thé ! — de poudre à canon noire à la place.

La bouche d'O'Reilly s'ouvrit. En grand.

— De la poudre à canon ? De la poudre à canon ?

Il lutta pour conserver un visage neutre tandis qu'il replaçait ses lunettes sur son nez.

— Oui. Il a dit à Mairead que cela mettrait de la mine dans mon crayon.

Gerry commença à serrer ses jointures gauches avec sa main droite. Il regarda O'Reilly droit dans les yeux.

— Le goût est foutrement affreux, monsieur, mais cela ne me dérange pas. Je vais le boire si cela peut aider. Je le fais depuis quatre mois — il y avait de l'émotion dans sa voix —, mais je déteste voir le visage de Mairead quand ses menstruations continuent d'arriver chaque mois et qu'elle n'est pas enceinte.

O'Reilly se pencha en avant. Il posa sa grosse main sur celle de Gerry et calma son geste anxieux.

— Gerry, je n'ai jamais entendu parler d'un tel traitement. Je ne vois pas, en toute bonne foi, pourquoi cela devrait fonctionner. La poudre noire est fabriquée avec du charbon, du sulfure et du salpêtre. Le sulfure peut provoquer la diarrhée, mais le charbon peut rendre constipé. Avez-vous vu des changements au niveau de vos selles ?

— Non, monsieur.

— Le salpêtre est un nitrate, comme ce truc que les fermiers utilisent pour fertiliser. Si vous y êtes suffisamment exposé, cela peut entraîner des éruptions cutanées. En avez-vous remarqué ?

— Non, docteur.

— Il y avait une rumeur dans la marine disant que nous, les médecins, nous mettions du salpêtre dans le thé des hommes pour les empêcher de se sentir excités. Nous ne le faisions pas, mais beaucoup de marins le croyaient.

Gerry sourit ironiquement. Il baissa la voix.

— Cela me fait peut-être cet effet. C'est difficile de me montrer intéresser, pour ça oui. Fitzpatrick dit que je dois me retenir en tout temps, sauf le quatorzième jour du mois.

Son visage se décomposa, et il ajouta :

— Mairead est une belle petite femme. Ce n'est pas juste pour elle.

O'Reilly hocha la tête et insuffla toute la sympathie dont il était capable dans les mots qu'il dit ensuite.

— Je ne pense pas que ce soit la poudre à canon qui provoque votre désintérêt, Gerry, mais plutôt le fait de faire l'amour uniquement le bon soir pour faire des bébés. Et j'ignore quand diable cela peut bien être. Bien sûr, vers le quatorzième jour de la période mensuelle d'une femme, cela peut être un peu mieux. Mais certaines femmes n'ovulent pas le quatorzième jour. Nous le savons avec certitude. Avoir à performer sur commande, cela peut refroidir l'enthousiasme de n'importe qui.

— C'est foutrement vrai. Cela a certainement mis mon bonheur à mal.

O'Reilly savait que le bout de son nez blêmissait.

— Vous savez que je ne suis pas infaillible, mais je pense que performer sur commande est une foutue perte de temps et que la poudre à canon est pire qu'inutile.

— Vraiment, monsieur ?

Gerry réussit à lui offrir un pauvre sourire, et O'Reilly opina de la tête.

— Aimeriez-vous que j'aie une petite conversation avec Mairead pour lui permettre d'entendre la chose de la bouche même du cheval ?

« Plutôt que de l'autre extrémité de l'animal », pensa-t-il.

— Le feriez-vous, monsieur ? J'aimerais beaucoup cela.

— Amenez-la ici mercredi, mais — et je déteste vous conseiller cela — continuez à boire la poudre à canon jusqu'à ce que j'aie eu l'occasion de lui dire que je pense qu'elle est inutile. Si vous cessez maintenant, cela va la bouleverser. Une fois que nous aurons bavardé, vous pourrez la jeter ou aller faire exploser quelque chose avec.

« Préférablement cette foutue menace de charlatan de Fitzpatrick », pensa-t-il. Il gribouilla une note rapide sur le graphique.

— D'accord, docteur O'Reilly.

Gerry se leva et dit :

— Nous allons vous voir mercredi. Merci, monsieur. Merci infiniment. Je vous suis très reconnaissant, pour ça oui, monsieur.

Il remit sa casquette et prit la direction de la porte. O'Reilly le suivit.

— À mercredi, dit-il tandis que Gerry sortait par la porte principale et qu'O'Reilly gagnait la salle à manger pour rejoindre son déjeuner.

30

Un nouveau plan original

— Terminé, Fingal ? demanda Barry de sa place à table.

— Terminé. Et je suis affamé ; mot qui est dérivé, incidemment, de la même racine que « famine ».

O'Reilly s'assit, se frotta les mains, puis prit son couteau et sa fourchette. Il promena son regard de la table au buffet.

— Et la Grande Famine a commencé en Irlande en 1845, quand la récolte de pommes de terre a été ravagée.

Barry rit et dit :

— Cependant, il n'y a aucun danger de manquer de victuailles ici ; pas avec Kinky dans la cuisine.

O'Reilly n'en était pas aussi convaincu. Le buffet avait dû recevoir une leçon du placard de madame Hubbard : il était complètement vide. Il fronça les sourcils.

Il y avait une assiette devant lui. Dessus trônaient un œuf cuit dur, trois feuilles de laitue, une tomate, six tranches de concombre et un bâtonnet de céleri.

— De la nourriture pour lapin, gronda-t-il.

Puis il s'adoucit. Il savait avec certitude qu'un deuxième plat suivrait. Il l'avait su dès l'instant où il avait senti l'odeur de cuisson plus tôt ce matin. Il pouvait donc bien de manger sa salade de bonne grâce.

— Passez-moi la mayonnaise, dit-il avant de tendre la main.

Il étala la riche sauce à salade faite maison et demanda :

— Comment s'est passée votre matinée, Barry ?

— Je n'ai pas à me plaindre. Le garçon avec l'asthme, Billy Cadogan, n'allait pas trop bien, et il n'a pas réagi à une dose supplémentaire d'adrénaline. C'est frustrant. Les pauvres bouts de choux pensent toujours qu'ils finiront étranglés à mort.

Barry mangea un peu de son œuf.

— Je n'aurais jamais pu pratiquer la pédiatrie, Fingal. Je déteste voir les petits être malades. Je me souviens d'avoir eu la rougeole lorsque j'étais enfant. Ce n'était pas très amusant.

Il avait un côté très sensible, Barry Laverty. O'Reilly acquiesça.

— Nous avons tous une partie de la médecine que nous n'aimons pas. Moi ? Je déteste le cancer.

Juste avant l'arrivée de Barry à Ballybucklebo, O'Reilly avait regardé un vieux pêcheur dépérir du cancer du pancréas. À la fin, même la morphine ne réussissait pas à maîtriser la douleur.

— J'adorerais pouvoir le traiter efficacement, dit-il — et il le pensait. Mais je n'aurais jamais pu être un cancérologue.

O'Reilly sentit un frisson, et il vit Barry le dévisager avec curiosité.

— Je suis étonné, Fingal. Je pensais vraiment que rien ne vous décontenançait.

— C'est le cas du cancer. Tous les traitements — la chirurgie radicale, la radiation et la chimiothérapie — sont brutaux, et je ne suis pas convaincu que l'un ou l'autre fonctionne très bien. C'est une terrible maladie. Nous faisons de notre mieux, mais je n'aurais jamais pu être le médecin qui inflige les traitements, peu importe à quel point ils sont bien intentionnés, à un pauvre bougre.

Ce fut au tour de Barry de frissonner.

— Moi non plus.

— Peut-être que les traitements s'amélioreront dans le futur, dit O'Reilly. Je suis certain que de nombreuses causes sont génétiques et qu'à présent que les gars des laboratoires ont commencé à comprendre l'ADN, nous devrions commencer à faire des progrès.

Il l'espérait certainement.

— Peut-être pourrons-nous même prévenir le cancer un jour, continua-t-il. Mais aujourd'hui ? Nous sommes plutôt impuissants.

« Exactement comme Gerry Shanks », pensa-t-il.

— Allons, Fingal, le portrait n'est pas aussi sombre que cela. Les gynécologistes ont le test de PAP pour déceler le cancer cervical à ses débuts. Le lien entre le tabagisme et le cancer du poumon est prouvé...

— Oui, et tout le monde a brusquement cessé de fumer, je suppose ? Et le cancer du poumon va disparaître du jour au lendemain ?

Il sourit largement avant de lancer :

— Je n'abandonne pas ma pipe.

— Je ne vous croirais pas si vous disiez que vous alliez le faire, mais j'ai cessé de fumer, et d'autres personnes le feront avec le temps.

Barry pointa sa fourchette sur O'Reilly.

— Nous allons voir le nombre de cas diminuer. Et le travail impliquant l'amiante comme cause du cancer de la plèvre a été réalisé juste ici à Belfast par le docteur Elwood. Il y en aura moins de ce type-là aussi, maintenant que nous en connaissons la cause.

« Bon point pour vous Barry. Il y a cinq mois, vous n'auriez pas pointé votre fourchette sur moi, vous vous seriez encore moins moqué de moi, et vous n'auriez pas argumenté avec moi », pensa O'Reilly.

— Vous avez raison, dit-il. Je me souviens qu'Elwood a étudié les ouvriers du chantier naval exposés à ce truc dans la construction des bateaux.

Il soupira.

— Nous faisons des progrès, mais nous en faisons lentement. Cela ne serait-il pas merveilleux si nous avions un vaccin anticancéreux ?

Il mâcha et avala avant d'ajouter :

— C'est une affreuse maladie. Je me sens si foutrement impuissant.

— Je suppose que si l'on présente les choses ainsi, régler le problème d'un enfant souffrant d'asthme n'est pas si terrible. Au moins, si nous ne pouvons pas le prévenir, nous pouvons assez bien le traiter.

— Je comprends vos propos, mais je sais aussi que c'est bouleversant quand un enfant a peur ou souffre, dit-il en soupirant. Vous devez seulement essayer de vous y habituer si vous voulez pouvoir aider.

— Je sais. J'essaie.

— Alors, qu'avez-vous fait pour Billy ?

Barry haussa les épaules.

— L'habituel. J'ai appelé une ambulance.

O'Reilly fronça les sourcils.

— Je pense que c'est la onzième fois cette année que Billy doit aller à l'hôpital pour enfants, dit-il en souriant. Sa mère a veillé sur lui tant de fois quand on lui installait les dilatateurs des bronches par intraveineuse qu'elle pourrait sûrement dire aux médecins la dose exacte d'aminophylline à lui donner.

Barry rit.

— Elle semblait certainement calme à propos de toute cette affaire.

— Phyllis Cadogan est l'une des femmes les plus sensées de Ballybucklebo, dit O'Reilly. Son mari pense qu'il dirige le kiosque de journaux, mais c'est Phyllis qui mène l'entreprise. Elle y est contrainte, car son mari a son nom sur une liste d'attente pour soigner sa hernie, et jusque-là, c'est elle qui doit tout soulever.

— Je vais m'en souvenir.

— Bien.

O'Reilly mangea son œuf presque en entier en une seule bouchée.

— Et était-ce tout pour la matinée ?

— Non. Je suis passé voir Sammy et Maggie. Il récupère vraiment vite. Maggie croit qu'il serait suffisamment remis pour venir à la fête du Rugby Club le 23. Je pense qu'elle a raison. Il pourrait même être au spectacle le 21. Eileen ne veut pas que ses enfants la ratent, et ce sera le cas si elle doit rester à la maison avec Sammy.

O'Reilly termina son œuf et démolit son bâtonnet de céleri en quelques coups de dents.

— Les enfants aiment vraiment la pièce et la fête ; ce serait dommage qu'ils les ratent, dit-il en tranchant sa tomate en deux. Et je veux moi aussi qu'Eileen soit présente aux deux événements.

— Pourquoi?

O'Reilly engloutit à toute vitesse une moitié de tomate.

— J'ai vu Donal et Julie, aujourd'hui, et avant que vous posiez la question — parce que je sais que vous étiez inquiet au mariage de la voir enceinte trop tôt après sa fausse couche —, elle est à neuf semaines, et elle va bien.

— C'est bien, Fingal. Mais qu'est-ce que les Donnelly ont à voir avec la présence d'Eileen aux deux événements?

Le reste de la tomate disparut.

— Que connaissez-vous sur les tombolas?

— Sir Thomas Stamford Raffles[2]. 1781-1826. Il a fondé Singapour.

— Vrai.

Barry avait certainement reçu une bonne formation en histoire de l'Empire britannique. O'Reilly se dit alors qu'il était dommage que l'on n'enseigne pas beaucoup l'histoire de l'Irlande.

— Je veux parler de l'autre genre.

— La loterie? Et Donal est impliqué?

Les yeux de Barry s'arrondirent, et il sourit largement avant de dire:

— Continuez.

Le concombre fut piqué et entra directement dans la bouche d'O'Reilly.

— J'ai eu une idée pour renflouer les finances d'Eileen...

— Et Donal vous aide?

— Oui.

---

2. N.d.T. Le mot «raffles» signifie «tombolas» en français.

— Que va-t-il faire? Faire tirer un tas de trois pence irlandais en faisant croire qu'il s'agit de médaille de Beatrix Potter, car ils arborent l'image d'un lapin?

O'Reilly rit.

— Il ne s'en tirerait pas avec cette histoire auprès des gens du coin.

— Il l'a fait en août avec ce foutu affreux Anglais, O'Brien-Kelly, quand il l'a persuadé que les demi-couronnes étaient des médailles commémorant Arkle.

— Donal est un petit futé, mais cette fois, il a un plan encore meilleur. Nous allons faire tirer une dinde à la fête du Rugby Club.

— Je ne vois pas comment cela va aider Eileen, même si elle la gagne.

— Parce qu'une grosse dinde comme prix persuadera beaucoup de gens d'acheter des billets. Cela fera entrer l'argent.

— Et le club en profite.

— Pas beaucoup, dit O'Reilly, content d'avoir réussi à convaincre le comité d'accepter son offre. Ils ont accepté un partage de 75-25 avec le gagnant, tant que le gagnant détient un billet spécial.

Il observa la figure de Barry et y vit un pli au niveau du front, puis un sourire. Il avait trouvé la réponse aussi rapidement qu'il résolvait les indices dans ces mots croisés énigmatiques qui, O'Reilly détestait l'admettre, le dépassaient complètement.

— Eileen va gagner la dinde et l'argent. Je parierais là-dessus, si Donal et vous êtes mêlés à l'affaire.

— Exact, mais nous allons garder cela secret. Si Eileen soupçonnait une seule minute que c'était une affaire truquée, elle n'accepterait pas l'argent.

— Je suis d'accord. Elle m'a fait l'effet d'une femme très fière, dit Barry en se grattant le menton. Comment Donal va-t-il s'assurer qu'elle détient bien le billet gagnant ?

O'Reilly rit.

— Ne me demandez pas comment Donal va truquer la chose. Je n'en ai pas la moindre idée, mais il va le faire. C'est un problème délicat qui est réglé.

O'Reilly se permit un petit air satisfait.

— J'aimerais qu'il puisse nous aider avec l'autre, dit Barry. Le cher docteur Fitzpatrick.

Donc, Barry était encore inquiet à l'idée de perdre des patients ? O'Reilly s'attaqua à la première feuille de laitue.

— J'ai reçu un autre client aujourd'hui. Stérilité secondaire. Ils ont deux enfants, mais le numéro trois tarde à se présenter. Les grands pontes au Royal sont démontés.

La deuxième feuille de laitue suivit la première. Dès qu'elle fut mangée, O'Reilly prit une pause, sa fourchette et son couteau placés comme s'il présentait les armes.

— Et je parie que vous ne pouvez pas avoir l'ombre d'une hypothèse pour deviner la réponse que l'Hippocrate de Kinnegar a bien pu suggérer à l'homme.

Barry secoua la tête.

— Fingal, je ne vais même pas essayer. Dites-moi.

— De la poudre à canon.

— Quoi ?

Barry se redressa brusquement sur sa chaise.

— Vous avez bien entendu. De la poudre à canon : une cuillère à thé tous les matins, dans le thé de son mari.

— Doux Jésus. Je ne sais pas si je dois rire ou pleurer tellement c'est ridicule. De la poudre à canon.

— Je pense, dit lentement O'Reilly, que nous devons rendre une visite de politesse de notre cru à Fitzpatrick.

Puis il regarda Barry droit dans les yeux.

— Je ne crois vraiment pas qu'il représente une menace pour nous, mon garçon. Il s'en sortira en distribuant ses étranges panacées pendant un moment. «On peut tromper quelques personnes tout le temps…»

— C'est ce qu'a dit Abraham Lincoln.

— Mais les gens de la campagne sont fichtrement plus intelligents que le croient de nombreuses personnes. Je pense qu'ils commenceront à voir qui il est vraiment assez rapidement.

— Savez-vous, Fingal, que depuis que vous m'avez parlé de l'accouchement par le siège qu'il n'a pas décelé, j'ai réfléchi à cela ?

— Et ?

— Je suis encore un peu préoccupé de le voir nous voler nos patients, mais je commence vraiment à m'inquiéter de le voir tuer quelqu'un.

— Oui. Je sais. Ou de le voir empirer l'état de quelqu'un au lieu de le guérir. On pourrait croire que personne ne lui a dit que la première règle en médecine est « D'abord, ne fais pas de mal ».

— Alors, qu'allons-nous faire ? Le dénoncer aux autorités ? Essayer de discuter avec lui ?

O'Reilly fronça les sourcils.

— Je ne suis pas une personne qui respecte beaucoup l'autorité, et effacez ce sourire de votre visage, Laverty. Je sais ce que vous pensez. J'accorde bien mon respect là où il est dû.

— Désolé, Fingal.

— Je ne m'empresserais pas de dénoncer un collègue, même pas Fitzpatrick. On ne fait pas des rapports à tout vent uniquement parce que l'on n'aime pas une personne.

— Il n'est pas un homme facile à aimer.

— Personne ne l'aimait beaucoup lorsqu'il était étudiant. Kitty vous le dirait. Il s'en prenait aux étudiantes en soins infirmiers comme elle. J'ai dû lui dire de la laisser tranquille. Je l'aime encore moins aujourd'hui, mais je suis comme vous, Barry ; je suis bien plus préoccupé par la possibilité qu'il fasse gravement mal à quelqu'un. Et vous connaissez la lenteur des autorités à réagir. Si nous rédigeons un rapport demain, il pourrait s'écouler des mois avant qu'il se passe quelque chose.

O'Reilly se pencha en avant et ajouta :

— C'est à nous d'agir. Et vite.

— Comment ?

— Je vais lui téléphoner aujourd'hui et prévoir une rencontre, dit-il en se grattant le menton. Quand nous nous verrons, le premier point à discuter sera d'essayer de lui faire entendre raison à propos de ses pratiques.

— Et quels sont les autres points ?

O'Reilly leva les épaules.

— Je ne suis pas très fervent des causes perdues, mais il n'était pas mauvais élève. Je ne l'aime pas, mais nous ne sommes pas obligés d'aimer tout le monde. Peut-être — je dis bien *peut-être* — qu'il verra la lumière et en deviendra un meilleur médecin.

— Et s'il n'est pas d'accord ? Pouvons-nous tenter autre chose ?

C'était un faible espoir, O'Reilly le savait, et il ne voulait pas que Barry pense que lui, O'Reilly, laissait cette affaire devenir personnelle. Il regarda Barry et dit :

— Vous savez qu'en Irlande, on dit que vous pourriez violer la sœur de votre meilleur ami et qu'il vous pardonnerait, mais que si vous espionnez pour les Britanniques ou refusez de payer un pari, on vous en parlerait encore 100 ans après.

— Je ne vois pas ce que cela a à voir avec Fitzpatrick.

— Il n'a pas honoré un pari avec moi.

— Quoi ? Ici, à North County Down ? Il doit être fou. Si les gens savaient cela, sa réputation serait perdue du jour au lendemain.

Barry sourit largement et ajouta :

— Vous pouvez faire chanter l'homme, Fingal. Le menacer de répandre la nouvelle.

— Vous êtes en plein dans le mille. Menacer. Je ne le dirais jamais, en fait, mais il ne le sait pas, et en ce qui me concerne, toute cette affaire est entre lui et moi.

— Mais s'il pensait que vous pourriez le faire, il saurait qu'il deviendrait un paria.

— Il le saurait, mais alors, il en a toujours été un peu ainsi pour lui.

— Et pensez-vous sincèrement que nous pourrions l'amener à voir la lumière ? Que nous pourrions le raisonner, le menacer, le faire changer ?

O'Reilly secoua la tête.

— Il est impossible de chasser sa véritable nature et tout le reste. Mais essayer ne nous coûte rien.

— Bien. Puis-je venir aussi ? Je pourrais aider.

— J'aimerais cela, Barry.

O'Reilly baissa une mine renfrognée sur son assiette vide avant de dire :

— Et j'aimerais aussi avoir un plat principal pour ce déjeuner.

Comme si elle suivait un scénario, Kinky arriva d'un pas affairé avec un plateau pour les assiettes vides.

— Il n'y aura pas de suite, monsieur. Je ne vais pas voir les femmes du village rire parce que mon docteur commence à ressembler à l'un de ces zeppelins que j'ai vus dans un documentaire à la télévision, l'autre soir.

— Un zeppelin? Un zeppelin? Qui a dit cela, Kinky?

O'Reilly se hérissa.

— Personne encore, monsieur. J'ai simplement dit que je ne permettrais pas que cela se produise. Calmez-vous.

O'Reilly déglutit. Merde, il avait encore faim.

— Mais il faut qu'il y ait un deuxième plat. J'ai senti son odeur de cuisson il y a une demi-heure.

— Docteur, cher, dit-elle en levant son assiette. Il n'y a pas de deuxième service. C'était le hachis de fruits secs que je prépare pour fourrer les tartelettes de Noël, donc. J'ai beaucoup à faire avec celles pour la fête et celles pour cette maison.

— Oh, soupira O'Reilly. Oh, eh bien.

Et il savait qu'il allait devoir s'en contenter. Les tartelettes fourrées de fruits secs n'auraient pas fait un bon plat principal pour le déjeuner de toute façon, mais il se dit qu'il pourrait peut-être convaincre Kinky d'en servir quelques-unes avec le premier thé de l'après-midi.

— Maintenant, dit-elle en apportant son plateau chargé jusqu'à la porte, vous n'avez aucune visite à domicile cet après-midi, docteur Laverty, cher. Vous n'avez reçu aucun appel de nature médicale, dis-je bien, mais vous avez reçu un appel.

— Patricia?

Barry pivota sur sa chaise, un large sourire rayonnant sur le visage.

«Pauvre Barry», pensa O'Reilly tandis que Kinky secouait la tête et que le visage de Barry se démontait.

— Non. Pas mademoiselle Spence. Cissie Sloan.

— Cissie? demanda Barry en fronçant les sourcils. A-t-elle subi une rechute? A-t-elle un problème?

— Peut-être, dit O'Reilly avec un sourire, qu'elle a dû cesser de parler pendant une demi-heure et que cela a fait éclater son corset.

Barry rit.

Kinky émit un petit bruit de bouche réprobateur.

— Ce n'est pas très juste de votre part, docteur, monsieur, mais elle a bien du bagout, je suis d'accord. En tout cas, elle n'est pas malade, dit Kinky. Elle se demandait seulement si vous deux, messieurs, alliez faire un saut à la salle paroissiale pour voir comment tout avance.

O'Reilly se souvint qu'il avait promis de passer la semaine dernière, mais qu'il avait été distrait par le drame de l'argent disparu d'Eileen.

— Pourquoi ne ferions-nous pas cela cet après-midi, Barry?

Barry soupira.

— D'accord. Je n'ai rien de mieux à faire.

— C'est exact, dit Kinky avec un pétillement dans le regard — O'Reilly savait qu'il était le seul qui l'avait remarqué —, ainsi qu'avec une grande douceur dans la voix, une douceur comme celle d'une mère qui réconfortait un enfant qui vivait une déception. Mais, ajouta-t-elle alors, ce ne sera plus le cas très bientôt… quand mademoiselle Spence rentrera à la maison.

31

Les gens qui vivent à l'ombre du clocher

Les poils de sa nuque étaient encore redressés quand Barry sortit dans le jardin arrière avec O'Reilly, et le vent mordant n'en était pas la cause. C'était étrange. Kinky avait le don. Barry n'en doutait pas. Malheureusement, lorsqu'il avait tenté de la presser de se montrer plus précise quant au moment où il devait attendre Patricia, Kinky avait souri, secoué la tête et dit :

— C'est tout ce que je sais, monsieur.

Le picotement à l'arrière de son cou avait disparu quand il passa devant la niche d'Arthur. Le labrador en émergea d'un pas chaloupé, sa queue se faisant aller comme une batteuse dont les vitesses auraient déraillé. Il enfonça son nez à trois centimètres derrière la jambe d'O'Reilly, et il resta parfaitement « au pied » sans avoir à se le faire dire.

— Il se comporte toujours bien pendant la saison de la chasse au canard, dit O'Reilly. Je pense qu'il sait lire le calendrier.

Il s'arrêta pour tapoter la tête du gros chien.

— Nous y allons samedi, dit-il. Samedi.

— Aaarghow, dit Arthur.

Sa queue s'affaissa et il poussa un énorme soupir.

— Mais tu peux venir en promenade, dit O'Reilly alors qu'il franchissait le dernier pas jusqu'au portail et l'ouvrait.

Barry et Arthur montèrent dans la Rover. Barry était content d'être à l'abri du vent un peu violent.

Il adorait l'Ulster. Mais à cette époque de l'année, il aurait presque été possible de le persuader que pratiquer ailleurs, dans un endroit où l'on avait l'agrément de beaucoup plus de soleil, comme les Fiji ou Tahiti, était une idée qui avait du mérite. Et — il renifla — dans un climat sec, il n'aurait pas eu à supporter la puanteur d'un chien humide.

O'Reilly fit démarrer le moteur et roula, tournant à gauche au bout de la ruelle. Barry connaissait bien le plan de la ville, à présent. Pour se rendre à la chapelle et à la salle paroissiale adjacente, O'Reilly devait conduire d'un bout à l'autre de Ballybucklebo.

Barry regarda les rangées de maisons de ville qui flanquaient la rue principale du côté de Bangor de l'unique carrefour du village. Il aurait pu dire à quiconque lui aurait posé la question lequel de ses patients vivait dans quelle maison. Il avait rendu de nombreuses visites à domicile depuis qu'il avait commencé à travailler à Ballybucklebo en juillet.

Il remarqua que plusieurs des maisons arboraient des couronnes de gui sur la porte d'entrée. De petits arbres de Noël ornés de guirlandes de lumières de Noël remplissaient les fenêtres des salons en façade. La voiture s'arrêta au feu de circulation. C'était à cet endroit qu'O'Reilly, qui était furieux contre Donal Donnelly parce qu'il avait étouffé le moteur de son tracteur et lui avait fait rater plusieurs changements de feu, était sorti et avait rugi contre Donal :

« Attends-tu une nuance de vert en particulier ? » Cela s'était produit durant la première semaine de Barry à Ballybucklebo.

Barry rigola. C'était amusant comme Donal et son œil toujours tourné vers la grande occasion de sa vie étaient devenus si importants dans la vie de Ballybucklebo.

— Pourquoi rigolez-vous ? demanda O'Reilly.

— À cause de Donal, dit Barry sans mentir totalement. Donal et ses combines.

— Oui, dit O'Reilly. Il a l'esprit tellement aiguisé qu'il pourrait se couper lui-même.

Barry, souriant toujours, regarda à sa gauche, où le poteau de mai pointait un doigt raide vers le ciel sombre. Des nuages irréguliers, peut-être porteurs de neige, filaient devant le vent vif du nord-est. Il se demanda s'ils allaient avoir un Noël blanc. Le dernier dont il se souvenait s'était produit lorsqu'il avait sept ans, et son père l'avait amené faire du toboggan sur les collines du terrain de golf de Bangor.

Il regarda le Cygne noir de l'autre côté de la rue. Mary Dunleavy était dehors, lavant les vitrines en se servant d'un chamois qu'elle trempait dans un seau d'eau mousseuse. Elle reconnut la voiture, comme tous les gens du coin l'auraient fait, et elle agita son chamois. Barry la salua à son tour.

Le feu changea, et la voiture avança lentement, son progrès entravé par un petit troupeau de vaches laitières frisonnes blanches et noires, leurs pis gonflés alors qu'elles étaient nonchalamment conduites sur la route par un chien colley et un homme à bicyclette. Une vache leva la queue et lâcha un tas de bouse.

Même avec les vitres fermées dans la voiture, Barry pouvait sentir son odeur âcre. Même si ce nouveau parfum rustique était peut-être un peu moins désagréable que son prédécesseur, celui du chien humide, il y avait des moments où il pensait qu'il aurait été reconnaissant de souffrir d'anosmie, un état où le malade n'avait pas d'odorat. Barry n'avait jamais cru être content si Fingal allumait sa pipe. Il avait eu tort.

Il remarqua qu'il n'y avait pas de nombreux piétons ce jour-là. Le vent était froid, et d'ailleurs, peu de femmes au foyer auraient fait des courses pour des aliments périssables un lundi, se disant avec beaucoup de logique que tout ce qui était en vente était là depuis vendredi et n'était pas très frais.

Toutes les vitrines des boutiques étaient décorées : il vit de la neige vaporisée, des branchettes de gui, des banderoles de Noël, un père Noël en carton, des chaînes de lettres en papier clamant «Joyeux Noël» et une crèche gardée par un ange avec une seule aile, planant au-dessus de la mangeoire grâce à un fil. Toutes se disputaient l'attention des passants. La rue principale de Ballybucklebo était comme Donegal Square à Belfast, mais en miniature et en plus personnel.

Ici, dans le village, il avait pu soigner certaines des assistantes en magasin, qu'il connaissait par leur nom pour la plupart, et elles se seraient fendues en quatre pour aider. À Belfast, on lui faisait fréquemment sentir qu'il n'était rien de plus qu'une machine à transporter de l'argent et qu'il allait peut-être en laisser dans la boutique.

Il aimait cet endroit de plus en plus chaque jour, sa petite taille, sa communauté tissée serrée, son rythme tranquille. Il se demanda ce que ressentirait Patricia, qui était elle-même une fille de petite ville, pour Ballybucklebo après ses trois années à Cambridge. Trois ans. À quel point aurait-elle changé après un si long temps ? Il savait à quel point lui-même avait grandi pendant les cinq petits mois qu'il avait passés au village. Cela aurait été déraisonnable de sa part de s'attendre à ce qu'elle ne soit pas différente, et pourtant, il souffrait à l'idée que la fille dont il était tombé amoureux puisse devenir une autre personne.

Il soupçonnait, d'après son manque d'empressement à vouloir rentrer à la maison, que le processus avait commencé après seulement trois mois. Peut-être qu'après deux ans, elle serait tellement différente qu'il n'aurait pas de soucis à se faire — parce qu'elle aurait décidé qu'elle ne s'intéressait plus à un petit médecin de campagne.

Le vieux radiateur de la Rover faisait de son mieux, mais à la pensée de la perdre, Barry eut froid et frissonna.

La ville universitaire qu'il connaissait n'était pas grande, mais elle aurait l'occasion d'y rencontrer un tas de gens intéressants, y compris — merde — de jeunes hommes intéressants.

Cambridge était à un jet de pierres de Londres. Il se rappelait qu'on l'y avait amené lorsqu'il était enfant ; il avait été terrifié par le bruit, l'odeur, la circulation et le simple nombre de personnes dans les rues.

Ici, à Ballybucklebo, où le parfum de bouse de vache s'attardait dans la Rover — il regarda dehors les croupes de plusieurs vaches —, il avait plus de chances d'être poussé par un troupeau comme celui qui se trouvait devant qu'être renversé par une voiture. Merde, il allait à Belfast uniquement lorsqu'il était réellement obligé de le faire.

Patricia était différente. Elle se repaissait de nouvelles expériences. Elle aurait été stupide de ne pas voyager jusqu'à Londres. C'était à moins d'une heure de trajet en train jusqu'à la gare de Liverpool Street. Une fois qu'elle aurait vu

Oxford Street et la Strand, comment verrait-elle Belfast, sans même parler de Ballybucklebo, où la boutique de vêtements de mademoiselle Moloney était la seule du village?

Tandis que la voiture dépassait lentement l'endroit, Barry se souvint qu'il devait vérifier si les résultats des tests sanguins de mademoiselle Moloney étaient arrivés. Elle allait venir le voir, peut-être même le lendemain. Il se demanda si elle avait déjà ajouté les trois centimètres de tour de taille au pantalon de père Noël d'O'Reilly.

— Foutues vaches, marmonna O'Reilly, et il klaxonna.

Une vache s'arrêta et tourna la tête pour le fixer de ses doux yeux de velours tout en ruminant distraitement son herbe.

— Foutues vaches, dit-il encore, secouant la tête. Mais, si on choisit de vivre à la campagne, on doit les supporter.

— C'est mieux que combattre la circulation à Belfast, Fingal.

Barry se laissa retomber sur le cuir usé de la banquette. «Je ne conduis pas, et je ne suis pressé d'arriver nulle part», pensa-t-il. Ses paupières se baissèrent.

— Ce l'est, Barry, vraiment.

Barry entendit l'enthousiasme dans la voix d'O'Reilly. Quand il cligna des paupières et rouvrit les yeux, il put voir pourquoi. Le vacher était devant les animaux, agitant son bâton et criant pour leur faire prendre la route à gauche qui longeait la cité et sinuait autour des collines de Ballybucklebo. Il suivit le dernier animal, mettant un doigt sur sa casquette pour saluer la Rover et ses passagers.

O'Reilly le salua à son tour.

— Le jeune frère de Liam Gillespie, dit-il.

Il baissa sa vitre et rugit :

— Paddy! Quelles nouvelles de Liam?

— Il est à la maison, et il va bien, merci, doc. Il n'est pas tout à fait prêt à reprendre le travail. Ce sont ses bêtes. Je les ramène à la maison pour la traite.

— Bon gars, mon p'tit père! cria O'Reilly, apparemment inconscient des coups de klaxon de la voiture derrière lui. Transmets-lui mes salutations quand tu le verras.

Puis il remonta la vitre. Il était sur le point de poursuivre sa route, mais avant qu'il puisse accélérer, un tracteur Massey-Harris rouge tirant une remorque remplie de fumier quitta la même route qu'utilisait le bétail et vira sur la route de Belfast immédiatement devant la Rover.

— Merde, dit O'Reilly.

Il pianota avec ses doigts sur le volant pendant un moment avant de dire :

— Il faut faire avec.

Barry était bien satisfait de rester assis tandis que la voiture roulait à la même vitesse que le tracteur.

— Je me demandais quelque chose, mentionna-t-il. Si nous ne pouvons pas changer Fitzpatrick, cela veut-il dire que nous devons faire avec lui?

— J'ai espoir, dit O'Reilly, que nous pouvons l'inciter à changer un peu. Cela ne me dérange pas vraiment s'il veut donner des racines de primevère écrasées aux gens souffrant de rhumes.

— Ils iront mieux de toute façon, dit Barry. Et si cela aide le client à se sentir mieux…

— C'est exactement comme notre bouteille noire. Je le sais, mais je vais quand même lui dire ma façon de penser parce qu'il n'a pas employé mademoiselle Hagerty.

O'Reilly dut freiner quand le tracteur mit son clignotant pour signaler un virage à droite. Il se tourna vers Barry.

— Je ne vais pas lui permettre de s'en tirer avec cela. Mademoiselle Hagerty est une professionnelle chevronnée. Elle mérite d'être traitée avec respect. Bon sang, toutes les personnes méritent le respect jusqu'à ce qu'on ait une raison de cesser de les respecter.

Barry n'était pas étonné de cette remarque. Il avait vu O'Reilly mettre en pratique ce qu'il prêchait.

— « Ce que vous voulez que les hommes fassent pour vous, faites-le de même pour eux », Fingal ?

— Oui. « Faites-le avant qu'ils vous l'aient fait. » C'est ce qu'avait l'habitude de dire un de mes vieux amis. Je suis d'accord, et il est temps que nous le fassions à cet homme.

La voix d'O'Reilly devint plus tranchante.

— J'aurais pu perdre Gertie et son bébé.

Barry eut de la compassion pour son collègue plus âgé. Il se rappelait encore avoir eu à réaliser un accouchement avec une présentation de la face, et il se souvenait de la difficulté qu'il avait eue à enfiler ses gants de caoutchouc parce que ses mains étaient très moites. Pour ce qui était d'être coincé avec une présentation par le siège non diagnostiquée, il était préférable de ne pas y penser, et pourtant, O'Reilly n'était pas bouleversé par le fait d'avoir été dans une situation obstétrique délicate. Il était furieux au nom de sa patiente.

— Je vous ai dit que je lui téléphonerais… et je vais le faire.

O'Reilly s'arrêta sur le côté de la route et se gara derrière une file de véhicules qui empiétaient tous sur le bas-côté herbeux.

— Reste, Arthur, dit-il. Venez, Barry.

Barry remonta le col de son manteau pour se protéger du vent qui hurlait par-dessus les dunes entre la route et le rivage. Il plissa les yeux quand le vent amena avec lui de fines particules de sable.

Il augmenta le pas pour rattraper O'Reilly, qui tournait déjà dans l'allée du bâtiment à un étage qui jouxtait la chapelle en pierres grises.

Le bâtiment faisait remonter des souvenirs si nettement en lui qu'il pouvait voir et entendre la scène.

En septembre, peu de temps avant que Patricia parte pour poursuivre ses études d'ingénierie civile à Cambridge, Barry avait marché avec elle devant cette chapelle. Il pouvait se rappeler lui avoir demandé d'expliquer son intéressante architecture. Il lui tenait la main, et elle l'avait lâché pour se protéger les yeux du soleil de milieu d'après-midi tandis qu'elle plissait les paupières en les levant vers le clocher.

— Elle a environ 200 ans, avait-elle dit. On peut le savoir à cause de sa tour en trois étapes. On appelle cela des « détails gothiques anglais ».

— Oh, bien sûr, avait-il dit avec un accent irlandais prononcé avec de l'émotion dans la voix. Et les Anglais ne sont-ils pas partout ? Misère, misère, pauvre Irlande. Pauvre Kathleen la Houlihan.

Elle avait ri avant de lancer :

— Sois sérieux, imbécile. Tu m'as demandé de t'expliquer. Veux-tu que je le fasse ou non ?

— C'est toi l'ingénieure, avait-il dit. Je t'en prie. Elle avait pointé le haut de la tour.

— Vois-tu comme elle s'élève d'une base en grès avec deux fenêtres et des arcs en ogive sur chaque face ?

— Oui. Oui, je le vois.

Il avait dû plisser fortement les yeux, parce que le soleil était très bas dans le ciel et que l'automne approchait.

— Ces fenêtres circulaires au-dessus des fenêtres pointues s'appellent des oculi.

— D'après le nom latin des yeux.

— Exact. Cette partie soutient le beffroi. C'est une belle pièce travaillée avec des fenêtres arquées à persiennes disposées entre les pilastres et couronnées de fleurons en coin formant une balustrade, ces petites flèches miniatures. Et au-dessus d'elles, il y a une mince flèche octogonale se terminant en pointe et surmontée d'une croix. La tour d'église classique en trois étapes.

— Patricia, avait dit Barry, impressionné par ses connaissances. Qu'est-ce qui peut bien t'avoir intéressée dans ces choses pour commencer?

— J'ai toujours adoré les belles choses.

— Comme l'opéra?

— C'est exact. Et les bâtiments impressionnants. Mon père comprenait, et il m'offrait des livres sur l'architecture.

Elle avait baissé les yeux avant de demander:

— As-tu déjà vu une photo de la tour de Pise?

— Tout le monde l'a vue.

— T'es-tu déjà demandé pourquoi elle est penchée? Mais surtout, t'es-tu demandé pourquoi elle ne tombe pas?

— Pas vraiment.

— Moi, oui. Je me posais tant de questions; je voulais m'informer, je voulais savoir comment étaient construites les choses...

— Et tu as décidé de devenir ingénieure.

— Exact.

— Et je t'admire pour cela. Je t'aime pour cela.

Et quand elle l'avait embrassé, ses lèvres étaient chaudes, et le monde avait disparu.

— Venez-vous, ou allez-vous rester là à regarder en l'air en attendant le retour du Messie?

Le cri d'O'Reilly ramena Barry tout droit dans le monde froid et venteux. Il aurait aimé qu'elle soit ici maintenant, avec ses baisers chauds. Il fallait que Kinky ait raison. Patricia lui manquait; il avait froid sans elle. Barry partit au trot.

La chapelle était solide et imposante, et — il remercia silencieusement ses constructeurs — elle le protégea du vent dès l'instant où il entra dans son abri.

O'Reilly retenait la porte ouverte, qu'il referma dès que Barry fut à l'intérieur. Il retira son manteau d'un coup d'épaule. Le chauffage central devait fonctionner à plein régime. Il pouvait entendre ce qu'il croyait être un harmonium accompagnant une chorale d'enfants. Les sons le ramenèrent dans son enfance et à l'école du dimanche, l'après-midi. Il sourit. Il avait été expulsé parce qu'une fois, il avait amené son animal de compagnie, une petite souris blanche, faisant peur à toutes les petites filles.

«Enfant, Patricia aimait les bâtiments», pensa-t-il. Enfant, Barry avait été fasciné par les animaux.

Ses narines s'emplirent de l'odeur de l'encens. La dernière fois qu'il avait eu conscience de ce parfum, c'était au mariage d'un ami catholique l'année précédente. Il avait pensé que Freddy, un camarade de classe, était trop jeune pour se marier. Freddy avait peut-être eu raison. Mais Patricia lui avait dit au mariage de Sonny et Maggie en août que le mariage n'était pas dans ses cartes — pour l'instant.

Il suspendit son manteau à une cheville en bois et regarda autour de lui.

Il était dans un petit vestibule avec un parquet et des murs lambrissés de bois, comme le lambris dans la grande salle de son ancienne école, Campbell College.

O'Reilly avait ouvert une porte à deux battants, qui, Barry pouvait le voir, menait à la salle à proprement parler. Un crucifix en bois était fixé au linteau de la porte.

— Bon, dit O'Reilly, allons jeter un œil à l'intérieur. Voyons si nous pouvons dénicher Cissie et lui faire savoir que nous sommes des hommes de parole.

32

Comme des enfants qui jouent

— Entrez. Entrez.

Le révérend Robinson, qui se tenait à l'arrière de la salle, parla doucement. Sa voix était à peine audible par-dessus l'harmonium et les voix des enfants. Barry se souvint de l'avoir rencontré pour la première fois au mariage de Sonny et Maggie.

— Monsieur Robinson, dit Barry d'une voix étouffée, s'émerveillant de la présence d'un homme de l'Église protestante dans un lieu qui, dans de nombreuses régions de l'Ulster, aurait été considéré comme le territoire de l'antéchrist. Comment allez-vous ?

Le pasteur sourit, secoua la tête et mit un doigt sur ses lèvres.

Barry comprit et acquiesça de la tête. Il regarda autour de lui et vit qu'il se tenait dans une pièce unique. Les murs de parpaing étaient peints en jaune, et les poutres triangulaires soutenant le toit étaient visibles au-dessus de lui.

Des guirlandes en papier coloré pendaient en boucles à partir de ces poutres. Les enfants chantaient en chœur :

— Sauvez nos jours infortunés ; venez, source de vie…

Il sourit. Donc, ils répétaient *Venez Divin Messie*. Ses amis de l'école primaire appelaient toujours ce chant *Buvez ce vin, messieurs*.

— Sauvez les hommes du trépas ; secourez-nous, ne tardez pas.

Certains des petits garçons avaient manifestement autant d'intuition pour la note juste que lui lorsqu'il était enfant. Leur chant faux se faisait distinctement entendre par-dessus les efforts plus mélodieux de leurs camarades de classe.

Barry se souvenait de ses propres spectacles. Il avait été admis dans la chorale, mais avec l'ordre strict d'articuler les mots en silence. Son enseignante de musique, mademoiselle Fanshawe, avait semblé avoir l'impression qu'elle répétait avec la célèbre Harlandic Men's Choir au lieu d'un groupe d'enfants.

La jeune femme qui dirigeait aujourd'hui était une nette amélioration par rapport à l'angulaire mademoiselle Fanshawe. Elle se tenait debout, le dos tourné à Barry. Il pouvait voir des épaules, une taille mince sur laquelle tombait une unique tresse de longs cheveux cuivrés, des hanches étroites et une paire de mollets joliment tournés sous le bord d'une jupe noire s'arrêtant aux genoux.

Barry était tout à fait prêt à garder le silence, et il espérait qu'elle se retournerait une fois le chant terminé. Il aurait beaucoup aimé voir son visage.

— Voyez couler nos larmes, Grand Dieu, si vous nous pardonnez…

Il réussit à cesser de fixer la femme, et il regarda au fond de la pièce, où le père O'Toole, portant un chandail à col roulé et un pantalon de velours côtelé, était assis à l'harmonium sous et devant la scène. Il pédalait furieusement et frappait le clavier. Barry pouvait voir des gouttes de transpiration sur le front du prêtre.

Il jeta un coup d'œil au révérend Robinson, qui souriait et marquait le rythme avec une main. En considérant la haine sectaire soutenue qui défigurait une si grande partie des Six Counties, la présence de ces deux hommes sous le même toit semblait être aux yeux de Barry le signe qu'il pouvait y avoir une lueur d'espoir pour l'avenir.

— Fermer l'enfer, ouvrir les Cieux… »

C'était un espoir qui poussait à croire que la violence qui se perpétuait depuis des siècles — et qui pouvait éclater encore une fois au nom du saint enfant, de l'humble Jésus, faible et doux — pourrait cesser un jour.

Et ce n'était pas seulement le fait que le prêtre et le pasteur pouvaient bien s'entendre. Barry voyait une rangée après l'autre de chaises pliantes qui envahissaient un sol en planches de bois avec une allée centrale entre les rangées.

Lundi soir prochain, elles seraient occupées par des parents, des grands-parents, des frères, des sœurs, des cousins, des cousines, des tantes et des oncles des deux confessions. Il y aurait des professeurs de MacNeill Primary, l'école protestante qui avait été nommée des années plus tôt en l'honneur de cette famille par un ancien marquis de Ballybucklebo. Ils seraient tous assis avec les religieuses qui enseignaient à l'école catholique attenante à leur couvent, Our Lady of Perpetual Sorrows.

Barry se demanda quand quelqu'un allait se réveiller et voir le fait que l'un des premiers pas vers la mauvaise compréhension religieuse était d'éduquer des enfants séparément.

Il remarqua Flo Bishop et madame Brown, assises dans la première rangée. Cissie Sloan était installée entre elles. De sa place à l'entrée, il ne pouvait pas voir si Cissie parlait, mais à en juger par la manière dont ni l'une ni l'autre de ses compagnes ne semblaient écouter autre chose que la musique, elle prenait probablement une pause pour une fois.

— Venez! Bonté Suprême! Veneeeeez!

La chef d'orchestre se retourna. Les yeux de Barry s'arrondirent. Il ne pouvait pas distinguer ses traits très nettement, mais elle semblait avoir un visage ovale et, d'après ce qu'il pouvait voir, des yeux verts. Il tenta d'avoir une meilleure vue en se penchant en avant, mais il eut conscience d'O'Reilly disant quelque chose, et il se tourna afin de l'entendre.

— C'est une bonne chose que la bonté suprême, dit O'Reilly *sotto voce*. Cela dit, je trouve cela difficile, de faire preuve de beaucoup de bonté quand il s'agit de Fitzpatrick.

Il soupira avant d'ajouter :

— Malgré tout, c'est Noël, j'imagine.

Visiblement, O'Reilly pensait encore au moyen qu'il utiliserait exactement pour s'occuper de l'homme. Barry se dit qu'O'Reilly ne l'avait pas entendu dire qu'il était d'accord par-dessus le bruit du père O'Toole, qui, se levant pour applaudir, avait dit :

— Très bien, les enfants; très bien.

Le père arrêta de taper dans ses mains et dit :

— Maintenant, allez-y, et nous allons prendre une petite pause pendant que les acteurs de la pièce sur la Nativité se préparent.

Les enfants quittèrent la scène en groupe côté cour. Barry reconnut Colin Brown. Comme d'habitude, un de ses bas tombait sur sa cheville et se déformait sur sa chaussure. Sa mère se leva et passa une porte sur le côté de la scène.

— Ils sont plutôt bons, dit le révérend Robinson. Je prends toujours plaisir à écouter les chorales d'enfants.

Il agita la main vers le père O'Toole en bas, qui l'imita.

— Je dois dire un mot à Turloch, dit-il avant de s'avancer dans l'allée centrale.

— Et il n'y aurait ni chorale d'enfants ni spectacle de Noël, dit O'Reilly, sans ces deux-là et leurs prédécesseurs, des prêtres et des pasteurs presbytériens. Il n'y a pas suffisamment d'enfants de chaque confession pour former des chorales séparées, mais s'ils sont réunis, c'est possible.

Il repêcha sa pipe.

— Peu de temps avant mon arrivée ici, les deux églises se sont mises ensemble et ont décidé que pour une unique fois, dans l'esprit de la saison, ils allaient regrouper les chenapans pour une soirée de chants de Noël. Il y a eu un peu d'opposition, mais les presbytériens plus âgés, les plus chrétiens, ont réussi à persuader leur congrégation de tenter le coup. Et je me dis que c'était bien joué de leur part. Quand la messe s'est terminée, tout le monde avait tellement aimé cela qu'il a été décidé que cela deviendrait un événement annuel.

— Pourquoi ? Pourquoi feraient-ils une chose aussi raisonnable que celle-là ?

Barry fronça les sourcils et ajouta :

— Cela semble incroyable. L'Irlande est divisée depuis des centaines d'années.

Barry se demanda pourquoi la voix d'O'Reilly devint brusquement mélancolique quand il dit :

— Savez-vous ce qui s'est passé en 1941 ? À Pâques ?

Barry secoua la tête.

— Je n'avais que six mois.

— La Luftwaffe a bombardé Belfast.

«Seigneur.» Barry se souvint brusquement de Kinky lui disant comment la nouvelle épouse d'O'Reilly avait été tuée pendant ces raids.

— C'est terrible, Fingal.

— Oui, dit O'Reilly avant de détourner les yeux.

Barry l'entendit renifler. Quand O'Reilly tourna de nouveau les yeux vers lui, ils brillaient. Il aspirait dans sa pipe éteinte, ressemblant assez, songea Barry, à un enfant qui tétait sa suce.

O'Reilly poursuivit.

— Des milliers de personnes ont été évacuées à la campagne. Partout dans l'Ulster, les barrières tombaient. Des catholiques ont abrité des protestants, et vice-versa. Un groupe de catholiques est venu à Ballybucklebo. Cela n'avait pas d'importance. Tout le monde a aidé. Certains des évacués ont été logés avec l'Ordre d'Orange. Quand Noël est arrivé, le prêtre du temps, le père Moynihan, voulait avoir une messe de chants pour rendre grâce, et il a abordé le pasteur, un monsieur Holmes…

— C'est merveilleux.

Barry sentit une petite boule dans sa gorge. Il abhorrait la violence sectaire, et entendre les paroles d'O'Reilly l'avait profondément ému.

— Merci de me l'avoir dit, Fingal.

Barry savait que ce blitz avait terriblement affecté le gros homme.

O'Reilly haussa les épaules.

— L'année suivante, quelqu'un a dit que tant qu'à y être, nous pouvions aller jusqu'au bout et tout avoir — un spectacle, des chants de Noël, une pièce sur la Nativité et tout le reste. Les deux églises ont été les hôtes à tour de rôle tous les ans depuis lors.

— C'est merveilleux.

— Je pense, dit O'Reilly en fourrant sa pipe dans sa poche, que c'est ce qu'aurait voulu ce gars dont l'anniversaire tombe à Noël. C'est certainement pour cela, dit-il en pointant la première rangée, que vous allez voir le père O'Toole et monsieur Robinson travailler de concert. Et c'est aussi pour cette raison que vous verrez la femme de Bertie Bishop — le maître vénéré de l'Ordre d'Orange local — assise dans la salle paroissiale de la chapelle catholique alors qu'elle bavarde avec Cissie Sloan, qui est cette année la secrétaire de la section de la Woman's League de Ballybucklebo.

Barry regarda. À voir la manière dont la mâchoire de Cissie se faisait aller, Flo ne participait pas tant à une conversation qu'elle écoutait un monologue. Il rit.

— Nous sommes venus voir Cissie…

— Oui, dit O'Reilly en s'élançant à grands pas dans l'allée. C'est vrai.

Barry le suivit. Il remarqua une crèche joliment forgée qui s'élevait du côté droit, et au-dessus de la scène, il aperçut une arche en bois gravé — cela devait être un décor ressorti année après année — sur laquelle les mots « Paix sur terre aux hommes de bonne volonté » étaient écrits.

— Allô, Flo. Cissie, dit O'Reilly. C'est super de vous voir toutes les deux.

Les dames, à l'évidence en grande conversation, le saluèrent d'un signe de tête avant de se retourner l'une vers l'autre.

Le père O'Toole se détourna de sa conversation avec monsieur Robinson, et il tendit la main à O'Reilly, qui la serra. Puis il l'offrit à Barry.

— Et qu'est-ce qui vous amène tous les deux ici aujourd'hui, hommes de guérison?

— Cissie Sloan, dit O'Reilly. Elle voulait que nous voyions comment progressaient les préparations.

— Elle et les autres dames ont fait un boulot fantastique, dit le père O'Toole. La décoration est terminée, donc, et la chorale a bien répété. Le décor doit être peint, et il faut encore répéter la pièce de théâtre. Mais mademoiselle Nolan — qu'elle soit bénie — travaille comme un cheval. La voici qui s'en vient.

Barry pouvait la voir correctement. Elle était petite et svelte, mais avec de belles formes sous sa blouse blanche à col ouvert. Ses yeux, largement enchâssés à côté d'un nez retroussé, étaient d'un vert d'une beauté envoûtante. Elle marchait avec la fluidité droite d'un mannequin sur la passerelle, mais sans le pas exagéré.

— Mademoiselle Susan Nolan, dit le prêtre, j'aimerais vous présenter le docteur O'Reilly et le docteur Laverty.

Elle tint ses mains modestement posées devant sa jupe, et elle inclina la tête vers O'Reilly puis vers Barry.

— Je suis enchantée de vous rencontrer, messieurs, dit-elle.

Sa voix était douce, musicale, et Barry crut déceler une trace de l'accent distinctif de County Antrim avec ses voyelles prolongées.

— Je vous en prie, appelez-moi Sue.

Elle ne put rien ajouter.

Cissie s'était levée pour s'inviter dans la conversation.

— Pardieu, en plus de votre présence, mon père, c'est une grande joie de vous voir tous les deux, mes docteurs, chers.

Barry opina du chef vers elle.

— Et comment aimez-vous la salle ? demanda Cissie. Je pense qu'elle est décorée à la perfection et que nous avons presque fini de construire le décor de la scène...

— Je vois cela, dit O'Reilly. Qui s'occupe de la... ?

Barry ne savait pas trop s'il allait s'informer à propos de la « menuiserie » ou de la « peinture ».

— Oui, dit Cissie. Le fond de scène est grossier pour l'instant. Il s'agira des stalles au fond de l'étable. Sammy McCoubrey, qui est peintre en bâtiment de métier, va peindre les têtes des animaux, un cheval et deux bœufs sortant la tête des demi-portes de l'étable. Du côté jardin, il y aura la porte d'entrée de l'auberge.

Elle donna un petit coup de coude à O'Reilly et dit d'un ton de conspiratrice :

— Il fabriquera une grande enseigne à installer au-dessus de la porte, pour ça oui. Elle dira : « Auberge de Bethléem » en lettres majuscules...

Barry pensa qu'elle-même donnait l'impression de parler en lettres majuscules.

— Ce serait fait par égard pour la brigade des lents de la comprenette. Il y en a un ou deux dans le coin, vous savez.

— Je suis convaincu que ce sera merveilleux, Cissie, dit O'Reilly. Merveilleux.

Si Fingal avait espéré la ralentir, se dit Barry, Fingal aurait tout aussi bien pu lancer quelques cailloux dans le flot d'un barrage récemment rompu.

— Je disais justement à Aggie — son dos va mieux maintenant, après sa chute sur le lait gelé. Je disais justement à Aggie...

Barry, qui contemplait encore la professeure, attira son regard et articula en silence les mots «ma cousine avec six orteils» à l'unisson avec Cissie. Il fut récompensé d'un charmant sourire, et il devina que Sue Nolan avait déjà entendu parler de la célèbre cousine.

— Je lui disais justement que le spectacle de cette année allait être le meilleur de tous les temps. Avez-vous aimé la chorale? demanda Cissie. Je pense que les enfants sont formidables, pour ça oui. Ils font *Scarlet Ribbons*, qui est un véritable délice...

— Et je ne pense pas qu'ils devraient la chanter en entier.

Flo Bishop se tenait dans une posture de refus catégorique, les bras croisés sur sa poitrine.

— Ce n'est pas un chant de Noël, pour ça non. Qu'en pensez-vous, docteur O'Reilly? Je sais que vous approuvez, mon père. Ce ne serait pas dans le programme dans le cas contraire. J'aime bien la chanson, mais ce n'est pas un cantique de Noël, et je pense qu'ils devraient uniquement chanter des cantiques de Noël.

«Cela pourrait être intéressant», pensa Barry. Un diplôme en médecine allait-il l'emporter sur l'ordination de l'Église catholique sur ce qui paraissait être une affaire ecclésiastique? On ne lui donna pas l'occasion de le découvrir. Avant qu'O'Reilly puisse répondre, Cissie fonça.

— Oui, mais elle est charmante. Cette façon qu'a ce jeune homme, Harry Belly Fronty, de l'interpréter ferait monter les larmes aux yeux d'une pierre. La chanson parle d'une petite fille qui ne reçoit rien pour Noël parce que son père est trop pauvre...

Barry se souvenait bien de la version d'Harry Belafonte qui avait été lancée en 1956. Il était encore à l'école primaire. À cette époque, il n'avait jamais rêvé d'être un médecin généraliste de campagne avec un collègue plus âgé, un docteur Fingal O'Reilly, qui aiderait à fournir des cadeaux pour les enfants d'une mère dans le besoin.

Cissie, avec la force d'un tsunami, continua à déverser son flot.

— Lui et son calypso aussi, « *Dayo, Dayo, daylight come...* »

Barry vit remuer les lèvres de mademoiselle Nolan, et il entendit une douce et mélodieuse voix de soprano chanter :

— « *And me want to go home.* »

Elle pencha la tête d'un côté. Il la suivit le long d'une des rangées entre les chaises jusqu'à ce que la voix de Cissie soit un marmonnement étouffé. Elle pivota, et il vit une expression d'amusement compatissant sur son visage. Ce n'était pas tout à fait un sourire, mais les coins de ses yeux se ridèrent, et son nez se plissa. C'était un air très attirant.

— Merci, dit-il.

— Cissie a un cœur d'or, mais elle parle sans cesse, et elle a assisté à toutes les répétitions. Je l'ai beaucoup écoutée, et à voir l'expression de votre visage, vous l'avez aussi écoutée quand elle parle à plein régime. J'ai pensé que vous pourriez avoir besoin d'une pause.

— Vous aviez raison, dit Barry en riant. Oh, vous aviez raison. Je connais bien Cissie. Je pense qu'elle a été vaccinée avec une aiguille de gramophone.

Il fut récompensé quand Sue Nolan rit. Elle avait déjà probablement entendu cette vieille blague avant, mais elle fut assez courtoise pour prétendre qu'elle trouvait cela drôle. Il aima cela. C'était extraordinaire comme elle avait réussi à le mettre à l'aise — lui qui était un type notoirement gauche avec les femmes.

— Alors, demanda-t-il, depuis combien de temps enseignez-vous ici, Sue ?

— Depuis que j'ai terminé ma formation au Stranmillis Teachers Training College il y a deux ans. Je viens de Broughshane, dans le County Antrim...

Donc, il avait eu raison à propos de son accent.

— C'est aussi un petit patelin. J'aime la campagne, et j'adore cela, ici. Les enfants semblent vouloir apprendre, et ils sont très obéissants.

— Tous ?

Elle rit encore.

— Eh bieeeen, la plupart. Un ou deux...

Elle agita sa main tendue d'un côté et de l'autre.

Il remarqua la minceur de ses doigts et le fait qu'elle ne portait pas de bague à son annulaire gauche. Il savait que son absence ne devait avoir aucun intérêt pour lui, mais elle en avait. Elle leva son sourcil droit presque imperceptiblement.

— Vous savez comment sont les garçons.

— Les garçons comme Colin Brown ?

Son petit rire était comme un riche chocolat chaud.

— Docteur Laverty, cela transgresserait le secret professionnel.

Il se pencha vers elle, et il eut conscience de son parfum subtil. Il baissa la voix.

— Pas entre deux professionnels.

Elle le regarda droit dans les yeux et soutint son regard pendant peut-être une seconde de trop.

— Je suppose que nous pourrions partager des secrets... professionnellement, bien sûr.

Des rides de rire partaient des coins de ses remarquables yeux verts.

Il déglutit. Il savait que son pouls avait accéléré.

— En effet.

« Peut-être que je devrais revenir à des propos anodins plus sûrs », pensa-t-il.

— Et vivez-vous à Ballybucklebo ? Je ne vous ai pas vue dans les environs.

« Dans le cas contraire, je m'en serais souvenu », pensa-t-il. Elle était vraiment magnifique.

— Non, dit-elle. Pendant les classes, je loge à Holywood, et je prends le train.

— Ce n'est qu'à deux arrêts plus loin sur la ligne, dit-il. Ce n'est pas un long trajet pour se rendre au travail.

Mais il y avait de bons médecins généralistes à Holywood, donc il était peu probable qu'elle devienne un jour l'une de ses patientes.

— Où vivez-vous pendant les vacances ? demanda-t-il.

— Avec mes parents dans leur ferme. Les vals d'Antrim, The Glens, sont tout près. C'est une si belle région...

Barry en avait entendu parler : il s'agissait d'un haut plateau marqué par des vals boisés et des vallées vertes de l'ère glaciaire qui descendaient doucement vers la mer. Un ami à lui à l'école avait même laissé entendre qu'il y avait quelque chose de mystique à propos de ce lieu. Il possédait certainement sa part de sites anciens. Il avait toujours eu envie d'y aller.

— Je n'y suis jamais allé, mais on m'a dit que c'est charmant.

Sue Nolan le regarda intensément, comme si elle jaugeait sa sincérité, puis elle baissa les yeux au sol et dit avec prudence :

— Je serais heureuse de vous faire visiter les alentours, bien que je demeure à Holywood jusqu'après le spectacle.

Barry aurait aimé qu'elle lève à nouveau le regard afin qu'il puisse voir ses yeux. Était-ce seulement une invitation polie, saisonnière ? Les gens étaient toujours plus hospitaliers à ce temps-ci de l'année. Néanmoins, elle n'était absolument pas l'une de ses patientes, donc il n'y avait aucun motif professionnel l'empêchant de l'inviter à sortir avec lui. Et il semblait convaincu qu'elle lui disait qu'elle serait bien disposée à l'égard d'une telle suggestion.

Il se morigéna pour avoir même songé à une telle chose — mais elle était vraiment belle. Et merde, il était un jeune homme en santé, et non un moine dans les ordres ou — il regarda le père O'Toole — un prêtre lié par un vœu de chasteté. Cela n'avait pas été trop difficile de dire un au revoir chaste à Peggy après la danse des infirmières, mais cette Sue Nolan était différente. C'était une foutue bonne chose que Kinky soit si certaine que Patricia reviendrait bientôt à la maison. Et si elle ne revenait pas ? Et si elle revenait et — jamais de la vie ! — s'était refroidie à son égard ?

Barry serra les lèvres, prit une profonde inspiration et la regarda droit dans les yeux.

— Je pourrais bien vous prendre au mot un jour et vous demander de me faire visiter The Glens, mais en ce moment, le cabinet est très occupé, et je ne vais profiter que de quelques jours de congé.

Elle inclina la tête.

— Quand vous voulez. Mais à présent, je vais moi-même être occupée, dit-elle en se tournant pour jeter un regard sur la scène, où des enfants commençaient à prendre leurs places. J'aimerais rester et bavarder, dit-elle, mais il est temps de commencer la répétition.

— C'est agréable de vous avoir rencontrée, Sue, dit Barry. J'ai pris plaisir à converser avec vous.

— Tout le plaisir était pour moi. Peut-être recommence-rons-nous un jour, mais pas pendant le travail.

Elle lui tapota le bras, se tourna et commença à s'éloigner.

Il se maudit intérieurement parce qu'il avait été trop stupide pour lui demander son numéro de téléphone, puis il se souvint qu'il allait la revoir le jour du spectacle, et il se détendit. Il y aurait une autre occasion de voir seule la jolie mademoiselle Nolan pour un brin de causette agréable s'il en ressentait l'envie — et pour obtenir son numéro de téléphone. L'avoir en main ne signifiait pas qu'il allait s'en servir, non ? Il suivit son dos alors qu'elle avançait dans la rangée jusqu'à l'endroit où le père O'Toole et le docteur O'Reilly discutaient avec Flo Bishop et Cissie. Enfin, il devint rapidement évident qu'ils écoutaient Cissie plus qu'autre chose.

— Et vous deux, vous ne restez pas pour la répétition, docteur O'Reilly ? C'est très bon, vous savez. Jeannie Kennedy fait une Marie fantastique, et... quoi ?

Elle pivota, car une voix sur la scène avait crié son nom.

O'Reilly sauta dans la brèche avec la force d'un groupe d'assaillants.

— Je suis désolé que nous devions nous sauver, Cissie, Flo. Nous sommes grandement impressionnés. N'est-ce pas, Barry ?

— Absolument.

— Merci, docteur, dit Flo.

Et il sembla à Barry qu'elle avait dit ces mots avec un peu de mauvaise humeur.

— Je pense encore que vous avez tort, monsieur, continua-t-elle. Si nous laissons *Scarlet Ribbons* dans le programme cette année, qu'est-ce que ce sera l'an prochain? *Rocking Around The Christmas Tree*, pour l'amour de Dieu?

Elle rougit.

— Je suis désolée, mon père.

— Inutile de vous excuser, dit le père O'Toole. Cela ne me dérange pas d'inclure l'occasionnelle chanson laïque, si c'est fait avec goût. Mais il y a une limite.

Barry dissimula son sourire. Donc, O'Reilly avait dû décider que dans une lutte théologique avec le père O'Toole, le silence était d'or. Dans le grand débat sur les chants de Noël, c'était 1 à 0 pour Cissie.

O'Reilly regarda Barry, donna un coup de tête en direction de la sortie et commença à marcher dans l'allée. Barry le suivit. Quand il fut à mi-chemin de la porte, les lumières intérieures furent tamisées, et l'éclairage de la scène prit la relève. Barry marqua une pause et se tourna.

Il pouvait voir trois enfants sur scène. Un garçon tenait une petite fille par la main. Un deuxième garçon — Barry reconnut Colin Brown — se tenait dans l'embrasure de la porte ouverte. Donc, il devait s'agir de Marie et Joseph. Barry reconnut la petite fille, Jeannie Kennedy. Elle avait eu une appendicite en juillet. Le garçon n'était pas quelqu'un de sa connaissance — pas encore. Tôt ou tard, il savait que tout comme O'Reilly, il allait rencontrer tout le monde ici.

Les acteurs commencèrent à déclamer leurs répliques.

— Bonjour, aubergiste.

— Qui est là ?

— C'est Marie et Joseph. Nous sommes venus pour payer nos impôts.

Barry se demanda, vu la haine universelle des fermiers de l'Ulster pour le service du revenu de l'Inland, si cette réplique allait par inadvertance provoquer un certain nombre de marmonnements dans le public le grand soir.

— Marie et Joseph ?

— Pourrions-nous avoir un lit pour la nuit ? Ma femme va avoir un bébé, et elle est très fatiguée.

— Nous sommes complets à l'auberge, mais vous pouvez aller dans l'étable.

La voix de Colin était calme et accueillante.

Barry rigola. Ce n'était pas tout à fait la réplique que Colin avait dit devoir déclamer au cabinet. C'était plutôt ainsi : «Vous pouvez aller dans l'étable.» Peut-être que Sue Nolan avait fait un peu de révision d'écriture. Il pensa que cela sonnait mieux que l'original. Colin avait bien dit sa réplique, donc il avait dû mettre de l'eau dans son vin et se remettre de sa déception de ne pas jouer Joseph cette année-là. Bien. Le conseil de Barry avait peut-être aidé un peu.

Il rattrapa O'Reilly, et ensemble, ils sortirent se mettre à la merci de la tempête.

— Seigneur, dit O'Reilly. C'est froid comme le sein d'une sorcière. J'aimerais bien un whiskey chaud, et je sais qu'Arthur boirait une Smithwick's avec plaisir. Allons-nous faire un saut au Canard avant de rentrer à la maison ?

— Pourquoi pas ?

— Juste un verre, alors, dit O'Reilly. Et au cas où vous penseriez que j'ai oublié, ce n'est pas le cas. Quand nous serons à la maison, je vais téléphoner à Fitzpatrick. Organiser une rencontre avec lui.

Il remonta le col de son manteau.

— Et pour rester dans l'esprit de la saison, ajouta-t-il, je pourrais même être un peu plus doux avec lui s'il accepte d'arrêter de s'en prendre à Kinky et de reconnaître à quel point mademoiselle Hagerty est précieuse. J'accepterais bien aussi des excuses de sa part.

— Et si vous n'obtenez pas ce que vous voulez ?

Le visage d'O'Reilly s'assombrit.

— Dans ce cas, je pourrais bien me servir de l'une de ses propres prescriptions contre lui.

— Les racines de primevères ? Barry rigola.

— Pas du tout. La poudre à canon.

Et Barry, sachant par sa propre expérience que le tempérament d'O'Reilly pouvait être prompt, ressentit une pointe de compassion pour le docteur Ronald Hercules Fitzpatrick.

33

Épaississez mon sang

— Voulez-vous venir avec moi, je vous prie, mademoiselle Moloney ?

Barry pivota et retourna dans le cabinet, présumant qu'elle le suivait. Il n'envisageait pas avec enthousiasme cette consultation. Quand il l'avait rencontrée pour la première fois en août, elle lui avait fait l'effet d'une femme acerbe et impolie. Elle terrorisait certainement ses assistantes en boutique, Helen Hewitt et Mary Dunleavy. Elle lui avait dit en termes clairs de s'occuper de ses propres affaires quand il avait tenté de suggérer qu'elle pourrait se montrer moins impitoyable avec ses filles.

Cela, s'il était honnête envers lui-même, lui restait encore en travers de la gorge. Et quand elle était venue ici la dernière fois et qu'il avait fait une remarque en passant sur le fait que l'hiver était arrivé, elle avait rétorqué sèchement : «Comme c'est astucieux de votre part de le remarquer, docteur.»

Cela ne l'avait pas rendue plus sympathique à ses yeux.

O'Reilly avait une fois mentionné que tous les docteurs et leurs patients n'étaient pas parfaitement faits les uns pour les autres et que si Barry ressentait de l'antipathie pour quelqu'un, il valait mieux pour les deux qu'il suggère au client de chercher des conseils médicaux ailleurs. Il lui faudrait peut-être réfléchir à cela dans ce cas. Évidemment, les choix de mademoiselle Moloney étaient un peu limités entre Ballybucklebo et Kinnegar.

Barry se demanda si l'aigreur de mademoiselle Moloney et l'arrogance du docteur Fitzpatrick seraient mieux assorties, puis il chassa vite cette pensée. Il pouvait bien ne pas aimer cette femme, mais ce n'était pas une raison pour la soumettre à la médecine douteuse de Ronald Hercules Fitzpatrick. Qu'il l'aime ou non, il ferait de son mieux pour elle médicalement parlant.

— Et comment allez-vous aujourd'hui ? demanda-t-il tandis qu'ils marchaient dans le corridor.

— Je suis encore très fatiguée, docteur, dit-elle.

Sa voix, normalement sèche et dure, était tremblante. Il remarqua à quel point elle avait l'air pâle.

— Je n'ai pas d'énergie, continua-t-elle. Je ne suis pas du tout moi-même, et j'ai le souffle court.

Il ferma la porte et attendit qu'elle prenne place, puis il s'installa dans le fauteuil pivotant à roulettes — celui d'O'Reilly, que Barry était à l'aise de tenter de remplir, du moins au sens figuré. Il savait qu'il n'aurait jamais la masse physique pour le remplir littéralement. Il se tourna vers le secrétaire pour prendre le rapport de laboratoire qui avait été livré par le courrier de la veille.

— J'ai vos résultats ici.

Elle haussa les épaules.

— Je suppose que vous feriez mieux de m'informer.

Elle était apathique et semblait désintéressée. Elle fixa le tapis en disant :

— J'espère que ce n'est rien de grave.

Quelque chose dans le ton de sa voix quand elle dit le mot « grave » démentait son apparent manque d'intérêt. Mademoiselle Moloney avait peur. Barry fronça les sourcils. Il aurait aimé pouvoir la rassurer immédiatement, mais même s'il avait lu les résultats du laboratoire et savait que son diagnostic d'anémie était correct, il ne pouvait pas la réconforter jusqu'à ce qu'il connaisse la cause sous-jacente de son mal.

Du moins, il ne le pouvait pas s'il était honnête. Cependant, avait-il besoin d'être brutalement franc ? Il ne l'avait pas été à sa première visite. Cela ne ferait pas de mal de prolonger la tromperie un peu plus longtemps. Barry lui sourit.

— Vous êtes anémique, mademoiselle Moloney. Une faiblesse dans le sang, dit-il. C'est pourquoi vous ne vous « sentez pas vous-même ».

Il se pencha en avant.

— Le rapport du laboratoire indique qu'il n'y a rien d'autre qui cloche dans votre sang. Ce n'est que de l'anémie, et ce n'est pas très grave.

— Mais... mais il y a quelque chose qui cloche... dans mon sang ?

Elle était voûtée sur sa chaise et ne voulait pas croiser son regard.

Peut-être que s'il détournait son attention en disant qu'elle n'avait pas l'une de ces maladies mortelles du sang, cela la rassurerait davantage. Il sourit.

— Oui, mais ce n'est rien comme cette méchante leucémie.

Cette fois, elle regarda Barry intensément, et ce faisant, sa lèvre trembla, et une larme coula sur sa joue.

Seigneur Dieu, qu'avait-il dit? « Réfléchis, mec. Dis quelque chose. »

— Non, non, mademoiselle Moloney. Il n'est pas question de leucémie. Vous souffrez d'anémie ordinaire. C'est promis, dit-il en souhaitant n'avoir jamais mentionné le cancer du sang.

Les doigts de mademoiselle Moloney tiraient sans but sur la frange du châle en laine à motif qu'elle portait par-dessus son manteau gris. Elle renifla, s'essuya les yeux du dos de la main et fit un effort pour se redresser sur sa chaise. Puis, en inspirant profondément, elle dit à voix basse :

— Je suis désolée. Je n'aurais pas dû devenir si émotive.

— Ça va, mademoiselle Moloney. Vraiment.

Barry la regarda dans les yeux aussi intensément qu'il en était capable. C'était là une femme très différente de la harpie qu'il avait rencontrée en août. Il ne pouvait s'empêcher d'éprouver de la compassion pour elle. Il prit le rapport sur le secrétaire.

— Aimeriez-vous que je vous explique tout cela, mademoiselle Moloney ? demanda-t-il dans l'espoir qu'elle dise non.

Elle n'était pas en état de comprendre des termes comme « concentration corpusculaire en hémoglobine », « volume globulaire moyen » ou « diamètre corpusculaire moyen ».

Elle secoua la tête.

— Je vous fais confiance, docteur Laverty.

— Merci.

Barry se sentit réchauffé par ses paroles.

— Et, dit-elle, « mademoiselle Moloney », c'est très formel. Mon prénom est Alice.

— Alice. C'est un joli prénom.

— Merci, dit-elle avec un petit soupir. Mais à l'exception de ma sœur à Millisle, plus personne ne l'utilise.

Elle lui sourit avant d'ajouter :

— J'aimerais que vous le fassiez, docteur.

— Bien sûr... Alice.

Et il se dit que si cela n'était pas le signe qu'elle l'acceptait, il ne savait pas ce qu'il faudrait. Cela lui fit plaisir.

— Maintenant, dit-il en tenant le rapport de manière à ce qu'elle puisse le voir, je ne vous expliquerai pas tout, car il y a toutes sortes de nombres ici, mais deux seulement importent. Celui-ci, l'hémoglobine, est à 12,2. Il devrait être à 14,8. Et celui-ci à 39 est trop bas aussi. Cela s'appelle l'hématocrite. Elle devrait être à 42 au moins.

Elle s'étira le cou pour voir.

— Et que signifient ces nombres ?

— Ils signifient, Alice, que votre sang est trop faible parce qu'il manque de fer. Comme votre sang est trop faible, vous vous essoufflez, parce que le sang transporte dans tout votre corps l'oxygène que vous respirez.

— Je vois, dit-elle avec un petit pli sur le front. Intéressant.

Barry lui prit la main et la tint dans sa paume avec le dos de la main de la dame tourné vers le ciel. Elle était froide au toucher. Il pointa ses ongles en forme de cuillère à thé peu profonde.

— Cela s'appelle la coelonychie. C'est causé par une insuffisance en fer.

— Je vois.

Elle retira sa main, puis elle inclina la tête d'un côté et demanda :

— Et pourquoi manquerais-je de fer ?

Barry essaya de ne pas plisser le front. C'était à ce stade que les tergiversations dont il avait usé pour ne pas laisser entendre qu'elle pouvait ou non être gravement malade seraient mises à l'épreuve. Cela lui faisait plaisir qu'elle soit tout à fait prête à lui faire confiance. Il ne voulait pas perdre cette confiance. Il savait qu'il devait être honnête, à présent. Il lui reprit la main et se pencha vers elle.

— Je n'en suis pas sûr.

Il rencontra son regard et sentit qu'elle était assez forte pour composer avec l'incertitude.

— Oh. Cela pourrait-il être grave ?

« Ne mens pas à présent, Barry », se dit-il.

— Oui, mademoiselle Molo... Alice, je veux dire. Oui, c'est possible, mais dans 99 % des cas, cela ne l'est pas.

— Je vois.

Pour la deuxième fois, elle retira sa main et la referma sur l'autre, qui se trouvait sur ses cuisses.

— Merci d'être franc, docteur Laverty. Ce ne sont pas tous les médecins qui l'auraient été. Je sais cela.

Sa lèvre trembla encore.

Il se félicita de l'avoir bien jugée. « Un certain médecin l'a blessée », pensa Barry, et immédiatement, il se demanda si elle aussi pouvait être une des victimes de Fitzpatrick.

Elle se tenait avec raideur.

— Je suppose que vous savez comment découvrir ce qui ne va pas.

— Évidemment.

Elle pressa les lèvres.

— Alors, mettons-nous-y.

— D'accord. Ce n'est pas compliqué. Je dois vous poser quelques questions, vous examiner aujourd'hui et peut-être prévoir une radiographie.

— Quel genre de questions ?

Barry reposa le rapport sur le secrétaire.

— Vous pouvez manquer de fer parce que vous n'en mangez pas suffisamment ou parce que vous perdez votre sang. Mon travail est de découvrir si c'est l'un ou l'autre de ces cas.

Sa bouche s'ouvrit pour former un « O » silencieux. Elle fronça les sourcils et opina de la tête comme si elle se mettait d'accord avec elle-même.

— Je vois. Posez vos questions, donc.

— Le docteur O'Reilly m'a dit qu'il vous avait déjà soignée pour les hémorroïdes.

Barry était content de s'être rappelé ce détail.

— Il y a environ trois ans. Méchant truc, dit-elle en retroussant la lèvre. Cela démangeait beaucoup, mais le docteur O'Reilly m'a donné un onguent et des laxatifs, et je n'ai plus eu d'ennuis depuis.

— Bien.

Cela laissait entendre qu'elle avait été affligée d'hémorroïdes externes. Leur apparente guérison n'excluait pas la possibilité de varicosité des vaisseaux iliaques à l'intérieur. Il regarderait cela attentivement lorsqu'il ferait son examen.

— Vous m'avez dit lors de votre dernière visite que vous avez 51 ans.

— Oui. J'aurai 52 ans en janvier.

Elle n'était peut-être pas encore ménopausée et pouvait avoir des menstruations abondantes. Barry était sur le point de poser la question, mais une minuscule sonnette d'alarme lui disait d'attendre, de commencer par s'informer sur les choses qui n'allaient pas l'embarrasser. Les femmes plus âgées de la campagne, avait-il appris, pouvaient se montrer réticentes à discuter de symptômes « féminins ».

— Aimez-vous manger?

Elle était certainement une femme mince.

— J'aime assez cela. Je prends trois repas par jour, mais de petites portions. Je ne suis pas une grande mangeuse. Je vis seule — eh bien, il y a moi, mon chat et ma perruche —, alors je ne cuisine pour personne.

Barry pouvait entendre la résignation dans sa voix. Peut-être que sa solitude expliquait pourquoi elle avait été si méchante avec son personnel constitué de jolies jeunes femmes en âge de se marier.

— Comme il n'y a que moi, je peux manger ce qui me plaît, continua-t-elle. Je n'aime pas les œufs ni les légumes verts, dit-elle. Je ne mange pas de viande rouge, mais j'aime le poisson, le poulet et les pois. J'aime vraiment les pois.

— Je vois.

«Donc, elle ne mange pas suffisamment des trois principales sources alimentaires de fer, et ce qu'elle mange entraîne probablement une insuffisance.

— Et depuis combien de temps suivez-vous cette diète?

— J'ai commencé à manger ainsi quand j'étais une très jeune femme... en Inde.

— En Inde? J'ignorais que vous y étiez allée.

Mademoiselle Alice Moloney, propriétaire d'une minuscule boutique de vêtements à Ballybucklebo, était allée en Inde?

— Oh, oui, dit-elle. Papa a amené toute la famille là-bas en 1932. J'avais 19 ans.

C'était intrigant.

— Et que faisait votre père là-bas?

— Il faisait partie de la fonction publique indienne. À Calcutta. Ils l'ont gardé après l'indépendance en 1947.

Ses lèvres tremblèrent à nouveau.

— Ma sœur et moi sommes nées à Ballybucklebo, et elle et moi, nous sommes revenues en Irlande après — sa main trembla — après qu'il a été tué dans les émeutes entre hindous et musulmans en 1948.

«Et l'Ulster n'est pas le seul endroit à être détruit par la lutte religieuse», pensa Barry.

Elle pressa les lèvres et s'obligea à sourire faiblement.

— Mais, c'était un endroit merveilleux où vivre pour une fille. Nous avions une immense maison de plain-pied, des poneys, des danses avec les séduisants jeunes subalternes blancs de l'armée indienne...

Barry se demanda un instant pourquoi elle n'en avait pas épousé un. Peut-être qu'elle avait été amoureuse, mais que son jeune lieutenant avait été stationné au loin et qu'ils s'étaient éloignés doucement l'un de l'autre. Cela pouvait se produire. Il serra les dents, se disant qu'il était bien placé pour le savoir.

Elle se remémorait encore des souvenirs.

— Nous avions les étés dans les collines, des serviteurs en abondance...

Cela pouvait expliquer la manière dont elle avait traité Helen et Mary.

Elle tourna le regard au loin, et Barry se demanda si elle voyait le Mandan ou sentait les bancs de boue de la rivière Hugli. Lorsqu'il était enfant, il avait lu et adoré les œuvres de Rudyard Kipling.

— J'ai adoré l'Inde. Avez-vous déjà vu un éléphant ?

— Eh bien, oui. Il y avait une éléphante qui s'appelait Sarah au zoo de Dublin dans Phoenix Park. Et j'en ai vu dans les cirques.

Elle grogna.

— Pauvres créatures. Je parlais de l'animal de cérémonie magnifiquement caparaçonné, avec un *howdah* sur son dos et un *mahout* — c'est le cavalier — assis juste derrière sa tête.

— Je crains que non. Je n'ai pas voyagé très loin de l'Irlande. Même pas aussi loin que Cambridge.

— Vous devez voyager, jeune homme. En apprendre sur les autres peuples. J'ai trouvé les hindous fascinants.

Elle gloussa et ajouta :

— Vous allez probablement me trouver idiote, mais j'ai appris un peu de yoga. J'étais capable auparavant de m'asseoir dans la posture du lotus.

— Je ne vois rien d'idiot là-dedans.

— Merci. L'Orient pourrait en apprendre beaucoup à l'Occident. J'ai lu beaucoup de philosophie védique dans leurs textes, les *Upanishads*...

Barry était gêné, non pas par son aveu, mais à cause de la façon dont il avait si mal jugé Alice Moloney après seulement deux très courtes rencontres.

— Et j'ai trouvé l'idée très attirante de ne pas manger de viande. Même à ce jour, je ne peux pas manger de bœuf. Les vaches sont sacrées en Inde, vous savez. Comme je l'ai dit, je ne suis pas une grande amatrice de légumes verts non plus, mais je mange des carottes et des panais.

— Je vois.

C'était presque certainement la réponse. C'était intéressant. L'Inde. Le végétarisme. Cela concordait assurément. Barry fut tenté de stopper tout immédiatement, mais procéder ainsi aurait été négliger sa responsabilité envers elle.

Elle pouvait perdre du sang à cause de menstruations abondantes ou — de façon plus inquiétante — à cause d'un certain nombre de maladies de l'estomac ou de l'intestin — des maladies qui incluaient le cancer.

Il continua sa progression.

— Avez-vous souffert de problèmes au niveau de l'estomac? De douleurs quand vous mangez ou après avoir mangé? Avez-vous vomi du sang?

Tous étaient des symptômes de gastrite ou d'un ulcère dans son estomac ou son duodénum.

— Non, dit-elle en secouant la tête. Rien de ce genre.

— Avez-vous remarqué une douleur dans le bas de votre ventre, des changements dans vos habitudes intestinales, de la diarrhée, des selles noires ou du sang rouge?

Les selles noires s'appelaient des mélænas, et elles étaient un signe de saignement de l'estomac ou de l'intestin plus haut dans le système. Du sang rouge pouvait venir de la partie inférieure. Les hémorroïdes — et elle en avait déjà eu —, la diverticulite, les colites ulcéreuses, la maladie de Crohn et d'autres troubles encore plus inquiétants, comme des polypes bénins ou le cancer de l'intestin, pouvaient tous produire ces symptômes.

— Je n'ai pas de douleurs, et je ne pense pas qu'il y a quoi que ce soit qui cloche avec mes selles. Cela dit, je ne les regarde pas très souvent.

— Peu de gens le font, mais je dois poser la question.

Ses réponses n'éliminaient pas un état qui ne présentait pas de douleur, comme le début d'un cancer.

— Je comprends, docteur. Que voulez-vous savoir d'autre?

Barry déglutit, toussa puis demanda :

— Qu'en est-il de vos menstruations?

Elle haussa les épaules.

— Elles n'ont jamais été abondantes, si c'est ce que vous voulez dire. Elles ont cessé il y a environ trois ans. Je suis bien débarrassée de cette cochonnerie, si vous me demandez mon avis.

Elle se pencha en avant et posa une main sur le genou de Barry.

— Maintenant, j'ai des chaleurs.

Barry ne voulait pas compliquer les choses pendant cette visite-ci, mais il se dit qu'il allait discuter avec elle de l'usage de petites doses d'éthinyloestradiol pour contrôler ses chaleurs une autre fois. Pour le moment, par contre, son anémie était prioritaire. Il la regarda droit dans les yeux et dit :

— Si vous n'avez pas eu d'ennuis avec vos menstruations et qu'elles ont disparu, nous ne pouvons pas les rendre responsables d'une perte de sang chez vous. Cela laisse seulement deux causes possibles pour votre insuffisance en fer.

— Et quelles sont-elles ?

— Ma meilleure hypothèse est que vous ne mangez pas les bonnes choses.

— J'imagine.

Il ne voulait pas qu'elle s'inquiète, mais il n'aimait pas être malhonnête.

— Vous pourriez avoir quelque chose à l'intestin.

Elle le regarda droit dans les yeux.

— Comme un cancer ?

Ce fut quelque chose dans sa voix qui l'incita à poser la question.

— Vous vous inquiétez vraiment du cancer — n'est-ce pas, Alice ?

— Je le devrais. J'ai de bonnes raisons pour cela.

Barry patienta. Elle les lui dirait si elle le désirait.

— La rumeur dit que vous êtes amoureux, docteur.

Il voulait le nier, mais il pouvait déjà sentir la chaleur sur son visage. Et cette entrevue semblait tourner autour du jeu de la vérité.

— Je le suis.

«Foutue machine à rumeurs», se dit-il. Il adorait Ballybucklebo, mais il y avait certains désavantages à vivre ici.

— Je l'ai déjà été une fois.

Le même air rêveur qu'elle avait eu quand elle avait parlé de l'Inde passa rapidement sur son visage.

— Il était capitaine avec le Skinner's Horse. C'était un régiment de cavalerie très célèbre.

L'expression s'évanouit doucement, et ses yeux brillèrent quand elle dit :

— Ses médecins lui ont menti.

— Je suis désolé.

— C'est ce qu'ils ont fait. Ils nous ont dit qu'il allait se remettre.

Elle prit une très profonde inspiration et dit simplement :

— Il est mort.

— Je suis vraiment désolé, Alice.

«Quelle platitude à offrir!» pensa-t-il.

— Savez-vous de quoi il est mort ?

Barry secoua la tête.

— De la leucémie.

— Mon Dieu.

Il n'était pas étonnant qu'elle ait réagi comme elle l'avait fait. Et il n'était pas étonnant qu'elle s'inquiète du cancer.

Dieu merci, il avait été honnête, et il allait se montrer honnête à l'instant.

— Alice, je ne peux pas vous dire que vous n'avez pas le cancer. Pas avant que tous les tests soient faits. Et pour commencer, je vais devoir vous examiner, toucher votre ventre à la recherche de bosses et faire un examen rectal.

Elle retroussa la lèvre.

— Je les déteste, mais j'imagine que c'est nécessaire.

— Je le crains.

Elle se leva, laissa son châle et son manteau sur la chaise et se dirigea vers le divan d'examen muni de paravents.

— Nous ferions mieux d'en finir.

Quand Barry eut retiré ses gants en caoutchouc, lavé ses mains après avoir réalisé un examen abdominal et rectal sans rien trouver et écrit une prescription pour du sulfate ferreux, elle était déjà habillée et debout près de sa chaise. Barry se leva aussi.

— Alors, docteur Laverty?

Barry secoua la tête.

— Je ne trouve rien, Alice.

— Vous avez parlé d'une radiographie?

— Un lavement baryté.

— Devrais-je en passer un?

— Oui. Je vais organiser cela. Je vais tenter de vous le faire passer avant Noël.

— Je vous en serais reconnaissante.

— Avez-vous le téléphone à la boutique?

— Non. J'en ai un à l'étage. Je vis au-dessus du magasin.

— Y êtes-vous habituellement le soir?

Elle fit une grimace ironique.

— Où serais-je, sinon?

Barry sentit sa solitude, et là, ayant entendu son histoire, il pouvait en comprendre la profondeur. Il se demanda comment elle était lorsqu'elle était une jeune femme en Inde et se dit qu'elle avait probablement été aussi enjouée et espiègle qu'Helen Hewitt l'était aujourd'hui. Peut-être que tout ce qui s'était produit à Calcutta expliquait l'antipathie d'Alice Moloney pour les jeunes filles. Il pouvait difficilement la blâmer si elle avait un côté amer. Il soupira et posa une main sur son épaule.

— Je commence à comprendre. Merci de m'avoir raconté votre histoire, Alice.

— Merci de l'avoir écoutée, docteur.

— Bon. Je dois téléphoner au Royal et prendre un rendez-vous pour vous. Quand ce sera fait, je vais vous appeler après le dîner.

— Vous feriez cela ?

Elle mit son manteau.

— Évidemment.

— C'est très gentil.

Elle jeta son châle sur ses épaules.

— Et tenez, dit Barry en lui tendant une prescription. Prenez-en une chaque jour. Ce sont des pilules de fer. Elles devraient vous remettre sur pied en deux ou trois mois environ.

— S'il n'y a rien de grave, dit-elle avant de hausser les épaules. Mais je suppose que nous le saurons bientôt.

— Oui.

Barry ouvrit la porte pour elle.

— Je serai au téléphone dans une minute. Cela pourrait prendre un certain temps pour faire les arrangements, alors rentrez chez vous, à présent, et je vais vous appeler ce soir.

Il la raccompagna dans le vestibule.

Il entendit à peine son remerciement, car il composait déjà le numéro du service de radiologie à l'hôpital Royal Victoria. C'était le jour de chance de mademoiselle Moloney. Il y avait eu une annulation pour jeudi matin. Si Barry pouvait donner à sa patiente les instructions à suivre avant le test et lui dire de se présenter au service à 10 h 00 ce jour-là, Alice passerait son test à 11 h 00. Il recevrait un rapport le vendredi. Il allait lui téléphoner ce soir et lui dire de passer le voir samedi, puis lui donner les résultats. Moins de temps elle passerait à s'inquiéter, mieux ce serait.

Il fredonnait en faussant pour lui-même quand il reposa le combiné.

Il trouvait la situation étrange. Avant qu'Alice s'assoie, il avait déjà décidé qu'il n'aimait pas la femme. Maintenant, ayant entendu son histoire, il croyait la comprendre beaucoup mieux et pouvait ressentir beaucoup de sympathie pour son état de célibataire. La vie n'avait pas été tendre envers Alice Moloney. Pas du tout.

Barry entra dans la salle à manger, où O'Reilly était à sa place habituelle, se dissimulant derrière l'*Irish Times*. Il reposa le journal et salua Barry.

— Je vois qu'il doit y avoir un vote libre à la Chambre des communes britannique le 21.

Barry s'assit à sa place habituelle.

— À quel sujet?

— Pour abolir la peine de mort.

— Je serais en faveur de cela, dit Barry.

— Moi aussi, dit O'Reilly, avec une exception possible. Et la loi sera encore en vigueur cet après-midi.

Il sourit à Barry pour montrer qu'il plaisantait — du moins, Barry espérait que Fingal ne faisait que plaisanter.

— Je comprends, dit Barry, se servant un petit pain fraîchement sorti du four et y étalant du beurre. Je comprends que vous faites référence au docteur Ronald Hercules Fitzpatrick.

— Nul autre, dit O'Reilly. Passez-moi les petits pains.

Il en prit trois avant de lancer :

— Nous le voyons à son cabinet à Kinnegar à 14 h 00.

34

J'aime bien être au bord de la mer

B arry sortit de la Rover près d'un brise-lames bas en blocs de granite. Il entendit l'eau lécher sa base. La marée était haute. Des tas de fucus vésiculeux, leurs feuilles dentelées parsemées de poches remplies d'air qui donnaient son nom à cette algue, tenaient compagnie aux larges feuilles plates de varech séchant sur les margelles du mur et sur le gravier du stationnement pour voitures de Kinnegar.

Les bottes crissèrent sur les pierres roulantes tandis qu'O'Reilly contournait la voiture pour le rejoindre.

— Regardez cela.

O'Reilly pointait une poche tannée avec des vrilles en spirale qui partaient des coins et s'enroulaient autour d'un morceau de varech.

— C'est la poche d'œuf d'un chien de mer.

— C'est ce que les gens du coin appellent une «bourse de sirène», dit Barry. Elle aura été rejetée ici avec tous les autres débris de la tempête de vent d'hier.

Il inspira le parfum salin, qu'il savait provenir non pas de la marée elle-même, mais des algues échouées qui commençaient déjà à pourrir.

Il regarda vers la mer. Le Lough était somnolent aujourd'hui, reflétant paisiblement le bleu de l'arche du ciel.

C'était assurément le calme après la tempête, mais comme ils étaient en route pour voir Fitzpatrick, Barry se demanda si c'était aussi le calme avant la tempête.

Il regarda en arrière, où O'Reilly se tenait lui aussi debout à contempler l'eau.

— Regardez ce traversier, dit-il, « fendant l'eau du canal dans les folles journées de mars ».

Le bateau avançait péniblement avec détermination vers Belfast dans le passage dragué et balisé de bouées au milieu du Lough. Cela lui rappelait un bateau de charbon qu'il avait vu un jour se frayant un chemin dans le port de Bangor. Il y avait amené Patricia pour une promenade sur le sentier côtier près de Strickland's Glen au cours de l'un de leurs premiers rendez-vous, et le vent avait réduit en miettes le tas du charbonnier et fait joyeusement danser et balancer sa queue-de-cheval.

— C'est Masefield, en passant, et je sais qu'en fait, c'est décembre, et non mars, dit O'Reilly. Je pensais que vous seriez plus rapide à me le dire.

— Le poème s'intitule *Cargoes*, dit Barry.

Il n'avait pas souhaité jouer à « nommer la citation avec O'Reilly » aujourd'hui. Pas aujourd'hui.

— Désolé, Fingal. Voir ce bateau m'a fait penser à autre chose.

— Ou à quelqu'un d'autre ?

La voix d'O'Reilly était douce.

Barry opina de la tête.

— Patricia va essayer de prendre un transbordeur depuis l'Angleterre. Du moins, j'espère qu'elle le fera.

— Ne vous inquiétez pas. Elle le fera. Kinky n'a jamais tort.

O'Reilly avait un air très assuré sur le visage.

— Elle pourrait enseigner une chose ou deux à notre homme à Rome à propos de l'infaillibilité.

Barry dut sourire, et il sentit réconforté sans trop savoir pourquoi.

— Merci, Fingal, dit-il.

Et il se promit à lui-même d'essayer d'arrêter de s'inquiéter. Ne voulant plus parler, il se tourna résolument de nouveau vers la mer et regarda au-delà du navire et du côté opposé où les collines d'Antrim s'élevaient, sombres et mauves. Une ligne blanche bordait leurs sommets comme une mince couche du glaçage royal de Kinky.

Près du début du rivage, un cormoran était perché sur un poteau noir de créosote qui s'élevait depuis son propre reflet. L'oiseau étira son long cou rappelant un serpent et étendit ses ailes larges pour les faire sécher sous les rayons du soleil d'hiver. Une volée criarde de sternes, qui avaient une tête couronnée de noir et la queue d'une hirondelle, grouillait dans le ciel. Plongeant comme des membres des bombardiers Stuka, les oiseaux dégringolèrent jusqu'à la surface calme. L'entrée de chaque oiseau était si propre que Barry n'entendit aucune éclaboussure.

— Penser sans arrêt à tout cela ne la ramènera pas ici plus vite.

La voix d'O'Reilly était gentille. Il avait manifestement compris l'humeur de Barry.

— Je sais, Fingal, et je ne m'inquiétais pas… eh bien, pas beaucoup. Franchement. Je profitais du Lough. Il a toujours été spécial pour moi. J'ai grandi à côté. La maison de mes parents à Bangor était sur une petite péninsule. Je m'y rendais souvent pour m'asseoir sur le rivage quand je voulais un peu de paix et de silence.

O'Reilly se baissa à côté de l'épaule de Barry. Il se redressa en tenant un caillou lisse. Il regarda Barry, puis il opina de la tête.

— Je sais ce que vous voulez dire. Je pense que tout le monde a un endroit spécial, ce qu'Ernest Hemingway appelait un *querencia*.

— Un quoi?

— Pendant une corrida, chaque taureau trouve un endroit dans l'arène où il se sent en sécurité. Il s'y retire quand il essaie d'échapper à ses persécuteurs. Je ne pense pas qu'il existe un mot français tout à fait aussi efficace que *querencia*.

— Un sanctuaire?

— Peut-être, mais je préfère l'espagnol.

Il baissa la voix et dit posément :

— Le mien, c'est la péninsule d'Ards. Au Strangford Lough. J'y vais si je me sens un peu torturé. Et à présent que vous êtes ici, mon garçon, je peux y aller plus souvent, parce que je sais que le cabinet est entre bonnes mains.

Barry déglutit.

— Merci, Fingal.

Et il remerciait O'Reilly davantage pour la confidence que pour le compliment. Kitty avait dit qu'O'Reilly était un homme difficile à connaître, et il avait surpris Barry en s'ouvrant un peu.

— Je vais amener Arthur là-bas, samedi. J'ai bien besoin d'une pause. J'ai vraiment hâte d'y être, dit O'Reilly.

Puis, comme s'il était gêné d'avoir avoué son besoin d'un peu de répit comme l'aurait fait tout mortel, il lança :

— Mais, ça, c'est samedi. Nous avons encore du travail aujourd'hui. Fitzpatrick nous attend à 14 h 00.

Il lança violemment le caillou dans le Lough.

— Allons-y.

Il sortit à grandes enjambées du stationnement et tourna à droite sur l'Esplanade.

Barry suivit le rythme.

— Qu'allez-vous lui dire ?

O'Reilly s'arrêta.

— J'imagine que je vais tenter de faire appel à son plus beau côté. S'il en a un. Ce dont je doute. Je ne sais pas trop comment commencer, mais sur le vieux *Warspite*, l'officier de l'artillerie avait l'ordre permanent de toujours surveiller les « cibles possibles ».

— Je ne comprends pas.

— C'était la réponse de la marine à monsieur Micawber. Si l'on avait l'œil ouvert, à une chose sur laquelle tirer surgissait même quand on ne s'y attendait pas.

— Vous voulez dire que vous allez improviser jusqu'à ce que Fitzpatrick vous fournisse une piste ?

— Je le pense. Je veux le placer sur la défensive. Je me rappelle que lorsque nous étions étudiants, une des choses que je détestais chez cet homme était le fait que c'était un tyran. Il s'en prenait constamment au personnel médical subordonné et aux étudiantes en soins infirmiers. Il a tenté d'intimider Kinky.

— Ce n'est pas un trait qui rend aimable.

— Il y a une chose à propos des tyrans…

— Ils n'aiment pas quand une personne les met au défi, comme l'a fait Kinky.

O'Reilly rit.

— Il est plus brave que moi, l'homme qui affrontera Kinky quand elle se met en colère. Elle peut avoir le courage de s'élever contre n'importe qui.

«Et si une autre personne peut le faire, c'est bien Fingal Flahertie O'Reilly», pensa Barry.

— Vous savez, Barry, je n'aime pas l'homme, je vous l'accorde, mais ce n'est pas personnel. Je me suis retrouvé dans une situation extrêmement délicate avec cet accouchement par le siège, et cela n'aurait pas dû se produire, sauf qu'il y avait son arrogance. Il a tyrannisé mademoiselle Hagerty.

Le front d'O'Reilly se plissa, ses sourcils se rencontrèrent et ses yeux se plissèrent et lancèrent des éclairs. Le bout de son nez avait pâli.

— Il doit pratiquer une meilleure médecine. L'homme doit être rabaissé d'un ou deux crans.

— Je suis d'accord.

Il regarda le visage de Fingal et essaya de mesurer la profondeur de sa colère. «Bon sang, je pense que je commence à avoir pitié de Fitzpatrick», dut-il constater alors.

— Et une autre chose, Barry.

— Oui?

— Quand je parle de moi et de l'accouchement par le siège, moi, je n'importe pas vraiment. C'est notre boulot. J'ai composé avec la situation, mais la mère et l'enfant ont couru un danger inutile. Je ne peux pas pardonner cela.

— Je comprends, Fingal.

Barry frissonna et ajouta :

— C'est une foutue bonne chose que vous ayez été de garde cette nuit-là. J'ai lu la théorie, mais je n'ai jamais procédé à un accouchement avec une présentation par le siège.

Elles ne se produisent que dans 3 % des grossesses à terme. J'ignore ce que j'aurais fait si j'avais été là.

O'Reilly donna une tape sur l'épaule de Barry et dit :

— Vous vous en seriez sorti, fiston. Vous avez une bonne paire de mains. Je vous ai vu vous occuper de cet accouchement avec une présentation de la face en août.

Barry rayonna sous l'effet de la confiance de son collègue expérimenté jusqu'à ce qu'O'Reilly baisse les yeux et dise :

— Votre lacet est défait. Attachez-le comme un bon garçon.

Barry se pencha et attacha son lacet. Il dut se précipiter pour rattraper O'Reilly, qui marchait devant d'une manière assez semblable à celle d'un homme en mission. Le pas de Barry faiblit quand il passa devant le numéro 9 de l'Esplanade. Patricia louait un appartement à cet endroit quand il l'avait rencontrée. Il lui avait fait l'amour pour la première fois dans cet appartement, en août, le soir où elle avait gagné cette foutue bourse d'études pour Cambridge. Il jeta un coup d'œil en arrière vers l'endroit où le bateau était sur le point d'être dissimulé à la vue par un cap et souhaita que Patricia appelle pour lui dire qu'elle serait bientôt en route pour Holyhead. C'était très bien pour Kinky d'en être convaincue. Il croyait effectivement qu'elle avait le don, et pourtant...

Une mouette le réprimanda depuis le ciel ; il s'arrêta et leva les yeux pour la voir perchée sur une gouttière, le cou étiré, la tête dodelinant, le bec ouvert en grand alors qu'elle pestait contre lui. Il se demanda si Patricia et son amie Jenny en avaient déjà eu assez d'observer le gibier d'eau.

— Venez, Barry.

O'Reilly sortit son rugissement de marin sur la plage arrière de son navire. La mouette poussa un cri perçant et s'envola en braillant. Barry rejoignit O'Reilly là où il l'attendait.

Barry marcha à côté d'O'Reilly tandis qu'ils tournaient un coin. De l'autre côté de la rue, fixé sur un haut mur de briques rouges, un écriteau portait les armoiries et les numéros d'identification de l'un des corps de la Royal Army Service Corps. Un immense portail à deux grilles était largement ouvert, et Barry pouvait voir des soldats britanniques travaillant sur des camions peints en kaki. Il haussa les épaules devant ce rappel peu subtil du fait que les six comtés septentrionaux de l'Irlande devaient encore allégeance à la reine Elizabeth II.

— C'est quelque part sur ce chemin, dit O'Reilly, scrutant les numéros d'une rangée de maisons individuelles à trois étages à mesure qu'ils les dépassaient. Ah, voici le numéro 9, dit-il en s'arrêtant devant une haie de troènes mal taillée et rabougrie derrière laquelle s'élevait une maison recouverte de stuc avec de la peinture s'écaillant sur les cadres des fenêtres. Cet endroit même. Chez Fitzpatrick.

Il passa à grandes enjambées par une ouverture sans portail dans la haie et lança :

— Allons en finir avec cela.

35

Que ma langue valeureuse châtie

O'Reilly franchit la courte distance entre la haie et la maison en quatre pas sur un sentier de pavés irréguliers et craqués les guidant à travers une pelouse qui tenait plus du chiendent que de l'herbe.

Barry le suivit. À côté d'une porte peint en brun, une plaque en laiton terni était vissée dans le mur, et on pouvait y lire : « Docteur R. H. Fitzpatrick, M.D., C.M. et D.E.S. Médecin et chirurgien. Heures de cabinet : de 9 h 00 à 12 h 00, du lundi au vendredi. » Il y avait un bouton de sonnette dans le cadre de la porte.

— Maintenant, dit O'Reilly, c'est moi qui vais parler. Mais si je vous demande votre avis…

— Je vais vous approuver sans réserve.

— Bien.

O'Reilly poussa son doigt sur le bouton avec une force qui sembla suffisante à Barry pour enfoncer tout le mécanisme profondément dans le mur. Il put entendre la sonnette électrique résonner dans la maison. O'Reilly ne retira pas son doigt avant que la porte s'ouvre.

Fitzpatrick se tenait dans l'embrasure de la porte. Son pince-nez attira un rayon de soleil, et il étincela. Sa pomme d'Adam sautillait au-dessus de son col à bouts pointus quand il dit :

— Fingal. Laverty. Entrez, je vous prie.

Il sourit avec sa bouche mince, mais ses yeux étaient sans vie.

Barry suivit O'Reilly dans le vestibule mal éclairé. Une immense gravure du peintre sir Edwin Landseer, *The Monarch of the Glen*, pendait légèrement de travers sur un mur. Le recouvrement de plancher en linoléum brun était méchamment usé par endroits, et il y avait une odeur distincte de cire à plancher.

— Ici, dit Fitzpatrick en ouvrant la porte de son cabinet.

Barry vit immédiatement que la pièce était considérablement plus petite que celle d'O'Reilly, et ici aussi, le sol était recouvert de linoléum brun. Un divan d'examen recouvert de cuir s'élevait contre un mur habillé de papier peint à motif cachemire. Un coin du divan était effiloché, et sa bourre de kapok pointait son nez. Il y avait une odeur de vieux désinfectant d'hôpital.

— Ma salle de consultation, dit Fitzpatrick avec la fierté d'une duchesse montrant son boudoir. C'est une location. Je ne vis pas ici.

Il s'installa dans une bergère derrière une table qui lui servait de bureau. Les deux se trouvaient sur une plateforme qui s'élevait à une quinzaine de centimètres au-dessus du plancher. Il n'invita pas O'Reilly ni Barry à s'asseoir sur l'une des trois chaises de cuisine disposée en demi-cercle et tournées vers la plateforme surélevée.

Les lattes du plancher craquèrent sous ses pieds quand Barry se déplaça d'un côté afin de pouvoir observer le visage des deux hommes.

— C'est ici que j'accomplis ma mission de guérison, dit Fitzpatrick d'un air suffisant.

— En voilà une belle chose, dit O'Reilly, avec toutes les chances d'être une joie pour l'éternité. Une mission de guérison, vraiment ? Et tout ce que je fais, moi, c'est soigner des clients.

Fitzpatrick renifla dédaigneusement.

— Chacun a sa propre approche de l'art de la science de la médecine, et c'est de cela que vous vouliez discuter Fingal, me semble-t-il.

— Entre autres choses, Ronald. Entre autres choses.

O'Reilly passa devant la rangée de chaises de cuisine, monta sur l'estrade et plaça l'une de ses fesses sur le coin de la table afin d'être face à face avec Fitzpatrick. S'il avait choisi de le faire, il aurait pu pousser son visage contre son pince-nez.

Fitzpatrick se cala dans son siège, augmentant l'espace entre O'Reilly et lui. Barry s'avança afin de voir le profil d'O'Reilly. Il constata immédiatement que son partenaire plus âgé avait inversé l'avantage psychologique qu'aurait eu Fitzpatrick en s'assoyant à un niveau plus haut que tous — habituellement ses patients. « Tyrannise-t-il ses patients également ? Presque certainement », se dit Barry.

O'Reilly était capable de baisser les yeux sur son adversaire.

— Maintenant… dit-il en sortant sa pipe.

Barry attendit de voir comment Fitzpatrick allait réagir. La première fois qu'ils s'étaient rencontrés, il avait décrit le tabagisme comme une sale habitude.

— Ne vous avisez pas d'allumer cette chose puante ici ! cria Fitzpatrick.

Sa pomme d'Adam sautilla.

— Désolé, dit O'Reilly en replaçant sa pipe dans sa poche. La force de l'habitude.

— Et c'est infect, en plus.

Fitzpatrick agita un doigt vers O'Reilly.

— Infect, répéta-t-il.

— Oh, dit calmement O'Reilly. Nous avons tous d'étranges habitudes, Ronald; même vous. Je serais prêt à parier là-dessus.

Fitzpatrick retira son pince-nez.

— Je vous demande pardon?

— Je parle du fait de parier, Ronald. Parier. Faire des paris entre gentlemen. Vous avez une drôle de manière de régler les vôtres.

Barry ne pouvait s'empêcher de voir comment O'Reilly avait pris un mot, «parier», pour se donner l'occasion de commencer à manœuvrer. Il attendit de voir comment Fingal développerait sa phrase d'approche pour commencer à placer Fitzpatrick sur la défensive.

L'homme était assis avec raideur.

— Faites-vous, par hasard, référence à notre intérêt de 10 livres dans le résultat du match de rugby?

— Celui-là même, dit calmement O'Reilly. Je vous ai attendu pendant un bon moment après que mon équipe eut gagné la partie, mais vous ne vous êtes pas présenté.

— C'était une affaire de peu d'importance. Je ne vois pas pourquoi un gentleman s'en soucierait.

Fitzpatrick, avec le ton de celui qui sermonne un élève faible d'esprit, remit ses lunettes et se prélassa dans son fauteuil.

Barry remarqua que les yeux d'O'Reilly se plissèrent pendant une fraction de seconde lorsqu'il entendit le mot « gentleman », mais il ne montra aucun autre signe d'agacement.

— Je n'ai pas vu l'utilité de m'en préoccuper. Notre équipe aurait gagné, et moi, j'aurais gagné sans votre maudit chien. Aucune personne rationnelle n'aurait considéré ce pari comme toujours en cours après cela.

Barry vit un autre plissement imperceptible des yeux d'O'Reilly, mais son ton était doucereux et raisonnable quand il dit :

— Je vous l'accorde. C'était un peu vilain de la part d'Arthur. J'aurais été d'accord avec vous, et j'aurais effacé votre dette si vous me l'aviez demandé… mais il aurait été poli de m'en parler. Pensez-y, Ronald.

O'Reilly se pencha en arrière et attendit.

« Donc, Fingal ne va pas tenter de faire chanter Fitzpatrick en le menaçant de révéler qu'il s'est défilé dans un pari — pas encore, en tout cas », pensa Barry. Mais en voyant l'expression du visage de Fitzpatrick, il sut que ce dernier s'inquiétait d'une telle perspective.

O'Reilly se pencha en avant, mit son visage près de celui de Fitzpatrick et dit d'une voix glaciale :

— Mais alors, Ronald, les bonnes manières n'ont jamais été votre fort.

Barry inspira brusquement une petite bouffée d'air à travers ses lèvres pincées et maîtrisa son envie de sourire. Cela allait valoir le prix du billet. Fitzpatrick allait avoir l'impression d'avoir été passé à l'essoreuse une fois qu'O'Reilly en aurait fini avec lui, et Barry avait une place à côté du ring.

Fitzpatrick recula d'un bond dans son fauteuil.

— Quoi ?

Sa voix s'éleva d'au moins une octave.

— Comment osez-vous ? Un balourd comme vous, O'Reilly... Comment osez-vous remettre mes bonnes manières en question ?

— J'ose, Ronald, parce que vos manières, tant sociales qu'avec vos patients, ont sérieusement besoin d'être remises en question.

O'Reilly recula un doigt accusateur et le plaça au niveau du sternum de Fitzpatrick. Barry crut que Fingal allait donner de petits coups de doigt dans le torse de Fitzpatrick, et en effet, c'est ce qu'il fit.

— Vos... manières, dit-il en poussant le doigt en avant entre chaque syllabe des deux mots et semblant avoir stoppé sa progression grâce à un immense effort de volonté.

Fitzpatrick avait dû penser qu'il allait recevoir ces coups de doigts, car il s'était levé et précipité derrière son fauteuil.

— Assoyez-vous, dit O'Reilly. Je ne vais pas vous faire de mal.

Il attendit que Fitzpatrick ait repris sa place, puis il dit d'une voix très basse :

— Mais, je le ferai, Ronald. Je le ferai si jamais vous traitez encore une seule fois madame Kincaid comme vous l'avez fait la semaine dernière.

Barry avait cru que la voix d'O'Reilly était glaciale un peu plus tôt. À présent, elle était aussi froide que du dioxyde de carbone à l'état solide, et le bout de son nez affichait la même teinte que l'ivoire.

— J'ai peut-être été un peu brusque avec cette femme.

Le ton de dominateur de Fitzpatrick était encore présent.

— Non, dit O'Reilly, vous avez été grossier et intimidant, de même qu'un véritable connard. Vous ne traiterez plus jamais madame Kincaid ainsi ; sinon, pardieu…

Barry se demanda quelle menace O'Reilly avait gardée sous silence. Cependant, il se souvint d'O'Reilly disant qu'il allait éventrer Fitzpatrick comme un hareng, et d'après l'expression dans les yeux du gros homme, il aiguisait son couteau. Et lorsque Barry jeta un coup d'œil à Fitzpatrick, il sut que cet homme le savait. Fitzpatrick tourna une épaule, la releva et baissa sa tête dedans, puis il tendit les mains devant son visage, les paumes vers l'extérieur.

— Je vais être gentil à l'avenir. Je le promets. Je le promets.

— Cela vaudra mieux, dit O'Reilly tandis qu'il se levait et se tenait debout, surplombant l'homme. Parce que Kinky est un être humain. Elle mérite d'être traitée de façon appropriée, avec autant de respect pour ses sentiments et sa dignité que pour ceux d'une duchesse — peut-être plus. Kinky travaille pour gagner sa vie.

— J'ai… j'ai dit que j'étais désolé.

La voix de Fitzpatrick tremblait. Barry s'était attendu à ce qu'O'Reilly intimide l'homme, mais il n'avait pas prévu que sa chute arrive si vite. Et en se rappelant les autres affaires dont O'Reilly avait l'intention de parler, il savait que son collègue plus âgé ne faisait que se réchauffer. Malgré la nature de Fitzpatrick et ses pratiques médicales très douteuses, Barry ressentit une pointe de pitié pour l'homme. Être sur la route quand O'Reilly était lancé sur le chemin de la guerre, c'était se trouver à un endroit très désagréable.

— Et pendant que vous êtes d'humeur à vous sentir désolé, je vous suggérerais de commencer à être gentil avec mademoiselle Hagerty également.

— La sage-femme?

— Non. La femme et reine consort de Brian Boru, dernier *ard rí*, c'est-à-dire le grand roi d'Irlande.

O'Reilly secoua la tête.

— Évidemment que c'est la foutue sage-femme. C'est l'une des meilleures sages-femmes; et si vous ne l'aviez pas exclue des soins à donner à Gertie Gorman...

Barry observa la scène tandis que Fitzpatrick rassemblait assez de courage pour se battre. Il laissa retomber ses mains et son épaule, et il pointa le menton vers O'Reilly. Il haussa la voix.

— Elle remettait mes soins en question devant la patiente. Elle m'a contredit. Moi.

Il donna de petits coups de doigt sur son propre torse.

— Je n'accepterai pas cela. Non, ajouta-t-il.

Sa pomme d'Adam sautillait sous le bord de son col à bouts pointus.

Barry pensa que le larynx de l'homme ne réapparaîtrait jamais, mais en fin de compte, il revint. Le nez d'O'Reilly passa de la teinte de l'ivoire à celle de l'albâtre. Ses poings se serrèrent et se desserrèrent. Il prit plusieurs profondes inspirations et s'apprêta à donner des coups avec son doigt, mais il serra le poing à la dernière minute et le retira.

— Elle tentait probablement de vous sauver les fesses, de vous empêcher de faire de vous-même un plus gros imbécile que vous ne l'êtes déjà.

Barry aurait pu jurer que l'homme glouglouta exactement comme une dinde. À coup sûr, les caroncules de son cou frissonnèrent.

— Je n'accepterai pas que…

— Vous l'accepterez, Ronald. Vous l'accepterez.

Barry ignorait que quelqu'un pouvait parler d'une façon qui lui ferait soudainement imaginer un poignard, mais O'Reilly avait réussi.

— À cause de vous, j'ai dû procéder à un accouchement avec une présentation par le siège non diagnostiquée dans la maison de la patiente. On ne vous trouvait nulle part. Le bébé aurait pu mourir, et vous le savez aussi bien que moi. La mère aussi. Oubliez Hippocrate et son serment, continua-t-il. Il est inutile. Vous êtes médecin, mec. Votre responsabilité est envers vos patients — d'abord, après et pendant tout ce qui vient entre les deux. On n'a pas besoin du charabia à propos du fait de jurer par Apollon, Asclépios, Hygie et Panacée pour se faire dire ce que l'on doit faire. Et si vous ne reconnaissez pas cela, alors vous devriez exercer une autre profession.

Le ton d'O'Reilly était tranchant comme une lame de rasoir.

«Et il a raison», se dit Barry. Il avait beau être jeune, dès le jour où il avait commencé à voir des patients à titre d'étudiant, il avait appris de ses supérieurs la nature exacte de ses responsabilités.

Les épaules de Fitzpatrick se soulevaient et s'abaissaient, mais O'Reilly continua d'attaquer.

— Vous n'avez même pas été assez professionnel pour me téléphoner afin de vous informer sur l'état de votre patiente. Et je doute même — que Dieu ait pitié — que vous ayez songé à remercier mademoiselle Hagerty parce qu'elle s'est jointe à moi.

O'Reilly secoua lentement la tête. Barry s'attendait à ce qu'O'Reilly termine en disant quelque chose comme : «Et vous vous targuez d'être médecin?» Mais soit il n'avait pas entretenu cette idée, soit il résista à la tentation. L'expression sur son visage buriné s'apparentait davantage à de la pitié qu'à de la colère.

Fitzpatrick laissait pendre sa tête. Sa contre-attaque momentanée s'était évanouie dans l'air, et Barry pensa que l'homme avait rétréci.

— Vous avez raison, Fingal, dit-il. Je suis désolé. Je suis désolé.

Sa voix était à peine plus qu'un murmure.

— Je suis extrêmement désolé.

Il renifla, fit apparaître un grand mouchoir et se moucha avec un petit bruit de klaxon aigu.

O'Reilly sourit, planta ses fesses sur le coin du bureau, croisa les bras sur son torse et dit de sa voix normale :

— Bien joué, Ronald. Bien joué.

Barry fut ébahi par le brusque détournement d'O'Reilly de sa méthode directe d'attaque.

— Il faut un grand homme pour admettre qu'il a tort. N'êtes-vous pas d'accord, docteur Laverty?

— Je le suis certainement.

Barry surprit le regard de remerciements de Fitzpatrick, et il lui sourit en retour.

— Vous savez, Ronald, poursuivit O'Reilly, je ne sais pas ce qui a fait de vous un homme aussi amer, mais je soupçonne que vous avez un certain bon côté en vous. Je suis très fier que vous ayez admis que vous avez eu tort, et je vous plains même un peu.

Et même si cette remarque aurait pu être du sarcasme pur, Barry ne put déceler rien d'autre que de la franchise dans les paroles d'O'Reilly et dans sa manière d'être assis à présent, appuyé en arrière sur un bras tendu, balançant paresseusement un pied botté.

« Seigneur, Fingal Flahertie O'Reilly, vous auriez pu, je ne sais comment, rassembler un peu de compassion pour Adolf Hitler », pensa Barry. C'était l'une des qualités qui faisaient d'O'Reilly un si bon médecin. Fingal n'aurait pas éprouvé une antipathie instantanée pour mademoiselle Moloney sans découvrir ce qui l'avait rendue telle qu'elle semblait être. O'Reilly pouvait bien être très fier de Fitzpatrick. Barry Laverty était rempli d'une fierté débordante pour son collège plus expérimenté et se sentait un peu honteux d'avoir anticipé avec un tel enthousiasme d'être le témoin de la destruction de Fitzpatrick, que l'on devait davantage prendre en pitié.

Quand Fitzpatrick leva les yeux vers O'Reilly, Barry fut certain de déceler de la gratitude dans les yeux de l'homme.

— Merci, Fingal.

O'Reilly se leva et descendit de l'estrade.

— Inutile de me remercier. Assurez-vous seulement de respecter vos promesses. Rappelez-vous pourquoi vous pratiquez la médecine.

— Je n'y manquerai pas, Fingal. Je vais essayer.

— Oh, oui, dit O'Reilly. Une autre petite chose, tandis que nous sommes sur le sujet des soins médicaux. Où diable un homme comme vous, formé dans une école médicale reconnue, la même qui m'a formé… ? où par le nom de notre Seigneur Jésus en caleçons avez-vous trouvé certains de vos remèdes de charlatan ?

Aux yeux de Barry, on aurait dit que Fitzpatrick allait protester, mais après qu'une féroce expression contrariée eut traversé son visage pour ensuite disparaître, il demanda humblement :

— Par exemple ?

— De la poudre à canon pour l'infertilité. Franchement.

O'Reilly secoua sa grosse tête.

— De la poudre à canon. Vous savez, Ronald, quand j'ai entendu cela, j'ai eu une terrible envie de faire courir la rumeur que votre patient était mort.

— Mais, vous ne pourriez pas faire cela. Ce n'est pas vrai. Je vous aurais poursuivi pour diffamation.

Les yeux de Fitzpatrick sortaient de leurs orbites.

— Pas si j'avais dit à tout le monde qu'on avait essayé de le faire incinérer... et qu'on cherchait encore le mur du fond du crématorium. Ils auraient su que je ne faisais que plaisanter.

Barry fut pris totalement par surprise, et il éclata de rire. Il fut étonné d'entendre un petit rire sec et sifflant provenant de Fitzpatrick.

— Vous n'avez pas changé, Fingal, dit-il. Vous pouviez toujours trouver une plaisanterie sur tout.

— Peut-être, dit O'Reilly, à présent impassible et ayant de nouveau une note tranchante dans la voix. Mais je ne vais pas trouver cela amusant si vous ne respectez pas vos promesses.

— Je le ferai, dit Fitzpatrick.

— D'accord, dit O'Reilly, remontant sur la plateforme.

Il lui tendit la main et ajouta :

— Veillez à le faire.

Fitzpatrick lui serra la main.

Barry pouvait voir d'après sa manière de serrer les dents que Fitzpatrick était l'heureux gagnant d'une des poignées de main destructrices d'O'Reilly.

— Et maintenant, dit O'Reilly en s'accrochant encore à la main, avant que le docteur Laverty et moi nous partions, dans l'esprit de la saison, nous allons vous souhaiter hâtivement un joyeux Noël et une bonne année.

Il lâcha la main que Fitzpatrick massa immédiatement avec l'autre.

— Et si vous avez de la difficulté à respecter vos résolutions du Nouvel An, je suis sûr que Barry et moi, nous pourrons vous aider, Ronald.

Il se tourna vers Barry.

— Venez, Barry. Ne vous donnez pas la peine de vous lever, Ronald. Nous allons trouver le chemin.

Quand ils quittèrent la maison et reprirent la direction de la voiture, le jour tombait déjà.

Après tout, Barry le savait, il ne restait que quelques jours avant le solstice, lorsque les jours recommenceraient à allonger. Même si la journée était calme, il se dit qu'il ne serait pas désolé de voir arriver les jours plus doux lorsque ce serait le printemps.

— C'était épatant, Fingal, dit Barry alors qu'ils passaient devant l'établissement de l'armée. Vous l'avez vraiment ramené au pied.

— C'est un peu un corniaud, dit O'Reilly, et sa place est bien au pied. J'espère seulement qu'il y restera.

— Vous ne pensez pas avoir été un peu indulgent? Je pensais que vous alliez le menacer de divulgation parce qu'il n'avait pas payé son pari.

— Oh, dit O'Reilly, s'arrêtant pour allumer sa pipe. Ce n'était pas nécessaire. Il a cédé beaucoup plus facilement que ce que j'avais prévu.

— Et êtes-vous convaincu qu'il va bien se comporter à l'avenir?

— Non, dit O'Reilly. Il faudra qu'on garde l'œil sur lui.

Il ouvrit la portière de la voiture et dit :

— Montez.

Barry s'exécuta.

La voiture vacilla quand O'Reilly grimpa à bord pour faire démarrer le moteur. Avant de se mettre en route, il ajouta :

— Ne pas lui dire que je pourrais révéler au monde qu'il est parti sans payer alors qu'il sait très bien que je pourrais le faire, cela signifie que pendant quelques semaines au moins, nous aurons un coup en réserve si nous en avons besoin.

— Brillant. Je n'avais pas pensé à cela.

Barry baissa sa vitre alors qu'O'Reilly lâchait un nuage de fumée.

— Ah! Eh bien, nous ne pouvons pas toujours penser à tout, dit O'Reilly.

Il se mit en route. Barry s'étira et bâilla.

— Fatigué ?

— Un peu.

— J'espère que ce sera une nuit calme pour vous, Barry.

Barry se mit à rire.

— Elle le sera, j'en suis absolument convaincu.

— Seigneur Jésus.

O'Reilly pivota et regarda Barry.

— Commencez-vous à avoir le don comme Kinky ? Comment pouvez-vous en être aussi sûr ?

— Parce que, docteur O'Reilly, je ne suis pas de garde ce soir. Vous l'êtes.

— C'est bien vrai, dit O'Reilly en regardant devant lui. Engueuler cet homme là-bas a dû me le faire oublier. C'était un peu comme se préparer pour un match de boxe…

— Quand vous êtes-vous battu pour la dernière fois, Fingal? demanda Barry.

Il se souvenait très bien du fait que son collègue avait boxé à Trinity et quand il était dans la marine.

— Dans le ring? Gibraltar en 1945. J'ai perdu à cause des points.

Il changea de vitesse et accéléra.

— À part cela, je me suis battu il y a environ 10 minutes avec Fitzpatrick.

— Je dirais que vous avez gagné ce combat-là.

— C'est vrai, mais je m'étais préparé pour 10 rondes. Quand il a lancé la serviette si vite, j'ai été un peu déçu...

Barry comprit une chose dont il se doutait depuis longtemps. O'Reilly prenait en fait plaisir à une bonne bagarre, que ce soit avec Fitzpatrick ou le conseiller Bishop.

— Et je me sentais si content de moi grâce à cette victoire tellement facile que j'ai complètement oublié qui faisait quoi dans la pratique. Je suis de garde ce soir, et je serai au cabinet demain.

Il lâcha un autre immense nuage de fumée.

— J'aurais dû m'en souvenir pendant que je parlais à Fitzpatrick de la poudre à canon. Gerry Shanks et sa dame viennent demain. J'aurais aimé pousser Ronald à avouer que son traitement était inutile. J'aurais pu confier à Mairead qu'il l'avait dit.

— Alors, qu'allez-vous lui dire?

— Si cela la ramène à la raison afin qu'elle permette au pauvre Gerry d'arrêter d'avaler ce truc, je vais lui dire que Fitzpatrick a été d'accord pour dire que c'était inutile.

— Mais il ne l'a pas fait.

O'Reilly lâcha un autre nuage, rit et dit :

— C'est vrai, Barry, c'est vrai. Mais c'est pour une bonne cause, et ce que l'on ne sait pas ne peut pas nous faire de mal.

36

Car ils seront consolés

— Je veux une friandise. Je veux une friandise. Je veux une friandise.

La psalmodie continuelle était aiguë et irritante pour les nerfs.

O'Reilly se dit qu'au moins, le fait de ne pas avoir été appelé à l'extérieur la veille au soir lui avait donné une bonne nuit de sommeil. Il était en mesure d'affronter le cabinet ce matin, mais on aurait dit que la pièce venait soudainement de rapetisser. Les parents de l'enfant qui criait qu'il voulait une friandise, Gerry et Mairead Shanks, qui étaient assis sur les chaises, ne semblaient avoir aucune intention de superviser leurs deux enfants. Il aurait aimé qu'il le fasse, car il ne restait que trois patients dans la salle d'attente. Il y avait remarqué Donal Donnelly. Donal devait apporter des nouvelles de leur tombola, et même si O'Reilly allait donner aux Shanks leur part juste de son temps, il ne voulait pas que leur consultation soit inutilement prolongée ; il était impatient d'entendre ce que Donal avait à lui dire.

Siobhan, âgée de quatre ans, se tenait debout à côté de sa mère. Son visage était écarlate, et elle avait une mine renfrognée et féroce.

— Je veuuuuux une friannnndise.

Il l'ignora et se leva pour intercepter l'attaque d'Angus, un garçon de cinq ans, contre le chariot.

— Tiens, dit O'Reilly en sortant son porte-clés, joue avec ceci.

Il le donna à l'enfant, puis il attrapa le poignet du garçon, le tira loin de la collection d'instruments pointus en métal et le guida jusqu'à son père.

— Tenez-le, Gerry.

— Oui, docteur.

— Je... veux... une... friandise.

O'Reilly réprima son envie de dire à la petite fille qu'elle voulait plutôt une petite tape derrière la tête. Il comprenait bien qu'il était difficile pour les parents, particulièrement des nouveaux venus comme les Shanks, de trouver des nourrices.

— Je reviens, dit-il en sortant du cabinet.

Il se rendit à la cuisine et dit :

— Kinky, pourriez-vous surveiller deux petits mouflets ? Je veux terminer à temps afin de pouvoir aller à Belfast aujourd'hui faire mes emplettes de Noël.

— Mon pauvre, docteur, cher. Bien sûr que oui. Laissez-moi seulement mettre votre déjeuner de côté.

Il vit une assiette avec du pain de froment, du beurre et du fromage. «Foutu régime», se dit-il.

— On y va maintenant, monsieur ?

Il reprit le chemin du cabinet avec Kinky sur ses talons.

— Les enfants, voici madame Kincaid.

Kinky, grosse et réconfortante, leur offrit un sourire rayonnant et leur tendit les bras.

— J'aimerais que vous alliez avec elle ; elle vous donnera des gâteries, dit O'Reilly.

La psalmodie de Siobhan cessa. Elle s'avança à l'endroit où se tenait Kinky. Angus la suivit. Tandis qu'il passait devant O'Reilly, celui-ci l'attrapa par l'épaule.

— Mes clés ?

Le garçon les lança à O'Reilly et courut derrière Kinky et sa sœur en criant :

— Attendez-moi. Attendez-moi.

O'Reilly mit les clés dans sa poche et s'installa à sa place habituelle.

— Je suis vraiment désolée pour cela, docteur, dit Mairead, mais vous connaissez les enfants, dit-elle en souriant tendrement. Je suis folle d'eux, pour ça oui.

— Oh, dit-il. Aux yeux de la mère, son enfant est parfait.

C'était le mieux qu'il puisse s'obliger à lui dire. Elle pouvait être folle d'eux, et il allait le tolérer… mais tout juste. Il lui donna un moment pour réfléchir à ce qu'il avait dit.

Maintenant qu'il n'était plus distrait, O'Reilly regarda attentivement Mairead Shanks. Gerry avait dit que sa femme était une jolie petite chose. Elle l'était, en effet. Elle ne devait pas mesurer plus d'un mètre et demi. Elle avait des cheveux courts cuivrés coupés à la Jeanne d'Arc. Cela le fit déglutir. Il avait réussi à ne pas penser à Deidre pendant quelques jours, mais elle portait une frange comme celle-là, même si au Noël de 1940, l'arrière et les côtés de sa chevelure avaient été coiffés en boucles inversées, comme c'était la mode à cette époque. Il inspira profondément et se dit à lui-même de continuer son travail.

— Cela peut être pénible. Je suis désolée, monsieur.

— Ne vous en faites pas, dit O'Reilly, Kinky va les tenir occupés jusqu'à ce que nous ayons terminé.

Elle sourit. C'était un sourire doux de lèvres pleines, accompagné d'yeux vert pâle enchâssés dans un visage ovale.

— Merci, monsieur.

O'Reilly mit ses lunettes à monture en demi-lunes.

— Vous aimeriez avoir un autre petit ?

Elle acquiesça de la tête et réussit à faire un sourire ironique.

— Après avoir vu les deux miens, vous vous demandez probablement pourquoi, docteur. Mais en effet, Gerry et moi…

Elle décocha un regard à son mari, qui tendit la main de son côté et prit la sienne avant d'ajouter :

— Gerry et moi, nous aimerions en avoir un de plus. Juste un autre.

O'Reilly opina de la tête.

— Gerry a dit que cela fait deux ans que vous essayez. Vous avez consulté tous les spécialistes, et ils ne trouvent rien qui cloche ?

Ses yeux brillèrent de larmes.

— C'est exact, monsieur.

— J'imagine qu'on vous a posé un tas de questions personnelles, que vous avez subi beaucoup d'examens et que vous commencez à avoir assez des tests ?

Elle soupira.

— Vous pouvez le dire, monsieur.

— Je ne vais pas vous examiner, Mairead, et je n'ai pas plus de tests.

Il la vit froncer les sourcils. De nombreux patients croyaient que si on ne les examinait pas physiquement en détail, le médecin ne faisait pas son travail.

— C'est inutile, franchement. Vous avez vu certains des meilleurs spécialistes. S'ils n'ont rien trouvé, vous ne vous attendez pas à ce qu'un médecin généraliste de campagne trouve quelque chose, n'est-ce pas ?

C'était assez semblable à la tactique qu'il avait utilisée avec Gerry, qui opinait de la tête en signe d'acquiescement.

— Si vous le dites, monsieur, dit-elle en souriant à nouveau.

O'Reilly se dit alors qu'il était parfois troublant de voir cette confiance absolue qu'avaient les patients de la campagne envers leurs conseillers médicaux, étant même prêts à suivre les conseils étranges d'un homme comme Fitzpatrick.

— Je le dis, dit-il. J'aimerais plutôt bavarder avec vous.

— Tu vois ? Ne t'ai-je pas dit, chérie, quand je suis rentré à la maison après l'avoir vu, que le docteur O'Reilly voulait simplement bavarder un peu avec toi, si on veut ?

— Oui. Tu l'as dit.

O'Reilly se pencha en avant.

— Il y a seulement deux petites choses dont nous devons discuter.

Et malgré la réticence des femmes de la campagne d'Ulster à propos des questions sexuelles, il décida de sauter immédiatement dans le vif du sujet.

— Gerry m'a dit qu'on vous avait conseillé de ne faire l'amour qu'une fois par mois.

Elle rougit et jeta un regard à son mari.

— Allons, Mairead, dit Gerry. Comment le docteur peut-il nous aider s'il ne sait pas de quoi nous souffrons ?

— Cela enlève tout le plaisir à l'affaire, dit-elle.

Sa voix était très basse. Ses yeux débordèrent de larmes.

— Gerry a été très patient, pour ça oui.

Et elle sourit faiblement à Gerry à travers ses larmes.

O'Reilly fit glisser ses lunettes à monture en demi-lunes sur le bout de son nez.

— Mairead, je comprends bien. Et je sais que c'est un sujet délicat, mais je ne pense pas que le Seigneur a inventé le sexe uniquement pour faire des bébés. Je pense qu'il l'a fait afin que deux personnes amoureuses puissent aussi avoir du plaisir.

Il attendit que son message soit assimilé.

Elle plissa le front, baissa les yeux puis les releva sur O'Reilly.

— Vous le pensez — n'est-ce pas, docteur ?

— Évidemment.

Il était inutile pour elle de savoir qu'il n'y avait pas eu de cours sur la sexualité quand il était étudiant, que son conseil était basé sur sa propre expérience, que cela avait été amusant avec Deidre et — que le diable emporte tout — que cela pourrait très bien l'être avec Kitty. O'Reilly trouva dommage qu'elle soit absente jusqu'au jour de Noël. Il repoussa ses lunettes en haut de son nez.

— Racontez-moi, Mairead, ce que les docteurs du Royal vous ont dit.

Elle renifla encore une fois et accepta le mouchoir que son mari lui présenta.

— Ils ont dit qu'ils ne trouvaient rien d'anormal. Que les deux petits que nous avions déjà étaient une assez bonne preuve que les choses fonctionnaient bien, que c'était juste un peu plus lent cette fois-ci. Ils ont dit que s'il y avait eu quelque chose de grave, je ne serais probablement jamais tombée enceinte.

— Pensez-vous que les spécialistes pourraient avoir raison ? lui demanda O'Reilly.

Elle se moucha.

— Eh bien, j'imagine... dit-elle en poussant un puissant soupir. Mais pourquoi cela prend-il autant de temps ? Ils m'ont indiqué les bons jours du mois pour... le faire.

Elle rougit et baissa les yeux avant d'ajouter :

— Et nous l'avons fait, pour ça oui. Et aujourd'hui, vous dites que vous n'êtes qu'un médecin généraliste de campagne, mais vous dites aussi que vous n'êtes pas d'accord avec ce que disent les grands docteurs à l'hôpital.

Elle promena son regard d'O'Reilly à son mari, puis le reposa sur O'Reilly.

— Je commence à me sentir embrouillée, pour ça oui, avoua-t-elle.

— Je ne pense pas que le docteur te raconterait des mensonges, chérie, dit Gerry. Il a mis en plein dans le mille avec moi, pour ça oui. Et tu te rappelles ce que Gertie t'a dit à propos de la façon dont il a mis la petite Noelle au monde ? J'écouterais cet homme, pour ça oui.

O'Reilly opina de la tête, reconnaissant du soutien de Gerry. Il mit ses doigts en flèches.

— Je ne suis pas d'accord, Mairead, car je sais que si nous prenions 100 couples comme Gerry et vous et qu'ils commençaient le même jour à tenter de faire un bébé, certaines femmes auraient un pain au four en quelques mois, alors qu'il faudrait trois ans avant que la plupart tombent enceintes. Trois années complètes. Il faut à certaines personnes plus de temps qu'aux autres.

Elle leva les yeux sur O'Reilly, puis elle regarda son mari et revint à O'Reilly.

— Juré devant Dieu ?

Il acquiesça la tête.

— Et l'autre chose que je sais, c'est que si tous les tests ont été réalisés et sont normaux, aucun nombre de fois où vous ferez l'amour «le bon jour» ne produira autant de bébés que si vous faites l'amour lorsque le goût vous en prend.

Il vit Gerry sourire.

— C'est vrai? demanda-t-elle. Cela sera un soulagement pour Gerry. Il a été très bon, pour ça oui. Il prend même ce que le docteur Fitzpatrick lui a dit de prendre. Cela doit avoir un goût affreux.

— La poudre à canon? Je dois avouer que je n'avais jamais entendu parler de ce traitement auparavant.

Et il espérait sincèrement ne plus jamais en entendre parler.

— C'était aussi la première fois que j'en entendais parler, dit-elle. Mais Fitzpatrick ne jurait que par ce remède.

— Assez bizarrement, j'ai justement échangé quelques mots avec le docteur Fitzpatrick hier. Plusieurs mots, en fait.

— Ah oui? dit Gerry. À quel sujet?

— La poudre à canon, entre autres choses. Et il m'a bien dit qu'il avait possiblement eu tort à ce sujet. Nous en avons bien ri.

«Et ça, c'est vrai. Enfin, c'est vrai, même si c'est pris un peu hors contexte. Mais si cela aide Mairead, quel mal peut faire ce petit mensonge blanc?» pensa O'Reilly.

— Je ne pense pas qu'il va prescrire cela à nouveau.

Il valait foutrement mieux pour lui qu'il ne le fasse pas.

— Cela n'a certainement rien fait pour moi, pour ça non, dit Gerry.

Mairead secoua la tête.

— Peut-être que Gerry n'est plus obligé d'en prendre?

— Qu'en pensez-vous, Mairead ? demanda O'Reilly.

— Tu peux arrêter, chéri, dit-elle. Tu peux recommencer à mettre du sucre dans ton thé.

— Dieu merci pour cela.

Il sourit.

— Donc, ce que vous dites, docteur O'Reilly, c'est que nous devons continuer à vivre notre vie sans faire quelque chose de particulier et espérer au mieux ?

— C'est exact, et je sais que cela ne sera pas facile, mais c'est ma meilleure suggestion.

Il entendit alors un cri strident, puis un hurlement à l'extérieur de la pièce. Que diable était-ce que cela ? O'Reilly bondit de son fauteuil, traversa la pièce et ouvrit la porte à la volée. Il pouvait voir dans la salle à manger.

Siobhan était assise à table avec un verre à moitié bu de la limonade de Kinky devant elle, une tartelette aux fruits secs presque entièrement mangée serrée dans une main collante. Ses yeux étaient ronds. Kinky tenait un Angus en larmes qui avait quatre égratignures rouges sur son avant-bras gauche. Lady Macbeth était tapie sous la table, crachant et sifflant.

— Ça va, monsieur, dit Kinky en regardant O'Reilly droit dans les yeux. Le jeune homme croyait que la queue de Sa Seigneurie était une poignée par laquelle il pouvait l'attraper, donc. Elle n'était pas d'accord. Je vais l'amener dans ma cuisine pour laver ses égratignures, et il sera tout à fait remis.

— Merci, Kinky.

O'Reilly attendit qu'elle ait amené le garçon en larmes dans le corridor.

— Regardons cela.

Il prit le bras et il constata par lui-même que Kinky avait raison. Tout ce qu'il fallait, c'était un bon nettoyage.

— Allez-y, madame Kincaid, dit-il, lui décochant un clin d'œil.

O'Reilly sentit une présence près de son épaule, et il pivota. Mairead était là, l'air inquiet.

— Tout va bien, Mairead. Angus a été égratigné par ma chatte. Madame Kincaid va s'occuper de lui.

Elle passa devant lui et suivit Kinky et le petit garçon.

« C'est une mère typique — qu'elle soit bénie », pensa O'Reilly.

Il retourna dans le cabinet.

Gerry était debout. Il fronçait les sourcils.

— Ne vous inquiétez pas, Gerry. Angus a une petite égratignure, c'est tout. Kinky et sa mère s'occupent de lui.

— Comment a-t-il reçu cette égratignure ? Était-ce Siobhan ?

« Un père typique aussi. Chaque fois qu'un enfant est blessé, le papa fait de l'autre enfant le principal suspect », pensa O'Reilly.

— Pas du tout. C'était ma chatte. Angus a tenté de l'attraper. Et comme l'a dit un jour un Français célèbre : « Cet animal est très méchant. Si on l'attaque, il se défend. »

— Si vous l'attaquez, il… ?

Gerry commença à rire et ajouta :

— Je ne pense pas que cela venait d'un Français, docteur. Je pense que vous venez d'inventer cela à l'instant.

— Non, Gerry ; mais c'est bon de voir un sourire sur votre visage.

Gerry baissa le regard sur ses pieds avant de regarder O'Reilly droit dans les yeux.

— Doc, j'ai une raison de sourire. Je veux vous remercier pour ce que vous avez dit à ma femme. Peut-être qu'elle aura l'esprit en paix pendant un moment.

— Je l'espère, Gerry.

— Ce Fitzpatrick, il l'a inquiétée à mort, pour ça oui, dit-il en grimaçant. Et je ne serai pas fâché d'être débarrassé de cette foutue poudre à canon.

— Je vous crois.

O'Reilly donna une claque sur l'épaule de l'homme.

— Allez faire un tour dans la salle à manger, prenez votre petite Siobhan, allez dans la cuisine pour voir votre femme et votre fils, puis rentrez chez vous.

— J'y vais, docteur, et merci encore. Toute cette histoire à propos du fait de ne pas avoir un bébé et de déménager ici, cela a été très difficile pour Mairead. Elle n'a pas encore beaucoup d'amies.

— Dans ce cas, que diriez-vous de venir, votre dame et vous, à la fête de Noël du Rugby Club mercredi prochain avec les jeunes? Vous y rencontrerez beaucoup de gens, et les petits rencontreront d'autres enfants. C'est habituellement un grand tatatara. Cela commence à 17 h 00 au pavillon.

Gerry sourit.

— Ce serait super, pour ça oui. Nous y serons.

O'Reilly suivit Gerry dans le corridor, et il prit la direction de la salle d'attente.

37

C'est un bon plan, ce sont de bons amis,
et tout cela est plein d'espérance

O'Reilly ouvrit la porte de la salle d'attente.

— Qui est le suivant ?

Il ne réussit pas à réprimer un grand sourire quand le plus grand magouilleur de Ballybucklebo se leva et dit :

— Moi, monsieur.

— Suis-moi, alors, Donal, dit O'Reilly avant de repartir dans le corridor.

Il ferma la porte derrière lui.

— Alors ?

— Tout est arrangé, monsieur. Johnny Jordan aura une grosse dinde prête à partir.

Puis il tendit deux billets de cinq livres à O'Reilly.

— Quand Johnny a su à quoi elle servirait...

Donal fit un clin d'œil à O'Reilly et ajouta :

— Il sait comment la boucler, alors je lui ai un peu expliqué la chose. Et il n'a pas voulu prendre l'argent.

— Seigneur, Donal, je pensais que nous gardions cela entre toi et moi.

— Bien sûr ; je lui ai seulement dit qu'Eileen allait gagner la dinde. Je ne lui ai pas dit combien d'argent elle aurait.

— Mais si cela vient à se savoir et qu'Eileen en entend parler, elle refusera...

— Rien ne transpirera, doc.

Donal lui fit un clin d'œil et mit un doigt sur le côté de son nez.

— Vous voyez, Johnny, il a la bouche fermée comme une huître quand on lui confie un secret. Et de toute façon, Johnny ne fera rien pour blesser Eileen. C'est un célibataire, mais il avait l'habitude de sortir avec Eileen avant, et il ne s'est jamais marié après qu'Eileen a été prise.

— Vraiment?

«Seigneur, avec le nombre de gens qui entretiennent une flamme amoureuse — moi, Kitty, le jeune Barry et maintenant le boucher du coin —, il serait peut-être temps d'organiser une marche aux flambeaux», pensa O'Reilly.

— Oh, oui. Cela dit, Johnny n'est très beau, mais il a un cœur d'or, pour ça oui, et sa boutique fait d'excellentes affaires. La petite Eileen pourrait faire pire.

«Et voilà une affaire dont je ne vais pas m'occuper. Cela ne me dérange pas d'aider Eileen financièrement, mais je ne prends pas le boulot de marieur», se dit O'Reilly.

— Je suis sûr que tu as raison, Donal.

— Je suis en plein dans le mille, pour ça oui, mais ce n'est pas à moi de lui dire qu'il a offert l'oiseau gratuitement. Il peut le faire s'il le juge approprié. Mais, c'était bien de sa part.

Il rigola avant d'ajouter :

— C'est un peu une blague que de faire tirer un oiseau mort, mais ce n'est pas aussi drôle que cette histoire que notre homme, Niall Tobin, a racontée à propos du tirage d'un lévrier mort.

— Tobin? L'acteur comique?

— Ce type même.

Tobin était un merveilleux raconteur, et Donal ne donnait pas sa place non plus pour raconter une histoire, comme O'Reilly l'avait appris au mariage. Il avait certainement piqué la curiosité d'O'Reilly, mais il se contenta d'attendre d'en entendre davantage. Connaissant Donal comme il le connaissait, O'Reilly comprenait qu'à l'occasion, l'homme avait un peu de difficulté à penser en ligne raisonnablement droite.

— Je dois d'abord vous dire ce que j'ai fait, dit-il. Et j'espère que vous en serez content, monsieur.

Donal tendit un billet vert à O'Reilly. Il y avait une ligne perforée sur son équateur. Les deux moitiés étaient identiques. Chacune portait le numéro 4444.

— C'est là le billet gagnant, et avant que vous posiez la question, monsieur, je n'ai pas vendu 4000 billets. Le rouleau que j'ai acheté commençait au numéro 4300, et celui-là, c'est celui qu'il nous faut.

Il sourit largement.

— Vous savez, docteur, je me croyais plutôt brillant d'avoir trouvé le moyen de truquer ce coup afin que celui-ci soit le gagnant de l'argent. Je n'avais jamais cru qu'il y avait une autre façon d'être sûr de gagner le tirage.

— Donal, je t'ai déjà dit que je ne veux pas savoir comment tu vas réussir.

— Et je ne vous le dis pas, monsieur, mais je vais vous parler du chien mort.

— Je suis tout ouïe.

Donal sourit largement, montrant ses dents de lapin.

— Il y avait un homme très loin dans le County Kerry...

— Oh, Seigneur, Donal. Pas une autre blague sur un homme de Kerry?

O'Reilly retroussa la lèvre. Il en avait assez entendu. Les Irlandais faisaient l'objet de stupides blagues par d'autres nationalités, et il y avait plus que suffisamment de blagues disant que les hommes de Kerry étaient stupides racontées par d'autres Irlandais.

— Pas du tout, monsieur. Cette histoire vous montrera précisément l'opposé, pour ça oui.

— Les hommes de Kerry sont intelligents ?

— Oui.

O'Reilly patienta.

— C'était un amoureux des chiens de County Kerry. Il avait acheté un lévrier par commande postale pour 60 livres d'un type à Dublin. Quand le chien est arrivé à Kerry, il était mort. Notre type a voulu récupérer ses 60 billets. Il les a eus en faisant tirer le cadavre.

— Donal, pourquoi quelqu'un achèterait-il un billet quand le prix est un lévrier mort ?

— Docteur O'Reilly : pourquoi quelqu'un achèterait-il un billet pour une dinde morte quand vous et moi, nous savons déjà qui détient le billet gagnant ? Ce numéro 4444, c'est celui-là, et cela va être un gros gain, pour ça oui.

O'Reilly voulait une réponse à ce que Donal venait tout juste de dire. La réponse à l'autre question, à savoir pourquoi quelqu'un achèterait un billet, était évidente. Ils ignoraient que la tombola était truquée. Ils savaient, par contre, que le détenteur d'un billet avait une chance de gagner une dinde et 75 % des revenus.

— Comment sais-tu que le gain sera gros ?

Donal sourit largement, ses dents de lapin étant imposantes dans sa bouche.

— J'ai reçu les billets de l'imprimeur samedi, et j'ai regroupé un tas de gars des Highlanders pour me servir de vendeurs.

O'Reilly pouvait imaginer la scène avec Donal recrutant les membres de son groupe de joueurs de cornemuse.

— Ils ont travaillé comme des abeilles, et il y a à peine quelques billets restants, alors c'est comme s'il n'en restait plus. Ils les vendent comme ce type a vendu pour le chien mort à Kerry.

— Bien joué, mon gars, dit O'Reilly. T'en reste-t-il un peu?

Donal mit une main dans sa poche et en sortit quelques billets de tirage verts. Il fronça les sourcils tandis qu'il les offrait à O'Reilly.

— Il en reste quelques-uns. Mais pourquoi voulez-vous en acheter quand vous savez que vous ne pouvez absolument pas gagner?

— Oh, dit O'Reilly. Mets cela sur le compte de l'esprit de Noël. Les gens trouveraient cela étrange si je n'en achetais pas pour moi comme tout le monde.

— Mon doux, dit Donal avec du respect dans la voix. Vous êtes un drôle d'oiseau vif d'esprit, docteur! Vous êtes presque aussi vif que ce type avec le chien mort.

— Donne-m'en cinq.

Il remit à Donal un billet de cinq livres, et Donal empocha l'argent.

— Merci, doc. Bon, comme je le disais, quand le Dublinois qui avait vendu le chien l'a emporté à la gare pour le mettre dans le train pour Kerry, que pensez-vous qu'il a vu quand il a ouvert le panier dans lequel se trouvait le chien?

— Tu m'as déjà raconté l'histoire à propos du chien qui était mort.

— Mort comme un gigot, monsieur. Mais l'homme de Dublin a pensé qu'il pouvait s'en tirer. Pour sûr, ne traitait-il pas avec l'un de ces hommes de Kerry dur de la comprenette ? Premièrement, il serait bien trop stupide pour renvoyer l'animal et exiger un remboursement.

Donal leva la main.

— Pendant que je suis sur le sujet de redonner, rendez-moi les talons des billets, monsieur, et après avoir offert le sien à Eileen, conservez le talon pour moi. Il ne peut pas gagner s'il ne va pas dans le chapeau.

— D'accord.

O'Reilly sortit son portefeuille et y rangea le numéro 4444 en sûreté. Les cinq autres billets, il les déchira en deux, donna les talons à Donal et glissa les billets dans la poche de son veston.

— Continue ton histoire à propos du chien mort.

— Le Dublinois pensait qu'il pourrait jurer sur ses grands dieux que le chien était vivant quand il l'avait mis dans le train. L'homme de Kerry devrait croire cette histoire, et s'il voulait récupérer son argent, il devrait courir après la compagnie de chemin de fer pour demander un dédommagement. Et cela pourrait prendre une éternité. Le chien a été monté à bord. Le train a démarré.

O'Reilly sourit.

— Continue.

— Entre-temps, l'homme de Kerry a parlé à tous ses amis au pub du merveilleux chien. «Pardieu, il est 15 h 33 », a-t-il dit en regardant l'horloge du pub.

O'Reilly s'émerveilla de la facilité avec laquelle Donal retrouvait son accent natal de North Down, une cadence chantante du Sud-Ouest de l'Irlande.

— «Il est temps de me rendre à la gare pour être là en même temps que le train de 16 h 00 en provenance de Dublin», a-t-il dit ensuite. Il s'y est rendu, a pris son panier, l'a ouvert et...

Donal fit un bond en arrière.

— Ses yeux se sont arrondis. Sa voix est devenue un murmure. «Sainte mère de Dieu, doux Jésus et tous les saints du ciel. Le pauvre petit chien est mort...» a dit l'homme.

O'Reilly se dit alors que si Donal perdait un jour son boulot d'ouvrier, il n'aurait aucune difficulté à trouver du travail dans un théâtre. Cet homme était un acteur accompli.

— «Et moi, j'ai perdu 60 livres», a-t-il ajouté. Mais alors...

Donal fit un clin d'œil à O'Reilly et dit :

— Alors, il a eu une merveilleuse idée. Il a refermé le panier. «Seamus, est-ce que tu pourrais garder ce panier un petit moment jusqu'à ce que je t'envoie un homme pour le prendre?», a-t-il demandé au chef de gare. Le chef de gare a accepté. «Et Seamus, ne laisse pas savoir qu'il est arrivé sur ce train. Dis au type qu'il est arrivé par le train de 18 h 00.» Puis, l'homme de Kerry est rentré à pied au pub. Les gars étaient tous impatients de voir le chien.

O'Reilly commença à rigoler.

— Ne fais pas attention, Donal. Continue.

— «Oh, il ne sera pas ici avant le prochain train», a dit notre héros. Il a marqué une longue pause, puis il a dit : «Et j'ai bien réfléchi. Je me fais un peu vieux pour faire courir un chien aussi fantastique, alors j'ai décidé de le faire tirer. Le gagnant pourra aller le chercher à la gare sur le train de Dublin de 18 h 00. »

O'Reilly hocha la tête.

— « Chaque billet coûte deux livres », a-t-il dit, et il a ramassé l'argent de quarante hommes. Ils ont fait un tirage tout de suite sur place. Un gars de Knockagashel a gagné, et vers 17 h 30, il est parti pour aller chercher le chien.

— Le chien récemment mort.

— Oui. Le cher disparu. Raide comme une planche. À ce moment, il était 18 h 30, et notre gars était chez lui depuis une demi-heure quand il y a eu un puissant coup frappé à sa porte. C'était le gagnant.

— « Espèce de merdeux, le foutu chien est mort », a-t-il rugi. « Seigneur ! Mort, vraiment ? Mort ? » a dit notre homme. « Comme un foutu dodo. Tu m'as vendu un citron, espèce d'imbécile idiot. » « Tut, tut tut tut. Mon homme à Dublin a juré me l'avoir envoyé vivant », a alors dit notre homme. « Eh bien, la foutue chose est morte. Je l'ai dehors dans le panier. Veux-tu voir le cabot ? » « Non, je te crois. Seigneur, c'est très triste. » Et il a pris un air très ému. « Je ne vais pas te laisser tomber. Pas une seule minute », a dit l'homme de Kerry. « D'accord, alors, et c'est très brave de ta part. Toute cette histoire ne pourra jamais nous ramener notre héros », a dit l'homme de Knockagashel.

Donal s'interrompit. Il regarda fixement O'Reilly et attendit, puis en gardant un visage inexpressif, il dit :

— Il a sorti trois livres de sa poche en disant : « La moindre des choses que je puisse faire, c'est te rembourser ta mise en plus de te donner une livre supplémentaire pour ta déception.» «Super, donc. Je m'en vais, à présent, et sans rancune», a dit notre type de Knockagashel.

Donal se tut et haussa un sourcil.

— Qu'en pensez-vous, docteur? Cet homme de Kerry n'était-il pas brillant?

Avant d'avoir arrêté de rire, O'Reilly dut s'essuyer les yeux avec un grand mouchoir.

— Il l'était, en effet, Donal. Et tu avais raison aussi pour une autre chose. Il y a plus d'une façon de truquer une tombola — mais le principe est le même.

— Comment cela?

— Les types au pub ignoraient que le chien était mort. Personne sauf nous et ton Johnny ne sait que notre tombola est truquée. Alors, tu ne dis plus aux gens ce que tu as dit à Johnny. D'accord?

— Je serai muet comme une tombe, monsieur.

— Bien. Seigneur, c'était une superbe histoire.

O'Reilly ne put retenir un autre rire. Donal avait dépeint la scène très nettement.

— Si tu avais été dans un film, tu aurais gagné un Oscar.

Donal fit son sourire idiot, une preuve certaine du fait qu'il était content du compliment d'O'Reilly.

Il donna une claque sur l'épaule de Donal.

— À présent, va-t'en, Donal Donnelly, et transmets, mon amour à Julie.

— Je le ferai, doc, et ne vous inquiétez pas. Eileen aura une dinde — et peut-être bien une centaine de livres — d'ici mercredi prochain.

O'Reilly avait encore un sourire au visage alors qu'il raccompagnait Donal vers la sortie.

O'Reilly se dit que les deux patients suivants ne devraient pas prendre trop de temps. Ensuite, il irait prendre son déjeuner. Du pain et du foutu fromage. Cela aurait tout aussi bien pu être du pain et de l'eau. Néanmoins, il s'égaya à la pensée que The Cotter's Kitchen serait ouvert quand il arriverait en ville, et on y servait des collations vraiment savoureuses.

Et il savait qu'il n'aurait pas dû se plaindre des efforts de régime restrictif de Kinky faits pour lui quand il pensait à la manière dont Eileen Lindsay devait se débattre pour nourrir sa famille avec ses gages de machiniste. Il soupira. Il ne pouvait pas l'aider à gagner davantage, mais au moins, ses enfants auraient leurs présents du père Noël, gracieuseté de Donal et d'un oiseau mort — et non d'un chien mort. Il rigola et secoua la tête. Ce Donal était drôle, amoral et autre chose aussi ; d'après la façon dont il mettait Julie enceinte, il n'avait pas besoin de la poudre à canon de Fitzpatrick pour lui mettre de la mine dans le crayon.

O'Reilly marcha dans le corridor.

Le seul usage qu'on devrait faire de la poudre à canon — et de la poudre sans fumée, en plus — était pour fabriquer des cartouches de fusil de chasse. Tandis qu'il serait à Belfast, il se souviendrait d'acheter deux boîtes de cartouches d'Ely-Kynoch 5 chez Braddels, l'armurier au Cornmarket. Ce serait idiot de manquer de cartouches dans deux jours, quand Arthur Guinness et lui iraient à Stranford Lough pour une journée de chasse au gibier d'eau. C'était une chose qu'il attendait avec beaucoup d'impatience.

Il eut à peine conscience qu'il avait dû cesser de siffler *Zip a Dee Doo Dah* pour crier dans une salle d'attendre presque déserte :

— Suivant !

38

Vous que ne cesse de bombarder cet impitoyable orage

O'Reilly se recroquevilla derrière le mur d'une bergerie à moitié chemin de Gransha Point, une péninsule formant un angle s'avançant dans les eaux du Strangford Lough. Il pouvait entendre le bruissement de l'herbe dehors alors qu'elle était battue, ployée et balancée par le vent, de même que les sons réguliers du grincement des vagues s'écrasant sur le rivage de galets à proximité.

Il portait un manteau doublé et imperméable par-dessus un chandail Aran *bánin* en laine non frottée qui conservait ses huiles naturelles, sous lequel il avait mis un maillot en laine. Il avait drapé une serviette pliée autour du col de son maillot pour en augmenter l'imperméabilité. Ses cuissardes couvraient un pantalon en tweed qui était inséré dans des chaussettes longues, qu'il portait par-dessus des bas de soie. La couche additionnelle faisait en sorte que les bottes de caoutchouc étaient bien serrées sur lui. Sa casquette souple était baissée pour lui couvrir le haut des oreilles.

Il se sentait aussi gonflé que le bonhomme Michelin, mais malgré ses couches, il frissonnait. Les canons de son fusil de calibre 12 glaçaient sa main gauche.

Le vent de tempête du sud avait soufflé la veille. Avant l'aube, le Lough faisait honneur à son ancien nom viking,

Strangfjorthr, le fjord turbulent. Il était emporté, sombre et flamboyant, et loin de son bleu calme et docile de l'été avec ses eaux parsemées d'îles silencieuses. C'était cette facette qu'il montrait habituellement et qui avait poussé les natifs irlandais à nommer ce bras de mer *Lough Cuan*, le Lough paisible.

Parfois, O'Reilly songeait à cet endroit comme à une femme fougueuse qui changeait d'humeur selon la direction du vent. Une femme changeante. Il fredonna quelques accords de *La donna è mobile* — la femme est changeante — et se souvint s'être assis avec Deidre pour écouter l'opéra duquel était tirée cette pièce, *Rigoletto*, sur son vieux 78 tours.

Elle était comme cela : calme, sereine, aimante. Mais s'il l'agaçait, habituellement en manquant de délicatesse, elle avait un tempérament qui pouvait le faire frissonner comme le vent aujourd'hui, qui envoyait ses doigts glacés s'infiltrer à travers les fentes entre les pierres mouillées du mur. Il frissonna et agrippa son fusil plus fortement quand un coup de vent l'attaqua à travers l'entrée pour tourbillonner et s'agiter, puis mourir à l'intérieur.

La colère de Deidre augmentait jusqu'à ce qu'il s'excuse, et ensuite, il la serrait dans ses bras, et elle disait qu'elle aussi, elle était désolée.

Le sourire qu'elle faisait alors était aussi amical que les lumières d'une maison de ferme de l'autre côté de la baie. Il se dit alors que les gens là-bas devaient être levés, la cuisinière allumée, la bouilloire sur le feu pour le thé, le bacon grésillant dans la poêle. Il aurait bien mangé un sandwich au bacon à cet instant.

La lueur des lumières était masquée. Il savait que leur disparition marquerait l'arrivée d'une rafale de pluie arrivant de la mer au large. Quand elle serait passée, les lumières brilleraient de nouveau. «Si seulement Deidre le pouvait aussi. Si seulement, se dit-il. Combien de fois avait-il dit à d'autres personnes qu'il était inutile de ruminer? Il devait cesser de ressasser le passé.»

O'Reilly regarda la silhouette sombre d'Arthur. On n'aurait pas dit que 12 ans s'étaient écoulés depuis qu'O'Reilly avait ramené à la maison la petite boule noire rondelette qui se tortillait, qui avait mâchouillé les pantoufles de son maître et qui avait enfoui sa pipe préférée dans le potager.

L'achat d'un chiot avait été l'idée de Kinky. C'était une femme très astucieuse que cette Kinky Kincaid. Elle avait su que dans son rôle de médecin du village, O'Reilly ne pouvait pas se laisser aller à développer de profondes amitiés, mais devait maintenir une certaine distance professionnelle. Et elle avait su qu'il n'aurait pas non plus de nombreuses occasions d'avoir de la compagnie féminine. Elle avait senti le besoin d'O'Reilly, et elle avait eu raison avec sa prescription. Arthur, maladroit, bon enfant, affectionnant ses Smithwick's comme O'Reilly aimait son Jameson, avait été un fidèle compagnon et un ami loyal.

Il se pencha et caressa le chien.

— Pendant un moment, espèce de gros tas, tu as été mon seul ami.

Du moins, cela avait été le cas jusqu'à ce que le marquis et O'Reilly se rapprochent graduellement, initialement à cause de leur travail au Rugby Club. Arthur leva les yeux, mais il les détourna rapidement, comme pour dire : «Ne m'interromps pas. Je suis occupé.»

O'Reilly pouvait tout juste distinguer la manière dont le chien était assis avec vigilance, son nez remuant rassemblant les odeurs apportées par le vent. Arthur allait sentir toutes sortes de choses, mais la seule odeur qu'O'Reilly pouvait détecter était le parfum salin provenant de la côte.

Arthur gémit, se raidit et regarda droit devant lui à travers la fente et au cœur de la tempête de vent.

O'Reilly tendit l'oreille pour entendre la plainte du vent. Oui. Sa prise se resserra sur son fusil. Oui. Il pouvait entendre des bruissements d'ailes. Plus près. Plus près. Il retira le cran de sûreté. Il regarda fixement, et sur le fond gris du ciel de la fausse aube, il vit trois formes plus sombres, comme des bouteilles de bière volantes se lançant tête baissée dans le vent. Il s'accroupit très bas, se dissimulant derrière les pierres, retenant son souffle jusqu'à ce que les canards volent rapidement au-dessus de lui. Puis il choisit une cible et se redressa, et en un seul mouvement fluide, il ramena la crosse de son fusil sur son épaule droite, se tourna vers l'oiseau en tête et pressa la détente du canon droit.

Le temps sembla s'arrêter entre le moment où retentit le coup de feu, l'envolée de deux oiseaux en panique s'efforçant de gagner de l'altitude et la chute du troisième oiseau, ses ailes repliées, son cou plié en arrière. Le temps manqua pour qu'il puisse tirer du second canon tant le vent emporta rapidement les survivants vers un lieu sûr.

O'Reilly sentit plutôt qu'il entendit le bruit sourd quand sa proie frappa le gazon à environ 40 mètres de sa cachette.

Arthur tremblait, tendu comme une panthère prête à bondir.

— Va chercher, mon gars.

Le chien courut à l'extérieur de la bergerie.

O'Reilly ouvrit le fusil, sortit la cartouche usagée, en prit une nouvelle de la poche de son manteau, rechargea, ferma la culasse et remit le cran de sécurité. Il regarda par-dessus le mur du fond, capable à présent de voir Arthur plus nettement alors que la lumière devenait plus vive. Il savait que le soleil, même s'il était caché derrière les nuages, serait au-dessus de l'horizon et monterait derrière les collines basses à l'intérieur des terres. Il regarda Arthur s'arrêter, baisser la tête et se redresser avec le canard dans la gueule. Tenant sa tête et l'oiseau en hauteur, sa queue battant violemment, Arthur trotta fièrement vers lui. O'Reilly se tourna pour être face à l'entrée alors qu'Arthur entrait dans la bergerie pour s'asseoir de son propre chef au pied de son maître et lui présenter un colvert mâle dodu.

O'Reilly prit l'oiseau.

— Bon garçon, dit-il en tapotant la tête d'Arthur. C'est meilleur qu'une botte Wellington, non ? Allez, maintenant, allonge-toi.

Arthur s'éloigna lentement vers un coin abrité, puis il se laissa choir et posa sa tête carrée sur ses pattes allongées. L'expression sur son visage ne pouvait être décrite autrement que comme de la satisfaction pure. « L'auteur américain Robert Ruark avait raison », pensa O'Reilly. « Il n'y a pas d'animal plus heureux qu'un chien de chasse pendant la saison de la chasse aux oiseaux. »

O'Reilly souleva une gibecière de l'endroit où il l'avait laissée dans un coin, et il rangea le canard dans la poche extérieure en maille. Dans la poche intérieure en toile, il y avait une demi-douzaine de saucisses Cookstown frites et froides dans de petits pains à salade beurrés que Kinky avait mis là pour lui, enveloppées dans du papier ciré, avant d'aller au lit la veille. Kinky ne voulait rien savoir de toutes les autres marques de saucisses. Une grande bouteille isotherme contenait le café qu'il avait lui-même préparé ce matin-là.

Il sentit le picotement de la pluie sur son visage quand une rafale soudaine frappa. « Tu es idiot, Fingal O'Reilly. Fou à lier. Pourquoi un homme sain d'esprit serait-il dehors par ce foutu temps terrible, sans compagnie à l'exception d'un labrador noir qui est aussi fou que toi ? » se dit-il.

Et ce n'était pas une question à laquelle il lui était difficile de répondre. C'était ce qu'il avait essayé d'expliquer à Barry. L'endroit lui accordait du temps loin de son univers quotidien.

Peu importe à quel point un docteur croyait être immunisé contre la souffrance de ses patients, tout médecin qui valait son pesant d'or s'inquiétait pour eux, particulièrement pour ceux qui étaient vraiment malades. Il y avait souvent la récompense de leur gratitude, mais pas toujours. Certains devenaient hostiles et colériques quand leurs médecins ne réussissaient pas à satisfaire leurs attentes — souvent désespérément exagérées.

Il se sourit à lui-même. Il avait dit à Barry, le jour de son arrivée, que la première règle en médecine était de ne jamais laisser les patients avoir le dessus sur soi. Il y avait eu une ou deux occasions récemment où il savait que le redoutable docteur Fingal Flahertie O'Reilly n'avait pas réussi à obéir à ses propres règles.

Dieu merci, c'était seulement un petit pourcentage de la pratique, mais il y en avait quelques-uns qui auraient mis la patience de Job à rude épreuve. Ceux qui avaient des demandes inconsidérées pour obtenir son attention — souvent la nuit — pour des plaintes anodines.

Il n'était pas revenu dans son lit avant 2 h 00, cette nuit-là, parce que Seamus Corry, un ouvrier agricole qui vivait dans une petite maison de deux pièces à environ huit kilomètres de la ferme des Gillespie, s'était foulé un doigt mardi en réparant un mur de pierres sèches. Pendant quatre jours, il avait eu toutes les occasions de venir au cabinet, mais l'effronté Seamus avait beaucoup bu la veille au soir au Canard, puis il avait décidé que son doigt était cassé et avait téléphoné 0 h 30 pour exiger une visite à domicile.

O'Reilly avait examiné l'homme puis bandé son doigt — foulé ou cassé, le traitement était le même —, et il était rentré en voiture de mauvaise humeur, convaincu que sa propre tension artérielle avait monté d'environ 20 points. Seamus était foutrement chanceux de ne pas s'être fait briser le cou en plus. Cela avait été une foutue bonne chose qu'il ait prévu être à Strangford Lough ce matin-là, même s'il était vivement conscient que Seamus l'avait privé du peu de sommeil qu'un réveil hâtif aurait pu lui permettre ; il avait dû se lever à 4 h 00 pour se rendre à Strangford à temps pour l'envolée à l'aube.

Seamus aurait-il été aussi dérangé par son doigt si le téléphone n'avait pas été inventé et s'il avait dû marcher ou rouler à bicyclette dans la tempête jusqu'au cabinet ? Parfois, le téléphone était une foutue menace. Il ne tenait pas compte de la vie des médecins.

O'Reilly faisait assurément bien des efforts pour cacher à Kinky et à Barry que chaque fois que le foutu truc sonnait, il tressaillait jusqu'à ce qu'il soit en mesure de déterminer s'il s'agissait d'un appel social ou s'il devrait encore une fois régler un problème médical urgent, comme c'était arrivé le soir où Kitty et lui s'étaient précipités pour l'accouchement de Gertie Gorman.

Tout cela faisait partie intégrante de la carrière qu'il avait choisie, O'Reilly le savait, mais toutes ses petites irritations secondaires, toutes les tensions apparues s'accumulaient jusqu'à ce que, comme un moteur à vapeur trop surchargé devait laisser échapper sa vapeur, O'Reilly sache qu'il était temps pour lui aussi d'ouvrir sa valve de sécurité.

Certains hommes pouvaient trouver du réconfort dans les bras de leurs femmes. Il trouvait le sien dans cet endroit sauvage où aucun téléphone ne pouvait sonner, où aucun bébé ne pouvait mourir d'une pneumonie, où aucun arrangement ne pouvait être pris pour envoyer une adolescente célibataire, enceinte et en détresse, en Angleterre. Rien de terre-à-terre ne pouvait s'immiscer ici, et il pouvait profiter de la solitude et de la beauté brute et non diluée de cet endroit.

La vérité était qu'il s'en foutait totalement s'il ne tirait même pas un coup. Les canards étaient simplement son prétexte pour venir ici malgré — il tressaillit quand de l'eau coula sous sa serviette et dans son dos — le froid et le vent violent.

La dernière pluie était passée, et l'aube se levait. O'Reilly se tourna pour regarder vers l'intérieur des terres sur la longueur de la péninsule. Un trou apparut dans les nuages quand la partie supérieure du soleil, jaune chromé, grimpa au-dessus des collines. La lumière du jour augmenta tandis que la mince tranche devenait un gros disque, sa couleur se transformant pour devenir un orange incandescent qui peignait les nuages d'écarlate éclatant. Les herbes, invisibles plus tôt et à présent vertes et ponctuées des notes de rouille des séneçons, se ployaient et se balançaient, dansant leur sarabande.

Quand il regarda vers l'eau, la mer noire changeait lentement de couleur pour devenir gris navire de guerre, moucheté de rangs de crêtes crème.

La chaleur du soleil commença à le réchauffer, et O'Reilly sentit une sérénité intérieure d'une teinte bordeaux, cette paix qu'il ne ressentait jamais qu'à Strangford, son «*quereñcia*». Cette paix revigorait son âme aussi sûrement que voguer à la surface de l'eau rechargeait les batteries d'un sous-marin.

«Et cela, Fingal Flahertie O'Reilly, c'est la raison pour laquelle tu es dehors ici par ce temps d'hiver, sans personne — il se pencha et tapota la tête d'Arthur — à l'exception de ce foutu super labrador pour toute compagnie», se dit-il à lui-même. Puis il dit à Arthur :

— Aujourd'hui, j'aime mieux être ici qu'au numéro 1, même si — il souffla dans ses mains — c'était foutrement plus chaleureux là-bas.

Il appuya son fusil contre le mur de pierres, sortit la bouteille isotherme de la gibecière, se versa une tasse de café fumant et s'installa confortablement pour voir ce que le reste de ce samedi allait lui apporter.

39

Voyager pour le simple plaisir

Barry, souriant comme un singe de Barbarie, monta les marches deux à la fois.

— Je suis désolée d'avoir crié d'en bas, monsieur, mais j'ai un gâteau dans le four, donc, et…

Barry chassa d'une main les excuses de Kinky et s'empara du combiné.

— Patricia? Patricia? Où es-tu?

Était-elle déjà à la maison à Newry?

— À Bourn.

Le sourire de Barry s'effondra.

— Est-ce que tout va bien?

— Évidemment, idiot. Je voulais simplement entendre ta voix.

Elle semblait heureuse.

— Cela fait un moment que nous avons discuté.

Il attendit.

— Je sais cela, et je sais ce que tu vas me demander. Ne te fâche pas, mais je n'ai pas encore eu l'occasion de…

«Merde. Merde», pensa Barry, qui conserva tout de même une voix calme.

— Pourquoi pas?

— Je séjourne avec Jenny dans la maison de campagne de sa tante. C'est une belle vieille chaumière qui a été construite en 1653 dans un minuscule endroit appelé Draycot, près de Slimbridge dans le Gloustershire.

« Et c'est reparti. Encore du bavardage. Elle évite encore de parler des choses importantes », pensa-t-il.

— C'est là que sont les canards. Je sais.

« Foutus canards. Dommage qu'O'Reilly ne soit pas là-bas avec son fusil de chasse », se dit Barry, ayant de la difficulté à maîtriser sa colère. Ces atermoiements avait duré trop longtemps.

— Slimbridge est un endroit épatant. Les gens là-bas sont de véritables défenseurs de l'environnement. Ils ont fait en sorte que la bernache néné, une race qui était presque éteinte, se reproduise.

— Bien.

Mais, allait-elle faire quelque chose pour le sauver lui de l'extinction, ou allait-elle permettre que leur couple se décompose ?

— Barry, j'essaie de t'expliquer.

— J'aimerais que tu le fasses.

— Je t'ai demandé de ne pas te fâcher.

— Merde, Patricia, je veux te voir. C'est difficile de ne pas être fâché. Tu as promis de venir.

Il hésita avant d'ajouter :

— Es-tu certaine de vraiment vouloir revenir en Irlande ?

Il attendit avant d'ajouter :

— Me dire que tu aimerais mieux voir un tas d'oiseaux est un prétexte plutôt piètre.

— Je voulais effectivement voir le gibier d'eau. Je suis contente de l'avoir fait. Je pourrais ne plus avoir d'autres occasions de le faire. Et ce n'est pas comme si tu auras beaucoup de temps libre une fois que je serai à la maison. Tu as encore un travail à faire. Je m'ennuierais à mort la moitié du temps à traîner autour de Newry. Il n'y a rien à faire là-bas.

— Je peux comprendre cela, mais O'Reilly va me donner du temps libre. Il sait que j'ai besoin de te voir.

Barry était convaincu à présent que même si elle avait admis sa réticence à faire le voyage, elle ne lui disait pas encore la véritable raison pour laquelle elle ne partait pas.

— Il y a quelque chose d'autre, n'est-ce pas ?

Le ton apaisant de Patricia devint froid lorsqu'elle dit :

— Veux-tu une réponse franche ?

— Évidemment.

Ce n'était pas « quelque chose » ; il devait y avoir quelqu'un d'autre. Il ferma les yeux et attendit.

— Je ne suis pas certaine de vouloir partir d'ici.

« Par l'enfer », se dit Barry en prenant une profonde inspiration.

— Pas certaine ? Pas même pour quelques jours ? Pourquoi pas ?

Cela commençait à ressembler à leur discussion de juillet dernier, quand elle lui avait dit qu'elle était trop occupée par sa carrière pour avoir le temps de tomber amoureuse.

— J'ai beaucoup réfléchi.

— D'accord, dit-il prudemment. À quel sujet ?

— À propos de nous.

Barry expira à travers ses lèvres pincées.

— Qui a-t-il à propos de nous ?

« Pour l'amour de Dieu, mec, demande-le-lui », se dit-il.

— Patricia, essaies-tu de me dire que tu as rencontré quelqu'un d'autre ?

— Oui et non…

— Oui et non ? l'interrompit-il. Bon sang, qu'est-ce que cela veut dire ?

— J'essaie de dire que oui, j'ai rencontré beaucoup de gens. Mais non, je n'ai rencontré personne en particulier ; juste un tas de gens vraiment intéressants. Cambridge est un endroit rempli de personnes venues de partout dans le monde. Des penseurs. Des questionneurs.

Il entendit l'excitation dans sa voix.

— On entend toutes sortes de nouvelles idées, continua-t-elle. Personne ne vit dans le passé, pas comme…

— Pas comme l'homme moyen de l'Ulster. Et tes nouveaux amis sont tous foutrement plus excitants qu'un médecin généraliste de campagne dans une petite ville au fin fond de l'Ulster. C'est cela ?

— Je n'ai pas dit cela.

La mâchoire de Barry se contracta.

— Tu aurais tout aussi bien pu le dire.

— Ce n'est pas juste.

— Pourquoi pas ? C'est ce que je suis.

— Barry, écoute… je n'avais jamais quitté l'Ulster avant. Il m'a fallu un peu de temps pour m'y habituer. Je suis quelques cours assez difficiles, et la concurrence est féroce, ici. Il n'y a que trois femmes dans la classe, et nous devons montrer à tout le monde à quel point nous sommes douées. C'est un travail difficile, mais… je n'ai jamais été plus heureuse.

« Seigneur, j'ai été assez stupide pour croire que j'étais en compétition avec un tas de canards. Si seulement c'était aussi simple », se dit-il. C'était le côté de Patricia qui l'effrayait. C'était la Patricia qui disait : « Je suis une femme agressive se frayant un chemin dans un monde d'homme. » C'était la Patricia qui disait : « Rien ne viendra se mettre en travers de mon chemin. Même pas toi, Barry Laverty. » Cela avait déjà été assez dur d'accepter cela quand elle vivait dans l'Ulster, mais il avait essayé de le faire et avait eu un succès raisonnable. Il se demanda combien de ses « personnes vraiment intéressantes » qu'elle avait rencontrées à l'université partageaient ses opinions, les renforçaient, les figeaient. Était-ce l'une d'elles qui lui avait dit de ne jamais accepter l'argent d'un homme ?

— Je vois, dit-il aussi calmement qu'il le pouvait. Et c'est tellement excitant là-bas que même si la session est terminée et que tu n'as plus de cours, tu ne peux pas supporter de t'arracher de là, même pour passer quelques jours avec…

Il allait dire « avec l'homme qui t'aime », mais il réprima ces mots.

— Seigneur, Barry, ce n'est pas vrai.

— Patricia, je n'ai pas changé. Toi, oui. Je ne pense pas que tu veuilles me voir.

Barry retint son souffle. Si elle disait qu'il avait raison, son monde allait s'effondrer.

— Je le veux, Barry. Je t'aime encore.

Elle parlait doucement.

Barry expira. Il ressentit du soulagement, tinté par le doute que cela ne soit pas la vérité.

Il ne put tout à fait se résoudre à lui dire qu'il l'aimait aussi.

— Alors, pourquoi n'as-tu pas fait l'effort de réserver un passage pour rentrer à la maison ?

— Parce que je ne le pouvais pas.

— Tu ne le pouvais pas ? Allons, Patricia. Quel effort faut-il faire pour réserver un passage sur un traversier ? Un appel téléphonique ou deux ?

Il entendit la note tranchante se glisser dans sa voix.

Les mots de Patricia furent encore plus secs.

— J'ai dit que je ne le pouvais pas, et c'est exactement ce que je voulais dire. Drayton est minuscule. La tante de Jenny n'a pas le téléphone. Il n'y a pas d'agent de voyages ici. Aujourd'hui, c'est la première occasion que j'ai eue.

— Et ?

Il savait qu'il aurait dû s'excuser pour son sarcasme.

— Et dès que je raccrocherai, Jenny ira me reconduire à Cambridge, chez l'agent de voyages là-bas. Je vais essayer de revenir à la maison.

« Bien », se dit-il. Au moins, il allait pouvoir régler toute cette question avec elle face à face.

— Alors, pourquoi m'as-tu dit que tu n'étais pas certaine de vouloir partir ?

— Parce que tu me l'as demandé et parce que c'est vrai. J'ai toutes sortes de raison de vouloir rester. Le père de Jenny a eu des billets pour aller à la chapelle de King's College pour la messe commémorative de la naissance de Jésus et les chants de Noël. J'adorerais y aller. J'ai du plaisir à vivre à Bourn avec mon amie. Certains de mes autres camarades de classe et Jenny vont descendre à la Tate Gallery à Londres aujourd'hui, et ils prévoient des sorties à la National Gallery et au Victoria and Albert. Parce que Newry est un trou et que je t'ai déjà dit que je m'ennuierais à mort là-bas, même si j'aime ma mère et mon père.

Il serra le poing. La tentation était immense de se mettre en colère et de crier : « Alors pourquoi ne restes-tu pas là-bas ? » Barry força son poing à se desserrer.

— Quand sauras-tu exactement quand tu viendras ?

— Dès que j'aurai mes billets, tu seras le premier informé, Barry.

Elle réussit à rire un peu, et elle dit :

— Après l'agent de voyages et Jenny, bien sûr. Mais je n'aurai peut-être pas l'occasion de téléphoner avant un ou deux jours.

« Et ça recommence », se dit-il.

— Pourquoi pas, pour l'amour du ciel ?

— Je te l'ai dit, je vais en ville aujourd'hui.

C'était une expression très anglaise signifiant qu'on allait à Londres.

— Et nous allons demeurer chez la sœur de Jenny à Chelsea jusqu'à mardi matin. Je pourrais ne pas avoir l'occasion de te rappeler avant d'être de retour à Bourn.

— Patricia, Londres est remplie de téléphones publics. Ils sont dans des boîtes rouges. Si tu n'as pas d'argent, appelle à frais renversés. Tu peux laisser un message à madame Kincaid, si je ne suis pas ici. Je veux vraiment savoir quand tu arriveras.

Il pressa les lèvres avant d'ajouter :

— Écoute, je suis désolé si j'ai été un peu incisif, mais tu me manques comme ce n'est pas possible. Et Patricia ?

— Oui, Barry ?

— Je t'aime.

— Tu n'as pas été incisif, tu étais juste inquiet. Je sais cela, et je vais essayer d'avoir du temps pour te téléphoner, mais je vais être très occupée, chérie. Je t'aime, vraiment.

Il ressentit de petits picotements en entendant ces mots.

— Attends… quoi ? Nous devons partir ? D'accord. Je suis désolée, chéri, mais Jenny veut partir maintenant. Je dois y aller.

Et avant qu'il puisse lui dire encore une fois qu'il l'aimait, la communication fut coupée.

Il secoua la tête et reposa le combiné. Au moins, elle allait finalement prendre des arrangements, mais Barry savait maintenant qu'il avait eu raison de s'inquiéter du fait qu'elle puisse être moins enchantée par une petite ville de l'Ulster après avoir fait l'expérience de la vie en Angleterre. C'était une chose dont ils allaient devoir discuter une fois qu'elle serait ici, mais il était inutile de penser à cela pour l'instant.

Il grimpa les marches jusqu'au salon et se laissa choir dans son fauteuil. Son café abandonné était froid. Il haussa les épaules. Du café froid. Cela n'avait pas vraiment d'importance. Il n'avait pas d'intérêt pour ce café de toute façon. Du moment où son histoire d'amour ne se refroidissait pas aussi…

Il regarda dans le coin où Lady Macbeth était couchée en boule, dormant sous l'arbre de Noël étrangement décoré. Elle serrait une petite boule rouge en verre contre sa poitrine.

Trois soirs plus tôt, O'Reilly avait demandé à toutes les mains à bord de décorer l'arbre. Il était absolument splendide avant que Lady Macbeth apparaisse et décide que les décorations pendantes appartenaient à qui pouvait s'en emparer. O'Reilly avait concédé sa défaite et retiré certaines des tentations. L'arbre s'élevait maintenant avec un ange à son sommet. Des boules, des guirlandes et des lumières de Noël ornaient les branches supérieures, mais entre la gloire du dessus et la boîte à beurre enveloppée de papier crépon vert en dessous, il y avait une bande mesurant 60 centimètres qui était dénuée de décorations.

Des paquets-cadeaux emballés et ornés de choux se trouvaient sous l'arbre sur un tissu bordeaux qu'avait sorti Kinky. Il jeta un regard sur celui qu'il avait acheté pour Patricia. «S'il te plaît, dépêche-toi de faire ta réservation. Je veux voir ton visage quand tu l'ouvriras», pensa-t-il.

Barry soupira, prit le journal et le plia de manière à découvrir les mots croisés énigmatiques. Il ferait cela d'abord, puis il écrirait ses cartes de vœux de Noël et terminerait sa lettre à moitié composée pour ses parents. Enfin, il serait l'heure d'aller faire un tour dehors, car il avait promis à Alice Moloney de lui donner ses résultats.

Il regarda l'indice pour le numéro 1 à la verticale. Sept lettres. «Perturbé après une fête. A pris le vent.» Il sourit. Parfois, la réponse semblait sauter aux yeux. La chose en question avait quelque chose à voir avec le vent. «Perturbé? Vent?» se demanda-t-il en pensant à une perturbation atmosphérique. «Réponse : tornade», se dit-il ensuite. Il écrivit le mot «tornade» dans les carrés et passa à l'indice suivant.

Au moins, son esprit fonctionnait encore, même si son cœur était aussi agité que devaient l'être les eaux grises du Strangford Lough.

— Seigneur, dit O'Reilly à Arthur. Nous ne sommes pas censés avoir de foutues tornades en Irlande. Nous n'avons pas vu d'oiseau depuis deux heures. C'est si foutrement venteux qu'ils marchent probablement parce qu'ils ne peuvent pas voler.

Il se rapprocha du mur et essaya de s'y abriter du vent. Si une telle chose était possible, sa force avait augmenté, et il émettait un sifflement lugubre tandis qu'il soufflait violemment à travers une fente.

La marée avait monté, et les vagues étaient plus raides et se brisaient sur le rivage, projetant leur écume au-dessus de son abri. Il se baissa vivement, puis il sentit le jet frapper son manteau imperméable, et une autre coulée d'eau froide pénétra les défenses de sa serviette au cou. Il frissonna.

O'Reilly sortit les trois derniers sandwichs à la saucisse de la gibecière, qui contenait à présent du colvert.

— Tiens.

Il en lança un à Arthur et prit une grosse bouchée de l'un des siens. « Les meilleures foutues saucisses de l'Irlande », se dit-il.

Il ne savait pas du tout depuis combien de temps Cookstown, une petite ville dans le County Tyrone, produisait ces trucs, mais il pouvait faire confiance à Kinky pour qu'elle en ait toujours une douzaine dans son réfrigérateur. Elle disait qu'elles étaient toujours prêtes si elle voulait faire un *toad in the hole*, un plat constitué de morceaux de saucisse cuits au four dans une pâte. Il pouvait presque goûter les saucisses de porc enveloppées dans la pâte à pudding Yorkshire.

La réserve de saucisses de Kinky s'était avérée pratique le samedi précédent, quand Kitty avait fricoté cette superbe friture après qu'ils furent revenus de l'accouchement de Gertie. Il avait savouré le repas et le baiser d'au revoir qu'il lui avait donné quand elle avait quitté le numéro 1 pour retourner en voiture à Belfast.

O'Reilly avala la dernière bouchée de son premier sandwich et commença le second.

Il avait peut-être aimé sa cuisine et ce baiser, mais Kitty l'avait impressionné ce soir-là par son professionnalisme. Il avait été déçu quand elle lui avait dit qu'il ne pourrait pas l'inviter à dîner pour remplacer celui qu'ils avaient raté ce même soir. Elle partait lundi pour passer du temps avec ses parents à Tallaght.

Le temps de séparation lui avait permis de remettre en question sa décision de la laisser entrer dans son cœur. Il était un homme qui n'hésitait normalement jamais à prendre une décision, et il se demandait si cet acte de remise en question en soi était une indication de la vérité — qu'en fait, il ne voulait rien au-delà d'une relation d'amitié avec Kitty O'Hallorhan.

Il se baissa à nouveau vivement quand une autre vague projeta de l'écume sur la bergerie. Il commençait à avoir froid jusqu'aux os, et l'eau salée avait noyé le reste de son sandwich. Il le lança par-dessus le mur. « Tu étais amoureux d'elle quand elle était jeune fille. Elle t'a dit qu'elle avait encore de l'affection pour toi. Devrais-tu t'en débarrasser comme tu viens de te débarrasser du pain détrempé et de la saucisse ? » se dit-il.

O'Reilly prit la gibecière et la balança sur son épaule. Il souleva son fusil à l'endroit où il l'avait appuyé dans un coin, puis il la déchargea et la coinça dans le creux de son bras gauche.

— Viens, Arthur. Assez, c'est assez. Rentrons à la maison.

Avec Arthur qui le suivait de près, O'Reilly tourna l'épaule droite vers le vent, et il commença à marcher vers l'endroit où il avait laissé la Rover. Il avança péniblement sur l'herbe spongieuse vers le portail à cinq planches au bout de l'allée menant à Portaferry Road. Le vent et l'écume lui piquaient les joues. Une petite flaque d'eau boueuse se trouvait sur son chemin. Il aurait pu la contourner, mais au lieu, il marcha directement dedans, sentant la boue au fond aspirer ses cuissardes.

Arthur fit éclabousser l'eau.

— Tu dois commencer à avoir foutrement froid, toi aussi, dit-il. Une course va te réchauffer un peu. Vas-y.

Il regarda Arthur galoper avec le nez au sol, quadrillant l'espace, cherchant des odeurs.

Il pensa au parfum de Kitty, qu'il avait senti samedi soir, au fait qu'il l'avait trouvée belle et à la façon dont ses cheveux fins bouclaient sur sa nuque. Il se rappela qu'elle avait voulu un bon vin, mais qu'elle avait été inquiète à l'idée qu'il le trouve trop coûteux. Cela avait été délicat de sa part.

Il pouvait encore ressentir la même jalousie envers les autres hommes qui l'avaient embrassée. Kitty était une femme du monde mature, et il savait qu'il devait y en avoir eu d'autres. Il l'avait deviné quand elle lui avait fait manger un de ses escargots afin que lui aussi ait mangé de l'ail quand, plus tard, il l'aurait prise au mot en acceptant son offre peu subtile de l'embrasser. Et il l'aurait fait, pardieu ; il lui aurait donné plus qu'un simple baiser d'au revoir dans le vestibule si une urgence n'était pas intervenue. Il l'aurait foutrement fait.

Ses pensées furent interrompues par un cri dur et aigu, et il vit un petit oiseau brun avec un long bec étroit qui s'éloignait en volant, zigzaguant de façon irrégulière d'un côté et de l'autre. Une bécassine. Il jeta son fusil contre son épaule, puis il se rappela l'avoir déchargé.

O'Reilly rit de lui-même, et il remit son fusil sur son épaule.

« Tu peux être comme ça, parfois, Fingal. Agir par réflexe sans toujours prendre la peine de réfléchir à fond. Tu l'as fait avec la tombola. C'était une excellente idée, mais tu n'avais pas réfléchi à la manière de t'assurer qu'Eileen gagne. Il a fallu Donal pour régler cela. Tu t'en es pris à Fitzpatrick avec un plan d'attaque vierge, et tu as été chanceux de t'en sortir en intimidant l'homme. Maintenant, pourquoi, as-tu des réserves au sujet de Kitty ? » se demanda-t-il.

Il s'arrêta pour ouvrir le portail à cinq planches ; ses pentures étaient rouillées, et il refusa de broncher quand il le poussa. Il planta ses pieds dans le sol, puis il chargea le portail avec toute sa force, et cette fois, il s'ouvrit largement en grinçant. O'Reilly passa et le ferma d'une poussée.

Arthur arriva en courant sur la péninsule, puis il bondit et vola au-dessus du portail.

— Bien joué, dit O'Reilly. Tu es passé par-dessus l'obstacle avec beaucoup de facilité.

Et prononcer ce mot lui fit voir clairement qu'en ce qui concernait Kitty O'Hallorhan, le seul obstacle était lui-même et la peur d'être blessé, qu'il pensait avoir bannie.

« Tu es un *amadán*, O'Reilly », se dit-il. Quand elle reviendrait dans le Nord, elle prendrait son repas de Noël au numéro 1. Et que ce soit ce soir-là — s'il pouvait la voir seule — ou peu de temps après, il lui demanderait si elle… Non, pardieu, il lui dirait qu'il allait accepter son offre d'une seconde chance.

Il ouvrit la portière arrière de la Rover, posant son fusil et la gibecière sur la banquette arrière.

— Monte, Arthur. C'est assez pour aujourd'hui. Reprenons la direction du numéro 1 ; allons nous y réchauffer et voir comment s'en sort Barry.

Le chien et le maître montèrent dans la voiture.

Avant même qu'O'Reilly ait fait démarrer le moteur de la voiture et certainement bien avant que le vieux radiateur peu fiable ait eu l'occasion de le réchauffer, O'Reilly sentit le froid quitter ses os. Il savait que c'était parce que même s'il envisageait avec enthousiasme le dîner de Noël chaque année, cette année-là, il y avait une ferveur additionnelle chez lui parce que Kitty O'Hallorhan serait présente.

40

À présent sous le climat ensoleillé de l'Inde,
là où je passais mon temps auparavant

— Merci d'être venu, docteur Laverty. Je vous suis vraiment reconnaissante de vous donner la peine de me rendre visite un samedi matin.

Alice Moloney, portant une robe en laine bordeaux à mi-mollet et des chaussures à talons bas, se tenait à côté d'une table roulante à dessus de verre. Elle versa une tasse de thé.

— Lait? Sucre?

— Du lait seulement, s'il vous plaît.

Tandis qu'elle s'agitait autour de sa tasse de thé, Barry regarda dans le salon de son appartement au-dessus de la boutique. Les murs étaient recouverts de papier peint à motifs de velours crème. Des reproductions de Degas et de Monet tenaient compagnie à des fleurs séchées dans des cadres circulaires vitrés. Un exemplaire d'une tapisserie encadrée du «Notre Père» en travail d'aiguille délicat — il supposa que c'était une broderie qu'elle-même avait réalisée — était suspendu au-dessus du manteau de la cheminée au gaz. Les petites flammes bleues dansaient et crépitaient.

La perruche de mademoiselle Moloney était perchée dans une cage en métal avec dôme qui était suspendue à un support en fer forgé dans un coin de la pièce. Barry n'avait jamais compris l'attrait de garder quoi que ce soit en cage, mais il ne pouvait pas nier que le petit oiseau bleu cobalt était une belle créature. Sa tête blanche et son visage étaient rehaussés par un bec écarlate et des yeux noirs perçants entourés d'un capuchon à rayures noires et blanches.

Un très gros chat tricolore presque sphérique était endormi sur une chaise victorienne devant un buffet recouvert d'une nappe où il y avait de petites sculptures en ivoire, des boîtes en cuivre aux filigranes complexes et un kirpan dans son fourreau en argent — Barry se dit que c'étaient des souvenirs de l'Inde — étaient disposés avec une précision géométrique à côté de quelques babioles bon marché. Barry se demanda si la coupe portant l'inscription « Un cadeau de l'île de Man », la petite poupée d'un Écossais en kilt et la colonne miniature de Nelson étaient tous des souvenirs d'endroits moins exotiques où elle était peut-être allée en vacances.

Un sapin vivant de 60 centimètres dans un pot de terre était posé, non décoré, au centre d'une lourde table en chêne des marais.

Seules deux cartes de Noël flanquaient une horloge en similor sur le manteau de la cheminée.

— Merci.

Il accepta la tasse et sa soucoupe, et attendit qu'elle ait fini de se servir son thé et soit assise.

Perché inconfortablement au bord d'un fauteuil qu'il reconnut comme étant de style Queen Anne, Barry regarda les pieds caractéristiques sculptés qui se terminaient avec une boule. Ses parents, à qui il venait tout juste d'envoyer

une lettre due depuis longtemps, s'intéressaient à l'ameuble-
ment antique, et il avait assimilé une connaissance pratique
sur le sujet en les écoutant et en étudiant les illustrations
dans leurs livres. Celui-ci, avec ses accoudoirs évasés, était
typique du début du XVIIIe siècle, et il était à présent recouvert de velours rouge, avec une têtière en dentelle drapée sur
son dossier.

— Voulez-vous un scone ?

Elle pointa une assiette de scones.

— Non, merci, Alice. Le thé est parfait.

— C'est un méchant temps que nous avons là.

Elle tenait l'anse de sa tasse Royal Doulton entre le pouce
et ses trois premiers doigts. Son petit doigt était en l'air. Sa
main tremblait légèrement.

— Ce l'est, en effet.

Mademoiselle Moloney avait été élevée comme une
dame dans l'Inde qui n'avait pas encore connu l'indépendance. Elle insisterait pour observer les politesses sociales
avant d'attaquer le sujet de leur affaire. Il sirota son thé et
continua à mettre à l'épreuve sa connaissance de l'ameuble-
ment du XVIIIe siècle.

La pièce était encombrée d'objets de reproduction, mais
il était assez convaincu qu'une table à battants poussée
contre un mur était un meuble Sheraton original. Sur la
table, il vit une collection de photographies dans des cadres
d'argent. L'argent avait été récemment poli, mais les photographies s'estompaient.

— Votre famille ? demanda-t-il en regardant plus attentivement un homme moustachu portant des lunettes, une
femme et deux plus jeunes femmes. Ils portaient tous des

vêtements d'avant-guerre. Ils étaient assis sous une marquise et flanqués par deux Indiens barbus portant des jodhpurs, de longs manteaux et des turbans.

Elle se leva, déposa sa tasse, prit la photographie et la lui tendit.

— C'est Halvidar-Major Baldeep Singh et Subadar-Major Gurjit Singh. C'étaient des amis de papa. Voici maman et papa. Elle soupira. Maman ne s'est jamais remise de sa mort. Elle l'a suivi deux ans plus tard. Nous étions alors de retour en Irlande. À Belfast.

— Je suis désolé.

— Merci. Ça va.

Elle pointa une des plus jeunes femmes.

— Ellen, ma sœur, celle qui est à Millisle, était mariée, alors moi — c'est moi à gauche —, je me suis retrouvée livrée à moi-même.

Barry regarda la photographie de plus près. Elle avait une chevelure à la Jeanne d'Arc et un large sourire.

Jeune femme, Alice Moloney avait été très belle, mais elle ne s'était jamais mariée.

— Malheureusement, les jeunes dames — c'est ainsi qu'on nous appelait à l'époque — ne recevaient pas une éducation poussée avant la guerre, et papa avait laissé une très minuscule pension qui s'est évaporée à la mort de maman. On m'avait enseigné à jouer du piano, à faire des bouquets et à coudre. C'est moi qui ai fait ce modèle de broderie au-dessus de la cheminée…

Barry sourit. Il avait eu raison.

— Je n'étais pas très douée pour cuisiner, jouer du piano ou même faire des arrangements floraux, en fait, dit-elle avec un faible sourire. Mais j'étais bonne avec une aiguille. Donc, j'ai pris ma part de l'héritage, et j'ai acheté la boutique de vêtements ici.

— Et vous êtes ici depuis 1950 ?

Vivant seule, avec peu d'amis — voire aucun, d'après ce qu'il savait. Il n'était pas étonnant qu'elle lui ait semblé être une femme très amère quand il l'avait rencontrée la première fois.

— C'est exact.

Elle reprit la photographie et la remit à sa place à côté d'une autre qui attira immédiatement l'attention de Barry.

— Bon sang. C'est le Mahatma Gandhi avec votre père.

— Oh, oui, il venait souvent nous rendre visite. Je pense que d'une certaine manière, c'est lui qui m'a intéressée à l'hindouisme. C'était un charmant petit homme.

— Vous devez avoir adoré l'Inde.

— C'était vraiment le plus fascinant des endroits, dit-elle en soupirant. J'ai adoré. Énormément.

Tandis qu'elle parlait, elle regarda affectueusement une photographie encadrée. C'était celle d'un beau jeune homme souriant, assis sur le dos d'un poney de polo. Il portait un casque colonial pare-soleil, et il appuyait un bâton de polo sur l'une de ses épaules.

Barry était certain que cela devait être le capitaine des Skinner's Horse qui était mort de leucémie. Il était content de pouvoir bientôt la rassurer à propos de son propre état.

— Le climat était plus chaud, là-bas, mais j'ai développé beaucoup d'amour pour l'Irlande aussi, même quand il pleut à verse. C'est gentil de votre part de me rendre visite par une journée si affreuse, dit-elle avant de reprendre sa place et sa tasse de thé.

— Je vous l'avais promis. Je savais que vous seriez inquiète jusqu'à ce que vous connaissiez les résultats de votre radiographie, particulièrement après ce que vous m'avez confié au cabinet.

— Je le suis.

Elle était assise avec beaucoup de raideur, le dos droit comme une barre de fer, et pendant un moment, Barry se demanda si lorsqu'elle était une «jeune dame», elle avait suivi des cours de maintien et d'élocution.

— Il n'y a pas de cancer dans vos intestins.

Elle déglutit et prit une profonde inspiration, puis en mettant sa tasse dans sa soucoupe, elle jeta un regard sur la photo de l'homme. Son tremblement avait disparu. Elle expira.

— Merci, docteur. Merci infiniment d'être allé droit au but.

Barry avait appris cette technique d'O'Reilly, qui lui avait dit, des mois auparavant : «Chaque patient qui va passer un test aura la peur secrète d'avoir le cancer. La première chose que vous leur dites — si vous le pouvez — quand ils viennent pour entendre les résultats, c'est qu'il n'y a pas de cancer.»

— Votre radiographie est parfaitement normale.

Il tira une enveloppe de sa poche intérieure et lui offrit de lui montrer le rapport. Vous pouvez le lire vous-même, si vous le désirez.

Elle sourit.

— Ce ne sera pas nécessaire, docteur Laverty. Vous êtes un jeune homme très sensible. Je vous fais confiance. Merci de m'avoir rassurée.

Barry sentit ses joues rougir.

— Et merci de m'avoir demandé si nous pouvions monter ici. Vous avez vu en entrant à quel point j'étais occupée. Sally McClintock est une bonne fille. Je l'ai embauchée la semaine dernière. Elle va s'en sortir toute seule sans moi pendant un moment, et la boutique n'était pas l'endroit où discuter de mon état de santé. Pas devant ces indiscrètes qui fourrent leur nez partout.

Barry rit. Il avait failli être piégé dans une conversation avec Cissie Sloan et sa cousine Aggie, qui se faisaient servir par Sally, la fille d'un fermier. Il la traitait pour des menstruations douloureuses. Il espéra que Cissie serait partie au moment où il aurait terminé son thé.

Elle secoua la tête.

— Quand Cissie aura fini de bavasser, tout le village sera convaincu que j'ai une maladie mortelle parce qu'elle vous a vu monter ici avec moi.

Elle lui sourit avant de dire :

— Mais ce n'est pas le cas, n'est-ce pas ? Je vous remercie infiniment d'être venu me le dire.

— Tout ce que vous devez faire…

Un cri perçant interrompit sa phrase. Barry sursauta et faillit renverser son thé.

La perruche picora un morceau d'os de seiche, puis elle se lissa les plumes et cria une autre fois.

Mademoiselle Moloney gagna la cage et émit de rapides petits sons doux avec ses lèvres arrondies.

— Qui est le bon garçon, hein ? Billy Budgie est un bon garçon. Il l'est. Il l'est. Billy Budgie est le bon garçon à sa maman.

«Billy Budgie est un casse-pied bruyant», pensa Barry en terminant son thé et en se levant. Mais elle était à l'évidence folle de l'oiseau.

— Comme je le disais, mademoiselle Moloney — Alice —, tout ce que vous devez faire est de continuer à prendre ses comprimés de fer. Mangez beaucoup de légumes verts — et si vous pouvez vous y résoudre, plus de viande rouge.

— Je le ferai, docteur. Promis.

Elle se leva avant de dire :

— Voulez-vous m'excuser une minute ?

— Je partais de toute façon.

— Cela ne prendra qu'un instant.

Elle quitta la pièce.

Barry haussa les épaules. Il n'était pas pressé. Il alla à la cage, où l'oiseau s'accrochait à présent à un des barreaux en fer. Le volatile pencha la tête d'un côté et contempla Barry avec l'un de ses yeux noirs perçants.

— Gentil oiseau, dit-il, tendant un doigt à travers les barreaux pour caresser la tête de la perruche.

Elle frappa avec la vitesse de l'éclair. Barry sentit son bec se planter dans le bout de son doigt.

— Aïe.

Il retira son doigt et le suça, goûtant le goût cuivré de son propre sang. Il regarda le doigt. C'était une petite blessure, mais il dut l'envelopper dans un mouchoir pour empêcher le sang de couler sur le tapis.

Il regarda la perruche, et il aurait pu jurer qu'elle le regardait avec un grand sourire. Il secoua la tête. Il aurait dû savoir qu'il valait mieux ne pas tenter la bête.

Il entendit mademoiselle Moloney revenir. Elle lui tendit un paquet.

— Pourriez-vous donner cela au docteur O'Reilly ? C'est le pantalon de son costume de père Noël. Je l'ai agrandi.

Il le prit avec sa main non blessée, gardant l'autre derrière son dos.

— Je vais le lui remettre dès l'instant où je le verrai, Alice.

— Merci.

Elle ouvrit la porte menant à un petit palier au-dessus de l'escalier.

— Maintenant, docteur, je vais aller terminer mon thé avant de retourner au travail. Je vais vous offrir les vœux de saison aujourd'hui, mais je suis certaine que je vous verrai au spectacle de Noël.

— Oui, évidemment.

Barry prit son pardessus sur un crochet et l'enfila.

— Au revoir, Alice.

— Au revoir, et merci encore, dit-elle avant de fermer la porte.

Barry descendit les marches et entra dans la boutique, soulagé de remarquer que Cissie était partie.

Il salua Sally, puis il parcourut la courte distance à pied jusqu'au numéro 1. Le vent en était à ses derniers sursauts, et l'enseigne extérieure du Cygne noir oscillait doucement. Elle claquait d'avant en arrière quand il était passé devant en se rendant à la boutique.

« Pauvre Alice », se dit-il. Elle aurait probablement besoin de quelques minutes pour reprendre ses esprits avant de retourner au travail. Voir une inquiétude être apaisée pouvait être bouleversant. Au moins, cette fois, la vie avait été bonne. Ce n'avait pas toujours été le cas ; elle n'avait que ses objets, ses souvenirs et ses photographies de ce qui devait avoir été son passé heureux, de même que quelques autres choses. En voyant sa façon de regarder sa photo, Barry s'était dit qu'elle avait dû beaucoup aimer le jeune capitaine.

Barry avait pris quelques clichés de Patricia en septembre, et il en avait fait agrandir un. Il le gardait sur sa table de nuit. Les autres se trouvaient dans le tiroir de la table de nuit. S'il la perdait, aurait-il encore ces photographies 25 ans plus tard? Il aimait mieux ne pas le savoir. Il aimait mieux l'avoir en chair et en os. Barry tira du réconfort de la conversation qu'il avait eue avec elle plus tôt ce matin-là.

Il couvrit rapidement la distance jusqu'au numéro 1, marchant devant les mêmes rosiers dans lesquels O'Reilly avait une fois projeté un patient qu'il avait pris à bras-le-corps parce que l'homme lui avait demandé d'examiner sa cheville sans se donner la peine de se laver les pieds. Barry sourit. Fingal était vraiment unique. Il se demanda à quelle heure son collègue plus âgé serait à la maison.

O'Reilly lança sa gibecière pleine sur son épaule, attrapa son fusil, sortit de la Rover et laissa descendre Arthur. Dès qu'il ouvrit le portail, Arthur le passa précipitamment et commença à boire bruyamment dans son bol d'eau.

— Tu as soif, hein? J'aimerais bien moi-même boire une pinte, mais je dois d'abord aller me laver.

Arthur ne lui prêta pas la moindre attention; il lapa une dernière gorgée et disparut dans sa niche pour dormir, et O'Reilly se dit qu'il ferait peut-être des rêves de chien, revivant ses grands exploits de chasse de la journée.

O'Reilly marcha jusqu'à la maison, appuya son fusil déchargé contre le mur et s'assit sur l'herbe pour se débattre avec ses cuissardes. Les laissant à l'extérieur, il prit son fusil et entra dans la cuisine. Après le froid mordant de la journée et le système de chauffage plus que déficient de la vieille Rover, la pièce lui sembla étouffante de chaleur. Quelque chose qui sentait délicieusement bon était sur le feu. Il retira son manteau.

Kinky lui tournait le dos. Elle se tourna.

— Vous êtes donc à la maison, docteur, cher ?

— Oui, et je suis content de l'être, Kinky. C'était foutrement froid sur le Lough aujourd'hui.

— Je vous demande pardon, mais vous n'êtes pas raisonnable, monsieur, dit-elle en faisant de petits bruits de bouche réprobateurs. Vous venez tout juste de vous remettre d'une bronchite, et vous sortez par un jour pareil. Vous devez vous faire examiner la tête, donc.

— Allons, Kinky. Vous m'avez vu sortir par pire temps.

— Oui. Mais docteur O'Reilly, monsieur, vous ne rajeunissez pas.

— Aucun de nous ne rajeunit, Kinky. Mais c'était super de s'éloigner d'ici et de descendre sur la côte. C'est un lieu fantastique pour faire un peu de contemplation.

Elle opina de la tête.

— Tout le monde a besoin d'un peu de paix et de silence de temps à autre.

— Cela a été une superbe journée, dit-il, et je pense que j'ai probablement résolu les mystères de l'univers tellement j'ai réfléchi. Je pensais même à vous dans la voiture en rentrant à la maison.

Et, en effet, il avait ruminé sur le fait qu'il ne lui avait pas démontré suffisamment de soutien quand Fitzpatrick s'était montré si foutrement impoli la semaine précédente.

— Arrêtez de dire des bêtises, docteur, cher.

Elle sourit.

— Non, c'est vrai. Je n'ai pas eu l'occasion de vous en parler, mais Barry et moi, nous avons glissé un mot dans l'oreille délicate en forme de coquillage de Fitzpatrick, mardi. J'ai repensé à la manière dont cela s'était déroulé. Et vous savez quoi ? Je pense que je pourrais bien avoir réussi à faire entendre raison à cet homme.

Kinky grogna.

— C'est un vaurien ignorant, donc.

— C'est certainement l'impression qu'il donne, mais j'ai comme dans l'idée qu'il n'a jamais été un homme très heureux, de sorte qu'il ne comprend pas l'importance qu'a un peu de politesse pour les autres personnes. J'ai décidé cet après-midi qu'il prescrit toutes ses étranges et merveilleuses panacées parce qu'il pense que s'il le fait, ses patients vont l'aimer.

— Si vous le dites, monsieur. Mais je ne vois pas ce que cela a à voir avec moi.

— Parmi d'autres choses, je lui ai dit qu'il avait été foutrement impoli avec vous, Kinky.

— Il l'a été.

— Vous vous êtes bien chargée de lui, dit Barry, et je ne vous ai jamais remerciée. Vous avez fait de l'excellent boulot pour me protéger, Kinky.

— Eh bien, n'étiez-vous pas malade ? Et garder un œil sur vous, n'est-ce pas mon travail ?

— Non, ce ne l'est pas…

Il vit comment elle baissait les yeux.

— Votre travail est de diriger la maison. Mais Kinky ?

Elle leva les yeux.

— J'apprécie énormément votre attention envers moi et le jeune Laverty.

Il la vit sourire et ajouta :

— Et j'aurais dû vous remercier de vous être chargée de Fitzpatrick, alors le docteur Laverty et moi lui avons fait promettre de faire attention à ses bonnes manières et d'être poli avec vous à l'avenir.

Elle renifla.

— Peut-être qu'il le fera — et peut-être pas. Ma mère avait l'habitude de dire : «Ne donnez jamais de cerises à un cochon ni de conseils à un idiot.» Mais je vous remercie tout de même de l'avoir fait, monsieur. Et la prochaine fois que je le verrai, je ne lui en tiendrai pas rigueur… tant qu'il se comporte bien.

— Bon point pour vous. Vous êtes une femme forte, Kinky Kincaid.

O'Reilly éternua.

Les yeux de Kinky s'arrondirent, et il y avait de l'inquiétude dans sa voix quand elle dit :

— Avez-vous encore pris un coup de froid ?

— Pas du tout ; il n'y a rien qui ne va pas chez moi aujourd'hui qu'un bon bain chaud et peut-être un peu de votre bouillon pour le déjeuner ne pourront pas guérir.

Elle fronça les sourcils.

— J'ai un peu de potage écossais prêt à être réchauffé. Aimeriez-vous cela ?

Il la prit dans ses bras et l'enferma dans une étreinte qui la souleva de terre.

— Kinky Kincaid, vous êtes une bénédiction.

— Reposez-moi, monsieur, dit-elle en riant. Reposez-moi.

Il s'exécuta et recula d'un pas pour la regarder faire des histoires avec sa coiffure et redresser son tablier.

— Je vais aller prendre mon bain dans une minute, dit-il, mais je dois d'abord nettoyer ce fusil puis plumer et vider les canards que j'ai dans mon sac.

— Quels oiseaux avez-vous, monsieur ?

— Deux colverts.

Elle gagna le four.

— Ne vous souciez pas de plumer les oiseaux, monsieur. Occupez-vous de votre fusil et allez prendre un bain, donc. Je vais m'occuper des canards une fois que j'aurai sorti mes meringues du four.

Elle se détourna, ouvrit la porte du four et marmonna :

— Elles avancent très bien.

Puis elle referma le four, se retourna vers O'Reilly et dit :

— Et le docteur Laverty est revenu il y a environ 10 minutes. Il est à l'étage, monsieur.

41

Souffrir des affres d'un amour déçu

O'Reilly, fraîchement sorti de la baignoire que Barry avait entendue se vider une demi-heure plus tôt, entra à grands pas, entouré d'un nuage de Badedas.

Barry sourit. Il était difficile d'imaginer ce dur à cuir d'O'Reilly prenant des bains de bulles, mais peu de temps après l'arrivée de Barry pour travailler ici, O'Reilly lui avait avoué les aimer beaucoup et avait dit à Barry de se servir du créateur de bulles à l'odeur de pin.

L'homme plus âgé, en garant sa personne récemment lavée et habillée d'un peignoir dans son fauteuil, dit :

— «Le foyer est la maison du marin rentré de la mer...»

— «... et du chasseur rentré de la colline.» Robert Louis Stevenson.

Barry déposa ses mots croisés sur la table basse.

— Sauf que vous n'étiez pas sur une colline. Vous étiez à Strangford. Vous êtes-vous amusé ?

— J'ai passé une superbe matinée. Arthur également.

O'Reilly prit une pipe et des allumettes dans la poche de son peignoir.

— Et je vais traîner un petit moment avant de m'habiller. C'était foutrement froid, là-bas, et j'ai besoin de me réchauffer convenablement.

Patrick Taylor

Il se leva et remua le feu avant de se rasseoir.

— Nous sommes allés à Gransha Point, ajouta-t-il. Connaissez-vous cet endroit ?

— Oui, je le connais.

Barry pouvait voir avec une netteté parfaite ce jour d'août quand il y avait amené Patricia pour la première fois.

— Il y a une vieille bergerie en ruine à mi-chemin environ…

O'Reilly s'activa à allumer sa pipe.

— Je sais, dit Barry en fermant les yeux.

Ils s'étaient allongés sur une couverture dans l'herbe de son abri. S'il faisait un gros effort, il pouvait presque entendre la mer sur les galets, sentir la brise chaude de l'été, presque autant que la poitrine de Patricia. Il avait déboutonné sa blouse et caressait son mamelon droit quand l'averse avait frappé. Il croyait encore pouvoir sentir la fermeté entre son doigt et son pouce. Elle s'était levée, et elle était restée immobile, les bras au-dessus de sa tête, face au vent et à la pluie, sa blouse trempée collée sur elle et décrivant les contours de ses mamelons rigides et de ses seins fermes. Il se rappelait précisément comment sa chevelure sombre avait été fouettée par le vent ; il s'était dit qu'elle ressemblait à une princesse indienne vénérant le dieu du tonnerre. Il rouvrit les yeux.

— Je le connais très bien.

— Il est situé juste sous une trajectoire de vol, dit O'Reilly, et cela en fait une excellente cachette. Il y a deux colverts dans la cuisine.

— Je suis content que vous ayez eu du bon temps.

Mais en vérité, il ne se concentrait qu'à moitié sur les propos d'O'Reilly.

O'Reilly lâcha un immense jet de fumée.

— Arthur aussi s'est amusé.

«Et ce sera également mon cas quand elle sera enfin ici. Elle devrait avoir ses billets, maintenant», se dit Barry. Il jeta un coup d'œil à la porte, espérant que ce faisant, le téléphone sonnerait dans le vestibule. «À tout moment à présent. La première journée que nous serons libres tous les deux, je vais emprunter l'appartement de Jack Mills à Belfast pendant qu'il est au travail», pensa-t-il. Barry sourit. Il n'y aurait pas d'averse soudaine pour les interrompre. L'urgence de son désir pour elle lui donna des picotements. Il rata ce que venait de dire O'Reilly.

— Pardon?

— Je vous ai demandé ce que vous aviez fait.

Barry toussa, puis il bredouilla :

— Eh bien, je, euh… C'est-à-dire que cela a été plutôt calme ici. Je suis allé voir Alice Moloney, et je lui ai donné ses résultats.

— Alice, vous dites?

O'Reilly avait l'air un peu surpris et demanda :

— Vous commencez à devenir ami avec la vieille malcommode à la langue acérée?

— D'une certaine manière. Elle n'est pas si mal quand on la connaît.

— Elle aurait pu me berner, mais continuez. Dites-moi pourquoi.

— Elle a eu une vie plutôt difficile. Je peux comprendre pour quelles raisons elle est comme elle est.

— Vraiment?

— Saviez-vous qu'elle a grandi en Inde au temps de l'Empire?

— Non.

— Son père était dans les services gouvernementaux indiens. Il a été tué quand elle était assez jeune.

— Je l'ignorais. Je suis désolé de l'entendre. C'est toujours dur de perdre quelqu'un qu'on aime.

O'Reilly fronça les sourcils avant d'ajouter :

— Je n'ai pas beaucoup vu mademoiselle Moloney. Habituellement, j'ai peu de raisons de fréquenter les boutiques de vêtements.

Il y avait de la mélancolie dans sa voix.

— Nous y sommes allés pour acheter un chapeau à Kinky, vous rappelez-vous ? dit Barry.

— Oui. J'y suis allé cette fois-là, et j'ai fait quelques visites professionnelles. Ma connaissance de cette femme ne va pas au-delà. C'est une personne très réservée. Je l'ai vue pour les hémorroïdes. Je vous en ai parlé.

— Je sais. Elle souffre d'anémie ordinaire due à une carence en fer, et c'était bien de connaître cet historique. Ils auraient pu en être la cause si elle en avait encore, mais ce n'est pas le cas.

— Bien.

O'Reilly déposa sa pipe dans un cendrier et dit :

— Vous étiez avec moi la deuxième fois que je l'ai vue, après qu'elle a perdu connaissance à cause d'Helen Hewitt. La fille a fait preuve de cran après la manière dont mademoiselle Moloney l'a persécutée.

— Vous savez quoi, Fingal ? dit Barry. Je peux presque pardonner cela à Alice. Elle a vécu ses propres tragédies. Je ne suis pas étonné qu'elle puisse être un peu amère parfois.

— Quelles tragédies ?

— Je vous ai dit que son père avait été tué.

— Barry. C'est *une* tragédie. Vous avez utilisé le pluriel. Que s'est-il passé de plus ? Il faut que nous en sachions tous les deux autant que possible sur chacun de nos patients.

— Elle a perdu quelqu'un qu'elle aimait. Je pense qu'elle l'aimait beaucoup.

— Vraiment ?

O'Reilly détourna les yeux de Barry et regarda par la fenêtre striée de pluie. Il regarda fixement pendant un moment, puis il ramena son regard en avant et dit très doucement :

— Et qui était-il ?

Barry vit de la tristesse dans les yeux d'O'Reilly.

— Un jeune capitaine de l'armée. Il est mort de leucémie.

O'Reilly reporta son regard vers la fenêtre.

Barry entendit le téléphone sonner au rez-de-chaussée.

— Je suis de garde. Je vais le prendre, dit-il, content d'avoir un prétexte de laisser O'Reilly seul pendant quelques minutes et espérant que ce serait l'appel de Patricia qu'il désirait tant.

Kinky était sortie de sa cuisine en s'essuyant les mains sur son tablier pour aller répondre au téléphone.

— Ça va, Kinky.

Barry souleva le combiné et dit :

— Allô ? Le docteur Laverty à l'appareil.

— Barry ?

— Patricia.

Barry était certain que son cœur avait fait une culbute.

Où es-tu, maintenant ? demanda-t-il.

— Tu ne le croiras pas.

Pendant une seconde, il espéra qu'elle lui dise qu'elle était à la gare maritime du traversier à Holyhead, mais il se rendit compte qu'elle n'aurait pas pu arriver là au cours des quelques heures qui s'étaient écoulées depuis qu'ils s'étaient parlé la dernière fois.

— Essaie un peu, pour voir.

— À Londres. Chez Thomas Cook.

— L'agence de voyages ?

— Oui.

— Fantastique.

Elle avait enfin respecté sa promesse. Dès qu'il connaî-trait l'heure de son arrivée et qu'il aurait terminé cette conversation, il se mettrait aussitôt à l'ouvrage avec Jack pour voir s'il pouvait lui emprunter son appartement — une fois qu'il serait allé prendre Patricia à Dun Laoghaire et qu'ils auraient passé la première nuit de son retour dans un hôtel de Dublin. Il voulait qu'aucune tempête ne puisse les interrompre.

— Merveilleux, chérie. Quand dois-je t'attendre ?

Il retint son souffle.

— Barry, je suis désolée. Je ne sais pas comment te dire cela.

— Quoi ? Dire quoi ?

Elle lui dissimulait encore quelque chose. Il y avait un autre homme. Les paumes de Barry transpirèrent. Sa bouche lui sembla sèche. Il prit une profonde inspiration et dit aussi posément que possible :

— Vas-y, dis-le.

— Tout est ma faute. J'étais si emballée par tout le plaisir que j'avais que j'ai été égoïste. Je n'ai pas réfléchi. Je n'ai pas pris la peine d'acheter mon billet assez tôt.

Barry fronça les sourcils. Il n'était pas sûr de pouvoir la croire.

— Patricia, s'il y a quelqu'un d'autre, je vais essayer de comprendre. Franchement.

— Ne sois pas idiot. Je t'aime, Barry. Je t'aime.

— Mais tu ne viens pas, c'est ça ?

«Merde. Au diable que tout cela!» se dit-il. Eh bien, pardieu, il allait peut-être tenter de téléphoner à Jack de toute façon et essayer de le voir pour boire une pinte. Barry avait bien besoin des conseils et du réconfort de son ami en ce moment.

— Je crains que non. Je suis allée voir deux agences à Cambridge. J'ai attendu beaucoup trop longtemps pour acheter un billet. Je suis vraiment désolée, Barry. Je veux vraiment te voir. Je t'aime.

Barry tint le combiné loin de son oreille, puis il le regarda et se demanda ce qu'il pouvait bien dire. Il entendit de petits bruits confus sortant du téléphone. Il le remit sur son oreille.

— ... Barry. Barry, es-tu toujours là ?

Il entendit son ton pressé.

— Oui. Et je ne vais pas prétendre ne pas être déçu, Patricia.

— Je sais. Je le suis aussi, et j'ai essayé. J'ai vraiment essayé. Le trajet jusqu'à Holyhead était totalement réservé, tout comme les bateaux d'Heysham et de Liverpool jusqu'à Belfast. J'ai même essayé d'avoir une place sur le traversier entre Stranraer et Larne...

— Mais, il y a des centaines de kilomètres entre Cambridge et l'Écosse...

— Je sais, mais cela aurait valu le coup, Barry. Je t'aime, et je me sens affreusement mal. Je ne savais pas quoi faire. Jenny a suggéré que nous essayions avec Cooks à Londres.

Elle a dit qu'ils avaient peut-être pu acheter des lots de billets à revendre. C'est la plus importante agence de voyages en Angleterre. Je suis ici en ce moment. L'agente a été merveilleuse, mais elle a dit que tous les billets étaient vendus.

— Au moins, tu me l'as dit immédiatement. Merci.

« "Toi qui apportes la bonne nouvelle à Sion" », pensa-t-il. Quelle foutue bonne nouvelle ! Il se dit à lui-même de ne pas être sarcastique — pas à haute voix, du moins.

— C'était le moins que je puisse faire. Ne pas te laisser attendre et espérer.

— Merci.

« Mais si tu avais réservé avant de partir à toute vitesse pour aller observer ces foutus canards… »

— L'agente voyait à quel point j'étais déçue, et quand je lui ai dit pourquoi, elle a insisté pour que j'utilise son téléphone pour t'appeler et te parler un peu.

— C'est gentil de sa part.

Il ne réussit pas à empêcher la tension de s'immiscer dans sa voix. Seigneur, cinq minutes plus tôt, il fantasmait sur le moment où il lui ferait l'amour.

— Barry, ne sois pas comme cela. S'il te plaît. Je vais rappeler dès que je serai de retour à Bourn. Essayer de t'expliquer. Essayer de me racheter auprès de toi.

« À 1300 kilomètres d'ici. Bonne chance. » Barry se balança d'avant en arrière sur ses talons, puis il inspira et dit :

— Patricia, j'ai essayé. Dieu sait que j'ai essayé de comprendre.

— Barry, je suis désolée. Je suis désolée.

— Je peux imaginer comme Cambridge est un monde nouveau et excitant. J'ai trouvé Belfast plutôt cosmopolite après Bangor et un pensionnat pour garçons. Je peux voir comment tu t'es laissé emporter par tout cela.

« Et je veux encore savoir qui il est… »

— Merci, Barry. Merci d'essayer de comprendre. Je t'ai en effet oublié, alors que tu attendais patiemment à la maison.

Il y avait de l'émotion dans sa voix.

— Je veux vraiment te voir, continua-t-elle. Cela doit être un traversier. Je n'ai pas les moyens…

— Un vol. Je t'ai déjà offert un vol…

— Barry, j'ai essayé de te l'expliquer…

Il entendit alors sa voix qui disait plus faiblement :

— Je ne prendrai pas plus d'une seconde encore. S'il vous plaît ? Merci.

Puis Patricia dit :

— Es-tu toujours là ?

— Oui.

Sa voix était monocorde.

— Pâques n'est pas si loin.

— D'accord.

« Du diable si ce ne l'est pas », se dit-il.

— La femme chez Thomas Cook a dit que les vols vers Belfast sont complets, mais si je vais à Heathrow la veille de Noël, il se peut que j'obtienne un billet en me plaçant sur une liste d'attente. Ils sont vraiment peu coûteux.

— Cela vaut la peine d'essayer, je suppose.

Barry haussa les épaules. Il savait qu'il ne paraissait pas très enthousiaste. Il en avait assez de voir ses espoirs ravivés puis détruits.

— Ne veux-tu pas que je le fasse ?

— Patricia, je ne peux pas te dire quoi faire.

Il avait failli répondre sèchement : «Fais comme tu veux.»

— Je veux encore te voir.

— Si je ne peux pas en avoir un, le prochain trimestre ne commence pas avant le 15 janvier. Je pourrais venir pour le Nouvel An…

— Bien. Fais-moi seulement savoir si tu viens. Mais je n'ai pas envie de me soucier de ces histoires de «peut-être». S'il te plaît, ne le fais plus.

La voix de Patricia parut raide.

— Très bien. Je ne le ferai pas.

Il patienta. Il pouvait entendre des voix étouffées comme si elle avait la main sur le combiné et parlait à quelqu'un d'autre.

— L'agente dit que j'ai suffisamment utilisé le téléphone. Je dois y aller.

— Bien. Amuse-toi bien au Tate et à la National…

«… et dans tous ces autres foutus endroits où tu as dit que tu irais», termina-t-il mentalement.

— Barry, ne boude pas.

Il ignora cela et dit simplement :

— Informe-moi de ce qui se passe afin que je puisse faire des plans. Et si je ne te vois pas…

«… et je sais foutrement bien que ce sera le cas, nonobstant Kinky», pensa-t-il avant de continuer :

— … passe un très joyeux Noël et une bonne année aussi.

Combien cette année serait-elle bonne pour lui si cela était le symptôme préliminaire d'une dispute fatale? Il ne supportait pas d'y penser.

— Je te souhaite la même chose, Barry. Je t'aime, chéri.

— Et je t'aime, dit-il en essayant d'avoir l'air enthousiaste. Mais si la femme chez Cook veut que tu raccroches, tu
ferais mieux d'y aller.

Il ne fut pas certain d'avoir entendu un petit sanglot juste
avant qu'elle dise :

— D'accord. Je t'aime, Barry. Au revoir.

La communication fut coupée.

«Seigneur, cet "au revoir" résonnait d'une manière terriblement définitive», se dit-il. Barry soupira, reposa le combiné et resta là un moment à fixer le vide, puis il remonta
péniblement les marches.

42

Je sens mon cœur nouvellement ouvert

Lady Macbeth était roulée en boule et endormie sur ses cuisses. O'Reilly était assis, contemplant l'âtre. Il observait tandis que des motifs formés par les braises se réarrangeaient alors que le charbon, enfin réduit en cendres, s'effondrait et que les morceaux qu'il soutenait auparavant dégringolaient plus bas dans l'âtre. Les morceaux noirs de charbon, les restes calcinés qui luisaient d'un rouge cerise et les cendres grises ressemblaient aux huiles sur la toile d'un peintre impressionniste, offrant à ses yeux la chaleur que le feu donnait à son corps.

Il songea avec mélancolie à Deidre faisant rôtir des marrons dans leur chambre à Portsmouth, tenant une bougie sous une assiette ronde en cuivre perforé et gloussant quand un marron éclatait à cause de la chaleur. La perte de mademoiselle Moloney — et c'était la première fois qu'O'Reilly entendait cette histoire — avait fait remonter son propre chagrin, malgré sa détermination à essayer d'atténuer le souvenir de Deidre.

Il avait réussi à ne penser à rien d'autre depuis que Barry était allé répondre au téléphone, et il se donna tout juste la peine de lever les yeux quand il revint.

— Un appel d'un malade en souffrance ?

— Non.

Le ton de Barry était pincé et sa voix, monotone.

O'Reilly se tourna vers lui.

— Seigneur, dit-il. Vous avez l'air aussi amer qu'une groseille pas mûre que l'on a trempé dans le babeurre. Qu'est-ce qui ne va pas?

Barry haussa les épaules, mais il ne dit rien.

— Barry. Qu'y a-t-il? dit O'Reilly. Dites-le-moi.

— C'était Patricia, dit Barry.

Il n'y avait pas de vie dans ses mots.

— Elle ne vient pas pour Noël, ajouta-t-il avant de prendre une profonde inspiration.

— Elle ne vient pas? Merde.

O'Reilly se redressa tellement dans son fauteuil que cela délogea Lady Macbeth.

— Pourquoi pas, diable?

— Je suis désolé, Fingal, dit sèchement Barry, mais si Kinky ne peut pas trouver une place pour Patricia sur des traversiers totalement réservés ou un siège dans un avion bondé, c'est voué à l'échec, à moins que Kinky ait un tapis volant dans sa réserve de nourriture. Patricia a attendu foutrement trop longtemps pour réserver.

En voyant sa manière de parler et de se tenir, avec les épaules voûtées et la mâchoire poussée en avant, O'Reilly sut que Barry Laverty, habituellement un jeune homme placide, ne se sentait pas tant abandonné que furieux.

— Je pense, dit doucement O'Reilly, qu'il y a davantage derrière cela que la simple déception due au fait qu'elle ne vienne pas. Asseyez-vous, Barry. Racontez-moi.

Barry se laissa choir dans le fauteuil.

— Je ne sais pas par où commencer.

Il paraissait maintenant plus résigné qu'en colère. Il posa les mains, une serrée sur l'autre, entre ses cuisses, puis il pressa les lèvres et laissa tomber sa tête.

O'Reilly se leva et gagna le buffet. Quand il revint, il tendit un whiskey à Barry.

— Il est tôt pour un Jameson, mais c'est pour des raisons médicales.

Barry leva les yeux et prit le verre.

— En prenez-vous un?

O'Reilly secoua la tête.

— Je ne suis pas le patient qui a besoin de sa dose. Vous l'êtes.

Il se rassit. Barry ne but pas.

— Fingal, vous savez à quel point j'étais inquiet quand elle est partie pour Cambridge? Inquiet que nous nous éloignions?

O'Reilly resta là à regarder Barry. «Laisse le garçon parler», se dit-il.

Barry déglutit.

— Je pense que nous nous sommes éloignés.

Il regarda dans les yeux d'O'Reilly.

L'homme plus âgé vit un jeune homme suppliant qu'on le rassure que ce n'était pas le cas.

— Pourquoi dites-vous cela?

— Parce qu'elle ne vient pas et qu'elle avait promis de le faire.

O'Reilly fronça les sourcils.

— C'est loin d'être sa faute si elle n'a pas pu obtenir un billet. C'est ce que vous avez dit.

Avec un peu de chance, c'était une tempête dans un verre d'eau. Barry se faisait trop d'idées.

Barry serra les dents.

— Ce n'est pas qu'elle en a été incapable. Elle n'a pas voulu le faire.

— Comment savez-vous cela ? Vous l'a-t-elle dit ?

— Elle n'a pas eu besoin de le faire. Premièrement, elle n'avait pas l'argent pour un billet d'avion. Elle devait attendre de voir si son père recevait un boni de Noël.

— Cela me parait raisonnable.

— Je l'ai pensé aussi... à ce moment-là. J'ai offert de lui payer le trajet.

Barry réussit à faire un sourire ironique.

— Vous connaissez ces drôles d'idées qu'elle a parfois à propos des hommes et des femmes. Je n'ai pas été totalement surpris quand elle a refusé mon offre. J'aurais peut-être dû voir venir les choses à ce moment-là ou peu de temps après.

— Pourquoi ?

— Pourquoi ?

Barry tint son verre entre ses deux mains et regarda intensément dedans. Il haussa les épaules.

« Seigneur, l'amener à s'épancher, c'est comme lui arracher une dent sans anesthésique », pensa O'Reilly.

— Allez, Barry. Pourquoi auriez-vous dû voir venir cela ?

Il regarda directement O'Reilly.

— J'ai dû suggérer qu'elle pouvait essayer de prendre un traversier. Elle a gagné une bourse d'études pour Cambridge. C'est une femme très intelligente, mais cette idée ne lui est jamais venue. Ou bien elle ne voulait pas trouver une alternative au vol. Je pense vraiment qu'elle ne veut pas venir.

— Peut-être était-elle trop préoccupée par ses études ? Vous savez comme un cours professionnel peut-être dévorant.

O'Reilly savait qu'il cherchait une explication pour réconforter Barry.

— Oui. Foutrement dévorant. grogna Barry. Fingal, la session d'avant Noël à Cambridge s'est terminée le 1er décembre.

— Oh.

C'était plus inquiétant.

— Elle a attendu bien trop longtemps pour réserver. Elle vient de m'admettre qu'elle était trop emballée par ce qui lui arrivait. Elle a oublié que j'étais ici.

Barry secoua la tête comme un boxeur étourdi. O'Reilly avait souvent vu cela dans le ring.

— Fingal, elle aurait pu être ici il y a deux semaines; mais elle s'est fait de nouveaux amis là-bas. Elle voulait aller dans un endroit où l'on protège le gibier d'eau. Elle aurait dû réserver avant de se rendre là-bas. Cela n'aurait pris que quelques minutes.

O'Reilly savait que Barry parlait de Slimbridge, mais il se retint de commenter. Barry avait besoin de parler. O'Reilly resta assis en silence, ses yeux ne quittant jamais le visage de Barry.

— Elle est à Londres pour quelques jours, maintenant. Elle va aller dans des galeries d'art de musées. Des endroits comme le Victoria and Albert Museum. Qu'avons-nous à Belfast? Quelques os de dinosaures moisis et une ou deux momies à l'Ulster Museum. Nous ne pouvons pas être de taille contre cela. Je ne pense pas pouvoir être de taille contre cela.

Il but une petite gorgée de whiskey avant d'ajouter :

— Elle aimerait faire presque n'importe quoi d'autre que rentrer à la maison dans l'Ulster et me voir. Je ne suis pas convaincu qu'elle n'est pas contente de ne pas pouvoir avoir un billet. Au cours des deux dernières semaines, un moment elle allait venir, puis elle n'en était plus capable, puis elle le pouvait à nouveau. Mes espoirs ont connu des hauts et des bas comme un foutu yoyo.

O'Reilly repêcha sa pipe et commença à la bourrer. Il avait besoin d'un moment pour réfléchir. Patricia se laissait-elle seulement emporter par les nouvelles expériences, ou Barry avait-il raison ? Sa propre expérience dans sa pratique le portait à croire que soit deux personnes se rapprochaient, soit elles s'éloignaient l'une de l'autre. Il ne voulait pas poser la prochaine question, parce que des hommes de l'Ulster comme Barry et lui étaient notoirement réticents à discuter de leurs émotions. Il alluma sa pipe. Qu'il le veuille ou non, elle devait être posée.

— Est-elle encore amoureuse de vous, selon vous ?

O'Reilly laissa ses deux sourcils s'arquer, mais autrement, son visage demeura calme.

Il pensa que Barry allait peut-être lui dire de se mêler de ses affaires. Cela lui fit plaisir quand après quelques instants, Barry lui dit :

— Elle dit que oui. Elle dit qu'elle m'aime encore, mais elle ne se comporte pas comme si c'était vrai. Si c'était moi, j'aurais pris le premier moyen de transport disponible pour revenir à la maison, à moins d'avoir une foutrement bonne raison de ne pas le faire.

O'Reilly devina qu'elle était cette raison que Barry craignait. Il était temps de la verbaliser.

— Et vous ne savez pas trop s'il y a un autre type là-bas. N'est-ce pas, Barry ? Est-ce cela ?

Barry expira.

— Elle jure ses grands dieux qu'il n'y a personne.

O'Reilly tapota ses dents avec le tuyau de sa pipe.

— Je ne connais pas très bien cette fille, mais elle m'a semblé être une personne qui ne mentirait pas à propos d'un truc semblable.

Il attendit de voir si cela apportait un certain réconfort à Barry.

Barry haussa les épaules et but.

— Barry ? Et vous ? Y a-t-il quelqu'un d'autre pour vous ?

— Ne soyez pas idiot.

Barry détourna les yeux et ajouta :

— J'ai reconduit une infirmière chez elle après la danse où je suis allé, samedi dernier. C'est une jolie fille, mais il ne se passe pas grand-chose sur le pont supérieur.

— J'hésite à poser la question, fiston. Qu'en est-il de l'enseignante ? Vous sembliez bien vous entendre avec elle à la répétition.

— C'est une belle fille, et je suis certain qu'elle sortirait avec moi si je le lui demandais.

— Allez-vous le faire ?

— Vous savez quoi, Fingal ? Je ne le sais pas. Je suis tellement furieux contre Patricia que j'ai pensé à le faire.

— Il n'y a rien de mal là-dedans. Un jour, je fréquentais une fille, puis j'ai rencontré quelqu'un d'autre. Cela se produit.

Il vit la manière qu'eut Barry de le regarder d'un air narquois avant de lui dire :

— Je pensais que nous étions faits l'un pour l'autre. Je le pense encore à moitié, mais il y a autre chose. Je sais que ses horizons se sont élargis. Quand je l'ai rencontrée, elle m'a dit qu'il y avait trop de choses devant elle qu'elle voulait accomplir pour avoir le temps de tomber amoureuse. Je pense qu'aujourd'hui, elle a un avant-goût de ce que la vie peut lui offrir au-delà de l'Ulster, qu'elle a compris à quel point cet endroit est minuscule et peut-être à quel point un médecin généraliste de campagne comme moi n'est pas intéressant.

Il but une autre petite gorgée.

— Je vais la perdre, dit Barry en regardant O'Reilly. Je pense franchement que cela va se produire, Fingal.

Il y avait ce genre de prière dans ses yeux qu'O'Reilly avait vu dans les yeux des enfants malades qui le suppliaient en disant silencieusement : «Guérissez-moi, docteur. Faites disparaître la douleur.»

O'Reilly fourra sa pipe dans sa bouche.

— Vous avez probablement complètement tort, Barry…

— Pendant un temps, alors que tout cela se passait, je n'étais pas convaincu que la perdre aurait de l'importance. Il y a d'autres jolies filles dans le monde. Passer presque entièrement trois ans loin l'un de l'autre, cela va être l'enfer longtemps. Je me suis demandé si toute l'affaire en valait le coup.

— Est-ce le cas?

— Je le pense, Fingal, mais…

O'Reilly était convaincu de comprendre les réserves de Barry, ne serait-ce que parce qu'il ressentait le même genre d'émotions envers Kitty O'Hallorhan.

— Mais, vous vous demandez : «Si je limite mes pertes maintenant, cela sera-t-il moins douloureux en fin de compte si les choses se détériorent plus tard?»

— C'est exact.

— Je crains que cela ne fonctionne pas, Barry. Il est impossible de limiter ses pertes une fois que l'on s'est ouvert à une personne puis qu'on la perd. Aucune façon.

L'expression de Barry changea. Son froncement de sourcils chagrinés se transforma en expression d'inquiétude.

— Et je sais que vous savez de quoi je parle...

— Mais...

— Ça va, Barry. Ça va. Kinky m'a dit il y a quelques mois qu'elle vous avait raconté que j'avais déjà été marié.

Les yeux de Barry s'arrondirent. Il but rapidement.

— Elle a fait quoi?

— Elle me l'a dit. Je pense que sa conscience a eu le dessus sur elle.

— Que lui avez-vous dit?

— Je l'ai remerciée.

— Parce qu'elle avait dévoilé une confidence?

— Barry, quand vous aurez connu Kinky Kincaid depuis aussi longtemps que moi, vous comprendrez que cette femme ne fait jamais rien sans beaucoup y réfléchir. Je savais que si elle vous l'avait raconté, c'était parce qu'elle vous faisait confiance et qu'elle avait décidé que vous étiez bon pour moi.

O'Reilly se pencha en avant et toucha le genou de Barry.

— Elle a dit qu'elle croyait que cela allait vous aider à décider de rester, si vous en saviez un peu plus sur le vieil ogre qui dirigeait l'endroit.

«Cela l'a désorienté. Il ne se doutait pas du fait que je suis tout à fait conscient de la manière dont les gens me perçoivent très souvent», pensa O'Reilly.

— Vous n'êtes pas un ogre, Fingal. Loin de là.

— Je peux l'être. Seamus Galvin le pensait quand je l'ai lancé dans les rosiers. Vous l'avez cru quand vous m'avez vu le lancer.

O'Reilly rit en se remémorant cet événement, et il fut récompensé en voyant le sourire de Barry.

— J'ai presque pris mes jambes à mon cou et décidé de chercher un emploi ailleurs.

O'Reilly se cala dans son fauteuil.

— Je suis très content que vous ne l'ayez pas fait. Très content.

— Merci, Fingal. Moi aussi.

— Et ce n'est pas uniquement parce que vous êtes très utile dans la pratique…

Barry rougit.

«Seigneur, c'est un homme facile à gêner avec un peu de louanges», se dit alors O'Reilly.

— Vous observer, votre Patricia et vous, cela m'a fait réfléchir.

— À quoi? demanda Barry.

O'Reilly se leva, gagna la fenêtre et regarda dehors le clocher penché et les nuages irréguliers se déchirant dessus. Il entendit la pluie frapper violemment contre la vitre. Il se tourna. Barry le regardait dans l'expectative. «Peut-être que m'écouter a chassé de son esprit ses propres problèmes pendant un moment. Il a seulement besoin d'un dernier petit coup de pouce», pensa O'Reilly.

— Quand j'ai perdu Deidre…

Il vit les yeux de Barry s'arrondir.

— Deidre Mawhinney était le nom de ma femme avant notre mariage.

Il n'avait pas prononcé son nom à haute voix depuis aussi loin que remontaient ses souvenirs, et cela lui fit plaisir de l'avoir fait sans grande douleur.

— Quand je l'ai perdue, je me suis replié sur moi-même, et j'ai décidé de ne plus jamais m'ouvrir à une femme.

Barry fronça les sourcils, et ses yeux s'adoucirent.

— C'est très triste, Fingal, dit-il doucement.

— Je le sais bien, Barry. Je vous ai dit que je fréquentais quelqu'un. C'était Kitty. Puis Deidre est apparue. La pauvre Kitty n'avait pas une chance. Je pensais que Deidre était parfaite.

— Je suis vraiment désolé. Je sais ce que vous avez dû ressentir. Je suis comme cela avec Patricia.

— Je sais. C'est pour cela que vous voir l'été dernier, si heureux avec cette fille, cela m'a fait faire le point. Et quand Kitty est réapparue…

Il baissa les yeux sur ses pantoufles, puis il les reporta sur Barry.

— Je l'aimais beaucoup lorsque j'étais étudiant…

— Je pense que c'est une femme charmante. Vous êtes chanceux qu'elle soit réapparue.

O'Reilly sourit. Maintenant, les rôles étaient inversés. Barry ne pouvait pas s'en empêcher. Si quelqu'un avait besoin d'un conseil, il allait volontiers le donner.

— Oui, je pense que vous avez raison. Il m'a fallu un certain temps pour le comprendre, mais entre vous et moi, Barry, je suis prêt à courir le risque à nouveau. Et quand je le ferai, je vais courir le risque d'avoir mal encore une fois.

Barry se leva.

— Donc, ce que vous me dites, c'est de ne pas désespérer. De continuer à espérer. De rester ouvert à elle, d'accorder le bénéfice du doute à Patricia… mais de garder mes options ouvertes avec Sue ?

— Il n'y a aucune raison de ne pas être gentil avec elle.

— J'imagine. Mais je devrais continuer d'essayer avec Patricia ?

— C'est exact. Si elle ne vient pas, aimeriez-vous aller faire un tour en Angleterre ? Vous pourriez avoir une semaine de congé après Noël.

Barry sourit.

— Merci, Fingal. Attendons de voir ce qui se passe…

— Et, dit O'Reilly, content de voir Barry sourire, je dis bien *après* Noël. Il y aura bien trop de choses en cours d'ici là que vous ne voudrez pas rater.

— En effet, donc, dit Kinky, qui entra en portant un plateau avec deux assiettes fumantes et remplies de ce qu'il savait être son potage écossais. Et les réjouissances commencent demain avec le spectacle de Noël.

Elle déposa le plateau sur le buffet avant d'ajouter :

— Je me demandais, docteur O'Reilly : aimeriez-vous avoir les deux colverts que vous avez tués aujourd'hui pour le dîner de lundi, avant le spectacle ? Peut-être avec une sauce aux prunes ?

— J'aimerais cela.

O'Reilly sentit qu'il commençait à saliver à l'idée d'un canard sauvage rôti.

— Mais ensuite, plus de gibier avant la dinde le jour de Noël, Kinky, dit-il. Sinon il commencera à nous pousser des plumes, au docteur Laverty et à moi.

43

Pas à moitié aussi surpris que moi

— Et bien, dit O'Reilly, en voilà une belle chose. Merci, Kinky.

— Ils sont comme vous les aimez, monsieur.

Barry inspira. L'odeur des canards sauvages rôtis qu'elle avait déposés devant O'Reilly était envahissante. Il s'avança dans sa chaise et attendit avec impatience qu'O'Reilly les découpe.

— Et il y a la sauce aux prunes, des pommes de terre à la crème et des pois verts. Je suis désolée d'avoir dû utiliser des pois congelés Eskimo, mais je les ai fait bouillir avec une feuille de menthe séchée.

— Inutile de vous excuser, dit O'Reilly en levant le couteau à découper et la fourchette.

Kinky prit la direction de la porte.

— Si vous avez besoin de moi, criez, monsieur. Je serai dans ma chambre en train de me préparer. Et ne vous attardez pas. Nous devons partir à 18 h 30. Le spectacle commence à 19 h 00, donc.

Barry avait hâte de regarder les enfants se produire. S'il était franc, il avait hâte aussi de revoir Sue Nolan. Elle n'était pas Patricia, mais il était amusant de bavarder avec elle. C'était tout.

— Tenez, dit O'Reilly en tendant une assiette de canard à Barry. Servez-vous des légumes, puis mettez-les là-dessus.

O'Reilly déposa des tranches de poitrine et deux ailes dans sa propre assiette. Avant même d'attendre d'ajouter des pois et des pommes de terre, il prit un pilon et le fourra dans sa bouche. Quand O'Reilly retira l'os, il était proprement nettoyé de sa chair, comme on dit du malheureux bétail en Amérique du Sud quand il s'égare dans une rivière infestée de piranhas.

— C'est savoureux, dit-il.

Barry lui passa les soupières. Il goûta à la viande de canard. Il n'avait jamais mangé de canard sauvage auparavant, et il trouva que la sauce aux prunes mettait bien en valeur la chair qui était plus sèche et qui goûtait moins le gibier qu'il l'avait anticipé.

— Vous avez raison, Fingal, ce l'est.

— Les colverts font le meilleur repas, dit O'Reilly. Les canards siffleurs peuvent goûter un peu le poisson. Ils mangent de l'herbe à bernache.

— Que goûte une bernache néné, selon vous ?

N'était-ce pas cet oiseau qui, aux dires de Patricia, avait été sauvé de la quasi-extinction dans la réserve pour gibiers sauvages ?

O'Reilly arrêta sa fourchette à mi-chemin de sa bouche.

— Quiconque tuerait une de ces créatures n'aurait pas l'occasion d'essayer de la manger. Les gens de Slimbridge se serviraient des intestins de l'individu pour faire de la saucisse, et…

Il fronça les sourcils et demanda :

— Ruminez-vous encore à propos de votre Patricia ? Vous avez dit qu'elle était allée là-bas.

— Un peu.

Barry mangea une autre tranche de poitrine et regarda O'Reilly, dont la propre portion de canard avait disparu, s'emparer des ustensiles à découper et se mettre à l'ouvrage sur le second oiseau.

— Elle aurait pu avoir un billet si elle n'était pas allée faire de l'observation d'oiseaux. J'aurai aimé qu'elle n'y aille pas, dit Barry.

À présent que le second oiseau était disséqué, Barry remarqua que la portion d'O'Reilly était considérablement plus grosse que ce qui restait sur l'assiette de service.

— Avec des « si », on mettrait Paris en bouteille, dit-il. Passez-moi la sauce aux prunes.

Barry sourit en passant la saucière.

— Vous avez raison. Je devrais cesser de m'apitoyer sur mon sort. Je pense que je vais accepter votre offre d'aller en Angleterre après Noël.

— Si, dit O'Reilly, elle ne se présente pas ici pour vous faire une surprise.

Barry secoua la tête.

— Je vais le croire quand je le verrai, dit-il avant de terminer son canard. En reste-t-il une miette, Fingal ?

— Oui. Passez-moi votre assiette.

Barry s'exécuta.

O'Reilly la lui rendit après y avoir mis deux petites tranches et une cuisse. Barry secoua la tête.

— Je savoure mon *petit* bout d'oiseau, dit-il, attendant de voir comment O'Reilly allait réagir.

— Bien.

O'Reilly repoussa son assiette et ajouta :

— Dans ce cas, cela ne vous dérangera pas si je retourne à la chasse.

« Vous êtes nul quand il s'agit de comprendre une allusion, Fingal Flahertie O'Reilly », pensa Barry avant de terminer sa portion.

— Venez, dit O'Reilly.

Il ramassa son assiette puis les soupières de pommes de terre et de pois.

— Apportez la saucière et votre assiette dans la cuisine.

Quand Barry eut terminé son repas, il suivit l'exemple d'O'Reilly et emporta sa vaisselle sale dans la cuisine.

— Je vais chercher nos manteaux, dit O'Reilly en mettant ses ustensiles dans l'évier.

— Ce n'était pas nécessaire de débarrasser la table, les docteurs, dit Kinky. J'aurais pu m'en charger à notre retour. Mais merci à vous deux.

Elle portait son manteau d'hiver, des gants blancs en peau de daim et son chapeau vert — son plus beau chapeau vert —, qui était un cadeau de ses docteurs, offert en août pour le mariage de Sonny et Maggie.

— Les pois à la menthe étaient bons, et le canard était merveilleux, Kinky. Vraiment merveilleux, dit Barry.

— Merci, docteur Laverty.

Elle inclina gracieusement la tête.

— C'est la vérité, Kinky, dit O'Reilly en tendant à Barry son pardessus avant d'ouvrir la porte. Venez. Rejoignons la voiture.

Barry pouvait voir du givre sur l'herbe, brillant sous la lumière provenant de la porte ouverte. Il la ferma et suivit O'Reilly et Kinky, entendant leurs pas craquants sur la pelouse. La lune, qui était pleine deux jours plus tôt, brillait vivement dans le ciel de velours noir, mais même sa luminosité ne pouvait pas masquer les feux glaciaux de Polaris, Castor et Pollux, de même que ceux d'Aldébaran, très haute dans le ciel, et de Sirius, basse sur l'horizon sud-est.

Il fredonna en faussant la vieille chanson de Noël *It Came Upon a Midnight Clear*, tirée du poème d'Edmund Sears. Son souffle resta suspendu en nuages visibles, et le bout de son nez picota. Par un soir de décembre très semblable à celui-ci, 1 964 ans plus tôt, un garçon naissait dans la ville de Bethléem, en Judée.

À mi-chemin, il put entendre retentir les cloches de la chapelle appelant tout le monde pour la reconstitution de cet événement. Il se dit alors qu'à l'époque, les rois mages avaient fait le voyant pour assister à cet événement à dos de chameaux, et non dans une vieille Rover.

La salle paroissiale était bondée. Les rideaux étaient tirés. Les lumières étaient allumées dans la pièce. Des rangées de chaises de cuisine pliables étaient occupées par ce qui devait être l'ensemble de la population de Ballybucklebo et ses environs, selon l'estimation de Barry. Des gens se tenaient debout dans l'allée et au fond de la salle. Le bourdonnement des conversations était assourdissant.

O'Reilly s'arrêta et survola la foule du regard.

— Voilà Eileen Lindsay, qui est avec deux de ses enfants dans la deuxième rangée en avant. Le dernier siège du côté droit. Derrière les religieuses.

Barry vit la façon dont les habits noirs des religieuses contrastaient avec leurs cornettes blanches.

— Venez. Je dois lui dire un mot.

Barry et Kinky suivirent O'Reilly tandis qu'il se frayait un chemin à travers la foule comme un brise-glace dans les mers arctiques.

La progression fut lente. O'Reilly fut arrêté par un homme au visage pâle portant un costume en tweed.

— Liam Gillespie, expliqua-t-il à Barry.

C'était l'homme qui avait eu besoin d'une splénectomie, d'après les souvenirs de Barry.

— Doc, dit le gros homme, je ne vous ai jamais remercié correctement pour ce que vous avez fait pour moi.

— Es-tu tout à fait mieux ? demanda O'Reilly.

— Je le suis, monsieur.

— Voilà tous les remerciements dont j'ai besoin. Joyeux Noël à toi, Liam.

O'Reilly n'attendit pas d'entendre la réponse.

Quelques rangées plus loin, ils furent à nouveau arrêtés. Le conseiller Bertie et madame Flo Bishop étaient perchés sur des chaises de bout d'allée, chacun de leur côté, vraisemblablement pour profiter d'un peu de cet espace supplémentaire. Alors qu'O'Reilly était sur le point de marcher devant eux, Bertie se pencha vers sa femme et dit *sotto voce* :

— Je ne suis pas certain d'aimer cela ici, avec tous ses papistes, Flo. Avec toutes ces religieuses et le reste.

Flo se pencha immédiatement plus près de lui, et Barry entendit distinctement son murmure rauque.

— Tiens ta langue, Bertie Bishop. C'est Noël, pour ça oui.

Elle leva les yeux et fit claquer une main sur sa bouche avant de la retirer et de dire :

— Je ne vous avais pas vu, docteur O'Reilly.

Elle jeta un regard noir à son mari.

— Parfois, Bertie ne réfléchit pas avant d'ouvrir sa grande trappe.

— Bonsoir, Flo.

Barry était incapable de dire, d'après l'expression d'O'Reilly, s'il avait surpris leur échange à propos des papistes. Si c'était le cas, il était manifestement prêt à l'ignorer.

— Superbe assistance, dit-il. C'est bon de rassembler les catholiques et les protestants ensemble de temps à autre — n'est-ce pas, Bertie ?

Le conseiller Bishop haussa les épaules.

— Je vous ai gardé une place, madame Kincaid.

Flo se leva et s'avança dans l'allée.

— Merci, dit Kinky. Si cela vous convient, je vous reverrai à la porte d'entrée une fois que ce sera fini, docteur O'Reilly ?

Elle commença à avancer avec des pas de côté devant Flo.

— Évidemment, Kinky.

O'Reilly continua d'avancer.

Barry se dit que leur avancée était aussi imprévisible que celle d'une boule en métal dans un billard électrique, rebondissant sur Kieran O'Hagan, qui insista pour montrer à Barry son ongle qui guérissait en disant « Cela se passe très bien, monsieur », jusqu'à Julie et Donal, par qui O'Reilly fut stoppé.

Barry trouva qu'elle était très belle. Elle portait le même costume crème avec sa blouse marron qu'elle avait comme costume de voyage après son mariage. Il devina qu'il serait dorénavant ce que l'on appelait dans cette région « son plus bel habit du dimanche ».

— J'ai reçu tes analyses de sang aujourd'hui, Julie. Tout est parfait. Reviens nous voir dans un mois.

— Merci.

Donal lui décocha un clin d'œil, et il hocha la tête vers la rangée immédiatement devant.

— Je vois qu'Eileen est ici.

— Je vais lui dire un mot, dit O'Reilly en avançant.

— Docteur O'Reilly.

C'était monsieur Robinson. Il portait un vieux costume noir en serge et son col romain amidonné.

— Le marquis et moi, nous avons gardé des places pour vous et le docteur Laverty là-bas, dit-il en pointant les chaises du doigt.

— Merci. Nous vous rejoindrons dans une minute, révérend.

O'Reilly gagna la première rangée et marcha devant la file de religieuses assises. Barry le suivit. Il trouva que leurs visages paraissaient fraîchement lavés. Elles conversaient l'une avec l'autre à voix basse, les plus jeunes lançant occasionnellement des regards rapides vers leur mère supérieure, une grande femme avec un visage taillé à la serpe dont le sourire constant démentait la sévérité de ses traits aquilins.

O'Reilly rejoignit la deuxième rangée.

Eileen lui sourit et se leva.

— Docteur O'Reilly.

Barry baissa le regard. Ni l'un ni l'autre de ses bas ne filait. Il espéra que l'argent qu'elle gagnait, à présent qu'elle était de retour au travail, allait l'aider à joindre les deux bouts.

— Comment allez-vous, Eileen?

— Très bien, monsieur.

— Et comment va Sammy ?

Elle sourit.

— Il est presque guéri. Maggie s'occupe de lui ce soir pour que je puisse amener les petits Mary et Willy.

Barry vit ses deux enfants, chacun assis bien sagement, Mary vêtue d'une robe à volants et Willy portant un pantalon court avec son blazer d'école. Une déchirure dans la poche gauche avait été réparée avec des points de couture soigneusement disposés. Barry pensait souvent au fait que parfois, une bonne couturière pouvait avoir une meilleure main qu'un médecin recousant des coupures humaines.

O'Reilly sortit son portefeuille.

— J'ai un petit cadeau pour toi, Eileen.

— Un quoi ? dit-elle en fronçant les sourcils. Pourquoi ? Qu'est-ce que c'est ?

— Ne monte pas sur tes grands chevaux, dit O'Reilly. Nous organisons une tombola à la fête du Rugby Club, mercredi.

— Docteur, je n'ai pas les moyens de gaspiller de l'argent pour un billet. Notre budget est assez serré, ces temps-ci.

— Je sais cela, mais notre homme là-bas, Sa Seigneurie, en a acheté un tas, et il me les a donnés. « Fingal, remettez-les à quelques bonnes personnes », qu'il m'a dit. Voici le tien, Eileen.

Il le sortit de son portefeuille, le déchira en deux et remit le talon dans son portefeuille.

Barry la vit prendre le billet vert.

— Je... Voulez-vous le remercier de ma part, monsieur ?

— Je le ferai, dit O'Reilly. Tu seras présente pour le tirage ?

Patrick Taylor

— Je vais essayer, monsieur.

Puis elle se pencha et lui murmura quelque chose à l'oreille. Barry se demanda de quoi il s'agissait.

O'Reilly opina de la tête.

— Bonne fille.

— Puis-je avoir votre attention? Puis-je avoir votre attention?

Une voix amplifiée et métallique assaillit les oreilles de Barry. Il leva la tête pour voir Sue Nolan debout sur la scène, devant les rideaux. Elle tenait un microphone dans sa main droite. Sa chevelure cuivrée était libre et chatoyait sous la lueur des feux de la rampe. Il trouvait que d'une certaine façon, ses talons aiguilles de 10 centimètres ne formaient pas un ensemble homogène avec sa toge, mais ils accentuaient très bien la courbe de ses mollets.

— Merci. Le spectacle va commencer dans cinq minutes. Cinq minutes. Voulez-vous prendre vos places, s'il vous plaît?

— Venez, Barry.

O'Reilly rebroussa chemin, il s'arrêta un moment pour dire «Bonsoir, mon père» au père O'Toole, qui était assis à l'harmonium sous la scène. Il était vêtu simplement de sa soutane noire. Le spectacle de Noël n'était pas une cérémonie religieuse, de sorte qu'il pouvait omettre les splendeurs de l'aube, de la chasuble et des autres vêtements sacerdotaux.

— Que voulait Eileen? demanda Barry.

— C'est une tradition à la fête que les parents apportent à leurs propres enfants des cadeaux à mettre dans le sac du père Noël. Elle voulait me dire que si elle venait, elle serait en mesure d'apporter des choses pour ses trois petits. Je m'inquiétais qu'elle soit même trop à court d'argent pour cela. Je suis content qu'elle me l'ait dit. Pouvez-vous imaginer comment un petit se sentirait si le père Noël n'avait rien pour lui ?

Barry frissonna.

— Et elle m'a dit de vous remercier encore une fois d'avoir fait en sorte que Maggie garde son fils.

Barry s'inspira d'O'Reilly, se rappelant ce qu'il avait dit à Liam Gillespie.

— Eh bien, Fingal, si Sammy prend du mieux et qu'Eileen s'en sort, cela suffit comme remerciement.

Et il se surprit en constatant que c'était la vérité. Dès qu'ils eurent traversé l'allée centrale, Barry vit deux chaises inoccupées dans la première rangée. Barry s'installa sur la sienne entre O'Reilly, qui fut immédiatement plongé dans une conversation avec le marquis de Ballybucklebo, et le pasteur presbytérien. Il entendit le cliquetis des rideaux qu'on ouvre et les premiers accords de *Douce nuit, sainte nuit* que l'on jouait.

La conversation mourut. Les lumières de la salle furent tamisées. La scène pour la pièce de théâtre sur la Nativité fut dévoilée dans toute sa gloire, avec ses animaux d'étable peints et son enseigne disant « Auberge de Bethléem ».

Mademoiselle Nolan se tenait au centre de la scène devant la chorale des enfants, les bras tendus, les mains levées au-dessus des épaules. Elle avait vraiment de très belles jambes. *Douce nuit, sainte nuit* s'estompa.

Elle compta jusqu'à trois, puis l'harmonium joua, et de douces voix s'élevèrent pour le premier couplet de la chanson *Oh Little Town of Bethlehem*.

Mademoiselle Nolan marquait le rythme avec ses mains.

Barry ferma les yeux et se rappela ses propres spectacles de Noël, remontant à l'époque où il était garçon. Il envia à moitié Colin, qui, plus tard, jouerait le rôle de l'aubergiste. Barry ne s'était jamais élevé plus haut qu'au rang de troisième berger, un rôle muet.

Barry prit conscience d'un dérangement rythmique ressemblant à quelque chose entre un grondement bas et le bruit d'une scie à refendre. Il pivota. «Doux Jésus.» O'Reilly dormait, la tête rejetée en arrière, la bouche grande ouverte, ses ronflements risquant d'écraser les voix des enfants. Barry se pencha vers lui, donna un coup de coude dans les côtes de son collègue plus âgé et murmura d'une voix un peu forte :

— Réveillez-vous, Fingal.

— Quoi ? Hein ?

O'Reilly ouvrit les yeux, cligna des paupières et ferma la bouche avant de dire doucement :

— Merci, Barry. J'ai dû m'endormir.

Le temps que ce petit drame soit réglé, la chanson avait pris fin et les applaudissements avaient cessé, et le chœur était bien avancé dans *Le bon roi Wenceslas*, connu universellement dans l'Ulster comme *Le bon roi Wencelesslass*. Barry observait avec plaisir les expressions sur les visages des choristes, jetant des coups d'œil occasionnels à O'Reilly pour s'assurer qu'il ne s'était pas rendormi et admirait la manière fluide dont bougeait le corps de mademoiselle Nolan tandis qu'elle dirigeait.

Le chant de Noël se termina. Barry se joignit aux applaudissements.

Mademoiselle Nolan se tourna vers le public et salua pour remercier le public au nom des enfants. Elle avait dû repérer Barry, car en le regardant directement dans les yeux, elle lui sourit, et son sourcil droit monta au ciel.

Barry lui sourit en retour. Elle était très belle, et au diable l'esprit de Noël, les propos rassurants de Kinky et les remontrances d'O'Reilly auxquelles il avait eu droit samedi, il allait tenter de bavarder un peu avec elle plus tard.

Les applaudissements moururent, et elle s'adressa à la salle.

— Mon seigneur, mesdames et messieurs, nous vous prions d'être indulgents. Il faudra quelques instants pour que la chorale quitte la scène et pour que les acteurs prennent leur place. Pendant ce temps, je vais installer le décor.

Une femme — Barry supposa qu'il s'agissait d'une autre enseignante — apparut à gauche de la scène et commença à pousser les enfants dehors tandis que les rideaux se fermaient par à-coups. Mademoiselle Nolan, qui devait connaître les mots par cœur, commença à réciter.

— «Or, en ces jours-là, fut publié un édit de César Auguste, pour le recensement de toute la terre…»

Et Barry, qui croyait avoir laissé la religion derrière lui, découvrit qu'il avait une boule dans la gorge et un picotement derrière les paupières tandis qu'elle racontait l'histoire, et dans sa tête, il répéta les mots avec elle. C'étaient des mots majestueux de la Bible du roi Jacques qu'il n'avait pas fait consciemment l'effort d'apprendre, mais qu'il avait assimilés dans son enfance. Et le fait de les connaître faisait autant partie de Barry Laverty que ses yeux bleus et sa mèche blonde rebelle.

Il regarda O'Reilly, et à l'étonnement de Barry, les lèvres du gros homme remuaient aussi. Elles formaient les mêmes mots que ceux qu'entendait Barry sur la scène et dans sa tête.

— « ... en Judée, jusqu'à la ville de David, qui s'appelle Bethléem, parce qu'il était de la maison et de la famille de David pour se faire recenser avec Marie, son épouse, qui était enceinte. »

Les poulies grincèrent, et les rideaux s'ouvrirent. Cela ne surprit pas Barry de voir un groupe de bergers près du fond de la scène assis autour d'un enclos de moutons vivants. De tels accessoires n'étaient pas difficiles à trouver à Ballybucklebo.

Un projecteur se concentrait sur Joseph, qui portait des sandales ouvertes et une robe blanche attachée à la taille par un morceau de corde. Le même cordage avait dû être coupé grossièrement pour attacher un mouchoir à carreau autour de sa tête pour faire un keffieh. Micky Corry guidait un âne vivant par son licou.

Jeannie Kennedy, portant une longue robe bleue sous le devant de laquelle un rembourrage quelconque avait été inséré, montait l'âne en amazone. Elle serrait la crinière de l'animal, et elle regarda vers Barry comme si elle craignait fortement de tomber.

Le groupe s'arrêta devant la porte au-dessus de laquelle pendait l'enseigne de l'auberge de Bethléem.

— Oh, chère Marie. C'est complet partout. Peut-être que cette auberge aura une chambre.

Les répliques furent prononcées d'une voix monotone.

— Je l'espère, Joseph.

Joseph frappa à la porte.

Elle fut ouverte par Colin Brown. Il était tête nue et portait une robe grise qui, aux yeux de Barry, donnait l'impression d'avoir été tout d'abord une des robes de sa mère. Il arborait un tablier de boucher à rayures bleues et blanches.

— Allô, l'aubergiste.

Le sourire de Colin était béat, et ses mots étaient prononcés d'une voix forte et claire.

— Qui est là ?

— C'est Marie et Joseph. Nous sommes venus à Bethléem pour le recensement.

— Mary et Joseph ?

Barry avait continué à nourrir un doute minuscule quant au fait que Colin essaierait de faire un coup. Il se détendit. La petite pièce se déroulait parfaitement bien.

— Pourrions-nous avoir un lit pour la nuit ? Ma femme va avoir un bébé, et elle est très fatiguée.

La voix de Colin était douce, accueillante.

— Eh bien, Marie, dit-il en mettant l'accent sur le nom « Marie ». Je n'ai pas de chambre à l'auberge, mais bien sûr, *tu* peux aller dans l'étable.

Barry se raidit. Ce n'était pas ainsi qu'il se souvenait du scénario.

— Évidemment que *tu* peux y aller, Marie.

Colin se tourna alors vers Joseph et cria :

— Mais en ce qui te concerne, Joseph, espèce de sale petit garnement, misérable petit merdeux, tu peux aller te faire voir !

Il y eut une telle inspiration brusque commune que Barry crut que les murs de la salle pourraient bien ployer vers l'intérieur.

Il jeta un regard sur la scène, où tous les acteurs, à l'exception de l'aubergiste, qui avait un sourire mauvais, étaient figés comme dans un tableau vivant. Les yeux de Marie étaient ronds. Joseph avait l'air d'être prêt à tuer. Un des bergers était debout et criait.

Cela avait dû effrayer un des moutons dans l'enclos, car l'animal sauta par-dessus l'obstacle aussi facilement qu'un cheval nommé Battlecruiser que Barry se souvenait avoir vu sauter par-dessus le périmètre de la piste des courses à Ballybucklebo. Le mouton entra en collision avec l'âne. Barry entendit un énorme braiment. L'âne, avec Marie agrippant sa crinière, courut vers la porte de l'auberge de Bethléem et renversa l'aubergiste sur le dos avant de disparaître dans les débris du décor qui s'effondrait.

Il savait qu'il n'aurait pas dû, mais Barry était incapable de s'arrêter de rire. Il sentit qu'on le tirait par la manche, et il entendit O'Reilly crier par-dessus la rangée :

— Venez, Barry ! J'ai besoin d'un coup de main. La mère supérieure s'est évanouie.

44

Les frayeurs de la nuit

Barry, riant encore, sauta sur ses pieds. Il était rendu sourd par le bruit. Après le choc initial, tout le monde exprimait son opinion. Des gens de l'autre côté de l'allée étaient debout et s'étiraient le cou pour voir ce qui se passait.

O'Reilly s'avançait dans la rangée de chaises. Barry vit le pasteur grimacer, et il se rendit compte qu'O'Reilly avait dû lui marcher sur les orteils. Barry suivit son collègue plus âgé. Il tenta d'ignorer le boucan, s'excusa tandis qu'il forçait son passage devant le révérend Robinson, dont le visage exprimait la douleur, puis il traversa l'allée centrale et s'arrêta à l'arrière d'une mêlée de religieuses. Certaines étaient debout, et d'autres se penchaient sur ce qui devait être le corps allongé sur le dos de la mère supérieure.

Tout ce qu'il pouvait voir était l'endroit où O'Reilly s'agenouillait et une paire de bottes noires lacées qui pointait au bord de la foule, exactement comme il se rappelait les pieds de la méchante sorcière pointant sous la maison de Dorothée dans le film *Le Magicien d'Oz*.

— Pardon. Pardon.

Il s'approcha lentement jusqu'à ce qu'il se tienne au-dessus d'O'Reilly, qui était à présent en bras de chemise parce qu'il s'était servi de son veston comme oreiller.

Le visage étroit de la mère supérieure était blême. Elle respirait en faisant de petits halètements. Sa cornette était de travers, et des mèches de cheveux gris s'étaient échappées de sous la bande. De minuscules perles de sueur s'accrochaient à sa lèvre supérieure parmi les poils fins d'une légère moustache.

O'Reilly tenait son poignet mou. Il prenait le pouls de la femme.

— Fingal?

O'Reilly leva les yeux.

— Une simple syncope, dit-il. Je vais la remettre sur pied en un rien de temps. Tenez sa tête afin qu'elle ne tourne pas.

Barry s'agenouilla.

O'Reilly se pencha pour fourrager dans l'une des poches de son veston pour en sortir une petite bouteille en verre. Il regarda Barry dans l'expectative, qui mit une main sur chacune des tempes de la femme avant de faire un signe de tête à O'Reilly.

Les vapeurs des sels qu'O'Reilly tint sous son nez firent monter les larmes aux yeux de Barry. Il se serait servi d'une main pour les essuyer si les deux n'avaient pas été occupées à retenir la femme. Il fut étonné par la force de la mère supérieure.

Ses paupières s'ouvrirent rapidement comme les obturateurs de deux caméras. Ses yeux étaient dans le vague. O'Reilly retira la bouteille et remit le bouchon, et Barry lâcha la tête de la dame.

— Où suis-je? demanda-t-elle d'une voix faible.

Elle dévisagea O'Reilly.

— Vous n'avez pas de barbe, dit-elle.

Barry entendit la perplexité dans son ton.

— Saint Pierre, continua-t-elle. Vous n'avez pas de barbe. Gloire à vous.

— Elle se signa et demanda :

— Puis-je entrer ?

« Elle se croit aux portes du paradis », comprit Barry. Comme sa demande d'entrer établissait un parallèle avec la demande récente de Joseph, Barry attendit la réponse d'O'Reilly avec un peu d'appréhension. Il ne pensait pas qu'il avait des chances de lui dire d'aller se faire voir, mais on ne savait jamais avec Fingal.

— Je pense, dit O'Reilly, que vous en avez encore pour une ou deux décennies à attendre avant d'avoir à lui poser la question, ma mère. Vous vous êtes évanouie, c'est tout.

— Évanouie ? dit-elle en secouant la tête. Je vois.

Elle dévisagea la religieuse la plus près et dit sévèrement :

— Et que fixez-vous ainsi ?

Barry vit la jeune femme rougir.

— Nous étions inquiètes, ma mère.

— Je vois. Merci. Mes sœurs — son ton était sec, autoritaire —, je suggérerais que vous repreniez toutes vos places.

Tandis que les religieuses partaient en traînant les pieds, elle tenta de s'asseoir, mais O'Reilly posa une main sur son épaule.

— Restez allongée quelques minutes. Nous ne voulons pas que vous tombiez à nouveau.

Elle laissa sa tête retomber sur le veston.

— Merci.

Barry se leva. Le bruit de la foule était moins fort, à présent. La plupart des gens étaient assis. Il se tourna et regarda la scène. Tous les enfants avaient disparu. L'enclos à moutons était encore là, et la plupart des animaux initialement présents semblaient avoir retrouvé leur état placide habituel. Quatre hommes remontaient la façade de l'auberge, même si l'on pouvait voir que l'enseigne était démolie au-delà d'une réparation possible.

Le père O'Toole grimpa sur la scène, prit le microphone et dit d'une voix forte :

— Mon seigneur, mesdames et messieurs. Puis-je avoir le silence, je vous prie ?

Il patienta.

— S'il vous plaît.

Son accent de Cork était aussi doux que sa requête. Le bruit cessa graduellement.

— Merci, dit-il en baissant la voix. Cela était un peu malheureux, donc, mais ce n'est qu'un petit garçon, et les petits garçons commettent des erreurs. Vous serez tous d'accord là-dessus.

Barry entendit une des religieuses près de lui marmonner :

— Évidemment que ce n'est qu'un petit garçon, pour ça oui.

Il supposa que le bourdonnement sourd venant du reste du public était aussi un acquiescement.

Le regard du prêtre balaya la salle.

— Avant de condamner le petit, rappelez-vous, comme moi je me souviens que notre Seigneur a dit dans l'Évangile selon Saint Mathieu : « Ne jugez point afin que vous ne soyez point jugés. »

Barry vit des gens acquiescer de la tête. Le volume du bourdonnement augmenta.

— Un enfant s'est laissé emporter, c'est tout.

Le prêtre tenait sa main gauche devant lui, paume vers son public, le bout des doigts vers le toit.

— Alors, tout ce que je vous demande, c'est que celui qui n'a point péché jette la première pierre.

Barry se tourna et regarda dans la salle derrière lui. Il s'inquiétait que Bertie Bishop, le fervent membre de l'Ordre d'Orange, pourrait s'opposer au fait que le prêtre catholique prenait les affaires en main. La majorité du public était encore debout, mais Bertie, qui avait regagné sa place, luttait pour se lever. Flo le tenait par un bras et réprimandait visiblement l'homme.

Un accent dur du Nord attira l'attention de Barry, et il pivota pour voir que le révérend Robinson était sur la scène. Il n'avait pas besoin du micro, mais parlait avec sa meilleure voix de chaire, celle à propos de laquelle Kinky disait «que les auditeurs sentaient ses postillons à six rangées de lui».

— Tous les enfants et mademoiselle Nolan ont travaillé très fort, alors accordons notre pardon à Colin, une grâce pour Noël. Reprenons tous nos places.

Son regard était dirigé directement sur Bertie Bishop, qui céda.

Il y eut le grattement des pieds et des chaises sur le sol en bois.

— Je vous en prie, soyez patients, dit le ministre, cela va prendre…

Il se tourna vers l'un des hommes travaillant sur la façade de l'auberge.

Barry reconnut la crinière rousse de Donal Donnelly.

— Encore 10 minutes, mon révérend.

Donal semblait confiant.

— Environ dix minutes, dit le révérend Robinson. Alors, je vous demande de patienter ; très bientôt, nous serons en mesure de revenir à notre interprétation d'une nuit dans la ville de Bethléem en Judée. Et nous verrons pourquoi nous continuons de fêter Noël. Nous le faisons pour célébrer la naissance de notre Sauveur, qui est venu sur terre pour éliminer tous les péchés du monde.

— Merci, révérend. Bien dit.

Le père O'Toole tourna un visage rayonnant vers le public.

— Je pense que le Seigneur sera heureux d'éliminer le péché de la jalousie chez le jeune Colin. Ne le pensez-vous pas?

Il y eut un long silence, puis un murmure d'assentiment qui enfla et par-dessus lequel on put entendre O'Reilly hurler :

— Bravo! Bravo!

Barry sentit qu'on tirait sur sa manche.

— Docteur Laverty?

Cissie Sloan, avec sa chevelure à l'évidence récemment coiffée pour l'occasion et sa robe à motif fleuri fraîchement lavée, le tirait avec une main gantée de peau de daim.

— Mademoiselle Nolan demande si vous ou le docteur O'Reilly pourriez venir en coulisses. Et ce ne peut pas être lui, parce qu'il est encore occupé avec la gentille religieuse, pour ça oui...

Barry vit qu'elle avait raison. O'Reilly était encore agenouillé à côté de la mère supérieure.

— Donc, ce devra être vous...

— Que se passe-t-il, Cissie?

— C'est la petite Jeannie, celle qui joue Marie — et c'est une charmante Marie, n'est-ce pas?

Barry commença à marcher vers une porte qui menait à l'arrière du décor, Cissie collée sur ses talons.

— La petite Jeannie s'est cogné la tête quand l'âne a détalé, et je ne pense pas qu'il existe un animal plus stupide, alors je...

Barry retint la porte pour Cissie avant de monter quatre marches en bois.

— ... sauf peut-être ma cousine Aggie Arbuthnot — vous vous souvenez d'elle, docteur?

Barry, se tenant à présent dans les coulisses faiblement éclairées, leva les yeux et pensa aux six orteils, et il fut surpris quand Cissie changea de disque et ajouta :

— Celle qui selon moi aurait besoin d'un lèvemement.

— Docteur Laverty. Merci d'être venu.

Sue Nolan avait retiré sa toge. Elle portait un chandail en cachemire bleu poudre — il remarqua qu'elle le remplissait très bien — et une jupe étroite noire lui arrivant aux genoux.

Barry savait qu'il aurait dû être inquiet pour sa patiente, mais sa première pensée — nonobstant la conversation réconfortante avec O'Reilly samedi soir — fut de trouver comment se débarrasser de Cissie et d'avoir quelques instants pour obtenir le numéro de téléphone de Sue.

— Cissie dit que Jeannie s'est cogné la tête.

— C'est exact. Je l'ai fait s'allonger dans une pièce à côté. Si vous voulez venir avec moi?

Elle se tourna, et Barry s'apprêta à la suivre.

— Vous n'aurez plus besoin de moi — n'est-ce pas, docteur?

Il n'avait pas besoin d'un prétexte pour voir Sue seule. Cissie voulait partir.

— Ça va, Cissie. Je peux m'en sortir.

— Bien, car je veux voir la suite. Mon petit gars est un des bergers, pour ça oui. C'est un bon petit gars. Pas comme ce Colin Brown. Je parie que lorsque son père en aura fini avec lui, il prendra ses repas debout pendant quelques jours.

Barry grimaça. Elle avait probablement raison. Il n'aimait pas les punitions corporelles — il avait été battu à son pensionnat —, mais il ne voyait pas comment Colin allait pouvoir éviter une fessée. «Oh, eh bien, ce sera terminé rapidement, et le garçon redeviendra lui-même en un rien de temps», se dit-il.

— Mon Hugie, mon mari, aurait mis la main aux fesses de notre petit gars si cela avait été lui. Aggie dit...

Barry n'attendit pas d'entendre les déclarations de la cousine Aggie. Il partit à la suite de Sue Nolan. Ce faisant, il entendit des coups de marteau du côté gauche de la scène et un cliquetis pendant que quelqu'un fermait les rideaux.

Quand il entra dans la pièce adjacente, il vit des étagères de livres alignées sur les murs. Des étagères autoportantes étaient disposées en rangées au centre d'une pièce au sol en parquet. Cela devait servir de bibliothèque.

Sue se tenait à côté d'un divan bas poussé contre le mur du fond où était allongée la Vierge Marie avec un coussin pour lui soulever la tête. Le ventre sous la robe n'était plus gonflé; Barry déduisit que le même coussin avait servi à simuler sa grossesse. Il s'assit au bord du divan. Il se rappela à quel point elle avait été malade l'été dernier, avec une appendicite. La facilité avec laquelle les enfants guérissaient était tout à fait remarquable.

— Allô, Jeannie.

— Allô, docteur Laverty.

Elle sourit largement et pointa le gant de toilette sur son front. Je me suis frappé la tête d'aplomb, pour ça oui, quand l'âne a couru dans le mur de l'auberge.

Sue Nolan se tenait debout près de son épaule.

— Je l'ai mouillé sous le robinet. Est-ce correct?

— Bien sûr.

Barry retira le gant humide. Il y avait une bosse juste au-dessus de l'œil gauche de Jeannie. Elle faisait environ 2,5 centimètres de diamètre et s'élevait de 6 mm au-dessus de la peau environnante sur son front. La peau était luisante et commençait à prendre une teinte bleu cendré. Ce n'était probablement rien de plus qu'une ecchymose, mais Barry avait déjà raté un diagnostic de saignement dans le crâne. Il n'allait courir aucun risque cette fois-ci.

Il fourragea dans sa poche pour trouver une lampe-stylo.

— Je vais t'examiner, Jeannie.

— Ça va.

— Et avant que je le fasse, je vais te poser quelques questions à propos de plusieurs sujets, comme le jour que nous sommes aujourd'hui.

— Ne le savez-vous pas, docteur ?

Il entendit l'inquiétude dans la voix de l'enfant et un rire discret de Sue.

— Oui, dit-il. Je veux savoir si toi, tu sais quel jour nous sommes.

— Bien sûr, nous sommes lundi. Il reste quatre jours avant Noël — elle regarda autour d'elle —, et cette petite pièce ici se trouve dans la salle paroissiale, pour ça oui.

Il sourit et expliqua à Sue :

— Elle n'est pas désorientée. C'est un bon signe. À présent…

Il fit briller la lumière dans un œil, content de voir que la pupille se contractait. En moins de cinq minutes, il avait complété un examen neurologique, et il fut soulagé de constater que d'après ce qu'il pouvait voir, tout était normal. Il se leva.

— Tu iras bien, Jeannie. C'est juste une petite bosse.

— Alors, elle peut jouer sa scène ? demanda Sue

— Bien sûr.

Elle se pencha vers Jeannie.

— Viens, alors. Allons te préparer.

Barry l'observa tandis qu'elle lissait la robe de Jeannie, sortait une brosse et coiffait la chevelure de la petite fille.

— Vas-y, dit-elle. Prends ta place avec Joseph dans l'étable. Nous n'aurons plus besoin du coussin ni de l'âne, parce que nous allons commencer après la naissance de Jésus.

— Bien. Je vais peut-être avoir un bébé un jour, mais je ne remonterai plus jamais sur un âne, pour ça non.

Barry sourit devant sa véhémence.

— D'accord, dit Sue. Quand les rideaux s'ouvriront, commence en disant : « Ce n'est pas une chambre à coucher, Joseph, mais cela conviendra tout à fait. »

— Oui, mademoiselle.

Jeannie s'en alla.

— Merci, Barry, dit Sue.

Il vit sa manière de sourire. C'était un sourire intrigant.

— Tout le plaisir est pour moi, dit-il. J'ai pensé, avant que ne frappe l'Armageddon, que vos petits s'en sortaient très bien.

— Ils sont amusants, dit-elle. Je…

Avant qu'elle puisse poursuivre, le père O'Toole apparut.

— Êtes-vous prête, Sue ? Les gens commencent à s'impatienter à l'avant, et le décor a été réparé avec ce que nous avions sous la main.

— Excusez-moi, Barry, dit-elle. Je reviens dans une minute.

Merde. Le moment pour prendre son numéro de téléphone était passé. Ce n'était peut-être pas une si mauvaise chose. Il savait comme il aurait été démoli s'il avait découvert que Patricia avait donné son numéro de téléphone à un autre homme.

— Pourquoi ne restez-vous pas, Barry, pour regarder depuis les coulisses?

Le sourcil de Sue s'arqua, et Barry déglutit.

— J'aimerais cela, dit-il. Beaucoup.

Sue disparut, et le prêtre partit. Barry gagna les coulisses au-dessus de la porte d'entrée. Il resta debout silencieusement à regarder Sue Nolan positionner ses protégés, et il sourit quand elle courut à travers la scène pour le rejoindre.

— C'est une bonne chose que l'on n'ait pas besoin de l'aubergiste pour le reste de la pièce.

Barry lui fit un immense sourire.

Elle mit un doigt sur ses lèvres.

Il entendit des applaudissements et le bruissement des rideaux, et il regarda la scène en silence, très conscient de la proximité et du parfum léger de Sue.

Les enfants jouèrent la vieille histoire de la Nativité de l'Enfant Jésus, de l'Armée céleste et des bergers fidèles dans les champs, puis des étoiles à l'Est et des rois mages. Barry reconnut plusieurs des petits acteurs comme étant certains de ses patients.

Les rideaux furent tirés sur la scène finale.

— Barry, dit Sue alors qu'ils attendaient que cessent les applaudissements. Je dois diriger la chorale de fermeture.

— Allez-y.

Sa voix était douce.

— Allez-vous m'attendre ici jusqu'à ce que ce soit fini? Je pars pour Broughshane dès que le spectacle est terminé. J'aimerais vous souhaiter correctement un joyeux Noël.

Il savait qu'il aurait dû dire non, trouver un prétexte, mais au lieu de cela, il dit :

— Évidemment.

«Et pourquoi pas?» se dit-il. Elle partait ce soir-là.

Elle s'étira et lui embrassa la joue.

— Je ne serai pas longue.

Il siffla dans sa barbe et toucha l'endroit où elle l'avait embrassé. C'était une bonne chose qu'elle parte ce soir. Il la regarda traverser la scène et mettre au pas les forces combinées des acteurs et de la chorale.

Les rideaux rouvrirent. La chorale se tenait du côté gauche de la scène, et les acteurs étaient du côté droit.

Les bergers et les rois mages s'agenouillèrent devant Joseph et Marie, qui tenait dans ses bras une poupée emmaillotée.

Sue Nolan prit le micro. Les projecteurs découpèrent sa silhouette. «Merde, elle a vraiment de très belles jambes», se dit Barry.

— Monseigneur, mesdames et messieurs, nos festivités sont maintenant terminées — enfin, presque. Il reste une dernière chanson de Noël, et nous vous invitons à la chanter avec nous. Père O'Toole?

L'harmonium joua les accords d'introduction. Barry écouta les voix flûtées des enfants sur scène et le chant de l'ensemble de l'auditoire. Il articula silencieusement les mots.

— «Il est né le divin enfant. Jouez hautbois, résonnez musettes! Il est né le divin enfant. Chantons tous son avènement!»

45

De joyeux hommes en habits rouges

O'Reilly jeta un coup d'œil discret dans la salle d'attente. «Sainte Marie mère de Dieu.» Il lui sembla qu'il y avait plus de gens là-dedans qu'à un match de rugby international. Il n'arriverait jamais à tous les voir à temps pour aller à la fête du Rugby Club ce soir-là. Il ferma la porte et revint en silence dans la salle à manger, où Barry était assis en terminant son café et en lisant le *Belfast Newsletter*.

Le journal bruissa quand il leva les yeux.

— Il y a un article intéressant ici, Fingal. Le Canada a laissé tomber le vieux pavillon rouge, et il a maintenant un nouveau drapeau rouge et blanc avec une feuille d'érable rouge dessus.

— Merveilleux. Je suis heureux pour lui, mais nous avons un plus gros problème. Combien de visites à domicile devez-vous faire?

— Ce matin? Aucune. Pourquoi?

— Parce que l'ensemble de la population de Ballybucklebo et de ses environs — et pour ce que j'en sais de toutes les Hébrides extérieures et de plusieurs parties de l'île de Man — se trouve dans notre salle d'attente. J'ai besoin de votre aide.

O'Reilly avait délibérément dit le mot «notre», et il fut récompensé en voyant Barry sourire. C'était bon que le garçon ait ce sentiment à propos de la pratique.

Il demanda :

— Y a-t-il une épidémie de grippe, Fingal? Ou bien...?

— Non. C'est la même chose tous les ans le dernier jour où le cabinet est ouvert avant janvier. J'ai toujours fermé le cabinet, sauf pour les urgences, deux jours avant le jour de Noël. Les gens du coin le savent, alors chaque personne et son voisin viennent. Certains auront des plaintes récentes qui se seront brusquement présentées hier soir ou aujourd'hui, mais les autres veulent obtenir des renouvellements de prescription à la dernière minute, ou alors ils souhaitent qu'on s'occupe de vagues maux et douleurs qui pourraient s'envenimer et gâcher le temps des Fêtes. Je pense que certains viennent uniquement pour souhaiter un joyeux Noël. C'est ainsi chaque année depuis que je suis ici. J'ai une théorie pour expliquer pourquoi cela se produit.

— Quelle est-elle?

— Je pense que cela remonte à l'époque païenne et que les gens de la campagne, bien qu'ils soient des chrétiens déclarés, n'ont pas abandonné leurs racines païennes.

Barry demanda :

— Vous voulez dire comme... comme Kinky et son don?

— Exactement.

«Le garçon s'inquiète encore à propos de son amoureuse», pensa O'Reilly, mais, il dit :

— Noël marque le solstice d'hiver, le moment où les jours recommencent à allonger et où l'année change. Les gens avaient l'habitude de se débarrasser de leurs ordures afin de pouvoir commencer l'année en faisant table rase du passé. Je pense qu'il y a un genre de nettoyage du printemps collectif en matière de santé aussi. Ils viennent ici pour laisser derrière eux ce qui les a fait souffrir cette année.

— Je n'aurais pas pensé à cela.

— Il m'a fallu un ou deux ans pour comprendre, et je pourrais avoir tort...

— Vous, Fingal ? Jamais.

O'Reilly rit et dit :

— Surveillez vos paroles, jeune Laverty.

En son for intérieur, il était content de voir que l'assurance de Barry, si fortement secouée quand il avait été confronté à la possibilité d'une poursuite en justice en août, avait augmenté de telle sorte qu'il était capable de courir le risque de taquiner son collègue plus âgé.

— J'ai bien pensé avoir tort une fois... en 1956. Mais il s'avère que j'avais eu tort de le penser.

Barry rit.

— « L'erreur est humaine », dit-il.

— « Et le pardon est divin. » Alexander Pope. Mais il n'y aura pas de pardon des clients envers nous si nous ne descendons pas très rapidement dans les tranchées.

Barry n'hésita pas.

— Compris.

Cela plut à O'Reilly. Barry aurait été tout à fait dans son droit de dire que ce n'était pas à son tour de travailler au cabinet aujourd'hui.

— Dans ce cas, je vais travailler dans le cabinet. Vous travaillerez ici, Barry. Continuez simplement d'aller dans la salle d'attente et de crier « Suivant ! » jusqu'à ce qu'elle soit vide.

— D'accord, mais même avec nous deux pour travailler, certaines personnes vont devoir attendre une éternité.

— Pas du tout, dit O'Reilly en secouant la tête. Je vais vous montrer. Venez.

Il se dirigea vers la salle d'attente avec Barry sur les talons. O'Reilly entrouvrit légèrement la porte et permit à Barry d'y jeter un coup d'œil.

— Pensez-vous encore que Fitzpatrick représente une menace ?

Barry secoua la tête et sourit largement.

« Bon, c'est un tracas de moins pour le garçon, un inquiet né », se dit O'Reilly, qui ouvrit la porte en grand.

— Booooooonjour à tous.

— Bonjour docteur O'Reilly.

Cela ressemblait au rugissement des partisans quand un botté gagnant avait été tiré.

— Bon. Écoutez-moi. Vous êtes foutrement nombreux ici. Le docteur Laverty va donner un coup de main, mais cela va quand même prendre du temps.

Il attendit que les marmonnements s'estompent et ajouta :

— J'ai quelques suggestions. Premièrement, y a-t-il des personnes venues ici uniquement pour nous souhaiter un joyeux Noël ?

Il y eut un chœur étouffé de réponses affirmatives.

— C'est très gentil de votre part — très courtois, en effet. Alors, le docteur Laverty et moi, nous vous remercions, et nous vous souhaitons la même chose à notre tour.

Il espéra qu'ils allaient comprendre le sous-entendu. O'Reilly attendit, et il regarda Kieran O'Hagan tenir la porte extérieure ouverte pour sa femme Ethel. Il remarqua que

Kieran portait un paquet emballé avec un sac de papier brun.

— Je ne veux pas être impoli, et je sais que certaines personnes sont comme les rois mages et qu'ils apportent des cadeaux.

La salle se remplit de petits rires.

— Si vous en avez, allez à la porte d'entrée, et madame Kincaid sera heureuse de les accepter et de vous remercier en notre nom.

Alors que plusieurs personnes se levaient et partaient, O'Reilly continua :

— Plutôt que vous voir traîner ici pendant deux ou trois heures — ou peut-être davantage, car le docteur Laverty et moi allons prendre une pause pour déjeuner...

— J'ai entendu dire que votre costume de père Noël a dû être agrandi, monsieur, lança une voix à l'arrière de la foule.

Cela fut accueilli par une série de rires.

— Je vais laisser passer cela en raison de l'esprit de cette saison, Connor O'Brien.

O'Reilly attendit et ajouta :

— Et es-tu venu pour ton habituelle et très profonde injection avec une grosse aiguille ?

— Non, monsieur.

La voix de Connor semblait anxieuse.

— Non, monsieur, répéta-t-il.

La deuxième série de rires fut plus bruyante que la première.

« Barry pensait que je plaisantais quand je lui ai parlé de ma première règle, qui est de ne jamais laisser un patient avoir le dessus sur soi. Hum », se dit-il alors.

— Donc, plutôt que de vous voir rester ici, je veux que le tiers d'entre vous — et vous savez qui est arrivé tôt et qui est arrivé tard — rentre à la maison. Revenez à 13 h 00, sauf si vous croyez être vraiment malades et devoir être vus immédiatement.

Alors même que la procession commençait à sortir par la porte du fond, O'Reilly cria :

— Qui est le premier ?

Agnes Arbuthnot se leva.

— Bonjour, Aggie, dit O'Reilly.

Puis il se tourna et prit la direction du cabinet.

Il entendit le «Suivant!» dit avec force par Barry, et il se sentit très sûr du fait que son assistant, qu'il voulait vraiment voir rester à titre de partenaire à part entière l'an prochain, ferait un travail de première classe dans la salle à manger.

❦

O'Reilly gara la Rover et laissa sortir Arthur. Il avait vraiment pris plaisir à sa course d'après-midi sur la plage de Ballybucklebo. Le gros chien avait dormi dans la voiture pendant qu'O'Reilly faisait deux autres visites à domicile qui avaient été demandées en milieu de matinée. Barry était resté au numéro 1 pour s'occuper des patients qui étaient revenus après le déjeuner.

— Dans ta niche.

Arthur obéit.

O'Reilly entra dans la cuisine. Kinky lui tournait le dos. Elle n'avait pas dû l'entendre entrer. Elle prenait des petits pains à la saucisse disposés sur une plaque qu'elle avait sortis du four et les déposait sur une grille métallique pour qu'ils refroidissent. L'odeur de la pâte fraîchement cuite était alléchante.

— Allô, Kinky.

Il vola un pain chaud et jongla en le projetant d'une main à l'autre.

— Docteur O'Reilly, monsieur.

Kinky se tourna et se tint solidement avec une main sur une hanche.

— J'aurais eu tendance à croire que ma soupe aux poireaux et aux pommes de terre au déjeuner était suffisante, donc.

— Oh, un seul pain ne peut pas faire de mal, dit-il en fourrant le tout dans sa bouche et en expirant par petites bouffées.

Il était encore trop chaud.

— Et pas un de plus, dit-elle. Flo Bishop m'a demandé d'aider à fournir de la nourriture pour la fête, et je ne verrai pas mon dur labeur mangé avant même qu'il quitte cette maison.

— D'accord.

O'Reilly regarda autour de lui.

— Sacré nom d'un chien ! dit-il en survolant du regard les étagères chargées. Est-ce que ce sont les 5000 que vous allez nourrir ? Que sont toutes ces choses ?

Il attendit que Kinky lui explique. Elle tirait une grande fierté de ses talents culinaires, et cela lui faisait plaisir quand des gens montraient un intérêt pour ce qu'elle avait cuisiné. Et il se dit que si elle était distraite pendant qu'elle expliquait, il aurait peut-être l'occasion de dérober un autre pain. Ils étaient délicieux.

— Eh bien, monsieur, dit-elle, là, c'est une assiette de sandwichs au jambon. Et ceux-là sont à la tartinade aux œufs et à la mayonnaise. Voici deux plateaux de tartelettes aux fruits secs... Retirez vos mains des pains à la saucisse, monsieur.

O'Reilly se sentit convenablement corrigé. Il savait qu'il aurait dû savoir qu'il valait mieux ne pas essayer d'être plus rusé que Kinky dans sa propre cuisine.

— Désolé.

Elle pointa d'autres plats.

— C'est un jambon cuit froid et enveloppé dans le papier d'aluminium. Et voyez-vous ces pots en terre cuite avec le papier d'aluminium retenu par un élastique rouge ?

— Oui.

— Six d'entre eux contiennent mon pâté au saumon, et les six autres renferment un pâté au maquereau fumé.

O'Reilly commença à saliver à la pensée de son pâté au maquereau fumé.

— Allez, Kinky. C'est la saison pour être joyeux. Un autre petit pain ? S'il vous plaît ?

— Vous êtes un homme terrible, docteur O'Reilly, dit-elle en souriant. D'accord, mais seulement un.

Elle leva les yeux sur l'horloge suspendue dans la cuisine et ajouta :

— Le docteur Laverty est changé et prêt. Il est dans le salon. Vous allez devoir vous changer et prendre votre costume de père Noël. Il est dans un porte-habits en toile, et j'ai ciré les bottes.

Elle sourit.

— On peut voir son visage dedans... mais si j'étais vous, monsieur, je ne me donnerais pas la peine de regarder, rigola-t-elle.

O'Reilly rit si bruyamment qu'il projeta une fine couche de pâte dans l'air.

— Vous êtes une femme vive d'esprit, Kinky Kincaid.

— Oui, donc. Et n'est-ce pas la saison pour être joyeux ?

— Ce l'est. Pardieu, ce l'est.

Et pendant un moment, dans sa tête il fut heureux pendant cette saison à Portsmouth, et il décida qu'en souvenir de Deidre, il ferait de ce Noël le plus joyeux de tous, pour lui-même et son entourage.

— Alors quand vous monterez à l'étage, pourrez-vous demander au docteur Laverty de descendre ? Je suis certaine qu'il ne verra pas d'inconvénient à m'aider à charger le coffre de votre voiture.

— Je le ferai.

Il tendit la main vers les petits pains.

— J'ai dit que vous pouviez en prendre *un* de plus... monsieur.

O'Reilly souriait encore quand, habillé de son plus beau costume en tweed, de bottes brunes, d'un par dessus et d'une casquette souple, tenant le porte-habits contenant son costume dans une main, il monta dans la Rover.

— Tout est à bord, Kinky ?

— Oui, donc.

— Prêt, Barry ?

— Oui.

O'Reilly fit démarrer le moteur.

— Alors, nous partons.

Tandis qu'il conduisait, il remercia le Seigneur qu'il ne neige pas et qu'il n'y ait pas de glace, parce que pour se rendre au club-house à temps pour la fête, il allait devoir se dépêcher. C'est ce qu'il fit. La Rover pouvait bien être vieille, mais elle avait bien assez de chevaux-vapeur sous le capot. Il ne prêta aucune attention aux occasionnelles brusques inspirations de Barry quand la voiture penchait dans un virage en épingle.

O'Reilly se gara devant la porte d'entrée du club-house.

— Entrez, Kinky, dit-il. Mobilisez vos troupes pour vider le coffre.

La portière arrière claqua.

— Sortez, Barry. Ouvrez le coffre, et commencez à donner un coup de main à Kinky. Dès que nous aurons déchargé, je vais conduire ce truc jusqu'au stationnement, puis je vous rejoindrai dans le vestiaire.

Barry sortit, le coffre s'ouvrit en grinçant, et O'Reilly regarda Barry emportant le jambon et Kinky se dirigeant avec un plateau de sandwichs vers le pavillon. La nuit était noire comme de l'encre à l'extérieur du corridor de lumière provenant de la porte d'entrée ouverte.

O'Reilly resta assis à regarder arriver les participants à la fête. Il y avait Alice Moloney et... «Sainte Marie mère de Dieu», se dit O'Reilly. Elle était en grande conversation avec Helen Hewitt. Elles avaient dû déclarer une trêve ou avoir conclu une entente cordiale. «Bien», pensa-t-il.

Il reconnut Willy Lindsay, sa sœur Mary et, que Dieu soit loué, Sammy, qui tenait la main d'Eileen. O'Reilly, rassuré de savoir que dans très peu de temps, elle allait gagner le tirage, se dit qu'il savait comment s'était senti Ebenezer Scrooge quand il avait envoyé le garçon acheter la plus grosse dinde et la livrer aux Cratchett.

La famille Shanks était venue. «Fantastique.» Gerry tenait Mairead avec son bras autour de sa taille et baissait un sourire sur elle tandis que les deux ignoraient les deux enfants qui criaient joyeusement et couraient autour comme une paire de colleys rassemblant des moutons. En voyant ce sourire, O'Reilly déduisit que c'était en effet du sucre que Gerry mettait à présent dans son thé.

Kinky réapparut. Elle était accompagnée par Flo Bishop, qui était la secrétaire, et par Aggie Arbuthnot et Cissie Sloan, qui étaient toutes les deux membres du comité des dames. Il descendit sa vitre.

— Avez-vous besoin d'une autre paire de mains?

— Pas du tout, merci, monsieur, dit Kinky.

— Est-ce vous, docteur O'Reilly? Vous semblez être en forme et bien mis.

Il n'eut pas l'occasion de répondre, car Cissie continua sur sa lancée.

— Vous serez le père Noël encore cette année. Eh bien…

Il perçut son ton vertueusement indigné.

— J'espère que vous avez juste un morceau de charbon pour ce petit vaurien de Colin Brown, parce que…

— Cissie Sloan.

O'Reilly se dit alors que la voix rauque de Flo Bishop aurait pu sortir d'un sergent-major de régiment des Irish Guards.

— Cesse tes bavardages et attrape ces pots, dit-elle.

Flo n'aurait eu qu'à terminer par la remontrance classique faite à un soldat, « espèce d'horrible petit soldat », pour rester totalement dans le personnage.

Il ferma sa vitre.

Quand elles eurent fini de vider le coffre, O'Reilly roula vers l'arrière, et il se gara. En emportant son porte-habits, il se hâta de retourner au pavillon et d'entrer par la porte arrière pour se changer et devenir le père Noël.

Il ouvrit le porte-habits, se déshabilla à moitié et posa son veston en tweed et le pantalon de son habit sur un banc.

— *Vesti la Guibba*, chanta-t-il. On y va avec le costume bigarré.

Il sortit le pantalon du père Noël récemment agrandi par mademoiselle Moloney, et il l'enfila.

— Ho, ho, ho.

Il sortit son portefeuille de la poche de son pantalon en tweed et avec lui, sa pipe et sa blague à tabac, qu'il fourra dans une des poches rouges du pantalon. Puis il s'assit et tira sur les bottes noires qui lui arrivaient aux genoux pour les mettre. Kinky avait vraiment travaillé dessus.

Barry entra.

— Je commence à m'habituer à ces fêtes de Ballybucklebo, dit-il. Et celle-ci a tout ce qu'il faut pour être ce que vous appelez un « tatatara ».

— Ils commencent à s'échauffer, c'est ça ?

Barry s'assit sur un banc.

— Quand je suis entré, le bruit était assourdissant. Un gramophone jouait la chanson *White Christmas* chantée par Bing Crosby. Les gens devaient crier pour s'entendre par-dessus la musique. Les enfants couraient partout comme des petits derviches en hurlant, riant et criant. On peut l'entendre d'ici.

O'Reilly n'eut aucune difficulté à être d'accord avec Barry.

— Et comment s'en sort Kinky ?

— Elle était dans son élément derrière deux tables à tréteaux. Je n'ai jamais vu autant de nourriture.

— J'aime entendre cela, dit O'Reilly.

Barry avait une pointe d'émerveillement dans la voix.

— J'ai compté huit jambons rôtis froids, quatre dindes rôties froides — qui, d'après mon estimation, doivent peser au moins neuf kg chacune —, trois gîtes de bœuf rôtis, deux rôtis de mouton... Je ne peux pas tout énumérer.

— Et que dites-vous de « trois poules, deux tourterelles... » ?

— « ... et une perdrix dans un poirier » ?

Barry rit.

— Je n'ai vu aucun de ces animaux, mais j'ai vu des montagnes de dattes séchées fourrées à la pâte d'amande, des dunes de figues séchées et une petite colline de cerises recouvertes de chocolat.

Barry sourit et ajouta :

— Personne ne va mourir de faim. Les gens commencent déjà à être coincés à l'intérieur. Et — Barry tendit à O'Reilly son manteau rouge bordé de fourrure — tous les enfants n'arrêtent pas de se précipiter vers l'arbre de Noël et de fixer un sac débordant de paquets. Alors, venez, père Noël. Tout le monde attend.

— D'accord.

O'Reilly enfila le manteau d'un coup d'épaule. Il prit le pantalon et le veston de son habit, puis il fouilla dans toutes les poches et déposa tous les objets de valeurs sur le banc. Il tendit l'habit à Barry.

— Mettez ça dans un casier.

O'Reilly serra la ceinture de cuir verni noire avec sa boucle d'argent autour de sa taille.

— De quoi ai-je l'air ?

— Vous avez besoin d'une barbe.

O'Reilly se pencha et sortit une énorme barbe blanche fournie du sac, et avec deux fils de fer courbé, il la fixa autour de ses oreilles.

— Vous êtes comme lui au détail près, dit Barry. Du moins, vous êtes la version rendue populaire par les publicités de Coca-Cola depuis 1931. Le joyeux vieux lutin.

O'Reilly ajusta sa barbe.

— Mais il y avait un véritable saint Nicolas. C'était le saint patron des enfants, des marins — j'ai toujours eu faible pour lui quand j'étais en mer —, des banquiers et des prêteurs sur gages.

O'Reilly prit ses objets de valeur sur le banc et les fourra dans sa poche rouge.

— Je n'aimerais pas laisser cela sans surveillance ici, dit-il. Il était aussi le saint patron des meurtriers et des voleurs.

— Un type occupé, dit Barry. Et après les deux cabinets d'aujourd'hui, je peux compatir.

— Mais vous avez aimé être occupé, n'est-ce pas ?

— Oui, Fingal.

Barry regarda O'Reilly droit dans les yeux et ajouta :

— Exactement comme vous.

— Je ne vais pas le nier.

O'Reilly ajusta le drapé de son manteau et dit quelque chose qu'il croyait depuis longtemps :

— Il n'y a pas de raison de pratiquer la médecine si on n'aime pas cela. On ferait tout aussi bien d'être un… je ne sais pas… un fonctionnaire coincé dans un bureau ennuyeux.

— Je sais.

— Et je ne veux rien savoir de ce qui est ennuyeux ce soir.

Il gagna la porte et ajouta :

— Il y aura les cadeaux des enfants d'abord puis le tirage, et pour finir, pardieu, j'aurai droit à un grand Jameson. Je vais l'avoir mérité à ce stade.

Cela, il devait se l'admettre, n'était pas entièrement vrai. Il aimait tellement jouer le père Noël qu'il aurait payé pour avoir ce privilège.

46

Surpris par la joie

Barry se trouvant dans son sillage, O'Reilly avança à grands pas dans le couloir. Il ouvrit une des portes donnant sur la salle principale. Le bruit était palpable. Les voix élevées noyaient presque la chanson *All I want for Christmas is my two front teeth* qui sortait d'un système de haut-parleurs. Il pouvait entendre les cris perçants des enfants et le fracas des pieds qui courraient. Barry avait raison. Cette fête allait rondement, et c'était bien, parce qu'O'Reilly aimait vraiment une bonne fête.

Barry dit :

— Vous voyez ? Ne vous l'avais-je pas dit ?

— Cela se réchauffe, on peut le dire.

O'Reilly survola la pièce du regard. Des banderoles colorées pendaient du plafond. L'arbre de Noël brillait dans un coin. À côté, un fauteuil vide attendait le père Noël. Donal Donnelly se penchait au-dessus du sac bourré près du fauteuil, et il y rangeait quelque chose. Des présents pour les petits. Y avait-il une seule chose dans ce village dans laquelle Donal n'était pas impliqué ?

— Voilà le marquis qui bavarde avec Sonny et Maggie, mentionna O'Reilly à Barry.

— C'est une branchette de fleurs d'ajonc jaunes dans la bande de son chapeau. C'étaient deux géraniums fanés la première fois que je l'ai rencontrée.

— Et vous avez cru qu'elle était *craiceáilte* — folle.

— Une femme qui disait qu'elle avait des maux de tête à cinq centimètres au-dessus de son crâne ? Ne pensez-vous pas que j'avais toutes les raisons de le croire ?

O'Reilly rit.

— Mais vous êtes maintenant plus avisé.

« Vous avez appris beaucoup de choses, Barry Laverty, en cinq mois. Je suis fier de vous, fiston », pensa O'Reilly.

La musique dans l'air changea à nouveau pour du Crosby, *Christmas in Killarney* : « Le vert du houx, le vert de la vigne, ce que vous aurez vu de plus beau… »

— Et n'est-ce pas aussi ce qu'il y a de plus beau, tous ces gens se tenant debout ici en groupes ? Vous savez quoi, Barry ? Cela me fait penser qu'ils ressemblent à des îles dans la mer. Et de temps à autre, une ou deux personnes, comme des canots partis en voyage d'exploration, s'éloignent de leurs propres rivages ; ils font un court voyage et atterrissent sur un autre atoll pour voir si les indigènes sont amicaux.

— C'est poétique, Fingal.

— Vous voulez dire que je suis un poète — et ne le sais-je pas ?

Barry grogna.

— J'ai entendu cela à la maternelle.

O'Reilly rit.

— Je suis heureux que vous ayez appris quelque chose là, fiston.

Il vit le marquis se détacher de ses interlocuteurs et s'apprêter à se diriger vers la porte où ils se tenaient tous les deux.

— Maintenant, il me reste environ cinq minutes avant de devoir y aller, parce que voici venir Sa Seigneurie à la recherche du père Noël.

Il recula et ouvrit la porte plus largement.

— Fingal, Laverty.

Le marquis offrit sa main à O'Reilly.

— John.

O'Reilly la serra et remarqua que Barry conservait un silence respectueux.

— Tout est prêt de votre côté, Fingal ?

— Je le pense, tant que Donal a préparé le sac.

— Il l'a fait. Alors, accordez-moi quelques minutes pour organiser votre grande entrée, et ce sera à vous.

Le marquis disparut dans la salle.

O'Reilly regarda à l'intérieur une dernière fois avant de fermer la porte. Gerry et Mairead Shanks écoutaient Cissie Sloan, et les deux petits Shanks jouaient au chat et à la souris avec Colin Brown et Micky Corry. Il se dit alors que cette fête du Rugby Club était plus qu'une occasion de s'amuser. Ce soir-là, elle servait à présenter les Shanks à Ballybucklebo, et si l'on pouvait en juger par leur façon de glousser et de rire, elle était l'endroit où Colin et Micky avaient pu rencontrer les enfants Shanks et enterrer la hache de guerre entre eux. « Pardieu, Fingal, si Fitzpatrick était ici, je proposerais à l'homme de lui offrir un verre », se dit-il à lui-même.

Il laissait la porte se refermer quand il revit Gerry Shanks. Cette fois, O'Reilly fronça les sourcils. Il tenta de se rappeler la conversation exacte qu'il avait eue avec l'homme, quand il avait suggéré que Gerry et sa famille viennent à la fête. Cela lui revint.

— Sainte Marie mère de Dieu.

— Qu'y a-t-il ?

— Je viens juste d'avoir un affreux souvenir. Vous vous rappelez les Shanks ?

Barry sourit.

— L'homme à la poudre à canon ?

— Oui. Ils sont là avec leurs enfants. Ils sont nouveaux ici. Je leur ai dit de venir à la fête.

— Qu'y a-t-il de mal là-dedans ?

— J'ai oublié de leur dire d'amener des présents pour leurs propres enfants.

— Seigneur, Fingal. Cela serait un désastre si le père Noël n'avait rien pour eux !

— Ne le sais-je pas ? Être ignoré par le père Noël devant tout le village ? Ils seraient dévastés.

« Réfléchis, O'Reilly. C'est toi qui as entraîné ce désastre, alors règle-le », se dit-il.

— Qu'allons-nous faire ?

O'Reilly regarda Barry.

— Nous ?

— Évidemment, « nous ». Je vais vous aider comme je le pourrai.

— Bon gars, mec.

O'Reilly essayait encore de trouver une solution quand Barry demanda :

— Est-ce que je pourrais conduire jusqu'à Ballybucklebo et acheter quelque chose ?

— Non, les boutiques seront fermées. Tout le monde est ici.

Et Bangor et Holywood étaient beaucoup trop loin. « Réfléchis, O'Reilly. Réfléchis… Je l'ai ! » se dit-il.

— Parlez avec Phyllis Cadogan.

— La mère du petit asthmatique, Billy ?

— Exact. Je suis certain de l'avoir vue.

La porte s'ouvrit. La voix de velours de Bing Crosby, rendue dure par les haut-parleurs, chantait d'un ton charmeur : «I'm dreaming of a white, Christmas. Just like the ones I used to know…»

Donal ferma la porte.

— Le marquis m'a envoyé fermer la musique. Le gramophone est dans la salle du comité, et il dit qu'une fois que la musique sera éteinte, ce sera au tour du père Noël.

— D'accord.

O'Reilly s'assura que sa barbe était correctement fixée et dit en sortant son portefeuille :

— Donal ? Voici le talon que tu voulais.

Il tendit le talon du billet de tirage d'Eileen Lindsay.

Donal le prit, lui fit un clin d'œil et partit dans le couloir.

— J'y vais, Fingal.

Barry entra dans la salle et laissa la porte entrouverte.

Bing espérait que vos jours soient joyeux et lumineux en chantant : «… your days be merry and bright, and may all…» Il n'alla pas plus loin. Donal avait fait son travail.

O'Reilly prit une profonde inspiration, poussa la porte en grand et entra à grandes enjambées dans la salle. Les applaudissements qui l'accueillirent étaient, si c'était même possible, plus forts que le vacarme précédent. Il salua et commença sa progression aussi lentement qu'il le pouvait. Plus il donnerait de temps à Barry, mieux cela vaudrait. «Merde», se dit-il. Il avait perdu Barry dans la foule, et il ne pouvait qu'espérer qu'il trouve rapidement Phyllis Cadogan.

O'Reilly monta sur son fauteuil et rugit :

— Ho, ho, ho !

Un sentiment qu'il ne partageait pas tout à fait.

— C'est bon d'être de retour à Ballybucklebo avec des présents pour les enfants.

«Pour *tous* les enfants, s'il vous plaît, mon Dieu, si Barry se dépêche», pensa-t-il.

— Laissez-moi voir qui est le premier.

Il ouvrit le sac, puis il en sortit un paquet et lut l'étiquette :

— Callum Sloan! Viens ici immédiatement.

Il y eut des applaudissements, et les «Ho, ho, ho!» d'O'Reilly résonnèrent par-dessus le bruit.

— Ho, ho, ho. Viens, Colin Brown. C'est ton tour. Il y a de la place dans mon sac pour ton p'tit cadeau, même s'il ne semblait pas y avoir beaucoup de place dans ton auberge.

Les rires furent feutrés. Personne ne semblait souhaiter embarrasser le garçon. Alors que Colin s'avançait, il rougit jusqu'à ce que son visage soit aussi rouge que la tunique du père Noël. O'Reilly enveloppa le garçon dans une grosse étreinte, puis il le souleva sur son genou et lui tendit un paquet-cadeau.

— Essaie d'être un bon garçon l'an prochain.

— Oui, père Noël. Promis.

O'Reilly serra solennellement la main du garçon pour sceller leur entente.

Colin s'éloigna. Les applaudissements furent assourdissants. «Peut-être que le petit gars a remonté un peu dans l'estime des gens», espéra O'Reilly.

Il scruta la salle. Phyllis se dirigeait d'un pas déterminé vers la porte. O'Reilly remarqua son mari entouré de leurs cinq enfants attendant leur tour. «Dépêche-toi, Phyllis. S'il te plaît.» Fingal O'Reilly devait poursuivre son affaire ici.

— Jeannie Kennedy, où es-tu ? rugit-il.

Nonobstant la crise, il aimait vraiment incarner le père Noël, et il eut le temps de regretter de n'avoir jamais pu jouer avec des enfants à lui.

Elle arriva en étincelant dans sa robe de fête à volants, la chevelure proprement coiffée et retenue en place un serre-tête.

— Ho, ho, dit-il en la soulevant sur un de ses genoux. As-tu été vilaine ou sage cette année, Jeannie ?

— Sage, père Noël. Et mon cochon de compagnie aussi.

O'Reilly se souvint d'avoir fui la truie en juillet dernier quand Barry et lui avaient visité la ferme de ses parents. Il avait cru qu'elle le pourchassait, mais en réalité, elle voulait seulement qu'on lui gratte le groin.

— Bien, mais elle ne reçoit pas de présent. Toi, oui.

Il lui tendit un paquet et dit :

— Tu peux y aller, maintenant.

Il la déposa au sol et mit la main dans le sac qui était bien moins rempli qu'il l'était 15 minutes plus tôt.

O'Reilly jeta un coup d'œil aux Shanks. Gerry avait son bras autour des épaules de Mairead. Leurs deux enfants fixaient le père Noël avec une anticipation enthousiaste évidente. Angus souriait largement, et il se tourna pour dire quelque chose à sa sœur cadette. Elle tapa dans ses mains et sauta sur place. Il n'était pas difficile de déduire qu'il l'avait rassurée en lui disant que leur tour viendrait bientôt.

Il était encore beaucoup trop tôt pour s'attendre à voir revenir Phyllis.

— Lucy MacVeigh ! lança O'Reilly.

Une petite fille fut amenée en avant par sa mère. Elle suçait son pouce et résistait aux efforts de sa mère. Alors qu'elle se rapprochait d'O'Reilly, elle commença à pleurer. Il la surplombait depuis son fauteuil, et pour l'enfant, il devait sembler immense. O'Reilly se glissa immédiatement en bas de son perchoir, et il s'agenouilla devant elle, abaissant son visage au niveau du sien. Il lui murmura quelque chose. Elle cessa de pleurer, puis elle toucha lentement la barbe du père Noël et commença à glousser. O'Reilly ne se leva pas avant qu'elle ait timidement accepté son cadeau et qu'elle et sa mère se soient éloignées.

Dix minutes plus tard, O'Reilly poussa sa main profondément dans un sac qui semblait s'être affaissé, faute de contenu. Il regarda du côté de la porte toujours fermée de la salle. Que diable allait-il faire?

Il enfonça profondément les mains dans les poches de son manteau... et il sentit quelque chose. «Sauvé par la cloche», se dit-il. Il sourit largement, et il n'hésita pas pour décider ce qu'il devait faire.

— Les enfants Shanks sont-ils ici? dit O'Reilly d'une voix tonitruante. Angus? Siobhan?

Il pouvait voir Siobhan s'accrocher à sa mère.

— Je sais que vous êtes ici. Je vous ai vus, cria le père Noël. Venez, sortez de votre cachette.

Gerry prit chacun des petits par la main, et il les entraîna en avant. Le silence dans la salle était si intense qu'O'Reilly pouvait le sentir. Gerry s'arrêta devant O'Reilly.

— Les voici, père Noël.

— Venez ici, vous deux, dit O'Reilly.

Et il tendit les bras, puis il enserra Siobhan dans le creux de l'un et Angus dans l'autre.

— Bienvenue à Ballybucklebo.

Il vit Phyllis se frayer un chemin dans la foule en agitant la main pour attirer son attention. Il était trop tard. Si elle lui donnait des jouets maintenant, les petits Shanks le verraient, et l'illusion volerait en éclats. Il valait mieux procéder.

O'Reilly désengagea son bras droit et mit la main dans sa poche. Avant qu'il fasse apparaître sa surprise, il dit :

— Madame Noël et les lutins étaient très, très occupés cette année. Elle m'a dit de vous dire qu'elle était désolée de ne pas avoir eu le temps d'emballer vos présents. De toute façon, ils ont manqué de papier au pôle Nord.

Il sortit l'ensemble de stylo et de pousse-mine qu'on lui avait offert et qu'il avait sorti de son manteau après s'être changé. Il parla d'une voix forte.

— Tenez.

Il tendit le stylo à Angus et le pousse-mine à Siobhan.

— Joyeux Noël.

Les deux lui dirent d'une voix flûtée :

— Merci, père Noël.

Et pour O'Reilly, voir la manière dont Gerry se tenait en souriant largement, valait plus que n'importe quel ensemble stylo et pousse-mine de commémoration. Il éleva la voix.

— Ho, ho, ho ! rugit-il. Ho, ho, ho ! Joyeux Noël !

Puis il leva les deux bras au-dessus de sa tête, les mains tendues avec les paumes vers le ciel.

— Et pour reprendre les mots immortels de Tiny Tim, «que Dieu nous bénisse tous» !

Les applaudissements et les bravos, qui commencèrent comme un grondement sourd, finirent par être si forts qu'ils durent effrayer les choucas dans leurs nids dans les gros ormes au manoir de Ballybucklebo.

O'Reilly laissa le sac sur le sol et se dirigea vers Barry.

— Cela, dit-il, selon les mots du grand duc de Wellington né en Irlande après Waterloo, était «la victoire la plus serrée que vous ayez vue de votre vie».

— Fingal, c'était très généreux...

— Foutaises, dit-il en secouant la tête. Noël, c'est pour les enfants. Comment pouvais-je laisser deux d'entre eux être peinés?

Barry murmura dans sa barbe :

— «Laissez venir à moi les petits enfants...»

— Arrêtez de marmonner, Barry. Venez dans la salle avec moi. Je dois encore être le père Noël jusqu'à ce que je parte d'ici.

O'Reilly se tourna et fit face à la foule. Il agita la main encore et encore, et tandis qu'il rejoignait la porte, il rugit :

— Joyeuuux Noël!

Dès la minute où Barry l'eut rejoint et que la porte fut fermée, il retira violemment la ceinture noire et commença à déboutonner son manteau.

— Je dois sortir de ce costume. C'est comme être dans l'un de ses saunas scandinaves, alors soyez un bon garçon et apportez-moi un Jameson.

Sans attendre la réponse, O'Reilly partit d'un bon pas en criant :

— Je vais revenir aussi vite que possible; je ne veux pas rater le tirage.

De retour dans son costume en tweed, O'Reilly prit la direction de la salle. Les mots «Sur la route pa ra pa pam pam....» sortaient à plein volume dans l'air.

Il se dirigea droit vers Kinky, qui se tenait derrière deux tables à tréteaux. Les rôtis qu'avait décrits Barry en étaient réduits à l'état de squelettes. Il n'y avait pas trace de ses petits pains à la saucisse. Quelques sandwichs esseulés aux bords retroussés restaient sur un plateau.

Il y avait quelques noix et quelques mandarines à l'air triste. Il semblait que l'affirmation confiante de Barry à propos du fait que personne n'allait mourir de faim allait se révéler fausse.

— C'est du travail qui donne faim, dit-il en regardant encore les tables. Est-ce qu'une nuée de sauterelles est passée par ici ? demanda-t-il ensuite en soupirant. Reste-t-il un morceau à la maison à notre retour ?

— Il y a mieux, dit-elle en se penchant et en se redressant.

Elle lui tendit une assiette débordante de bœuf, de dinde, de jambon et de petits pains à la saucisse.

— Je ne me suis pas donné la peine de prendre des sucreries, dit-elle. Ce pantalon du père Noël sera d'une taille plus petite l'an prochain, ou je ne m'appelle pas Kinky Kincaid.

— Ce n'est pas votre nom, dit O'Reilly. Vous êtes plutôt l'ange de la miséricorde. Soyez bénie, Kinky.

Il accepta l'assiette.

— Les couverts sont sur la table suivante, dit-elle, alors allez-y, et je vais aller voir Cissie, Flo et Aggie au fond. Les trois ont travaillé très dur, et nous avons mis des plats de côté pour nous aussi là-bas, donc.

— Merci, Kinky.

Et ses remerciements venaient du cœur. Non seulement elle avait pensé à lui garder de la nourriture, mais en plus, elle n'était pas allée manger la sienne avant d'avoir vu à ses besoins à lui. Cette femme aurait été une mère merveilleuse.

O'Reilly s'empara d'un couteau et d'une fourchette emballés dans une serviette en papier sur la table suivante, et il se dirigea vers l'endroit où Barry était en conversation avec le marquis.

— Tenez, Fingal.

Barry lui tendit un verre.

— C'est un double, et en passant, j'ai remercié Phyllis. Elle a dit qu'il n'y avait pas de quoi, tant que les enfants avaient reçu un présent.

— Bon gars.

O'Reilly, avec son assiette pleine en main, s'empara du whiskey dans la main de Barry.

— *Sláinte.*

Il but et se tourna vers le marquis.

— Mon seigneur.

— Fingal, j'ai vu ce que vous avez fait pour ces enfants. C'était généreux, des plus généreux.

— Des plus généreux, répéta Barry.

— Le club compensera la perte de…

— Le club ne fera rien de tel, dit O'Reilly très doucement et très sérieusement. Je préférerais qu'on ne fasse pas d'histoires. J'ai fait ce qu'il fallait, c'est tout. Et c'était mon erreur en premier lieu de les inviter sans leur dire d'apporter des présents.

«Si on merde en faisant quelque chose, on règle le problème. Mon père m'a appris cela. Le vieux avait raison», pensa-t-il.

— Je vais respecter cela.

— Merci.

O'Reilly but une solide gorgée de sa boisson.

— À présent, John, nous avons encore un truc à faire avant de pouvoir continuer la fête.

Il tint son verre en équilibre dans son assiette, il ignora les couverts et utilisa ses doigts pour enfourner une tranche de jambon dans sa bouche.

— Pouvez-vous démarrer le tirage ?

— Naturellement. Profitez de votre dîner.

Le marquis se tourna et gagna le devant de la salle.

O'Reilly entendit à cet instant : « Alors je vais au ciel, pa ra pa pam pam, ra pa pam pam, ra pa pam pam. Là, je veux donner pour son retour, mon tambour… »

« Et peut-être que toi, tu n'as rien à donner », pensa O'Reilly tandis qu'il savourait un morceau de bœuf rôti. Mais dans environ 10 minutes, Eileen Lindsay aurait des ressources. Seigneur, il adorait Noël. Il avala le bœuf et essaya un morceau de dinde.

Le marquis, debout en avant de la salle, demandait le silence.

— Mesdames et messieurs, dit-il d'une voix forte, mesdames et messieurs, puis-je avoir votre attention ?

La conversation mourut graduellement tandis que les gens se tournaient pour voir ce qui se passait.

— Johnny Jordan pourrait-il s'avancer s'il vous plaît ?

La foule s'écarta pour laisser passer un homme d'environ 30 ans à l'air jovial, les joues rouges et le crâne chauve comme un œuf. Il se tint à côté du marquis et leva en l'air une très grosse dinde.

— Sainte mère de Dieu ! dit une voix féminine à proximité de Barry, la mère de cette chose devait être une autruche. Elle pèse neuf kg, j'en jurerais.

— Johnny ici a eu la très grande gentillesse d'offrir cet oiseau pour notre premier tirage annuel de Noël.

Il y eut des applaudissements polis.

— Le club a toujours besoin d'argent...

— Bravo, bravo...

— Alors, nous avons décidé de bonifier le prix. Naturellement, le détenteur du billet gagnant obtient ce magnifique oiseau.

Johnny le leva plus haut.

— Mais nous voulions que plus de gens achètent des billets, continua le marquis, et nous avons décidé de faire un pari. Les chances sont minimes, mais si les billets du numéro gagnant sont tous identiques, le détenteur gagnera également 75 % de l'argent récolté, ce qui donne un total de...

Après un bref moment d'hésitation, il demanda :

— Quel est le total, Donal ?

— 145 livres, mon seigneur, dit Donal de sa place sur un côté.

Il y eut une inspiration collective et plusieurs bruits d'exclamations.

— Donal Donnelly et le conseiller Bishop peuvent-ils s'approcher, à présent ?

Ils s'exécutèrent. Donal apportait un chapeau. Le conseiller donnait l'impression d'être prêt à éclater de fierté.

— Brasse bien le contenu du chapeau, Donal.

O'Reilly put voir parce que Donal inclina le couvre-chef vers l'avant afin que tout le monde puisse remarquer comme il mélangeait soigneusement les talons des billets à l'intérieur.

— Prêt, monsieur, dit-il.

— Si vous voulez bien, conseiller ?

Bertie Bishop fit tout un spectacle en roulant une manche de sa chemise, et il dit en imitant un magicien de music-hall :

— Mon seigneur, mesdames et messieurs ! Voyez : je n'ai rien dans ma manche autre que mon solide bras droit.

— Cela fait changement, cria une voix.

Il y eut des rires bon enfant.

Bertie ferma les yeux, plongea la main dans le chapeau et en sortit un seul billet. Il le tendit au marquis de Ballybucklebo.

— Et le gagnant de la dinde est… la personne qui détient le billet numéro 4444. Je répète : 4444.

Tout le monde applaudit et regarda autour pour voir qui était l'heureux gagnant. O'Reilly essaya de ne pas avoir l'air satisfait. Il chercha Eileen. Elle riait tandis qu'elle et sa marmaille s'avançaient. Elle tendit son billet au marquis.

— Tenez, monsieur.

Elle se tourna vers ses enfants et leur dit :

— Vous voyez, vous aurez votre dinde, maintenant.

O'Reilly regarda les petits sauter sur place. Il se rendit compte que la signification des chiffres identiques sur son billet n'était pas venue à l'esprit d'Eileen. Le marquis le lut et eut un sourire rayonnant, puis il se pencha vers elle et dit :

— Je suis désolé, je ne connais pas votre nom.

— Eileen. Eileen Lindsay, monsieur, dit-elle. Merci infiniment.

— Ne me remerciez pas. C'était la chance du tirage.

Elle lui offrit un visage rayonnant.

— Alors, c'est une très bonne chance monsieur. Une grosse dinde et tout.

— C'est plus que cela, Eileen.

Elle eut l'air perplexe.

— Tout le monde, au cas où personne ne l'aurait remarqué, je pense que les chiffres sont identiques, rugit le marquis. Cela signifie…

Il y eut un gros cri de joie approbateur.

— Félicitations, Eileen.

Il lui tendit une enveloppe.

— L'argent est à l'intérieur. Monsieur Jordan, pourriez-vous donner à Eileen son oiseau ?

— Merci, monsieur. Merci, tout le monde.

Elle rassembla ses enfants autour d'elle et leur dit :

— Cela va être le meilleur Noël de tous. Le meilleur.

Johnny Jordan s'avança alors que Donal s'avançait pour rejoindre O'Reilly. Il se rappela alors que Donal soupçonnait Johnny d'avoir le béguin pour Eileen. L'homme paraissait certainement excité, presque autant qu'Eileen elle-même.

— Eileen, dit-il en lui offrant l'oiseau. Voici ta dinde. Félicitations.

— Merci.

Elle se pencha en avant pour la prendre et dit :

— Et merci d'avoir offert l'oiseau.

Il tenait quelque chose par-dessus la tête d'Eileen. C'était une brindille de gui.

— Je vais régler cela pour un baiser de Noël.

Il l'embrassa fermement et profondément. Il sembla essoufflé lorsqu'il eut fini.

Tout le monde attendit silencieusement de voir comment allait réagir Eileen.

Elle ne le gifla pas. Au lieu de cela, elle dit :

— Honte à toi, Johnny Jordan.

Il rougit profondément, et il laissa pendre sa tête.

Elle lui prit la brindille de gui, puis elle la tint au-dessus de la tête de Johnny et l'embrassa à son tour en disant, lorsqu'elle interrompit le baiser :

— C'est un très gros oiseau, et tu es célibataire. Aimerais-tu venir chez nous pour le dîner de Noël ?

Son assentiment évident fut noyé sous les cris d'encouragement.

Donal était finalement arrivé, portant encore le chapeau dont il s'était servi pour le tirage.

— Ne vous l'avais-je pas promis, docteur, monsieur ? dit-il avec son sourire de dents de lapin.

— Oui, tu l'as fait. Bien joué, Donal. Et le moment était très bien choisi, mentionna O'Reilly. Demain, c'est la veille de Noël, donc Eileen aura encore du temps pour faire des emplettes. Le père Noël viendra bien chez elle après tout.

— Je suis heureux de cela, monsieur. Ses petits et elle méritent d'avoir un joyeux Noël. Je suis content d'avoir pu être utile, pour ça oui. Julie est contente aussi.

O'Reilly se pencha plus près, et il dit *sotto voce* :

— Comment as-tu fait ?

Donal tendit le chapeau à O'Reilly et à Barry.

— Prenez un billet.

O'Reilly s'exécuta. Barry fit de même et montra le sien à O'Reilly. Les deux billets comportaient le numéro 4444.

— Je vous ai dit que je me les suis procurés chez un ami imprimeur. Eh bien, en plus de ceux que nous avons vendus, je lui ai demandé de m'en imprimer 200 avec le même numéro, 4444, et j'ai mis uniquement ces talons dans le chapeau.

Barry rit.

O'Reilly s'esclaffa si bruyamment que les gens se tournèrent autour pour voir ce qu'il y avait de si amusant. Il mit un bras avunculaire autour des épaules de Donal.

— Je m'interroge à ton sujet parfois, Donal, dit-il. C'est seulement le Seigneur qui est censé avoir des voies impénétrables.

47

C'est arrivé sous le soleil de minuit

Le Martin Luther sévère et non conformiste du XVe siècle n'aurait pas approuvé la suggestion d'O'Reilly, mais alors, pensa Barry, il était peu probable que le vieux puritain ait approuvé O'Reilly dans son ensemble.

— Pourquoi n'irions-nous pas à la messe de minuit ? demanda-t-il. Le père O'Toole célèbre très bien cette messe.

Il termina une autre pleine bouchée de son dîner de veille de Noël.

— J'aimerais cela, Fingal, dit Barry. J'aimerais beaucoup cela.

— Bien. Nous allons demander à Kinky si elle aimerait venir. Même si elle est presbytérienne, elle est très ouverte d'esprit. Vous savez à présent, puisque vous étiez au spectacle de Noël, qu'il y a ici toute une tradition d'œcuménisme, particulièrement à Noël, et je pense que Kinky approuve.

— Même si ce n'est pas le cas de Bertie Bishop.

— Mais Flo, oui. Nous la verrons là-bas.

O'Reilly avait un jour affirmé cet adage : « L'heure du repas, c'est l'heure du repas, et l'heure de parler, c'est l'heure de parler. » Il opina donc de la tête, grogna et s'appliqua avec vigueur à dévorer sa part de l'oie rôtie de Kinky.

Barry était tout à fait satisfait de savourer son propre repas en silence. Il décida qu'il serait agréable d'accueillir Noël de cette manière. Cela serait différent de rester assis après minuit pour écouter *The Festival of Nine Lessons and Carols* diffusé par la BBC en direct de King's College. Quand il vivait avec ses parents, ces derniers faisaient de cette écoute une tradition familiale de Noël. Depuis qu'il avait eu neuf ans, ses parents lui avaient permis de veiller pour l'écouter.

Il expira par le nez avec force. « King's College ? Foutaises. » Il voulait que rien ne lui rappelle quoi que ce soit ayant à voir avec Cambridge. Une des raisons que lui avait données Patricia pour rester là était le fait que le père de son amie Jenny avait des billets pour la messe de cette année.

D'accord, cela devait être spectaculaire d'y assister en personne. Il se souvint qu'une fois, lorsque la messe était terminée, on lui avait permis d'ouvrir ses cadeaux de Noël. Puis, après un petit morceau de gâteau de Noël, on l'avait amené au lit pour qu'il essaie de dormir, car tout le monde savait qu'il n'y aurait pas de cadeaux dans la taie d'oreiller au pied du lit d'un enfant qui restait éveillé. « Oooh, l'anticipation », se dit-il. Mais pour un petit gars, la soirée passée à veiller très tard avait toujours produit l'effet que les parents devaient espérer : le sommeil arrivait rapidement.

Mais ce soir, après la messe, serait-il capable de dormir ? Barry soupira. Patricia lui manquait, et il s'inquiétait encore à son sujet. Resterait-il éveillé à l'imaginer dans la chapelle du King's College en se demandant encore, malgré ses paroles rassurantes, avec qui elle était ?

Il piqua un morceau de panais rôti et tourna la tête quand Kinky entra. Elle portait un gâteau de Noël glacé, décoré et orné d'un ruban sur un grand plateau. Il était accompagné d'un couteau dentelé. Elle déposa le tout sur le buffet.

— Pour plus tard, dit-elle.

Barry se demanda si Kinky observait la même tradition que ses parents qui coupaient le gâteau — «l'ouvraient», comme le disaient les gens du coin — une fois qu'ils revenaient de la messe.

— Madame Kincaid, vous pouvez être fière de vous, dit O'Reilly. La farce aux marrons et la sauce aux pommes agrémentaient parfaitement l'oie. À la perfection.

— Et, ajouta Barry, les pommes de terre rôties étaient simplement fabuleuses. Merci, Kinky.

— Je suis contente que vous les ayez aimées, monsieur. Je les ai fait rôtir dans le gras de l'oie.

Elle déposa le gâteau devant O'Reilly avant d'ajouter :

— J'ai appris ce truc de ma mère, là-bas à Beal na mBlath, dans l'Ouest de Cork...

— Où le grand homme a été tué? demanda Barry.

— Michael Collins lui-même, que Dieu ait son âme.

Kinky marqua une pause et dit :

— C'était un amour d'homme, donc.

Elle leva le plateau sur lequel reposaient les restes du carnage fait à l'oie.

— Nous avions toujours une oie la veille de Noël, continua-t-elle, mais ma tante préférait servir du bœuf salé.

Puis elle scruta le teint rougeaud d'O'Reilly et lança :

— Je crois, monsieur, que trop de sel n'est pas bon pour votre tension artérielle, donc. Pas même la veille de Noël. C'est pourquoi je n'en prépare jamais.

O'Reilly rit.

— D'accord, Kinky. Vous avez raison.

— C'est pour cette raison, continua Kinky, que je fais tremper le jambon de demain depuis 20 h 00 hier soir et que je vais le sortir à 20 h 00 ce soir.

— Vingt-quatre heures ? Pourquoi si longtemps ? demanda Barry.

— Pour faire sortir tout le sel avant de le faire bouillir ce soir puis rôtir demain avec la dinde.

— Combien de temps bouillira-t-il ?

O'Reilly repoussa son assiette à présent vide.

— Un jambon de 4,5 kg à vingt minutes par 450 g ?

Kinky fronça les sourcils et leva les yeux en l'air avant de dire :

— Trois heures et dix minutes, donc.

— Donc, si vous commencez à le faire bouillir à 20 h 00, vous en aurez terminé à 23 h 30 ? s'enquit O'Reilly.

— C'est exact, monsieur. Pourquoi ?

— Le docteur Laverty et moi, nous allons à la messe de minuit. Je sais que vous y allez habituellement avec Flo Bishop, mais cette année, nous avons pensé que vous aime-riez venir avec nous.

Elle arrondit les lèvres et plissa le front.

— J'aimerais cela, dit-elle. Je dois terminer le ménage, mais j'aurai fini à temps.

— Du ménage ? La veille de Noël ? dit Barry. Cela me semble être une corvée supplémentaire.

— Oh, non, monsieur, dit-elle tout à fait sérieusement. Cela ne cause aucun ennui — pas du tout. Les gens de la campagne font cela partout en Irlande. C'est pour la même raison que nous laissons brûler une bougie dans la fenêtre en façade.

— Pourquoi cela, Kinky ?

— Notre Seigneur est déjà venu une fois pendant la fête de Noël. Il n'avait nulle part où rester. On veut que la maison soit prête s'il revient.

Elle le regarda droit dans les yeux avant d'ajouter :

— Et pas seulement le Seigneur. On ne sait jamais qui pourrait venir passer quelque temps ici demain.

Barry sentit un picotement. Les gens du coin auraient dit qu'il avait eu la chair de poule. C'était une idée étrange quand on pensait qu'il venait de manger une oie, cousine de basse-cour de la poule. Kinky ne pouvait pas parler de Patricia, qui lui avait déjà dit que venir ici n'était pas physiquement possible, même si elle voulait effectivement venir.

— Eh bien, dit O'Reilly. Continuez, Kinky, mais ne vous préoccupez pas du fait que mademoiselle O'Hallorhan pourrait rester. Elle vient seulement pour le dîner.

— Il y en aura amplement pour tout le monde. Je vais y veiller, dit-elle, en regardant toujours Barry. Et il y aura de la place ici même si, une fois, il n'y a pas eu de chambre à l'auberge...

O'Reilly rigola et dit :

— Deux fois, si on compte le spectacle de Noël.

— C'est vrai, monsieur, mais au numéro 1, nous serons prêts, peu importe qui se présente, dit-elle en soulevant le gâteau. Mais nous ne serons pas prêts si nous n'y allons pas maintenant.

— Laissez le gâteau, Kinky.

O'Reilly s'était à moitié levé.

— Bien sûr, monsieur, dit-elle en déplaçant le plateau hors de sa portée. Je pense que nous devrions peut-être respecter une autre des traditions de ma mère. Nous allons ouvrir le gâteau demain matin, quand nous reviendrons tous les trois de la messe.

❧

Même si la lune était pleine peu de jours auparavant, on ne voyait aucune lueur jetée par la lune ni par les étoiles quand O'Reilly se gara près de la chapelle. Barry sortit et inspira le parfum de la mer né d'un vent froid du nord-est. Les cloches sonnèrent dans le clocher, tintant et émettant de joyeux ding-dongs au rythme inégal des cloches d'églises sonnées à la main. Il pouvait imaginer les sonneurs tirant sur les cordes des cloches.

Il ouvrit la portière arrière de la voiture pour madame Kincaid, puis ils suivirent tous les deux O'Reilly à travers la grande porte d'entrée en chêne avec sa très haute arche et dans le narthex. De l'encens emplissait l'air. À l'intérieur de la chapelle, quelqu'un jouait doucement de l'harmonium. L'église Saint-Columba était trop petite pour avoir les moyens de posséder un orgue.

— C'est la *Toccata et fugue en ré mineur* de Bach, mentionna O'Reilly à voix basse tandis qu'il retirait son chapeau et faisait un pas de côté pour libérer l'accès au bénitier à un paroissien.

L'homme y trempa les doigts, se signa et fit une génuflexion vers l'autel.

O'Reilly mena la marche dans la nef, saluant d'un signe de tête ceux de ses patients assis qu'il reconnaissait et recevant leurs hochements de tête et sourires en guise de salut. L'endroit était bondé.

Fingal désigna un banc dans la rangée du fond, et Barry se dit que c'était contraire aux habitudes de son collègue plus âgé. D'ordinaire, il se dirigeait droit vers l'avant où qu'il soit et s'attendait à ce qu'on lui fasse de la place. O'Reilly s'inclina devant l'autel et se glissa d'un pas de côté sur le banc à moitié vide. Barry s'inclina, suivit O'Reilly et laissa Kinky fermer la marche. Il s'assit, et pendant quelques instants, il ferma les yeux et baissa la tête.

Il rouvrit les yeux et se redressa sur son siège.

— Bonsoir, docteur Laverty.

Il tourna pour voir qu'il était assis à côté des Finnegan. Il y avait Fergus le jockey et son frère Declan. Il faisait trop sombre pour qu'il puisse voir nettement le visage du deuxième homme, mais Barry savait qu'il était presque dénué d'expressions à cause de la maladie de Parkinson. Il vit également l'épouse française de Declan, Mélanie.

— Joyeux Noël, dit-elle.

Il se débattit un peu avec la langue, mais il réussit à lui dire en français :

— Et je souhaite la même chose à votre famille et à vous, madame.

Le français n'avait jamais été la matière forte de Barry à l'école.

— Merci, monsieur le docteur.

La chapelle était petite, intime. Il n'y avait pas de transept. Le chœur était séparé de la nef par trois marches basses en haut desquelles il y avait la balustrade du chœur. Derrière elles, à droite de Barry, il y avait un lutrin en bois foncé et à sa gauche, la chaire. La table de communion, immédiatement derrière la balustrade basse en bois et devant l'autel, était flanquée par deux énormes chandeliers en laiton travaillé. Barry estima qu'ils devaient mesurer au moins un mètre et demi. Dans chacun, il y avait une grosse bougie blanche allumée qui jetait des ombres mouvantes tandis que de minuscules courants d'air tournoyaient dans l'église à cause de la porte ouverte. Des bougies semblaient brûler partout; elles illuminaient d'en bas le crucifix en bois peint en couleurs criardes qui pendait sur le mur du fond et s'inclinait au-dessus de l'autel.

La musique de l'harmonium s'éteignit doucement, et alors qu'elle renaissait avec les premiers accords du cantique *Oh Little Town of Bethlehem*, la congrégation se leva. Barry se tourna pour regarder la procession que menait le père O'Toole. Il était resplendissant dans sa chape rouge avec une couture dorée s'élevant de l'ourlet du vêtement au centre de son dos et se séparant à la hauteur des omoplates pour rejoindre deux branches qui s'allongeaient jusqu'au bout de ses épaules. Sous elle, il portait un surplis blanc, la couleur de Noël. Dans ses vêtements sacerdotaux, il personnifiait la panoplie de l'Église catholique tellement dénigrée par les non-conformistes, mais qui faisait tant partie de l'ancien rituel.

Il se trouvait tout juste devant deux enfants de chœur dans des surplis blancs. Chacun balançait un encensoir, et quand ils passèrent, le parfum de l'encens devint plus prononcé. Les membres de la petite chorale, six enfants sopranos, quatre altos, huit ténors et quatre basses, étaient vêtus de robes blanches, mais arboraient des cols hauts froncés écarlates. Chacun tenait son livre de cantiques devant lui.

Le père O'Toole s'arrêta juste devant la balustrade du chœur, pivota et se plaça en face de la congrégation. Son bras droit s'étira au-dessus de sa tête. Les membres de la chorale entrèrent en file dans leurs bancs derrière la balustrade du chœur à la droite de Barry. Le cantique se termina, et tandis que tous les catholiques présents se signaient, le prêtre fit le signe de croix et dit :

— *In nomine Patris, Filii et Spiritu Sancti.*

Barry, qui avait passé son examen de latin pour obtenir son admission à l'école de médecine, n'eut aucun problème à traduire : « Au nom du Père, du Fils et du Saint-Esprit. »

Il se joignit à l'« Amen » collectif, et il s'assit comme tout le monde.

La messe se poursuivit avec un mot d'accueil, une invitation à prendre part à un acte de pénitence et une confession collective.

— *Confiteor Deo omnipotenti, beatae Mariae semper Virgini,* dirent-ils tous en chœur.

Et ils continuèrent de le faire jusqu'aux mots « *mea maxima culpa* » finaux.

Barry trouva que tous les mots latins prononcés, de ceux signifiant « Je confesse à Dieu Tout-Puissant, à la bienheureuse Marie toujours vierge » jusqu'aux mots finaux qui signifiaient « C'est ma très grande faute », avaient un son plein de dignité et de réconfort — même pour lui, un agnostique.

Le prêtre prononça la prière d'absolution.

La congrégation répondit et chanta :

— *Kyrie, eleison... Christe eleison...*

Leurs tons sincères portaient un sentiment palpable de soulagement pour les péchés pardonnés, la promesse d'un jour nouveau et, en cette saison, pour la nouvelle année qui arriverait bientôt. Il se rappela l'explication d'O'Reilly, qui avait voulu lui faire comprendre pourquoi le cabinet avait été bondé la dernière journée. Il avait probablement raison.

Barry regarda l'arrière des têtes des personnes familières. La tignasse rousse de Donal à côté de la chevelure brillante comme de l'or de Julie. Les cheveux poivre et sel de mademoiselle Moloney, la chevelure rousse d'Helen Hewitt. Il sourit alors qu'il jetait un regard en biais à la chevelure argentée luisante de Kinky, à moitié dissimulée sous son chapeau vert. Il remarqua le révérend Robinson et sa femme. La messe presbytérienne était terminée depuis des heures. Barry ne fut pas étonné de voir le pasteur. Le père O'Toole et lui golfaient ensemble tous les lundis.

— *Gloria in excelsis Deo et in Terra pax hominius bonae voluntatis...*

— Gloire à Dieu au plus haut des cieux, et paix aux hommes de bonne volonté...

Barry se dit qu'il était dommage qu'en septembre, le Conseil Pontifical au Vatican ait publié son rapport recommandant que la messe soit tenue dans la langue vernaculaire! La messe en latin avait une merveilleuse résonnance. Mais qu'elle soit en latin ou non, ne serait-ce que pour ce soir, les hommes et les femmes de cette congrégation étaient tous de bonne volonté, et la paix emplissait cette salle.

Barry Laverty, étranger cinq mois auparavant, se sentait silencieusement absorbé par le corps du village alors qu'il était enveloppé par la sérénité et le mystère d'une messe ancienne et immuable.

— *... adoramus te, glorificamus te.*

— Nous t'adorons, nous te glorifions.

Le *Gloria* se termina, et le prêtre garda le silence plusieurs instants. Après une courte prière, un lecteur laïque, un homme que reconnut Barry par son nez rouge bulbeux comme étant monsieur Coffin, l'entrepreneur en pompes funèbres, marcha jusqu'au lutrin et lut dans le livre d'Isaïe.

— Pour l'amour de Sion, je ne me tairai point. Pour l'amour de Jérusalem, je ne prendrai point de repos...

Barry se permit de se laisser porter avec la congrégation, se levant, s'assoyant et s'agenouillant avec elle quand la messe l'exigeait.

Il récita les prières qu'il connaissait aussi bien qu'il le pouvait avec son latin d'écolier. Il chanta du mieux qu'il le pouvait avec sa voix fausse les cantiques familiers.

Il écouta les paroles anciennes, les mots de la Bible du roi Jacques, les mots qu'il avait entendus lorsqu'il était enfant et lus lorsqu'il était garçon et jeune homme jusqu'à ce qu'ils fassent partie de son ADN et qu'il puisse les murmurer à l'unisson avec le lecteur.

— «... voici, la jeune fille deviendra enceinte, elle enfantera un fils. Et elle lui donnera le nom d'Emmanuel, ce qui signifie Dieu avec nous... Mais il ne la connut point jusqu'à ce qu'elle eût enfanté un fils auquel il donna le nom de Jésus.»

Et Barry Laverty ferma les yeux et imagina des Noëls passés, heureux et en sûreté au sein de sa famille, et il s'interrogea sur les Noëls à venir, espérant qu'ils seraient ici avec sa nouvelle famille élargie à Ballybucklebo. Il savait que ses yeux n'étaient pas totalement secs.

J'ai bien vu maintes fois l'aurore glorieuse.

Quand vint le moment, ni lui, ni O'Reilly, ni Kinky n'allèrent communier. Ils n'étaient pas des catholiques confirmés dans la foi catholique, mais Barry regarda la procession s'avancer jusqu'à la balustrade du chœur, et il observa le respect des communiants alors que chacun recevait le pain et le vin. Il vit Kinky avec un sourire doux sur son visage franc.

O'Reilly paraissait différent, et il fallut un instant à Barry pour se rendre compte que le visage ordinairement buriné et ridé de l'homme s'était curieusement lissé, dénué de rides quand arriva la fin de la messe et que le prêtre renvoya la congrégation en disant :

— *Ite, missa est.* La messe est dite.

Barry se leva avec les autres et se joignit avec force et énergie au cantique de sortie.

— Dieu vient d'allumer le feu sur Terre. Chantons Noël, chantons le feu…

Comme ils se trouvaient dans un banc du fond, Barry, O'Reilly et Kinky furent parmi les premiers à sortir de l'église.

Alors que Barry sortait dans la nuit sombre, le froid lui mordit les joues et le nez. Pourtant, son cœur était réchauffé par le tintement joyeux des cloches dans le ciel et par le délicat tourbillon des flocons de neige qui tombaient d'un ciel noir comme de l'encre pour adoucir le sol et lui dire que lorsqu'il se réveillerait plus tard ce matin, ce Noël 1964 serait un Noël blanc.

48

J'ai bien vu maintes fois l'aurore glorieuse

Le carillon des cloches de l'église appelant les fidèles à la messe du matin réveilla Barry. Il se frotta les yeux, roula hors du lit, marcha en trébuchant jusqu'à la fenêtre du grenier et ouvrit les rideaux. L'éclat du reflet provenant du tapis blanc éclatant qui couvrait le jardin arrière d'O'Reilly obligea Barry à plisser ses yeux fraîchement réveillés. La neige tombée la veille était restée, et elle n'avait pas commencé à fondre. Il n'y avait pas de neige là où ses parents célébraient Noël, au milieu de l'été australien. Il n'avait pas d'autre parenté dans l'Ulster, alors il aurait pu passer un Noël solitaire s'il n'avait pas été assez chanceux pour obtenir ce poste au numéro 1. Et ce n'était pas seulement un emploi. On avait fait sentir à Barry qu'il faisait autant partie de l'étrange famille d'O'Reilly qu'Arthur Guinness — dont Barry voyait les traces menant de sa niche jusqu'au potager dissimulé où les pommiers s'inclinaient très bas sous leurs fardeaux.

Certaines branches avaient été arrachées du marronnier d'Inde à cause du poids de la neige. Il ne semblait pas que cinq mois s'étaient écoulés depuis que les participants à la fête d'au revoir donnée pour Seamus Galvin avaient cherché un abri à l'ombre de ses branches feuillues. C'était le jour où il avait pris la décision de rester en tant qu'assistant du docteur O'Reilly. Il n'avait pas de regrets à propos de ce choix.

Au-delà de l'arbre, avec l'air d'une belle peinture, les toits blancs des maisons derrière le numéro 1 de la rue principale dessinaient une marge irrégulière sur le fond des collines ondoyantes de Ballybucklebo. De leurs cheminées s'élevait verticalement de la fumée dans un ciel d'azur sans nuages, les traînées noires formant les seules taches sur le canevas proprement offert.

Il espérait que les routes de campagne ne seraient pas fermées. Il attendait avec enthousiasme la fête à portes ouvertes chez le marquis plus tard ce jour-là. En se demandant encore qui il y verrait, Barry se rendit lentement dans la salle de bain. Dix minutes plus tard, il était lavé et habillé et descendait au rez-de-chaussée.

O'Reilly était assis à la tête de la table de la salle à manger. Il sourit largement, se leva et tendit la main.

— Joyeux Noël, Barry.

Barry gagna la tête de la table et serra la main d'O'Reilly.

— Joyeux Noël, Fingal.

La poignée de main n'était pas la version écrasante d'O'Reilly.

— Et merci de m'inviter à passer les Fêtes ici.

— Foutaises, dit O'Reilly en lâchant la main de Barry. Vous vivez ici, non? Vous travaillez ici?

Les mots résonnaient durement, mais le grand sourire d'O'Reilly ne s'estompa pas.

— Oui.

C'était un homme difficile à remercier pour tout. Au moins, comme Barry l'avait appris, c'était ainsi qu'aimait paraître O'Reilly.

— Avalez votre petit déjeuner ; nous avons une journée occupée devant nous.

O'Reilly étala une cuillère de la confiture de fraises de madame Kincaid sur des crêpes chaudes au babeurre. Barry gagna le buffet. Il y avait tout juste de la place pour le chauffe-plats parmi les paquets emballés avec une forme suspecte de bouteille, chacun semblant avoir été livré par des patients reconnaissants deux jours plus tôt. Les paquets ressemblaient à une rangée de tournesols dans un champ densément rempli où les cartes de Noël étaient des pensées multicolores.

Il se servit et se versa une tasse de thé.

— Nous allons être occupés ? Je pensais que la boutique était fermée aujourd'hui.

Il prit sa place habituelle.

— Évidemment qu'elle l'est, imbécile.

O'Reilly tamponna une tache rouge sur son menton et lança :

— Je suis de garde aujourd'hui, et vous ne l'êtes pas, mais cela ne signifie pas que vous n'êtes pas occupé.

— D'accord.

S'il avait attendu l'arrivée de Patricia, il n'aurait peut-être pas acquiescé si facilement, mais pourquoi pas, après tout ?

— Que voulez-vous que je fasse ? Promener Arthur. Laver la Rover ?

— Ne soyez pas idiot. L'eau gèlerait.

« Seigneur, il pense que je lui offre sérieusement de laver sa voiture », pensa Barry.

— Nous allons promener Arthur ensemble, dit O'Reilly.

Puis il se pencha, tendit la main sous la table et fit apparaître quatre paquets emballés.

— Je les ai descendus après les avoir pris sous l'arbre.

Il en poussa deux sur un côté, puis il en rapprocha un de lui et le fit glisser sur la longueur de la table.

— C'est le vôtre.

Barry cessa de s'interroger sur la façon dont ils s'occuperaient ; il souleva le paquet et lut le message sur l'étiquette portant une inscription de Noël et une boucle rouge préimprimées.

L'écriture à caractères gras d'O'Reilly disait : « À Barry Laverty, le meilleur assistant que j'aurais pu souhaiter. Avec mes meilleurs vœux et mes remerciements. Fingal. »

Avant qu'il puisse l'ouvrir, Kinky surgit. Elle portait son manteau et son chapeau.

— Joyeux Noël, Kinky, dit Barry.

— *Nollaig shona, agus Dia duit, Dochtúir Laverty.* Joyeux Noël, et que Dieu soit avec vous.

— Merci, Kinky. Partez-vous pour l'église ?

— Oui, donc. La dinde est au four, le jambon est au four, et il ne leur arrivera rien. Ils doivent cuire encore pendant des heures.

— Avez-vous une minute avant de partir ? demanda O'Reilly ?

— Une toute petite. Le révérend Robinson est toujours en bonne forme le jour de Noël.

— Tenez, dit O'Reilly en se levant avant de lui tendre deux paquets. Un vient de moi. L'autre vient peut-être de saint Nicolas.

Il sourit largement.

— Merci, monsieur. Je l'apprécie énormément... particulièrement aujourd'hui.

Barry fronça les sourcils.

— Je ne comprends pas. Pourquoi « particulièrement » ?

— Parce que, monsieur, demain, c'est le « Boxing Day » ou le jour d'Après-Noël, parce que c'est le jour où les domestiques reçoivent habituellement leurs « boîtes » de Noël — leurs cadeaux.

Barry comprit immédiatement. C'était typique d'O'Reilly d'ignorer cette distinction sociale et de traiter Kinky — comme il avait dit à Fitzpatrick de le faire — en être humain digne de respect.

Elle sourit à O'Reilly.

— Je les ouvre maintenant, donc ?

— Dans le cas contraire, vous ne saurez pas ce qu'il y a dedans.

O'Reilly se rassit et commença à attaquer ses crêpes.

— On ne peut pas laisser cela refroidir.

— Vrai.

Elle opina de la tête, puis elle étudia les étiquettes.

— Celui-ci vient de vous, monsieur.

Elle retira le papier emballage délicatement et le plia soigneusement.

— Le papier nous sera utile l'an prochain, dit-elle pour elle-même.

Puis elle ouvrit une boîte plate en carton blanc. Barry sourit. Il savait déjà, grâce à Alice Moloney, ce qu'il y avait dedans.

Kinky sortit une écharpe en soie bleu nuit de son nid de papier de soie vert.

— Elle est belle. Merci, monsieur.

Elle la rangea dans la boîte et déposa celle-ci sur la table.

— Maintenant, l'autre. Et il ne vient pas du père Noël. C'est de vous, docteur Laverty, cher.

Barry sourit en espérant qu'elle serait contente. Il bénit silencieusement Alice parce qu'elle lui avait dit qu'O'Reilly avait acheté une écharpe bleue avant de conseiller Barry pour son propre choix. Il se dit que la transition chez cette femme de harpie à être humain agréable avait été tout à fait remarquable.

Kinky respecta le même rituel consistant à conserver le papier et sortit finalement une écharpe en soie verte.

— Elle est charmante.

Elle se pencha et déposa un petit baiser sur la joue de Barry.

— Merci, docteur Laverty. Merci infiniment.

— Tout le plaisir est pour moi, dit-il en rougissant.

Elle regarda une écharpe, puis la seconde.

— Vous deux, messieurs, avez bien mis dans l'embarras une pauvre femme de Cork, donc.

O'Reilly avala sa bouchée.

— Pas du tout. Portez la verte aujourd'hui parce qu'elle agrémente très bien votre chapeau. Je n'y verrai pas d'offense.

— Merci, monsieur.

Elle prit les deux boîtes et dit :

— Je vais y aller, mais je serai de retour dans une heure environ.

— Amusez-vous bien, dit O'Reilly. Nous serons ici, au cas où il y aurait des urgences.

Barry entendit l'enthousiasme dans la voix de son collègue plus âgé, et il vit l'éclat dans ses yeux quand il dit :

— Kitty vient ici ce matin.

Il soupira, et il aurait aimé pouvoir attendre l'arrivée de Patricia.

— J'y vais, donc, et merci à vous deux pour mes cadeaux. Ils sont *álainn*.

— «*Álainn*» signifie «beau», Barry, dit O'Reilly une fois que Kinky fut partie, et c'est un grand compliment venant de Kinky. Elle aime réellement ses écharpes.

Il plissa les yeux devant son propre paquet, il le prit et le tint contre son oreille. «Comme le ferait un enfant quand il tente d'en déterminer le contenu», pensa Barry.

— Et qu'est-ce qui peut bien se trouver là-dedans? demanda-t-il. Regardez à l'intérieur.

— D'accord, dit O'Reilly.

Il tenta de déchirer le papier, mais quelques morceaux de papier collant résistèrent à son assaut initial. Il les coupa avec son couteau, puis il souleva la boîte oblongue et l'ouvrit d'une chiquenaude. Ses yeux s'arrondirent quand il en sortit une pipe avec un tuyau droit et un fourneau d'un brun sable pâle. Il siffla en inspirant.

— Sacré nom de Dieu, c'est une Dunhill Tanshell, dit-il. Merci, Barry. Merci infiniment.

Barry inclina la tête.

O'Reilly fourragea dans sa poche et en sortit une blague à tabac.

— Je vais l'étrenner.

Il commença à remplir le fourneau avant d'ajouter :

— Et il n'y a jamais un meilleur moment que l'instant présent.

Barry sourit. L'homme de la tabagie locale avait été très obligeant. Il avait dit que les Dunhill étaient les Rolls-Royce des pipes, et il avait également dit de ne pas se laisser abuser par sa couleur pâle. Avec l'usage, elle allait développer une patine de grande beauté.

— Je suis content que vous l'aimiez, dit Barry.

— Humph, acquiesça O'Reilly avec la pipe serrée entre ses dents.

Il tint une allumette enflammée au-dessus du fourneau. Sa flamme s'abaissa tandis qu'il tirait, et des bouffées de fumée s'échappèrent de ses lèvres. Quand il eut bien inspiré, il dit :

— C'est une beauté.

Il lâcha son habituel nuage bleu, retira la pipe de sa bouche et pointa le tuyau sur le paquet de Barry en disant :

— Merci.

Le plaisir de Barry était aussi grand que la joie manifeste d'O'Reilly.

— Votre tour, Barry.

Barry leva son cadeau, et il remarqua encore les mots « au meilleur assistant que j'aurais pu souhaiter. » Son torse se gonfla. Il retira le papier. Le mot « Hardy » sur la boîte suffit à lui révéler la nature du trésor à l'intérieur. Il l'ouvrit et sortit un moulinet à action simple. Cette marque était, tout comme Dunhill pour les pipes, le nec plus ultra pour les cannes à pêche et les moulinets.

Il n'avait jamais possédé de moulinet Hardy auparavant.

— Fingal, c'est merveilleux. Merci. Merci infiniment. Je suis impatient de l'essayer dans la Bucklebo.

Il lui semblait que c'était la veille que les villageois lui avaient offert, à la même fête d'au revoir qu'il se remémorait plus tôt, un beau coffre à pêche rempli de mouches à truite faites à la main.

— Demandez la permission au marquis, dit O'Reilly. Vous le verrez à sa fête à portes ouvertes.

La sonnette de la porte d'entrée retentit.

— Voulez-vous voir qui c'est, Barry ?

— Mais vous êtes de...

Barry réprima le mot « garde », et il se leva. Il gagna le vestibule et ouvrit la porte d'entrée pour être salué par Donal et Julie Donnelly. D'après leurs joues roses, les deux se portaient parfaitement bien.

— Bonjour, dit-il. Que puis-je faire pour vous deux en ce jour de Noël ? Personne n'est malade, j'espère ?

Donal secoua la tête.

— Pas du tout.

Barry sourit.

— Bien. Et je n'achète aucun billet de tirage.

Donal rit.

— Elle est bonne, monsieur. Je n'en vends pas, et vous ne pouvez rien faire pour nous, dit Donal en retirant sa casquette. Julie et moi, nous voulions simplement vous offrir, à vous et au docteur O'Reilly, nos souhaits de la saison en espérant que la prochaine année en sera une très bonne pour vous donc, pour ça oui.

Il tendit un paquet à Barry.

— Julie est douée en cuisine, pour ça oui. Sa grand-maman était une Écossaise, et c'est sa recette de sablés. Et — il plissa le nez et baissa la voix — nous savons tous que le docteur a la dent sucrée.

Barry accepta le paquet.

— C'est très gentil à vous. Merci, Donal et Julie. Un très joyeux Noël à vous deux, et une très bonne année — il jeta un regard sur le ventre de Julie — à vous trois.

Julie rit.

— Merci, docteur Laverty. Profitez bien des sablés.

Elle tira sur la main de Donal.

— Viens, mon amour, dit-elle. Nous ne voulons pas être en retard pour la messe. Au revoir, monsieur.

Barry resta dans le cadre de la porte ouverte. Il avait froid sans chapeau et sans manteau, et pourtant, à l'intérieur de lui, il avait bien chaud.

Il reconnut le conseiller Bertie et madame Flo Bishop marchant vers l'église sur le trottoir en face, et il leur cria :

— Joyeux Noël !

Il fut récompensé par un sourire du conseiller, un écho de ses souhaits et un rappel de Flo.

— Nous allons vous voir avec lui demain à notre fête à portes ouvertes. Elle commence à 13 h 00.

— D'accord. Merci.

Barry se demanda comment son foie allait survivre à toutes ces bonnes festivités. Il avait complètement oublié la fête des Bishop, mais — il entra et referma la porte — il était foutrement sûr qu'O'Reilly s'en souvenait. Cela ne valait pas la peine de le mentionner.

Il retourna dans la salle à manger.

— Des sablés de la part de Julie et Donal, expliqua-t-il en déposant le paquet sur la table. Ils sont simplement venus nous souhaiter…

— Un joyeux Noël.

O'Reilly secoua la tête.

— Nous allons entendre cela beaucoup aujourd'hui. Et vous savez quoi ?

— Quoi, Fingal ?

— Cela ne sonne jamais banal ni rebattu à mes oreilles.

— Je sais ce que vous voulez dire.

C'était étrange comme une petite démonstration de gratitude rendait le fait de travailler avec des gens une chose qui en valait la peine.

— Venez, dit O'Reilly, montons au salon.

Le temps entre le moment où Kinky était partie à l'église et son retour passa rapidement. Il n'y eut aucun appel. O'Reilly changeait le disque de leur second vinyle de la matinée — faisant partie d'un ensemble de trois vinyles d'Herbert von Karajan dirigeant le Berlin Philharmonic pour la *Sixième symphonie* de Beethoven — quand elle passa la tête par la porte et déclara :

— Je suis de retour, donc.

La sonnette de la porte retentit encore.

— Allez enlever votre manteau, Kinky. Je vais répondre, dit O'Reilly avant de prendre la direction de l'escalier.

Kinky disparut.

Barry entendit le rugissement au rez-de-chaussée.

— Kitty. Kitty O'Hallorhan. Joyeux Noël. Entre. Entre. Laisse-moi prendre ton manteau.

— C'est mordant, dehors, dit-elle.

— Laisse-moi te regarder dans cet ensemble bleu poudre, dit O'Reilly avant de faire une pause. Pardieu, Kitty O'Hallorhan, tu sembles assez bonne pour qu'on te mange. Fais-moi un câlin.

Barry entendit ce qui ressemblait à un baiser puis le petit rire de Kitty.

— Venant de toi, Fingal, c'est un compliment rare.

— Je le pensais. Maintenant, veux-tu une tasse de thé ? Des sablés, peut-être ?

— Non, merci.

— Alors, monte au salon. Le feu est allumé. Arrête de piétiner dans ton manteau. Va te réchauffer.

— Mais Fingal, je…

— En haut, femme. Tu as dit que c'est mordant dehors. Je ne veux pas que tu meures d'hypothermie dans ma maison.

Barry l'entendit rire et dire :

— D'accord, et joyeux Noël, Fingal.

Puis il entendit le son de pas qui montaient.

Barry quitta son fauteuil et s'installa sur une chaise à dossier droit avant qu'ils entrent dans le salon. Il se leva quand Kitty entra.

— Joyeux Noël, Kitty. Assoyez-vous.

Elle opta pour l'un des fauteuils.

— Je vous en prie, assoyez-vous.

Barry s'assit. O'Reilly passa en trombe, et il se pencha devant l'arbre à moitié nu. Lady Macbeth sauta sur les cuisses de Kitty, qui caressa la tête de l'animal. La chatte, portant un ruban rouge autour du cou, donna de petits coups de tête sur la paume qui la caressait, et elle ronronna fortement.

— Écoute-la, dit O'Reilly en se redressant, mais ne lui prête pas attention. C'est pour leur propre bien que les chats ronronnent. Elle essaie de s'attirer tes bonnes grâces.

«Ne me dites pas que vous êtes jaloux d'une chatte», pensa Barry. Il n'avait jamais vu O'Reilly regarder quelqu'un ou quelque chose avec autant d'affection qu'il le faisait en contemplant Kitty.

Kitty ne semblait pas en avoir conscience. Elle se tourna vers Barry.

— C'est agréable de vous revoir, Barry.

— La dernière fois que nous nous sommes vus remonte à un moment.

— J'ai eu une semaine de vacances. Je suis allée la passer avec ma mère. Elle m'a donné le deux-pièces que je porte. Maman vit à Tallaght. C'est un peu au sud de Dublin. Je suis revenue en voiture en ville hier soir.

— Et il était à peu près temps, aussi, dit O'Reilly. Tu nous as manqué.

— Oh. Eh bien, Fingal, l'absence ne favorise-t-elle pas l'amour ? dit Kitty.

— Hum, dit O'Reilly en s'éclaircissant la gorge. Ha, hum.

Il lui tendit un long paquet et dit :

— J'ai quelque chose pour toi, Kitty.

— Merci, Fingal. C'est très gentil.

— Gentil, mon œil. C'est Noël.

O'Reilly leva les épaules.

«Seigneur, vous tomberiez probablement raide mort, Fingal, si vous pensiez que quelqu'un vous soupçonne d'avoir un côté tendre», pensa Barry.

Elle le regarda, mais elle ne dit rien et ouvrit le paquet.

— Mon Dieu, dit-elle en regardant l'étiquette sur la bouteille de vin rouge. C'est un Lafite Rothschild 1961. C'est une année de cuvée noble. Tu n'as pas beaucoup changé, O'Reilly, n'est-ce pas ? Tu as toujours été un type romantique.

Elle l'embrassa sur les lèvres, puis elle dit :

— Tu m'aiderais à le boire, j'espère ?

O'Reilly bredouilla, et son visage rougit.

Barry détourna les yeux. Il ne voulait pas embarrasser O'Reilly davantage, et il aurait désespérément aimé que quelqu'un l'embrasse en ce moment.

Kitty recula d'un pas.

— Et j'ai un petit quelque chose pour toi, mais c'est en bas dans mon manteau. Tu ne m'as pas laissé beaucoup de temps pour l'enlever. Je vais descendre le chercher.

— Tu ne feras rien de tel, dit O'Reilly. Tu pourras me l'offrir quand nous reviendrons de chez Sa Seigneurie.

— D'accord.

Kinky entra.

— C'est bon de vous voir, mademoiselle O'Hallorhan.

— Allô, Kinky.

— Les docteurs, je vous ai promis du café et peut-être encore un peu de ce gâteau de Noël que nous avons entamé hier soir.

Barry l'espérait vraiment. Même si sa mère était une boulangère de calibre supérieur, il n'avait jamais rien goûté de comparable au gâteau aux fruits de Kinky.

— Du café, c'est parfait, dit O'Reilly.

— Super. Je vais le chercher.

Elle pivota pour partir.

— Et vous n'oublierez pas le gâteau? demanda Barry.

Kinky s'arrêta et regarda la taille de Barry.

— Est-ce qu'Alice Moloney devra aussi agrandir votre pantalon l'an prochain, docteur Laverty?

O'Reilly s'esclaffa.

— Kinky, dit Barry, flatté qu'elle le taquine, je vais en manger un petit morceau seulement, c'est promis.

Le café et le gâteau terminés, O'Reilly se leva.

— Bon, dit-il. Il est 11 h 30. La fête doit commencer à midi chez le marquis. Nous ne voulons pas y être à l'heure exacte, mais je ne veux pas y être trop tard, et nous avons quelques visites à faire d'abord, alors nous ferions mieux de nous mettre en route.

« Des visites ? » se demanda Barry. C'était la première fois qu'il en entendait parler.

— À qui devons-nous rendre visite, Fingal ? Personne n'a téléphoné.

— Ne vous l'ai-je pas dit, lors de votre première semaine ici ? Parfois, ce sont ceux qui ne téléphonent pas qui ont besoin d'une visite.

— Oh. D'accord.

On ne pouvait pas contredire cela.

Avant que Barry puisse demander à qui ils rendraient visite, O'Reilly se dirigea vers l'escalier avec Kitty sur ses talons.

Barry les suivit en espérant qu'il ne s'agissait pas d'un patient, et il vit Kinky s'activer en bas dans le vestibule. Il était encore à trois marches de la fin de l'escalier quand elle ouvrit la porte d'entrée. Il s'arrêta et regarda par-dessus les têtes d'O'Reilly, de Kitty et de Kinky.

— Oh ! dit-elle. Regardez cela ! dit Kinky. Quel groupe de petits amours !

Il y avait trois enfants debout sur les marches en façade. Il reconnut Colin Brown et Jeannie Kennedy. La troisième, une fille qui devait avoir 12 ou 13 ans selon ses estimations, tournait le dos à la porte. Elle leva les mains au-dessus de sa tête, et avec les deux index tendus, elle commença à les diriger alors qu'ils chantaient :

— On vous souhaite un joyeux Noël…

Il y avait plus que trois enfants qui chantaient. Un garçon avec une voix forte avait un zézaiement, et on pouvait l'entendre chanter par-dessus les autres :

— On vous zouhaite un joyeux Noël…

Barry descendit et se positionna là où il pouvait voir le trottoir. Pour la seconde fois en deux semaines, on lui rappelait *Le Vent dans les saules*, un des livres préférés de son enfance. Les enfants chantant Noël auraient été les loirs chantant pour Rat et Taupe. Les joues des jeunes étaient rosées, leurs bouches étaient grandes ouvertes, et ils avaient des yeux sérieux. Leurs souffles formaient un petit nuage de vapeur dans l'air immobile.

— On vous souhaite un joyeux Noël...

La grande fille dirigeait énergiquement. Sa longue chevelure noire se déversait d'un bonnet à pompon laineux à rayures vertes et rouges. Elle faisait face à Colin et Jeannie, et derrière eux, il y avait Micky Corry, Eddie Jingles — qui était bel et bien remis de sa pneumonie — et Billy Cadogan, l'asthmatique.

— Et une heureuse année.

Il y en avait une douzaine de plus qu'il pouvait nommer. Il se sentait fier d'être capable d'en reconnaître autant.

— Alors, sortez un peu de pudding aux figues...

De grands sourires s'épanouirent, et Barry comprit pourquoi quand madame Kincaid retourna vers sa cuisine. Elle allait chercher des gâteries pour les chanteurs.

— Alors, sortez un peu de pudding aux figues...

Une neige fine tomba lentement — le substitut blanc de l'hiver aux graines de pissenlit de l'été —, et comme du sucre glace, elle saupoudra les épaules des manteaux neufs, des toques en laine de multiples couleurs et les dessus plats des casquettes en tweed de couleur sable.

— Et une tasse de bons vœux.

La fille aux cheveux noirs leva les mains et se tourna pour fixer O'Reilly. Barry fut frappé par la profondeur sombre de ses yeux et la longueur de ses cils où un unique flocon plus large s'était logé. Elle tourna le dos à la chorale, et avec des mouvements plus énergiques de ses bras, elle exhorta les voix à faire de plus gros efforts.

— Et nous ne partirons pas avant d'en avoir... Et nous ne partirons pas avant d'en avoir...

Kinky apparut en poussant une table roulante chargée d'assiettes de tartelettes aux fruits secs et un bol contenant un liquide fumant qui devait être, Barry le savait, un sirop chaud de mûres Ribena.

Barry se joignit à la main d'applaudissements quand le chant se termina, et il s'écarta alors que Kinky invitait les enfants à entrer dans le vestibule.

Tous à l'exception de la fille aux cheveux sombres firent la file pour avoir leurs tartelettes aux fruits secs et leurs boissons chaudes. Elle présenta une boîte en fer portant l'inscription UNICEF sur son étiquette pour collecter des fonds.

Barry poussa un billet d'une livre dans la fente sur le couvercle. Le Fonds des Nations Unies pour l'enfance était une très bonne cause.

— Joyeux Noël, docteur Laverty, dit-elle.

— Beau travail, Hazel Arbuthnot, et beau travail à vous tous, dit O'Reilly. La fille d'Aggie, mentionna-t-il à Barry, qui ne put s'empêcher de se demander si Hazel avait un orteil supplémentaire comme sa mère.

O'Reilly mit un billet de cinq livres dans la boîte.

— C'est de la part de mademoiselle O'Hallorhan et moi.

Hazel exécuta une petite révérence.

— Merci, monsieur.

— Beau travail, vous tous, dit-il, et il ignora le chœur de remerciements qu'il reçut en retour. À présent, Kitty et

Barry, nous avons des visites à faire, alors allez chercher vos manteaux. Je dois aller chercher un petit quelque chose.

Il entra dans la salle à manger, puis il réapparut en serrant un paquet emballé en forme de bouteille.

— Tenez cela.

Il le tendit à Barry et enfila son manteau d'un coup d'épaule.

— Qui allons-nous voir, Fingal ? s'enquit Barry.

— Declan et Mélanie Finnegan, puis Eileen Lindsay. Ils vivent tous dans la cité.

Barry jeta un regard sur la bouteille qu'il apportait puis vers O'Reilly.

— Et nous allons apporter de la nourriture, du vin et des bûches de pin aussi ?

— Non, dit O'Reilly. Je ne suis pas le bon roi Wenceslas, et vous n'êtes certainement pas mon page, mais avec sa maladie de Parkinson, Declan ne sort pas beaucoup, et il aime toujours prendre un petit verre avec son dîner de Noël.

Barry se demanda si c'était le premier Noël qu'O'Reilly faisait ce genre de visite, et il décida que ce ne l'était sûrement pas.

— Venez, dit O'Reilly. Il est temps pour nous de partir.

Kinky leva les yeux alors qu'elle tamponnait le manteau d'un petit garçon qui avait renversé son jus.

— Allez-y, donc. Faites vos visites, et amusez-vous à la fête de Sa Seigneurie, dit-elle. Mais je vous attends à 17 h 00 et pas une minute plus tard. Je ne voudrais pas que le dîner soit gâché.

49

Les coulisses du pouvoir

— N'en parlez plus, Mélanie. Le plaisir était pour nous.
O'Reilly avait envoyé Kitty et Barry dehors, et il
disait au revoir aux Finnegan. Et il avait effectivement eu du
plaisir en voyant le sourire raide de Declan et le bonheur
évident de Mélanie d'avoir l'occasion de parler son français
natal. L'opération que Declan avait subie plus tôt dans
l'année n'avait pas guéri sa maladie de Parkinson, mais elle
avait certainement amélioré sa condition.

— Joyeux Noël et une heureuse nouvelle année, docteur
O'Reilly.

— Et à toi aussi, Mélanie.

Elle ferma la porte derrière lui, et il commença à marcher sur Comber Gardens pour rattraper Kitty et Barry. « Je
ne sais pas pourquoi, mais la rue semble moins minable
aujourd'hui », pensa-t-il. C'était peut-être parce que la neige
la recouvrait. C'était peut-être à cause des cris de bonheur
des enfants. Mary Lindsay était assise sur un petit toboggan,
et tandis que Willy Lindsay la tirait, un autre garçon la poussait. Les patins de la luge crissaient sur la neige. Ils ne lui
prêtèrent pas la moindre attention. Et pourquoi l'auraient-ils
fait? Ils s'amusaient. Il espéra que c'était aussi le cas de

Sammy, et c'était une chose qu'il allait découvrir dès qu'ils rendaient tous les trois visite à Eileen.

Barry et Kitty s'arrêtèrent là où un groupe d'enfants construisaient un bonhomme de neige asymétrique sur le trottoir.

— C'en est un beau, dit-elle. J'aime la manière dont ils lui ont donné un sourire.

Il regarda la rangée de petits morceaux de charbon tournée vers le haut au bas de la tête du bonhomme de neige. Anne-Marie Mulloy — il l'avait soignée l'an dernier pour la varicelle — enfonçait une carotte pour faire le nez au-dessus de la bouche et entre les autres plus gros morceaux de charbon qui faisaient office d'yeux.

— Qui est le papa à qui il manque un chapeau melon et une écharpe Glentoran, demanda O'Reilly ?

Il se demanda si ces articles pouvaient appartenir à Gerry Shanks, mais il ne vit aucun signe de l'un ou l'autre de ses enfants. O'Reilly sortit sa vieille pipe — la Dunhill neuve se trouvait dans son autre poche —, et il regarda le fourneau de la pipe devenu noir et irrégulier sous l'effet du feu après des années d'usage.

— Tiens, Malachy.

Il l'offrit au garçon sans chapeau portant un manteau gris.

— Enfonce ça dans la gueule de ton gars. Il semble lui manquer quelque chose sans une pipe.

Avec une main, le garçon essuya une coulée de morve sous sa lèvre supérieure tandis qu'il attrapait la pipe de l'autre.

— Merci, docteur O'Reilly. C'est super, pour ça oui. Merci infiniment.

Il pivota et enfonça la pipe au centre de la bouche.

— Voilà qui est mieux, dit O'Reilly en rigolant alors qu'il entraînait ses compagnons jusqu'au numéro 31.

L'air était frais, et l'odeur du charbon brûlant était forte. Quand O'Reilly leva les yeux, il put voir que chacune des cheminées en vue fumait. Il n'y avait le chauffage central dans aucune de ces maisons, mais au moins, les habitants seraient au chaud aujourd'hui.

O'Reilly frappa sur le cadre de la porte d'entrée — peut-être un peu trop violemment, pensa-t-il — alors qu'il remarquait que la couronne de houx fixée sur la porte tremblait et oscillait. Il cessa de frapper et tapa du pied en attendant.

Eileen Lindsay ouvrit la porte.

— Docteur O'Reilly ? Est-ce que tout va bien ?

— Bien sûr, Eileen. Nous sommes venus vous offrir nos vœux de la saison. Pouvons-nous entrer ?

— Je vous en prie.

Elle s'écarta.

— Voici mademoiselle O'Hallorhan.

Eileen exécuta une petite révérence.

— Enchantée de vous rencontrer, dit-elle avant de fermer la porte. Entrez dans le salon. Puis-je vous offrir quelque chose ? Une tasse de thé ? Un petit verre ? Peut-être un lait de poule ?

— Non, merci, Eileen, dit O'Reilly. Nous nous sommes arrêtés seulement une minute pour voir comment se porte Sammy.

Il entraîna Kitty dans le salon, et Barry les suivit.

Un feu flambait dans l'âtre. Trois bas vides en feutre rouge gisaient sur le tapis, et O'Reilly pouvait voir les crochets sur le manteau de la cheminée auxquels ils avaient dû être accrochés. Une bougie rouge éteinte et entourée par une couronne de houx était posée au centre du manteau de la cheminée.

Johnny Jordan et Sammy étaient assis sur le sol devant la boîte de contrôle d'un train électrique Hornby Dublo OO, une locomotive, deux wagons de passagers et un fourgon. Ils émettaient des bruits métalliques aigus tandis qu'ils tournaient encore et encore sur une voie ferrée ovale.

— Comment allez-vous, docteur O'Reilly ? demanda Sammy.

— Je vais bien, Sammy. Et toi ?

O'Reilly salua Johnny d'un signe de tête, et l'homme lui sourit. Donal avait eu raison. L'homme n'était pas très beau. Son crâne chauve luisait sous la lumière entrant par la fenêtre. Son sourire était très large, et O'Reilly remarqua qu'il lui manquait les incisives inférieures.

— Docteur, dit-il en abaissant légèrement la tête.

Sammy arrêta la locomotive et montra ses bras à O'Reilly.

— Mon éruption a complètement disparu, pour ça oui ; et je ne suis plus enflé.

— Bien.

— Mais maman ne veut pas que j'aille dehors pour l'instant. Elle dit qu'il fait trop froid. Willie et Mary sont partis lancer des balles de neige, pour ça oui.

— Je sais. Je les ai vus. Cela te dérange-t-il de ne pas sortir ?

Sammy sourit largement.

— Nan. Le père Noël nous a apporté des vélos à tous les trois ; mais on ne peut pas rouler à bicyclette dans la neige. De toute façon, j'aime mieux jouer avec Johnny et mon nouveau train.

O'Reilly ébouriffa les cheveux du garçon.

— Tant mieux pour toi.

O'Reilly était ravi, et la meilleure partie dans le fait d'avoir aidé les Lindsay avait été de voir Donal faire sa magie.

« Admets-le, Fingal, que ce genre de combine t'a toujours attiré », se dit-il.

— Bien, alors, dit-il. Nous allons partir.

Il entraîna Kitty vers la porte.

— Un joyeux Noël à tous dans cette maison, dit-il. Et une très bonne année.

Et le chœur de vœux qu'ils lui offrirent en retour résonnait encore à ses oreilles quand il ferma la porte d'entrée.

O'Reilly tint la portière arrière de la Rover ouverte pour Kitty.

— Le prochain arrêt est au manoir Ballybucklebo. Nous sommes un peu en retard, mais Sa Seigneurie ne s'en offusquera pas, et au moment où nous y arriverons, la fête devrait battre son plein.

— Cela ne me dérange pas si nous sommes un peu en retard. S'il te plaît, conduis prudemment, Fingal, dit Kitty en montant. Sammy pense peut-être qu'il y a trop de neige pour rouler à vélo, mais s'il y a des cyclistes dehors aujourd'hui…

— Et tu ne veux pas imaginer qui que ce soit dans un fossé le jour de Noël, dit-il en faisant démarrer le moteur. D'accord. Allons-y pour la prudence.

Les branches de l'araucaria du Chili devant la Rover étaient très basses, leurs feuilles piquantes recouvertes de douceur. Il y avait de nombreuses voitures garées. Plusieurs étaient des Rolls-Royce, des Bentley et des Daimler. O'Reilly dut se garer à quelque distance de la grande maison, mais l'allée avait été déneigée, et ce n'était pas loin.

La neige, brillante alors qu'elle reflétait les rayons du soleil bas d'hiver, était presque immaculée sur les pelouses. Les seules imperfections dans la douceur blanche étaient les traces des pattes d'oiseau. Il plissa les yeux. Au moins trois faisans étaient passés par là. Avec un peu de chance, le marquis tiendrait une partie de chasse en janvier. O'Reilly regarda Kitty. Ses yeux pétillaient, et ses joues étaient rouges. Il ressentit l'envie soudaine de la pousser et de la rouler dans la neige, puis d'ignorer ses protestations rieuses et de l'étreindre pour la réchauffer. Au lieu de cela, il prit sa main gantée de cuir souple dans la sienne.

— J'adore les journées comme celle-ci, dit-elle, et nous n'en avons pas eu depuis un bon moment.

Elle retint son regard.

— C'est bien dommage, dit-il avant de baisser un sourire vers elle quand elle leva un sourire vers lui et pressa sa main.

Il détourna les yeux, mais il tint sa main avec plus de force. Les fenêtres inférieures en façade de la grande maison de style géorgien étaient décorées à l'intérieur avec des branches de conifères et des branchettes de houx. Pardieu, s'il y avait une branche de gui quelque part dans la place, il allait l'entraîner dessous avant que la journée se termine.

Il guida son petit groupe en haut des larges marches d'entrée. À l'intérieur du portique, la grande porte d'entrée était ouverte et menait à un vestibule au sol de marbre.

— Attends, Fingal. Tiens ceci, je te prie.

Kitty lui tendit un sac à souliers qu'elle apportait. En un rien de temps, elle fut debout dans une paire d'élégantes chaussures à talons aiguilles en suède gris.

— Puis-je laisser mes bottes ici ?

— Je ne vois pas pourquoi tu ne le pourrais pas, dit O'Reilly.

Il entendit un grincement sourd, et il pivota pour voir deux portes à meneau en verre s'ouvrir sous l'impulsion d'un homme d'âge moyen portant un habit et des gants gris. O'Reilly reconnut le majordome de Sa Seigneurie.

— Bonjour, Thompson.

— Bonjour, commandant O'Reilly ; et joyeux Noël.

— La même chose à vous.

— Puis-je prendre le manteau de la dame ?

O'Reilly attendit pendant que Thompson aidait Kitty à retirer son manteau en poils de chameau, son écharpe en angora et son béret de laine.

— Fingal, il vous a appelé commandant ? demanda Barry à voix basse

O'Reilly sourit.

— Votre père et moi n'étions pas les seuls hommes de l'Ulster sur le *Warspite*. Thompson était le maître artilleur du navire à cette époque. Il a reçu une médaille pour service émérite à Cape Matapan. « Et il a foutrement failli y perdre le pied gauche », pensa O'Reilly.

— Monsieur ?

Thompson, le vêtement d'extérieur de Kitty drapé sur le bras gauche, commença à aider Barry.

— Comment va le lombago de votre épouse ? demanda O'Reilly tandis qu'il retirait son manteau d'un coup d'épaule.

— Aussi bien qu'on peut s'y attendre, monsieur.

— Amenez-la-moi si cela empire.

Il tendit son vêtement à un Thompson bien chargé.

— Je le ferai, monsieur. Maintenant, si vous voulez bien m'excuser, je vais suspendre cela. Sa Seigneurie vous attend, et vous connaissez le chemin, monsieur.

Le majordome partit en boitant et en emportant la pile de manteaux.

— Venez, donc, dit O'Reilly. La fête est par ici.

Les talons de Kitty cliquetèrent sur le sol en parquet du couloir. Elle s'arrêta.

— Attends, dit-elle. Je veux jeter un coup d'œil.

Elle leva les yeux vers le plafond cathédral en arche très haut au-dessus d'eux.

— Ce n'est pas tous les jours qu'une fille reçoit une invitation à venir dans le manoir d'un lord.

O'Reilly sourit tandis qu'il la regardait survoler du regard la galerie de peintures, les huiles qui décoraient les murs. Il y avait de très nombreux portraits de précédents détenteurs du titre, et presque tous les sujets avaient des cheveux gris fer.

— Seigneur Dieu, dit-elle en pointant le portrait d'un soldat portant une perruque, un tricorne et un manteau écarlate qui se tenait appuyé contre un cheval caparaçonné. Cela pourrait être la peinture d'un capitaine Robert Orne réalisée par sir Joshua Reynolds. Je l'ai vue à la National Gallery à Londres.

— C'est bien un Reynolds, dit O'Reilly en se rappelant que Kitty avait dit qu'elle faisait un peu de peinture.

«Je ne sais pas pourquoi, mais je parierais qu'elle fait plus qu'y intéresser en dilettante», pensa-t-il.

Il entendit des pas approcher.

— Pardieu, dit Barry. C'est O'Brien-Kelly.

O'Reilly regarda au fond du couloir. Deux jeunes hommes s'approchaient. Il reconnut Sean, le fils soldat du marquis, et son compagnon, l'officier supérieur de Sean, le capitaine O'Brien-Kelly. L'homme était venu en août, et il était, de l'opinion d'O'Reilly, un foutu imbécile de première classe.

— Cela devrait être intéressant, dit-il à Kitty.

Avant qu'O'Reilly puisse lui expliquer, Sean lui offrit sa main à serrer. Il était presque aussi grand que son père, et il avait les mêmes traits faciaux, en plus des mêmes cheveux gris fer.

— Joyeux Noël, docteur O'Reilly.

— Joyeux Noël, Sean. En permission?

— Pour une semaine. J'ai amené le capitaine avec moi pour un ou deux jours de chasse au faisan. Voici le capitaine…

— O'Brien-Kelly, dit O'Reilly en regardant l'homme droit dans les yeux. Nous nous sommes rencontrés. Capitaine, Sean, puis-je vous présenter Caitlin O'Hallorhan et le docteur Laverty?

Barry serra la main de Sean et dit à O'Brien-Kelly :

— Nous nous sommes rencontrés.

O'Reilly se tourna vers Kitty.

— Caitlin O'Hallorhan. Le lieutenant et honorable Sean…

— C'est Sean; et puis-je vous appeler Caitlin?

Elle sourit.

— Je préférerais Kitty.

— Va pour Kitty, donc.

— Et, poursuivit O'Reilly, voici le capitaine O'Brien-Kelly. C'est un grand admirateur des pur-sang irlandais.

O'Reilly lutta pour conserver un visage neutre. C'était l'homme à qui Donal Donnelly avait vendu des demi-couronnes irlandaises pour une somme bien plus élevée que ce qu'elles valaient en le persuadant que parce qu'il y avait un cheval embossé dessus, elles avaient été frappées spécialement pour honorer le grand cheval irlandais, Arkle.

— Wavi, dit O'Brien-Kelly. Et je suis bien content de vous revoiw, O'Weilly. Je n'ai pas eu l'occasion de vous saluer la dewnièwe fois. J'ai dû pawtiw plutôt vite apwès les couwses.

Le pauvre homme devait vraiment croire que sa façon d'escamoter ses « r » ajoutait de la classe à son langage.

— Cela avait quelque chose à voir avec un preneur de paris, Honest Sammy Dolan, selon mon souvenir, dit innocemment Barry.

« Cela avait quelque chose à voir avec le marquis qui a dû régler une dette de jeu d'O'Brien-Kelly », se souvint O'Reilly.

— En effet, dit le capitaine, et il changea vite de sujet. Je n'ai jamais eu la chance de vous wemewcier, O'Weilly.

— Me remercier ?

O'Reilly fronça les sourcils. Il avait été tout à fait prêt à recevoir des injures parce qu'il lui avait présenté Donal.

— Eh bien, quand je suis allé vendwe ces pièces aux types du wégiment, wécupéwer un peu, comme on pouwait diwe, un autwe officier iwlandais, pas Sean ici, leuw a dit que tout ce que j'avais, c'était de la monnaie iwlandaise sans valeuw.

Il sourit largement et ajouta :

— Les types ont tout de suite pigé, mais ils ont semblé penser que c'était une blague et que j'étais un dwôle de moineau.

O'Reilly s'esclaffa avec force.

— C'est exact, continua O'Brien-Kelly. Un dwôle de moineau, vwaiment. Les gars aiment bien s'amuser un peu aux dépens d'un officier supéwieuw, alows ma cote est twès haute depuis. C'est pouwquoi je vous dois des wemewciements.

— Tout le plaisir est pour moi, dit O'Reilly tandis qu'il se disait : «Les miracles ne cesseront-ils jamais de se produire?» Il avait mentalement catégorisé O'Brien-Kelly comme le classique crétin anglo-irlandais de la classe supérieure, et pourtant, l'homme était capable de rire de lui-même. Il allait accorder des points au capitaine pour cela, même si de l'avis d'O'Reilly, il n'était pas très futé.

O'Brien-Kelly, congédiant manifestement O'Reilly, se tourna vers Sean.

— Maintenant, Sean, allons-nous voiw ce hongwe?

— Oui. Je vous prie de nous excuser.

Sean s'inclina devant Kitty, sourit à O'Reilly et entraîna O'Brien-Kelly vers les portes d'entrée.

O'Reilly sourit largement, et il secoua la tête.

— Vous savez, Barry, dit-il, je ne peux absolument pas me rappeler qui a dit que le Seigneur veille sur les ivrognes, les petits enfants et les idiots, mais la preuve vivante vient de partir.

— Je pense, dit Barry, que la citation a été attribuée à Bismarck.

— Merveilleux, dit Kitty, mais allez-vous rester plantés là tous les deux toute la journée à jouer au jeu-questionnaire *Brain of Britain*, ou allons-nous à la fête?

50

Allez et venir en parlant de Michel-Ange.

Ensemble, ils entrèrent dans un grand salon à haut plafond. O'Reilly estima qu'il y avait environ 50 ou 60 personnes ; elles étaient debout en groupes ou assises dans des causeuses et des fauteuils confortables que l'on avait placés d'une manière apparemment aléatoire dans la pièce. Ceci était, après les courses de Ballybucklebo, l'événement social de l'année, et les femmes présentes étaient certainement toutes habillées de leurs plus beaux habits.

Au-dessus du bruit des conversations, augmentant et baissant comme des vagues dans une crique étroite, des rugissements occasionnels de rire s'élevaient comme l'écume sur leurs crêtes. O'Reilly guida Kitty et Barry vers la fête. En arrière-plan, il pouvait entendre un gramophone jouant *Les Quatre Saisons* de Vivaldi. Il accompagna la musique.

— Pom pom pom pompom pom pom pom pom pompom pom… pom pom pa pa pom pom pom…

Un homme debout en périphérie se tourna et vit O'Reilly.

— Joyeux Noël, docteur.

— Joyeux Noël, agent Mulligan.

À en juger par son costume trois-pièces bleu en laine peignée, l'unique agent de police du village était en congé.

— Avez-vous vu le marquis ? demanda O'Reilly.

— Oui, monsieur. Je l'ai vu procéder en direction de l'est vers la bibliothèque, mais il a dit qu'il serait de retour, si on veut.

O'Reilly reconnut l'homme s'approchant de l'agent. Le nez de l'entrepreneur en pompes funèbres arborait un gros rhinophyma, un blocage des conduits des glandes sébacées. La conséquence était un bulbe rouge qui, de l'avis d'O'Reilly, aurait pu rendre Rudolph jaloux.

— Joyeux Noël, docteur O'Reilly.

— Joyeux Noël, monsieur Coffin.

— Comment allez-vous, Christopher?

L'agent sourit largement et entreprit une conversation animée avec l'entrepreneur. O'Reilly savait que les deux avaient développé une amitié après la fête d'au revoir pour Seamus Galvin en août.

— C'est super de voir un Noël blanc, pour ça oui.

— C'est bien vrai, mais j'espère que la neige fondra vite. C'est difficile de faire rouler un corbillard là-dessus...

O'Reilly les laissa bavarder joyeusement.

— Mêlons-nous aux autres, dit-il en prenant Kitty par un coude.

Son estomac gronda. Il sentit le parfum passager d'un pot-pourri de fleurs séchées, et il remarqua un pot en céramique sur une table basse près du foyer. La table était aussi garnie de boîtes à cigarettes en argent remplies, de bols de noix et de boîtes de Bittermints de Bond Street, ainsi que de plateaux de sablés et de dattes farcies à la pâte d'amande. O'Reilly avait un faible pour les dattes farcies à la pâte d'amande. Il changea de direction pour aller dans ce sens.

Les Bishop bavardaient avec Sonny et Maggie. Une grande branchette de houx était coincée dans la bande du chapeau en feutre violet de Maggie. Il remarqua qu'en l'honneur de l'occasion, elle portait son dentier.

Aucun d'eux ne l'avait vu, et il voulait vraiment une datte. Il décida qu'il s'arrêterait et bavarderait un peu plus tard, mais il hésita quand il entendit Bertie Bishop dire à Sonny :

— Et j'ai dit à notre homme : « En tout cas, si vous pensez que je vais payer 2000 — 2000 — vous devez vous faire examiner la tête, pour ça oui, parce que… »

O'Reilly n'entendit pas les raisons pour le prix présumé trop élevé. Un éclat de rire tonitruant à l'autre extrémité de la pièce noya les mots du conseiller. L'individu, qui qu'il soit, était tellement amusé et émettait un son si tranchant qu'il aurait pu fileter un hareng à 20 mètres.

— Vous aviez raison, Bertie, dit Sonny, et il sourit à Bishop. Le front de cet homme de croire qu'il pouvait vous avoir de cette façon…

« Alors, Bertie n'est pas le seul imprégné de l'esprit de Noël », pensa O'Reilly Il savait que Sonny ne tenait pas le conseiller en haute estime, et il avait de bonnes raisons pour cela, mais aujourd'hui, en tout cas, il était certainement prêt à laisser le passé au passé.

— Fingal.

C'était la voix de Barry.

— Je pensais bien que vous pouviez avoir besoin d'un peu de nourriture, continua-t-il.

— O'Reilly pivota, et il vit Kitty tenant quelque chose dans une serviette blanche en papier.

Barry avait fini de lui présenter une assiette de saumon fumé, et il la tendait à présent dans la direction d'O'Reilly.

— Bon garçon.

Il saisit deux tranches de pain de froment beurrées recouvertes de minces portions de saumon fumé rouge. Il admira les câpres vert pâle sur le poisson fumé et enfourna la première tranche d'un coup dans sa bouche. Ses mots furent étouffés quand il dit :

— « Grand merci de venir ainsi me relever ».

— *Hamlet*, dit Barry. Tenez. Prenez-en un autre.

O'Reilly obéit. C'était un petit mets délicat, mais il aurait vraiment aimé une datte farcie. Il poussa en direction de son but près du foyer, sûr que Barry et Kitty le suivaient.

Ils contournèrent le groupe non défini où le père O'Toole, le révérend et madame Robinson et mademoiselle Moloney écoutaient Fergus Finnegan, le capitaine des 15 au rugby.

— J'estime que ce nouveau gars, Michael Gibson, va se révéler un meilleur demi que Jack Kyle ne l'était.

— Je n'en suis pas si convaincue, s'aventura mademoiselle Moloney. Mon père avait l'habitude de nous amener voir les parties avant que nous partions pour l'Inde, et j'ai continué à y aller quand je suis revenue dans l'Ulster. Je suis allée à Belfast, et j'ai vu Kyle à Ravenhill en 1953. Il était à son apogée à cette époque…

O'Reilly attendit. Tout ce qui avait trait au rugby l'intéressait, particulièrement quand une femme avait à l'évidence une opinion instruite sur le sujet.

— Contre la France ? dit Fergus.

— C'est exact. Il a fait une percée, deux magnifiques feintes, et il a marqué un essai dont les gens parlent encore.

« C'est vrai, en effet », pensa O'Reilly, impressionné que mademoiselle Moloney comprenne les aspects les plus pointus du jeu. Il s'était lui-même trouvé à Ravenhill, et il avait regardé Kyle courir, zigzaguant comme une bécassine à travers les défenses françaises — et cela était un moment qu'il n'oublierait jamais. Et Jackie Kyle était lui-même médecin.

Il y avait une note de respect dans la voix de Fergus quand il dit :

— C'est bien vrai, mais j'estime que nous devrions donner un an ou deux à Gibson. Le garçon a du talent. C'est évident, pour ça oui.

Puis il se rapprocha un peu de mademoiselle Moloney et dit :

— Tous les ans, un groupe de gars du club nolise un bus et descend à Dublin pour les jeux internationaux. Aimeriez-vous être mise sur la liste, mademoiselle Moloney ?

Ses yeux pétillèrent, et elle dit :

— J'adorerais cela, si je peux quitter la boutique… et en passant, c'est Alice.

« Bon point pour vous, Alice Moloney », pensa O'Reilly, et il franchit les deux derniers pas jusqu'à la table.

— Mon doux, dit Kitty en regardant autour d'elle, c'est grandiose.

— Rien de mieux que le meilleur si tu voyages avec O'Reilly, dit-il. On est vraiment bien au chaud, non ?

— Il le faut bien, dit-elle. Regarde la taille de ce foyer.

O'Reilly le fit. Il inspira profondément, et l'odeur du bois qui brûlait se mêla à l'arôme du tabac de pipe et de cigare.

Une immense bûche brûlait sur des chenets noirs dans un foyer caverneux en pierres des champs. L'âtre était flanqué de grands coins avec des bancs. Deux dalmatiens en céramique peints en noir et blanc servaient de supports de chenets et étaient assis très droit avec des sourires dédaigneux sur leurs visages lustrés.

Elle rigola.

— Cela rend le foyer au gaz dans mon appartement un peu piètre.

Les Quatre saisons étaient terminées. Elles avaient été remplacées par un autre morceau qu'il reconnut : la *39ᵉ symphonie* de Mozart. O'Reilly dut tendre l'oreille pour l'entendre, car le niveau du bruit dans la pièce était beaucoup plus élevé. Le vieux docteur Finnegan, qui avait vendu le cabinet à O'Reilly, avait un jour qualifié l'alcool de lubrifiant social universel. Il avait raison.

O'Reilly se servit une datte farcie et regarda autour de lui pour voir s'il pouvait trouver un serveur. Il ne serait pas opposé à un peu d'huile dans ses propres engrenages. Pas de chance. Il estima savoir ce qu'avait dû ressentir la garnison dans la ville assiégée de Mafeking pendant la guerre des Boers en étant coupée de l'approvisionnement et très assoiffée.

Il prit une autre datte et se tourna pour voir Kitty scrutant le portrait au-dessus du manteau de cheminée en marbre vert de Connemara. C'était un marquis beaucoup plus jeune qui portait l'uniforme de parade des Irish Guards.

— Je pense que c'est un Annigoni, dit Kitty d'une voix devenue un murmure.

— Ce l'est. Mon père l'a commandé, dit le marquis.

— Mon Dieu, Votre Seigneurie, dit O'Reilly, ne vous avancez pas sans bruits comme cela derrière les gens. Comme le dirait Kinky, vous m'avez tellement fait sursauter que j'ai presque fait une crise de nerfs.

— Je ne pensais pas que quiconque pouvait vous causer un choc, Fingal, dit le marquis avec un grand sourire.

— Mon seigneur, dit Barry en exécutant une petite révérence.

— Laverty. C'est agréable de vous voir, et c'est très agréable de vous revoir, mademoiselle O'Hallorhan. Je me souviens que vous étiez présente au mariage de Sonny.

— Je l'étais. Et c'est Kitty, je vous en prie, mon seigneur.

— Kitty. C'est un prénom joliment amical, dit-il en contemplant son visage. Je dois dire que vous êtes très belle aujourd'hui.

O'Reilly ne savait pas trop s'il devait se gonfler de fierté pour elle ou ressentir une petite pointe de jalousie. Le marquis n'était pas beaucoup plus âgé que lui, il était veuf depuis huit ans et c'était un homme naturellement charismatique.

— Merci, monsieur, dit-elle doucement en souriant.

Il remarqua comme elle acceptait gracieusement le compliment, sans rougir. Kitty O'Hallorhan, il le voyait, était habituée aux compliments, et il n'eut aucune réserve à envier les hommes qui les avaient prononcés.

— Bon, dit le marquis. Je vais essayer de bavarder avec vous convenablement plus tard, mais je dois aller saluer mes autres invités bientôt. Je pense que vous connaissez la plupart d'entre eux, Fingal.

— Je suis sûr que oui. Et dans le cas contraire, n'ai-je pas une bouche entre mon nez et mon menton ?

Le marquis rit.

— Je ne pense pas que vous allez devoir vous présenter à ce collègue à vous, Fingal.

Le marquis donna un coup de tête en direction d'un homme. « Doux Jésus », se dit O'Reilly. C'était Ronald Hercules Fitzpatrick qui se tenait à côté d'un arbre décoré à l'extrémité de la pièce. Deux des chiens du marquis, un setter irlandais et un lévrier irlandais, dormaient sous les branches.

— J'ai pensé que vous aimeriez peut-être rencontrer un homme de médecine dans des circonstances sociales. Kinnegar n'est pas loin, et elle faisait autrefois partie du domaine avant que mon père la vende pour payer les droits de succession de son père. Grand-père a vécu jusqu'à 101 ans, vous savez, et je crains que mon père ne lui ait pas survécu bien longtemps.

O'Reilly, réprimant sa surprise de voir Fitzpatrick, regarda le marquis et vit en lui le symbole vivant de l'histoire ancestrale et du caractère permanent d'un endroit comme Ballybucklebo.

— Je vais lui dire un mot.

O'Reilly décida d'aller parler à Fitzpatrick sous peu, mais pas avant d'avoir bu un verre. Fitzpatrick discutait avec un très grand homme avec un nez aquilin qui arborait un monocle sur son œil gauche.

— Qui est-ce, John?

O'Reilly dut attendre pour entendre la réponse. Une fois que le rire mourut, le marquis dit :

— Sir Aidan Creighton-Dwer-MacNeill. C'est un baronnet. Nous sommes de lointains parents. Son père était un MacNeill de la branche d'Antrim de la famille. Ils ont une très grande ferme près de Ballymoney. Il a épousé Annie O'Sullivan. C'est une des O'Sullivan, et ils se targuent d'avoir John L. Sullivan, le boxeur, dans leur branche de Tralee, de même que Maureen O'Sullivan, l'actrice, qui vient de leur relation avec Roscommon. C'est la mère de Mia Farrow, vous savez…

Barry, qui avait écouté, demanda innocemment :

— Ont-ils une cousine avec six orteils, monsieur ?

O'Reilly s'efforça de dissimuler son sourire, et il observa la scène pour voir comment Sa Seigneurie allait réagir. Il ne pensait pas que John interpréterait la tentative d'humour de Barry comme une pique sur les réputées unions consanguines de l'aristocratie, mais... on ne pouvait jamais être sûr.

Le marquis fronça les sourcils, puis il dit doucement :

— Je ne pense pas. Bien qu'il y ait une cousine au second degré qui a dû être envoyée à l'hôpital psychiatrique de Purdysburn il y a environ 20 ans.

— Je suis désolé d'entendre cela, dit Barry avec appréhension.

O'Reilly pouvait dire d'après son ton que Barry était conscient d'avoir peut-être lâché une bombe.

— C'était il y a longtemps, et...

Le marquis rigola avant d'ajouter :

— Dolores était vraiment plutôt zinzin. Elle avait l'habitude de présenter son dentier à des étrangers.

Barry rit, à l'évidence soulagé qu'il n'y ait pas eu d'offense.

Le marquis fit signe à une domestique en uniforme qui portait un plateau rempli de verres.

— Je dois vraiment circuler, à présent, mais je vous en prie : faites totalement comme chez vous. Et un très joyeux Noël à vous tous.

— Un Jameson, docteur O'Reilly ?

La ville de Mafeking avait été secourue. O'Reilly sourit largement.

— Évidemment, Margaret.

Il se servit. Il la reconnut, car il l'avait soignée pour les oreillons quand elle avait huit ans.

La domestique offrit le plateau à Kitty.

— Madame?

— Sont-ce là des mimosas?

Kitty pointa des flûtes à champagne avec du liquide couleur de jus d'orange à l'intérieur.

La domestique opina de la tête.

— Merci.

Kitty en prit un.

— Monsieur? Elle présenta le plateau à Barry.

— Merci.

Il prit un mimosa.

— Santé, dit Kitty avant de boire. J'aime bien le marquis. Il est encore plus charmant que lorsqu'il était au mariage de Sonny et Maggie.

O'Reilly décida alors que quand il serait question de Kitty O'Hallorhan, il tiendrait à l'œil John MacNeill, 27e marquis de Ballybucklebo — qu'il soit un pair du royaume ou non.

— C'est un homme bien, dit O'Reilly.

Envoyant l'absence de gui au diable, il encercla sa taille d'un bras, l'attira à lui et lui embrassa délicatement les lèvres.

— Merci, Kitty, d'être ici. Je…

« Dieu Tout-Puissant », se dit-il. Il était à un cheveu de lui dire qu'il l'aimait, mais il n'arrivait pas tout à fait à en trouver le courage.

— Je te souhaite un très joyeux Noël.

« Merde, Fingal, dis-le-lui, espèce de gros empoté », pensa-t-il. Mais, alors qu'il se penchait pour lui dire les mots, il se rendit compte que Barry était à portée de voix et que Sonny et Maggie s'approchaient rapidement. O'Reilly décida de tenir sa langue.

— Joyeux Noël, docteur, cher, dit Maggie. Docteur Laverty.

— Et vous vous souvenez de mademoiselle O'Hallorhan ? dit O'Reilly.

— Oui.

Maggie pencha la tête et posa un regard critique sur Kitty.

— C'est un joli ensemble, dit-elle, mais je préfère celui que vous aviez à notre mariage.

— Si je l'avais su, madame Houston, je l'aurais porté, dit Kitty en gloussant.

O'Reilly fut impressionné que Kitty se souvienne du nom de femme mariée de Maggie.

— Nous sommes passés voir Eileen Lindsay ce matin. Vous serez content d'entendre que Sammy est totalement remis et que les Lindsay passent un merveilleux Noël.

— C'est bien, dit Sonny. Très bien. Je suis content.

— Vous avez été d'une grande aide tous les deux quand il était malade, Maggie. Je suis sérieux.

— Oh, n'était-ce pas l'idée du docteur Laverty ?

O'Reilly vit Barry sourire. Et avec raison. Le garçon apprenait qu'il y avait plus à la médecine de campagne que le fait de poser des diagnostics et de rédiger des prescriptions. On pouvait tirer du plaisir à aider les gens à faire leurs vies.

— Et de toute façon, poursuivit-elle, être gardienne d'enfants, ce n'était rien. Ce qui est tombé dans le mille pour elle était de gagner le tirage, pour ça oui.

O'Reilly acquiesça d'un signe de tête. Il était plutôt satisfait de lui-même.

— Oh, bien sûr, n'était-ce pas là un miracle de Noël ?

— Ce l'était, Maggie.

O'Reilly prit une autre datte farcie.

— Et organisé par Donal Donnelly.

Son sourire était immense quand elle se pencha vers lui et murmura :

— Et moi qui ne savais pas tout ce temps-là que Donal était un ange.

Elle savait que cela avait été truqué, ou plutôt, elle connaissait Donal.

— Mais nous n'en parlerons plus — n'est-ce pas, docteur, cher ?

— Plus un mot, Maggie. Plus un mot.

Elle lui décocha un clin d'œil et se tourna vers Sonny.

— Bon, chéri. Il est temps de partir. Ma dinde a besoin d'attention, et le Général et tes chiens sont seuls depuis assez longtemps.

O'Reilly se dit alors qu'il ne faisait aucun doute que les cinq chiens de Sonny et le chat de ruelle bien amoché de Maggie, sir Bernard Law Montgomery, auraient aussi droit à un dîner constitué de dinde ce jour-là.

— Bon retour à la maison, dit-il.

— Et à vous également, docteur, dit Sonny alors qu'avec un bras protecteur autour de la taille de Maggie, il commençait à l'entraîner vers la porte. Nous vous verrons tous demain, j'espère, à la fête à portes ouvertes chez les Bishop.

— Vous nous verrez, dit O'Reilly.

Il se tourna vers Kitty et demanda :

— Pourrais-tu revenir pour cela ?

Elle secoua la tête.

— Désolée, Fingal. Certains d'entre nous doivent travailler.

Il haussa les épaules, mais en son for intérieur, il se sentit profondément déçu comme il savait que Barry devait l'être parce que Patricia n'était pas venue aujourd'hui.

— On ne peut rien y faire. Je comprends, et peut-être....

O'Reilly n'alla pas plus loin. Il survola la pièce du regard. La dernière tempête de rires, un mélange de gros rires, d'éclats et de gloussements, semblait provenir d'un groupe entourant le grand docteur Fitzpatrick cadavérique. L'homme avait un sourire fendu jusqu'aux oreilles et serrait son pince-nez dans la main gauche.

— Que diable?

— Je pense, dit Barry, que votre vieil ami de l'université semble tenir sa cour.

— Nous devrions aller écouter, dit O'Reilly en prenant la main de Kitty. Venez. Excusez-moi, excusez-moi, excusez-moi, dit-il en forçant le passage devant plusieurs étrangers.

Il savait que Kitty et Barry suivaient dans son sillage. Il amena son groupe à l'arrière du groupe entourant Fitzpatrick, où ils s'immobilisèrent.

— Joyeux Noël, père O'Toole.

— Docteur.

— Je vous offre mes vœux de la saison, révérend, madame Robinson.

— Docteur O'Reilly. Docteur Laverty. Mademoiselle O'Hallorhan.

Il entendit Barry dire :

— Je suis content que les pilules de fer ne vous causent pas de problèmes, Alice.

Puis mademoiselle Moloney souhaita à Barry un joyeux Noël.

C'était comme une réunion de famille — n'était-ce pas ce qu'était Ballybucklebo ? Et n'était-il pas très heureux d'être un membre de cette famille ?

La voix dure de Fitzpatrick portait, et il était bien avancé dans son histoire.

— En tout cas, le patient faisait confiance au médecin, et il a pris la poudre à canon tous les jours très religieusement…

« Il a pris la poudre à canon ? » se dit O'Reilly. Que faisait Fitzpatrick ?

— Tous les jours… pendant six mois… six mois complets.

O'Reilly regarda autour de lui. L'auditoire s'était agrandi et semblait englober chacun des participants à la fête. Le marquis, son fils, O'Brien-Kelly et sir Machin-chouette MacNeill se trouvaient de l'autre côté de la foule. Il y avait Bertie et Flo. Il leur sourit, et ils répondirent à son sourire.

— Et ensuite…

Fitzpatrick baissa la voix avant de continuer son histoire en disant :

— Et ensuite, le pauvre homme est mort.

Il y eut une brusque inspiration collective, et le silence qui suivit fut rompu seulement par le dernier mouvement de la symphonie de Mozart.

— Et savez-vous ce qui est arrivé ensuite ?

O'Reilly était impressionné. Fitzpatrick était certainement doué pour retenir un public. Il serait un candidat avec qui il serait difficile de débattre dans une élection.

— Ils ont tenté d'incinérer le corps.

— Et c'est une très bonne idée ! cria monsieur Coffin.

— Chut, Christopher, murmura l'agent Mulligan d'une voix intelligible.

— Vous avez raison, monsieur. Cela semblait en effet une bonne idée, mais...

Fitzpatrick promena son regard autour de la pièce et lança :

— Mais... ils cherchent encore le mur du fond du crématorium à ce jour.

O'Reilly se joignit au rire universel, et il applaudit avec les autres. Cela ne le dérangeait pas du tout que Fitzpatrick lui ait volé la chute dont il s'était lui-même servi pour réprimander Fitzpatrick parce qu'il avait utilisé de la poudre à canon comme traitement. « Bien joué pour l'homme », se dit-il. O'Reilly lâcha la main de Kitty et força son chemin jusqu'à l'avant. Il attrapa la main de Fitzpatrick, et il la serra.

— Bien joué, Ronald. Bien joué.

— Merci, O'Reilly. Venant de vous, cela me touche beaucoup.

— Oh, c'est le jour de Noël.

— Alors, un joyeux Noël à vous, Fingal.

Il remit son pince-nez sur son nez étroit, déglutit de sorte que sa pomme d'Adam sautilla et ajouta :

— J'espère que nous aurons tous une très bonne et heureuse année.

— Je n'aurais pas pu mieux dire moi-même, dit O'Reilly.

Il sentit qu'on lui tapotait l'épaule, et il se tourna pour voir Kitty.

— Excusez-moi, Ronald, dit-elle.

— Certainement, Kitty.

— Fingal, il est 16 h 30...

— Et nous devons partir, car sinon, Kinky me fera cuire dans mon jus à la place de la dinde.

O'Reilly sourit à Fitzpatrick et dit :

— Je dois aller remercier Sa Seigneurie, puis nous allons partir. Amusez-vous.

— Et lorsque vous serez chez vous, dit Fitzpatrick avec une petite révérence, je vous en prie, souhaitez un joyeux Noël à madame Kincaid de ma part.

51

Les présents, dis-je toujours,
servent à nous faire aimer...

Barry était encore stupéfait par l'apparente transforma-tion du docteur Fitzpatrick. Il avait cru que voir la lumière sur la route de Damas n'arrivait que dans la Bible. Cependant, si la façon qu'avait eue O'Reilly de secouer l'homme la semaine précédente avait produit ce change-ment, c'était un bon point pour lui.

Il suivit O'Reilly et Kitty dans la ruelle et le jardin. Il pouvait voir des flocons paresseux descendre doucement et briller sous la lueur du lampadaire à proximité. Alors que lui et les deux autres traversaient le jardin sombre d'O'Reilly, tout ce qu'il pouvait entendre était le craquement des chaus-sures et des bottes sur la neige. Il n'y avait aucun bruit de circulation provenant de la route, pas de cloches d'église, pas de voix d'enfants, pas de plaintes de mouettes, pas de meu-glements de bêtes. La tombée de la nuit et la chute de neige avaient enveloppé Ballybucklebo dans un cocon de doux silence.

Il n'y avait pas de signe d'Arthur. O'Reilly ne semblait pas inquiet, alors il était peu probable que le chien ait réussi à partir vagabonder comme il l'avait fait l'été précédent. Il faisait froid dans le jardin, mais dès qu'il fut dans la cuisine,

Barry dut retirer son manteau. En sentant les incroyables odeurs de cuisson, il saliva.

— C'est bon de vous revoir tous à la maison à temps.

Kinky, couronnée d'un nuage de vapeur, fermait la porte du four et se redressait. Elle tenait une rôtissoire dans une main habillée d'une mitaine de four.

— La volaille avance bien. Je ne voudrais pas qu'elle soit trop sèche après avoir trop cuit.

— Je suis certain qu'elle fondra dans la bouche, dit O'Reilly.

Il était debout, tenant un sac qui contenait, Barry le savait, les chaussures de Kitty. Elle retira son manteau et ses bottillons bordés de fourrure, puis elle enfila ses talons hauts.

— Et en passant, le docteur Fitzpatrick vous souhaite un très joyeux Noël.

— Nom de dieu, dit-elle. Les miracles ne cesseront-ils jamais ?

Elle regarda ensuite Kitty et dit :

— Mettez vos bottes dans le coin là-bas, mademoiselle O'Hallorhan.

— Et je vais aller suspendre mon manteau dans le vestibule.

Kitty s'apprêta à y aller, mais elle hésita quand Kinky dit :

— Docteur O'Reilly, monsieur. J'ai un petit travail pour vous et le docteur Laverty.

— Quoi ? demanda O'Reilly. J'espère que vous ne vous attendez pas à ce que je cuisine un jambon.

Kinky rit tellement que ses mentons tremblèrent.

— Non, monsieur. Non.

Barry pensa qu'elle ressemblait à une mère rassurant son fils de huit ans en lui disant qu'il n'aurait pas à courir deux kilomètres en quatre minutes.

— Même si je suis un peu en retard dans ma préparation, dit-elle.

Et c'était la première fois en cinq mois que Barry avait entendu Kinky avouer être moins que parfaite. D'une certaine manière, cela la rendait encore plus admirable.

— Je me suis fait l'impression d'être un archet de violon allant et venant entre ici et la porte pour ouvrir à des gens qui sont venus souhaiter un joyeux Noël aux habitants de cette maison.

Elle utilisa son avant-bras pour repousser une mèche de cheveux tombée sur ses yeux.

— Je sais bien que les gens passent tous les ans pour vous remercier, monsieur, dit-elle en pointant O'Reilly avec la poire à arroser la viande. Je sais que certaines personnes viennent au cabinet le mercredi avec des présents, ceux qui n'étaient pas passés avant sont venus aujourd'hui, et à présent, il y a deux médecins ici — et chaque visiteur jusqu'au dernier a apporté deux bouteilles. Il y a suffisamment de whiskey dans la salle à manger pour vider la distillerie Jameson, oui, et faire aussi un gros trou dans le stock de Bushmills.

Barry vit l'immense sourire d'O'Reilly. La bouteille qu'ils avaient apportée à Kieran O'Hagan ne manquerait à personne.

Kinky posa la poire sur la surface de travail et fit cliqueter une casserole sur la cuisinière.

— Des pommes de terre bouillies. Elles seront prêtes à égoutter avant que je les fasse rôtir dans dix minutes, marmonna-t-elle pour elle-même avant de continuer à informer O'Reilly. Je vous serais reconnaissante, monsieur, si vous pouviez emporter toutes ces bouteilles à l'étage.

Le couvercle d'une casserole cliqueta. Elle pivota et l'inclina afin que la vapeur puisse s'en échapper.

— Du pudding de Noël. Il sera prêt dans une heure environ.

Elle se retourna vers O'Reilly et dit :

— Vous pouvez voir, monsieur, que je suis un petit peu occupée ici. Pourriez-vous les mettre sur le buffet dans le salon ? Je vais avoir besoin de la surface sur celui dans la salle à manger pour y mettre les choses quand j'emporterai le dîner, donc.

Kitty tendit son manteau à O'Reilly.

— Suspend cela dans le vestibule, Fingal, en allant dans la salle à manger, s'il te plaît.

Elle donnait l'impression d'avoir demandé ce genre de petit service à O'Reilly depuis des années, et Barry remarqua qu'O'Reilly accepta le manteau comme s'il le faisait depuis des années — et qu'il aimait cela.

Kitty roula ses manches.

— Madame Kincaid, puis-je vous donner un coup de main ?

— Vous êtes un ange, mademoiselle O'Hallorhan, c'est très gentil, donc.

Kinky pointa trois plateaux surchargés et dit :

— Mais si vous pouviez seulement emporter le gâteau de Noël, les tartelettes aux fruits secs et les meringues et les déposer sur le buffet une fois que les docteurs l'auront libéré, cela m'aiderait amplement, merci infiniment.

Il y avait une finalité dans son « merci », cet accent que Barry interpréta comme voulant dire : « Trop de cuisiniers gâchent la sauce, et malgré votre présence, mademoiselle O'Hallorhan, ceci est mon domaine. » Il se demanda si Kinky Kincaid, qui avait considéré Fingal Flahertie O'Reilly comme sa propriété depuis des années, pouvait se sentir un peu jalouse.

— Je comprends totalement, dit Kitty. Je suis une invitée ici. C'est votre cuisine, Kinky.

« Une belle offrande de paix », pensa Barry, ébahi comme de toujours de voir comment les femmes pouvaient être astucieuses quand il s'agissait de détecter les sous-entendus.

Kitty souleva deux plateaux chargés.

— Je vais revenir pour les meringues. Montre le chemin, Fingal.

O'Reilly prit la direction du vestibule avec Kitty sur les talons. Barry vit Kinky observer son départ. Il y avait une trace de sourire sur le visage rond de la femme de Cork. Elle rouvrit le four et tira sur la grille du bas en la sortant à moitié. Barry admira le jambon. Kinky avait entaillé le gras en formant des motifs de diamant, et au centre de chacun s'élevait un clou de girofle.

— Il avance bien, dit-elle avant de le repousser à l'intérieur et de refermer la porte du four.

— Il semble délicieux, Kinky.

— Je pense qu'il le sera, dit-elle, si on me laisse en paix pour que je puisse continuer.

Barry comprit l'allusion peu subtile, et il partit aider O'Reilly.

Barry se tenait devant le feu, qui brûlait joyeusement dans l'âtre. Il se pencha et tapota la tête d'Arthur Guinness. Le labrador et Lady Macbeth, qui devaient avoir déclaré leur propre trêve de Noël, partageaient le tapis devant le foyer. Barry remarqua que la chatte s'était débarrassée de son ruban.

— « Le loup habitera avec l'agneau », dit O'Reilly alors qu'il rangeait le dernier des cadeaux liquides sur le buffet.

— Essayez plutôt : « Le veau, le lionceau, et le bétail qu'on engraisse seront ensemble », dit Barry. Ce pauvre vieux Isaïe n'est jamais cité correctement.

— Vous avez raison, mais comment diable pouvez-vous appeler cette maigre petite chatte du bétail qu'on engraisse ?

— Je vois ce que vous voulez dire.

Barry se redressa.

Arthur leva un regard interrogateur comme pour dire : « Cela m'amusait. N'arrêtez pas. »

— Nous laissons toujours entrer Arthur le jour de Noël, dit O'Reilly.

« Cela explique son absence dans le jardin », se dit Barry. Laissant un fauteuil pour O'Reilly, Barry alla s'installer sur la chaise ordinaire, près de l'endroit où Kitty était assise dans l'autre fauteuil. Elle avait déposé un petit paquet dans un emballage cadeau à côté d'elle. Barry l'avait vue le tirer de la poche de son manteau en poils de chameau juste avant qu'ils montent tous. Elle retira ses talons hauts d'un coup de pied et recroisa les jambes.

— Ils peuvent bien être superbes, mais ils me serrent les pieds.

Elle se pencha et massa ses orteils.

Barry ne dit rien, mais il fut impressionné de voir à quel point elle devait manifestement se sentir comme chez elle ici. Il jeta un coup d'œil vers la fenêtre devant laquelle des flocons de neige tombaient doucement dehors, un duvet blanc illuminé par les lumières se déversant de la pièce et par la lune presque pleine.

— Je vais tirer les rideaux, dit O'Reilly.

Barry avait aimé observer les flocons tourbillonner et danser, mais maintenant qu'ils étaient cachés, il sentit la chaleur de la pièce familière. Et elle ne provenait pas tant du feu que du sentiment d'être à sa place, d'être confortablement installé à la maison. Oubliez les lions et le bétail qu'on engraisse ; lui, Barry Laverty, à un moment si intimidé par le docteur O'Reilly, ne le voyait plus comme son patron. Et tout comme Arthur et Sa Seigneurie appréciaient leur compagnie mutuelle, Barry aimait celle de Fingal. Il aurait seulement aimé que Patricia soit présente pour faire de cette soirée un moment parfait.

O'Reilly, maintenant de retour devant le buffet, demanda :

— Qui veut quoi ?

Puis il s'occupa rapidement des boissons pour Kitty et Barry.

— Je ne suis pas un grand amateur de vin chaud, déclara-t-il en se versant un énorme whiskey irlandais. Et je suis content que vous ne le soyez pas non plus.

— Si j'avais su que tu en avais, j'en aurais demandé, dit Kitty. J'ai toujours aimé avaler ce breuvage chaud.

Elle accepta son gin-tonic.

Il y avait une étincelle dans ses yeux, et Barry ne savait pas trop si elle était sérieuse ou si elle menait son collègue plus âgé en bateau. Si c'était le cas, elle devait être l'une des rares personnes à oser taquiner O'Reilly.

O'Reilly s'éclaircit la gorge et donna à Barry un petit whiskey, puis il alla à côté de l'arbre à moitié décoré.

— Il en reste seulement quelques-uns à offrir, dit-il en soulevant un paquet. Un pour vous, Barry, et — il en prit deux autres — un pour chacun de nos amis, Lady Macbeth et Arthur Guinness.

Barry regarda l'unique présent dans son emballage cadeau qui demeurait seul sous l'arbre. Il ne savait que trop bien que sur l'étiquette, on lisait : « À Patricia Spence ». Il soupira. Il n'y avait rien portant l'inscription « De Patricia ».

— Tenez, dit O'Reilly en lui en tendant deux. Ouvrez celui d'Arthur et le vôtre, et vais m'occuper de celui de Sa Seigneurie Lady Macbeth.

— D'accord.

Barry déposa le paquet emballé de papier brun timbré de l'Australie sur le tapis, et il déballa celui d'Arthur. Il éclata de rire. C'était une paire de bottes Wellington d'une taille enfant.

— Qu'y a-t-il de si drôle ? demanda Kitty.

— Vous rappelez-vous, Kitty, qu'au mariage de Sonny et Maggie, Fingal m'a donné un boulot à faire ? Mon premier travail sans supervision ?

Elle fronça les sourcils, puis elle sourit.

— Vous deviez chercher l'autre moitié d'une paire de bottes Wellington parce qu'Arthur avait volé la première.

— C'est exact.

— Et j'ai pensé, dit O'Reilly, que s'il possédait sa propre paire pour jouer, il allait peut-être laisser celles des autres en paix.

Barry emporta les bottes au chien.

— Joyeux Noël, Arthur.

Arthur ouvrit un œil, et son sourcil vola au ciel et tressaillit vigoureusement. Il renifla ensuite son cadeau, puis il se rendormit promptement et ronfla.

— Créature ingrate, dit O'Reilly en déposant une petite boîte de conserve ouverte à côté de Lady Macbeth.

Elle se réveilla, s'étira en arquant le dos si haut que Barry crut qu'elle s'était presque pliée en deux, se redressa, baissa la tête vers la conserve et bondit en arrière comme si elle avait mis le nez sur une clôture électrique. Elle s'avança très lentement, la queue ébouriffée, et elle renifla encore, donna des petits coups de patte sur la boîte, renifla à nouveau, se pencha et commença à manger.

— Qu'y a-t-il dans la conserve, Fingal ? demanda Kitty.

— Des filets d'anchois, dit-il. J'ai pensé qu'elle pourrait les aimer.

— Cela semble certainement être le cas. On pourrait croire qu'elle n'a pas mangé depuis une semaine en la voyant les dévorer.

— J'espère qu'elle les aime, dit O'Reilly très sérieusement, et Arthur l'ignore encore, mais les bottes ne sont qu'une plaisanterie. Il y a un gros os à moelle dans sa niche pour lui. Je ne vois pas pourquoi les animaux ne pourraient pas profiter d'une journée spéciale eux aussi. Après tout, il y avait des tas de bêtes dans l'étable lors du premier Noël. Les nôtres devraient recevoir leur encens et leur

myrrhe. Cela dit, dit-il avec un grand sourire, j'aime beaucoup Arthur et Lady Macbeth, mais pas assez pour leur
apporter de l'or.

« Et vous êtes un homme sage, Fingal, même si vous
n'êtes pas un mage », pensa Barry

O'Reilly s'assit. Il désigna le paquet de Barry d'un coup
de tête.

— Alors, qui a-t-il là-dedans ?

Barry retira le papier brun. Il y avait une enveloppe qui
devait contenir une carte de Noël et un truc emballé dans un
papier blanc décoré d'images de houx à baies rouges et
feuilles vertes. À en juger par la sensation du paquet, il
devait contenir un livre. Il ouvrit l'enveloppe et sortit la
carte de Noël, qui comportait le père Noël et son traîneau
tiré par six immenses kangourous et le vœu « Joyeux Noël
d'en bas ».

— Cela vient de mes parents.

Il lut la carte et dit :

— Mon père vous transmet ses salutations.

O'Reilly sourit.

Barry retira l'emballage. C'était un livre intitulé *La pêche
autour du monde*, écrit par l'auteur de westerns américain
Zane Grey. Barry était vraiment content. Il avait toujours
voulu le lire, et sans cabinet à gérer pendant les prochains
jours — et sans Patricia —, il aurait tout le loisir de le faire. Il
le montra à Kitty et à Fingal, qui émirent tous les deux des
bruits admiratifs.

— Ton tour, Fingal, dit Kitty en lui tendant le petit
paquet à côté d'elle. Tu ne m'as pas laissé l'occasion de te le
remettre quand je suis arrivée ou après que j'aie ouvert mon

cadeau, avec ton « en haut, femme, je ne vais pas te laisser mourir d'hypothermie dans ma maison ».

— Je suis désolé, mais tu semblais tellement gelée.

« Il semble contrit, comme s'il avait été sincèrement inquiet pour elle », pensa Barry.

— Tu es pardonné — cette fois.

Elle sourit. Barry la vit observer O'Reilly dans l'expectative.

Ses yeux s'arrondirent.

— Bonne mère, dit-il quand son cadeau fut dévoilé. Sainte Marie mère de Dieu en robe lamée d'or. Tu es géniale, Kitty O'Hallorhan. Véritablement géniale.

Il la tira sur ses pieds, l'enveloppa dans une grosse étreinte et l'embrassa fermement et passionnément.

Barry pouvait voir pourquoi Kitty était géniale. Gisant sur la table à côté d'O'Reilly, il y avait un ensemble de plume fontaine et pousse-mine Parker.

O'Reilly la lâcha, la retint à bout de bras, la fixa dans les yeux pendant un tout petit instant de plus que ce que Barry croyait nécessaire, la prit par une main et dit :

— Merci, Kitty. Merci infiniment.

Puis O'Reilly fronça les sourcils et demanda :

— Mais comment le savais-tu ?

— Si on veut savoir quelque chose dans cette maison, dit Kitty, je suis certaine que madame Kincaid peut être utile.

« Sauf quand il s'agit de savoir si certaines personnes seront à la maison », pensa Barry. Pourtant, le bonheur de Barry de voir O'Reilly si à l'aise avec Kitty adoucit sa déception.

O'Reilly rit.

— Kinky te l'a dit ?

— Elle l'a fait. Elle était au courant du cadeau que le Rugby Club t'a présenté, et Flo Bishop lui a parlé de ce qu'a fait le père Noël à la fête et…

Sa voix s'adoucit, et elle ajouta :

— Et je pense que ce que tu as fait pour ces petits était très gentil. Cela dit, je n'en aurais pas attendu moins de ta part. Tu as toujours été un tendre.

Elle se leva sur le bout des orteils et l'embrassa avant de lui dire :

— Ce que tu as fait était merveilleux.

— Hum, hum.

O'Reilly s'éclaircit la gorge, la regarda et dit :

— Kinky est merveilleuse.

Barry entendit des pas et pivota pour voir Kinky debout dans l'embrasure de la porte. Plusieurs mèches de cheveux s'égaraient sur son front là où Barry remarqua quelques gouttes de sueur.

— Je ne le suis pas, donc, dit-elle. Je suis désolée, mais le dîner a cinq minutes de retard.

— Kinky, dit O'Reilly en se levant avant de traverser la pièce, de l'attraper par sa taille ronde et de la faire tourner une fois. Kinky Kincaid, si vous étiez une semaine en retard devant les portes du paradis, Saint Pierre vous attendrait. Nous allons survivre à cinq minutes de retard.

Barry entendit le grondement dans l'estomac de son aîné.

— Eh bien, vous pourriez survivre, dit-elle, mais si vous ne me posez pas, monsieur, et si vous n'amenez pas made-moiselle O'Hallorhan et le docteur Laverty en bas dans la salle à manger, ma soupe aux légumes et à la dinde sera froide.

« Et cela, dans l'univers de Kinky Kincaid, gouvernante sans pareil, serait une catastrophe », pensa Barry. Il se leva, se dirigea vers la porte et dit dans une imitation correcte de l'un des commentaires fréquents d'O'Reilly :

— Venez, vous deux. Je suis affamé.

52

Un festin digne d'un roi

— Cette table, dit O'Reilly en regardant les places mises, est une beauté.

Barry se devait d'être d'accord. Le plus beau service de couverts était disposé de chaque côté de napperons tissés verts. À la droite de chaque place, il y avait des craquelins multicolores de Noël. Des verres en cristal taillé étincelaient sous la lumière. Des serviettes de table en lin d'un blanc éclatant étaient roulées dans des anneaux en argent.

O'Reilly, à l'étonnement de Barry, ne se jeta pas sur sa chaise, mais il fit passer Kitty devant lui et dit tout en lui tirant une chaise à la droite de sa propre place habituelle à la tête de la table :

— Je t'en prie, assieds-toi ici, Kitty.

— Merci.

— Quant à toi, monsieur, va sous la table, dit-il à Arthur Guinness, qui les avait suivis en bas.

Arthur soupira puissamment et obéit.

Barry remarqua que Lady Macbeth s'était installée confortablement sur une chaise devant une place supplémentaire mise tout de suite à sa gauche. Il se demanda pour qui elle était. Peut-être que c'était une coutume de Cork avec laquelle il n'était pas familier, comme pour l'insistance de Kinky à faire brûler une bougie à la fenêtre la veille. Il savait qu'à Pâques, les Juifs laissaient une place inoccupée pour le prophète Elie. Il refusait de croire que Kinky, toute voyante qu'elle puisse être, pensait encore que Patricia venait.

Il soupira aussi profondément qu'Arthur l'avait fait et attendit qu'O'Reilly soit assis, et alors que Barry s'installait lui-même à sa place, il entendit O'Reilly dire à Kitty :

— Veux-tu goûter au vin ? Je ne bois pas normalement beaucoup de ce truc, mais aujourd'hui, c'est un dîner spécial.

«Ce l'est en effet», pensa Barry en regardant autour de lui.

Une nappe rouge vif recouvrait la table de la salle à manger. Le centre de table était un ensemble de chandeliers décorés d'anges. De l'air chaud s'élevant de ses bougies allumées faisait tourner un dais tournant, et ce faisant, des anges découpés frappaient des cloches et les faisaient tinter. Barry avala. Sa mère en avait possédé un exactement semblable. Par-dessus le son des cloches, il entendit le tintement d'un col de bouteille qui touchait le verre.

— C'est un Montrachet, dit O'Reilly, pour remplacer celui que nous n'avons pas pu finir à l'auberge. Vois si tu l'aimes.

Kitty vit tourner sa coupe et sentit son contenu avant de boire.

— C'est très bon, Fingal, dit-elle, et elle tendit son verre. Le vin glouglouta.

O'Reilly s'en versa pour lui-même, puis il dit :

— Poussez votre coupe jusqu'ici, Barry.

Il obéit et attendit qu'O'Reilly la remplisse et la lui rende.

— Maintenant, dit O'Reilly en levant la sienne, un toast. C'est un de ceux prononcés par mon père : «À nous. Qui est comme nous ? »

Il décocha un clin d'œil à Barry.

Barry entendit Kitty alors qu'elle et lui complétaient la phrase :

— «Il y en a foutrement peu comme nous, et ils sont presque tous morts. »

Le verre tinta contre le verre, puis il but le vin. Froid, vif et sec. Barry n'était pas un amateur de vin, mais il était réellement délicieux. Il rit, puis il demanda :

— Pourquoi ce toast le jour de Noël, Fingal ?

O'Reilly rugit de rire.

— Parce que, jeune homme, c'est le seul que je connais qui convient à une compagnie mixte.

Kitty dit :

— Vous auriez dû l'entendre, Barry, quand il était étudiant.

— Je peux l'imaginer.

Kitty gloussa.

— Vous n'en connaissez pas la moitié.

— Oh, d'accord, dit O'Reilly. Et ne me suis-je pas adouci ?

— Exactement comme un bon vin, dit Kitty, et elle leva son verre. Aux médecins de Ballybucklebo.

Barry sourit et but lentement. Il se dit qu'au moins, elle n'avait pas suggéré «aux amis absents».

Il prit sa serviette de table et la posa sur ses cuisses. Il regarda à l'intérieur de l'anneau. Le sceau d'une harpe surmontée d'une couronne indiqua à Barry que c'était de l'argenterie irlandaise comme celle que sa mère gardait pour les grandes occasions. Tant de souvenirs de Noëls passés.

— À présent, dit O'Reilly, Kitty, Barry, joyeux Noël. Levez encore une fois vos verres avec moi. Nous ne disons pas le bénédicité dans cette maison, mais je vais dire : «Que Dieu bénisse chacun de nous.»

Il but.

— En effet, dit Kinky.

Son plateau était chargé d'assiettes creuses contenant de la soupe fumante et d'une deuxième bouteille de vin. Elle posa le vin sur le buffet, puis elle servit Kitty en premier.

— Je sais qui a dit cela, docteur O'Reilly, monsieur. J'ai moi aussi lu le livre, donc.

Elle fixa son ventre et dit :

— Tiny Tim. Voici votre soupe à la dinde, monsieur, et j'espère que l'an prochain, nous allons demander à mademoiselle Moloney de rétrécir la taille de votre pantalon de père Noël.

Elle déposa l'assiette devant lui, se déplaça autour de la table et remit la sienne à Barry.

— Et voici la vôtre, docteur Laverty. C'est ma propre soupe à la dinde, aux légumes et à l'orge. J'espère que vous l'aimerez.

— C'est délicieux, dit Kitty, mais je pensais que vous auriez besoin d'une carcasse de dinde pour faire le bouillon.

— Seigneur, non, mademoiselle O'Hallorhan. J'utilise les abats, le cœur, le foie et les ailes. Personne ne mange les ailes de dinde.

— Eh bien, c'est véritablement merveilleux, Kinky.

— Bravo. Bravo, marmonna O'Reilly avec la bouche pleine.

Barry savoura sa portion. Il se demanda où il allait trouver la place pour le repas en entier. Il savait qu'un plat de dinde suivait; et Kinky ne préparait-elle pas ses puddings de Noël deux semaines auparavant quand elle avait découvert que l'un avait rongé un trou dans le bol en acier inoxydable?

Il jeta un regard sur le buffet. Des assiettes de tartelettes aux fruits secs, des meringues et le gâteau de Noël étaient tous coincés entre des rangées de cartes de Noël et deux couronnes de houx à chaque extrémité qui entouraient des bougies allumées. Les meringues formaient un tourbillon en cône; elles étaient souples, blanches et sucrées, chacune collée à la suivante par une couche de crème fouettée.

«Passe à travers tout cela, Barry Laverty, et c'est *toi* qui emporteras tes nouveaux pantalons à mademoiselle Moloney — pour les faire agrandir», se dit-il à lui-même. Mais il avala une autre bouchée; la soupe était très bonne.

— Je vais revenir sous peu avec la volaille, dit Kinky en partant.

O'Reilly marmonna quelque chose comme «Merci» à travers une bouche pleine.

Barry avait presque terminé sa soupe quand il entendit retentir la sonnette de la porte d'entrée. Qui diable pouvait bien venir à leur porte à l'heure du dîner le jour de Noël avec la neige tombant assez fort pour stopper la circulation? Il échangea un regard rapide avec Fingal, dont les sourcils étaient levés.

— Attendons-nous quelqu'un? dit O'Reilly.

— Docteurs, mes chers!

Ils avaient entendu le cri de Kinky depuis la cuisine à travers le bruit des casseroles et des poêlons qui cliquetaient.

— L'un de vous peut-il y aller, s'il vous plaît? demanda-t-elle.

Barry jeta un regard à O'Reilly, qui s'apprêtait à se lever. L'homme avait sa Kitty ici. «Qu'il profite de sa compagnie», se dit-il.

— Kinky en a plein les bras. Je vais y aller, Fingal.

Il entendit O'Reilly crier derrière lui :

— Ne vous inquiétez pas, Barry. Quand elle apportera le plat principal, nous allons préparer une assiette pour vous et la glisser dans le four. Si c'est un patient, traitez-le rapidement... et demandez-lui s'il a mangé.

Le son du rire de Fingal et Kitty le suivit tandis qu'il traversait le vestibule et ouvrait la porte devant une petite silhouette enveloppée dans un énorme duffle-coat avec le capuchon relevé. La lumière du vestibule illuminait la neige tourbillonnante — une scène de boule à neige. Le bruit d'un moteur de voiture s'éloignait, ses feux arrière se dirigeant vers Belfast.

— Puis-je vous aider?

L'étranger s'avança, et Barry remarqua le boitillement.

— Seigneur Dieu. Patricia? Est-ce toi?

— Barry.

Il sentit son cœur se gonfler.

Elle s'avança dans la porte, lâcha sa valise et rejeta en arrière le capuchon de son manteau.

— Je suis désolée d'avoir fait toute une histoire à propos de mon retour. Je suis vraiment désolée, dit-elle en se rapprochant de lui.

Il la serra dans ses bras et l'embrassa, passionnément et longuement. «Oh, sa douceur...» pensa-t-il. Elle était là. Son cœur chantait. Elle était là. Il recula un peu.

— Comment as-tu…?

Elle était un peu essoufflée quand elle dit :

— J'ai eu toutes les peines du monde à arriver ici. J'ai suivi le conseil de l'agente de voyages, et je suis allée à Gatwick.

— Mais je croyais que tous les vols étaient complets.

— J'ai été chanceuse. J'ai obtenu un siège libéré en milieu de matinée. Papa est venu me prendre à l'aéroport. J'étais à Newry avec mes parents…

— Pourquoi n'as-tu pas téléphoné? Seigneur, Patricia, tu aurais pu m'en informer.

— J'ai essayé, Barry. Sincèrement, j'ai bien essayé. Tout est arrivé si vite. J'ai tout juste eu le temps d'appeler papa de Londres avant de monter dans l'avion. J'allais téléphoner dès mon arrivée à la maison, mais il neige lourdement. Les lignes téléphoniques ne fonctionnent plus depuis midi, et…

— Chut, dit-il en la reprenant dans ses bras et en lui embrassant le dessus de la tête.

— Je voulais te dire que j'étais ici, dans l'Ulster, pour Noël. Papa a dit d'attendre à demain, mais je devais venir te voir aujourd'hui.

Sa voix craqua et elle ajouta :

— Il le fallait.

— Ce n'était pas ta faute. Je comprends. Comment es-tu venue ici?

Elle sourit.

— Mon père est un amour. Il a ce vieux modèle de Landrover qui peut affronter toutes les conditions. Il a dit de te souhaiter un joyeux Noël; mais il devait repartir pour la maison avant que la neige tombe encore plus violemment.

Elle embrassa à nouveau Barry, puis elle recula et le regarda au fond des yeux avant de dire :

— Je t'aime, chéri.

— Je t'aime, Patricia.

Les mains de Barry tremblaient quand il les tendit vers ses épaules et dit :

— Laisse-moi t'aider avec ton manteau.

Elle était là. C'était le plus beau Noël de tous. Il ne remarqua même pas ce qu'elle portait tandis qu'il suspendait son manteau, lui prenait la main et l'entraînait dans la salle à manger.

— Regardez qui est venu, dit-il.

— Eh bien, mademoiselle Patricia Spence, dit Fingal. Quelle agréable surprise ! Entrez, entrez. Vous avez seulement raté la soupe. Assoyez-vous.

Barry s'accrochait à la main de Patricia, et il fixait son visage ovale, ses yeux en amande, ses lèvres.

La pièce était silencieuse, et quand Barry leva finalement les yeux du visage de Patricia, il put sentir trois paires d'yeux sur le sien.

— Seigneur, Barry, dit O'Reilly. Allez-vous laisser la fille rester ici debout toute la journée ?

Il ne fut pas sûr que quelqu'un ait entendu son « Désolé » marmonné à travers les rires, mais cela n'avait pas d'importance. Kitty se pencha sous la table pour chasser Lady Macbeth de la chaise supplémentaire. O'Reilly était occupé à déboucher la seconde bouteille de vin et à verser un verre pour Patricia. Arthur marcha pesamment pour renifler la main de Patricia et lui donner un coup de langue de bienvenue.

— Merci, tout le monde, dit-elle avant de s'asseoir. Je ne voulais pas m'imposer.

Barry vit sa nuque sous sa queue-de-cheval ; il mourait d'envie d'y poser un baiser léger.

— Vous imposer, vraiment ? dit Kinky alors qu'elle apparaissait dans le cadre de la porte et déposait son plateau sur un endroit libre sur le dessus de la table. Il y a ici assez de nourriture pour deux fois le nombre de personnes présentes. Joyeux Noël à vous, mademoiselle Spence. C'est *Nollaig Shona Duit* dans la langue ancienne.

Elle regarda fixement Barry, et il sut par son air à quoi elle pensait : « Alors, vous ne croyiez pas que votre amie de cœur viendrait ? »

Kinky renifla, puis elle retira du plateau les soupières et les petits bols en identifiant leur contenu alors qu'elle les déposait sur la table.

— De la purée de pommes de terre. Des choux de Bruxelles. Un mélange de carottes et de panais. Sauce à la mie de pain. Jus de viande.

Puis elle déposa une pile d'assiettes à dîner sur le napperon d'O'Reilly et dit :

— Je vais revenir avec la volaille.

— Vous n'allez pas mourir de faim dans cette maison, Patricia, dit O'Reilly.

Elle rit, émettant un son qu'avait ardemment désiré entendre Barry depuis ce qui lui semblait à présent être une éternité.

— J'ai plus de chances d'exploser. Maman avait préparé notre dîner pour 14 h 00.

— Contentez-vous de grignoter, alors, dit O'Reilly. Cela fera plaisir à Kinky de vous voir manger. Et vous allez bien boire un verre de vin, non ?

— S'il vous plaît.

Il lui tendit la coupe qu'il avait déjà remplie.

— À présent, je vais faire un tour dans la cuisine et donner un coup de main à Kinky pour le jambon.

Il se leva, puis il se rassit rapidement quand Kinky apparut en portant la dinde sur un plateau d'argent très orné de la taille d'une luge d'enfant.

— La voici, dit fièrement Kinky.

Elle haletait un peu, ce qui n'était pas étonnant; il s'agissait d'un gros et lourd oiseau. La peau de sa poitrine était bien dorée et striée de tranches de bacon gras. Elle déposa le plateau devant O'Reilly, recula, croisa les bras sur sa poitrine, inclina la tête d'un côté et l'admira avant de dire :

— Johnny Jordan nous rend fiers encore une fois cette année. C'est une jeune dinde. Elle devrait être facile à couper. J'espère que vous aimerez tous votre repas, donc.

— Kinky, pardieu, cela bat tout. C'est le spectacle le plus magnifique que j'ai vu depuis le jour de la victoire sur le Warspite. Il fut debout en un instant.

— Madame Kincaid, vous en avez assez transporté avec cette volaille. Je reviens dans une minute avec le jambon.

— Si vous le dites, monsieur, dit-elle avec un sourire alors que sa respiration s'apaisait.

Pour la deuxième fois ce jour-là, Barry admira la peau glacée du jambon, marquée d'un motif de diamant formé par des lignes sombres s'entrecroisant, et la façon dont le tout avait été parsemé d'une myriade de clous de girofle.

Kinky s'essuya les mains sur son tablier.

— Il me reste seulement la bagatelle au sherry à sortir du réfrigérateur et le pudding à sortir du bain-marie.

Elle regarda O'Reilly, toujours debout.

— Et pourriez-vous réchauffer le brandy, monsieur, pour le verser sur le pudding afin que vous puissiez l'enflammer?

— Évidemment.

— Il y a une branchette de houx et un bol de beurre au brandy sur la tablette dans la cuisine.

Elle laissa retomber l'ourlet de son tablier et ajouta :

— Donc, monsieur, mademoiselle O'Hallorhan, docteur Laverty et mademoiselle Spence, je vais vous souhaiter à tous un très joyeux Noël. J'espère que vous aimerez votre repas. Et moi, je vais aller me changer. Je vais prendre mon dîner avec Cissie Sloan et sa famille cette année. C'est une très bonne cuisinière, même si c'est une grande bavarde.

— Pas tout de suite, dit O'Reilly.

Ses yeux s'arrondirent.

— Y a-t-il quelque chose qui ne va pas avec le repas, monsieur ?

O'Reilly semblait parler très sérieusement.

— Une chose seulement.

— Quoi ?

Elle se raidit et leva les épaules.

Le sourire d'O'Reilly était immense.

— Vous, madame Kinky Kincaid, avez fait tout le travail, et nous n'avons pas encore eu l'occasion de vous remercier.

Ses épaules s'affaissèrent, et Barry put sentir son soulagement.

— Donc, Kinky — il versa du vin dans une coupe —, prenez cela.

Il la lui tendit et déplaça une chaise du côté du buffet jusqu'à la table, délogeant Lady Macbeth pour la seconde fois.

— Venez ici, et assoyez-vous une minute. Je veux que vous buviez avec nous. Et ceci — il lui tendit une enveloppe —, c'est un petit merci tangible de la part du docteur Laverty et moi.

Elle exécuta une petite révérence et s'installa sur la chaise qu'O'Reilly tirait pour elle.

— Merci à vous deux.

Barry se demanda combien d'argent il y avait dans l'enveloppe — et à combien s'élevait la part qu'on ne lui avait pas encore réclamée. Merde, il ne lui enviait pas un sou. Il regarda Patricia. L'avoir ici pour partager le festin de Noël de Kinky était tout ce qu'il voulait. Quiconque avait dit que l'argent n'était pas tout avait raison. Il tendit la main sous la table, et il prit celle de Patricia, sentant sa douceur fraîche. O'Reilly, qui était encore debout, se pencha et remplit sa coupe, puis il la leva.

— Maintenant, tout le monde, Kitty, Barry, Patricia — et il regarda sous la table — et toi, Votre Seigneurie, et toi, l'empoté d'Arthur Guinness, buvons à Kinky Kincaid.

Barry estima que quatre personnes disant «Kinky Kincaid» à l'unisson, accompagnées d'un «Aaaaghow» d'Arthur, formaient un bruit très acceptable. Cela stimula certainement Lady Macbeth, qui bondit sur la table seulement pour être déposée immédiatement sur le plancher par O'Reilly.

Kinky rougit et balbutia ses remerciements.

O'Reilly inclina la tête et dit :

— Maintenant, avalez ce vin, Kinky. Je vais couper la dinde et le jambon. Et pendant que je m'y mets, voulez-vous nous dire ce qu'il y a exactement sur ce plateau et dans la volaille?

Il prit le couteau et la fourchette à découper.

— Viande blanche ou brune, Kitty ?

— Les deux, je te prie.

Il opina de la tête et commença à trancher la poitrine.

— Allez, Kinky. Dites-nous tout.

Kinky but une petite gorgée de vin.

— Bien, dit-elle. Autour du plateau, il y a des pommes de terre et des panais rôtis. Ces petites choses sont des saucisses chipolata. Dans la partie du cou de la volaille, j'ai mis une farce au porc et aux marrons, et dans la partie du derrière, j'ai mis ma farce habituelle à la sauge, aux oignons et aux miettes de pain, donc.

— C'est extraordinaire, dit Kitty. Comment faites-vous pour tout faire, Kinky ?

Kinky but une gorgée de vin.

— C'est juste une question d'organisation.

« Tout comme le débarquement du jour J, cela représente énormément d'organisation », se dit Barry

Patricia lui ôta les mots de la bouche.

— Je pense que vous êtes une merveille, madame Kincaid.

— Vous le pensez ? dit O'Reilly. J'en suis foutrement convaincu. Je le suis depuis des années.

Il tendit une assiette à Kitty.

— Sers-toi des accompagnements.

Puis il se tourna et demanda :

— Patricia ?

— Juste une minuscule portion, s'il vous plaît. J'ai déjà mangé un dîner de Noël aujourd'hui, madame Kincaid.

Barry attendit patiemment qu'O'Reilly serve Patricia avant de le servir. Barry se dit que la part d'O'Reilly aurait pu nourrir deux personnes, et il ajouta de la sauce à la mie de pain et des légumes dans sa propre assiette déjà débordante.

Kinky termina son vin et se leva.

— Je vais partir...

— Pas encore, s'il vous plaît, dit Barry, et il se leva. J'ai un toast moi aussi.

Il hésita en essayant de trouver précisément les bons mots pour ce qu'il voulait dire.

— Crachez le morceau, cria O'Reilly. Votre dîner refroidit.

— D'accord.

Il pencha la tête, puis il la leva et parla clairement :

— À Kinky Kincaid, la meilleure gouvernante de toute l'Irlande...

— Bravo. Bravo, dit O'Reilly.

— À Fingal O'Reilly, mon collègue... et mon ami.

Il fixa O'Reilly, qui opinait la tête en guise d'acquiescement muet.

— À Kitty O'Hallorhan. Que le numéro 1 de la rue principale la voie beaucoup plus l'an prochain...

— Merci, Barry.

Kitty souriait à O'Reilly.

— À Arthur et à Sa Seigneurie. Que leur trêve de Noël se poursuive...

Il n'eut pas de chance avec ce toast. Comme si elle avait reçu un signal, Lady Macbeth donna un coup de patte vers le nez d'Arthur, mais rata son coup. Barry dut attendre qu'O'Reilly ait fini de rire avant de pouvoir continuer.

— Et à Patricia, dit-il. Que ses études connaissent sans cesse du succès...

Puis il la fixa et lui sourit en disant :

— Que la route entre Cambridge et Ballybucklebo se rejoigne pour la rencontrer la prochaine fois qu'elle fera le voyage…

— À Pâques ; et je vais faire les réservations à temps. Promis.

Il acquiesça d'un signe de tête.

— Enfin, je lève un toast à nous tous qui sommes dans cette pièce. Que 1965 soit le meilleur Nouvel An de tous et le plus heureux.

Baignant dans le bonheur, en paix avec le monde, Barry Laverty but son vin, et en son for intérieur, il sourit.

Épilogue
par madame Kincaid

Dia duit. Allô. Nous sommes le 26 décembre, et j'ai l'occasion de souffler un peu plus que d'habitude. Toute ma vie, parce que ma mère nous a enfoncé cela dans le crâne lorsque nous étions enfants, l'Après-Noël est le jour des lettres de remerciements à écrire, même si l'une d'elles va à une tante qui vit à côté et qu'elle vous a offert un tricot de corps que vous ne vouliez pas en premier lieu. Donc, me voici assise à ma table de cuisine avec un stylo dans la main et cette tablette devant moi. Mais je ne me suis pas assise pour écrire des lettres de remerciements.

Cette année, Dieu soit loué, je vais rompre avec cette tradition. Le docteur O'Reilly dit que je peux me servir du téléphone pour parler avec tous ceux à qui je n'ai pas envie d'écrire. Il a bien dit qu'il y avait une condition, donc. Je dois utiliser le temps économisé pour m'asseoir et vous donner quelques autres de mes recettes.

Il dit que ce type, Taylor, qui raconte toutes ces histoires, a reçu beaucoup de lettres depuis que j'ai inséré mes recettes dans ses deux premiers livres. Une gentille dame de l'Amérique a dit qu'elle avait essayé ma soupe de fausse tortue et que, bon sang, elle était meilleure que les recettes qu'elle avait consultées dans quatre autres livres de cuisine, donc.

J'ai le temps de le faire, car je ne cuisine pas aujourd'hui. Mes docteurs sont partis à la fête de Flo Bishop. Et pour quand ils rentreront à la maison, j'ai un réfrigérateur rempli de dinde froide et de jambon. J'ai désossé la viande ce matin, et la carcasse de dinde et l'os du jambon sont en train de bouillir afin que je puisse faire du bouillon. Le vieil Arthur aura l'os plus tard, et j'ai mis de côté quelques gâteries de dinde pour Sa Seigneurie Lady Macbeth. Le petit chou.

Le docteur O'Reilly, il dit de vous donner un tas de recettes de Noël, et ce n'est pas si fou, même si Noël est passé. Une des choses que je vais vous dire, c'est que les puddings de Noël et le gâteau de Noël étaient traditionnellement faits l'année précédente en Irlande. J'ai fait mon gâteau de Noël en août dernier, et puisque mon pudding a mangé mon bol en acier inoxydable, je ne suis plus aussi sûre de refaire cela de sitôt.

Vous verrez en poursuivant votre lecture que cette année, j'apporte un changement en ne vous donnant plus uniquement les quantités en livres et en onces, en tasses et en cuillères. Le premier livre de notre homme, Taylor, a été traduit en allemand, en néerlandais et en russe... Comment diable peut-on traduire l'expression « aussi loin que peut atteindre le cri d'un beagle » ? Cela me dépasse. Mais... il y a eu une demande pour que j'utilise ces nouvelles mesures ultramodernes en grammes et en millilitres pour l'amour des Européens continentaux. Bon, je ne peux pas convertir les mesures, mais quand cette gentille institutrice, mademoiselle Nolan, reviendra en début d'année, je vais lui demander de me donner un coup de main avec les quantités.

Si vous voulez suivre les anciennes méthodes ou utiliser les nouvelles mesures ultramodernes, voici les recettes.

J'espère qu'elles seront une réussite pour vous.

Recettes de Noël de l'Ulster

Hachis de fruits

225 g/8 oz de suif végétarien

225 g/8 oz de pommes Bramley pelées, sans les trognons et hachées finement. (Ces pommes poussent à Co Armagh en Irlande, donc si vous n'en trouvez pas, utilisez les pommes que vous aimez.)

125 g/4 oz de pelures confites et hachées

225 g/8 oz de raisins de Corinthe

175 g/6 oz de sucre à la Demerara

1 cuillère à thé d'épices mélangées

1 orange, son zeste et son jus

60 ml/2 oz liquides de brandy

Mélangez tous les ingrédients. Versez le mélange dans des pots stérilisés et scellez. Entreposez dans un endroit frais et sombre jusqu'à l'utilisation.

Cela donne environ 4 livres ou 1,8 kg, et c'est une garniture irlandaise traditionnelle de tartelettes aux fruits secs qui sont servies chaudes à Noël. Ma famille l'utilise depuis des générations, et à l'origine, la recette contenait de la viande. Aujourd'hui, la seule viande présente se trouve dans le suif, et pour l'amour des végétariens comme mademoiselle Moloney, je l'ai omis.

Voici une autre de mes petites spécialités de Noël dont je veux vous parler et qui va parfaitement bien avec vos tartelettes aux fruits secs ou votre pudding de Noël. On la prépare en un rien de temps.

Beurre au brandy

125 g/4 oz de beurre non salé, ramolli
125 g/4 oz de sucre glace
6 cuillères à thé d'eau bouillante
9 cuillères à thé de brandy

Battez le beurre et le sucre glace ensemble. Battez l'eau et le brandy avec le mélange jusqu'à l'obtention d'un mélange homogène. Faites-le refroidir jusqu'à l'utilisation, et servez-le avec des tartelettes aux fruits secs chaudes ou du pudding de Noël.

Gâteau de Noël

225 g/8 oz de beurre
225 g/8 oz de cassonade
225 g/8 oz de farine tout usage
225 g/8 oz de chacun : raisins de Corinthe, raisins secs, raisins muscats et raisins de Smyrne
110 g/4 oz cerises confites et de pelures confites mélangées
50 g/2 oz d'amandes moulues
1 cuillère à thé d'épices mélangées
1 cuillère à thé de cannelle
1 cuillère à thé de sel
4 œufs
Le zeste d'un citron et d'une orange

Préchauffez le four à 140 °C (275 °F). Chemisez un moule à gâteau de 20 cm de manière à ce que le papier dépasse d'environ 3 cm de chaque côté. Crémez ensemble le beurre et le sucre jusqu'à ce que le mélange soit léger et mousseux. Ajoutez les œufs un à la fois en battant bien le mélange. Incorporez les amandes, la farine, le sel et les épices. Finalement, ajoutez les cerises, les fruits séchés et les pelures. Versez le mélange dans le moule préparé. Faites cuire dans le four préchauffé pendant 3 heures. Vérifiez s'il est prêt en y insérant une mince brochette. Quand elle en ressort propre, le gâteau est cuit. Laissez-le refroidir, et rangez-le dans un contenant hermétique jusqu'à ce que vous soyez prêt à le glacer.

Vous pouvez acheter de la pâte d'amande et du glaçage royal ou les préparer vous-mêmes. Peu importe ce que vous faites, assurez-vous de laisser sécher la pâte d'amande quelques jours avant de mettre le glaçage royal, car sinon, vous allez le gâcher, donc.

Glaçage royal

3 blancs d'œufs
600 g/1 lb et 5 oz de sucre glace tamisé
1 cuillère à thé de glycérine liquide (optionnel)
3 cuillères à thé de jus de citron

Fouettez légèrement les blancs d'œufs en ajoutant du sucre à intervalles réguliers. Battez bien jusqu'à ce que le glaçage forme des pics mous. Ajoutez la glycérine, si vous l'utilisez, et le jus de citron.

Pâte d'amande

150 g/5 oz d'amandes moulues
140 g/5 oz de sucre semoule
1/2 citron (le jus seulement)
Environ 10 gouttes de glycérine
Essence d'amande ou de vanille, au goût

Mélangez les amandes moulues et le sucre. Ajoutez graduellement le jus de citron et la glycérine jusqu'à l'obtention de la texture de la pâte d'amande. Parfumez au goût avec l'essence d'amande ou de vanille.

Glacer le gâteau

Déposez le gâteau de Noël sur une assiette à gâteau ou un carton recouvert de papier d'aluminium. Saupoudrez vos mains et la surface de travail avec un peu de sucre glace, et pétrissez la pâte d'amande jusqu'à ce qu'elle ramollisse. Roulez-en la moitié pour qu'elle couvre le dessus de gâteau et le reste pour en faire le tour. Badigeonnez le gâteau avec de la confiture d'abricot chaude, et placez la pâte d'amande dessus. Couvrez le gâteau d'un torchon, et laissez-le reposer pendant une journée ou deux avant de le couvrir de glaçage royal.

Pudding de Noël

175 g/6 oz de miettes de pain frais
400 ml/13,5 oz liquides de lait
300 g/10,5 oz de sucre semoule blanc
250 g/9 oz de suif
175 g/6 oz de farine tout usage

½ cuillère à thé de sel

1 ½ cuillère à thé de muscade

175 g/6 oz de carottes râpées

250 g/9 oz de raisins de Corinthe

250 g/9 oz de raisins secs

175 g/6 oz de purée de pommes de terre

75 g/2,5 0z de pelures de fruits mélangés

3 œufs battus

4 cuillères à thé de mélasse noire ou raffinée

Chauffez le lait jusqu'au point d'ébullition, et versez-le sur les miettes de pain dans un très grand saladier. Ajoutez le sucre, et laissez tremper pendant une demi-heure. Incorporez tous les autres ingrédients à l'exception des œufs et de la mélasse noire ou raffinée, et mélangez bien. Finalement, ajoutez les œufs et la mélasse et battez très bien. Versez la préparation dans des bols graissés, couvrez-les et faites-les cuire à la vapeur pendant 4 heures.

Continuez à ajouter de l'eau bouillante de temps à autre pour vous assurer de ne pas cuire à sec. Le pudding prend de la maturité et a bien meilleur goût si vous pouvez vous rappeler de le préparer de six mois à un an avant d'en avoir besoin. Puis, le jour de Noël, faites-le cuire à la vapeur pendant deux heures supplémentaires. Retournez-le et garnissez-le d'une branchette de houx.

Donne un très gros pudding de 1 ½ litre ou deux petits de ¾ litre chacun. Vous pouvez utiliser des bols spéciaux avec leurs propres couvercles ou bien les recouvrir de papier d'aluminium. Je me sers de papier ciré puis de papier brun, j'attache le tout avec une corde en formant une poignée avec la corde. Si vous n'avez pas de médecin sous la main, vous devez vraiment être prudent avec l'eau bouillante, donc.

Sauce au brandy

55 g/2 oz de beure
55 g/2 oz de farine tout usage
570 ml/1 pinte (20 oz liquides) de lait
55 g/2 oz de sucre semoule
65 ml/2 oz liquides de brandy

Faites fondre le beurre, et incorporez la farine. Faites cuire pendant 2 minutes, puis incorporez le lait et portez à ébullition en brassant constamment. Laissez mijoter pendant 10 minutes. Incorporez le brandy et le sucre, et servez avec le pudding de Noël.

Bon, c'est tout. Je vais boire une bonne tasse de thé et lire un nouveau livre que j'ai reçu à Noël de ma sœur Ailech qui vit à Rosbeg dans le County Donegal. Il s'intitule *Les Larrons*, et c'est de William Faulkner. J'ai tellement aimé son *Tandis que j'agonise*.

Et à vous, je souhaite le succès dans vos recettes et un *Athbhliain shona dhuit* — une bonne année à vous tous. Il ne fait aucun doute que vous entendrez bientôt parler de moi à nouveau. Parfois, je me demande si ce type, ce Taylor, ne va jamais manquer d'inspiration. Il est aussi bavard que Cissie Sloan.

Slán agat,
Au revoir,

Madame Kinky Kincaid,
gouvernante du docteur Fingal Flahertie O'Reilly, M.D.,
C.M. et D.E.S.,
1 Main Street, Ballybucklebo, County Down,
Irlande du Nord